30
ANOS

A marca FSC® é a garantia de que a madeira utilizada na fabricação do papel deste livro provém de florestas que foram gerenciadas de maneira ambientalmente correta, socialmente justa e economicamente viável, além de outras fontes de origem controlada.

KARL OVE KNAUSGÅRD

Uma temporada no escuro
Minha luta 4

Tradução do norueguês
Guilherme da Silva Braga

COMPANHIA DAS LETRAS

Copyright © 2010 by Karl Ove Knausgård e Forlaget Oktober A/S, Oslo
Todos os direitos reservados.

Grafia atualizada segundo o Acordo Ortográfico da Língua Portuguesa de 1990, que entrou em vigor no Brasil em 2009.

Título original
Min Kamp 4

Capa
Alceu Chiesorin Nunes

Imagem de capa
Mario Simnch

Preparação
Ana Cecília Agua de Melo

Revisão
Huendel Viana
Luciane Gomide Varela

Dados Internacionais de Catalogação na Publicação (CIP)
(Câmara Brasileira do Livro, SP, Brasil)

Knausgård, Karl Ove
    Uma temporada no escuro : minha luta 4 / Karl Ove Knausgård ; tradução do norueguês Guilherme da Silva Braga. — 1ª ed. — São Paulo : Companhia das Letras, 2016.

    Título original : Min Kamp 4
    ISBN 978-85-359-2747-4

    1. Literatura norueguesa 2. Romance autobiográfico
I. Título.

16-03739   CDD-839.823

Índice para catálogo sistemático:
1. Romances : Literatura norueguesa 839.823

[2016]
Todos os direitos desta edição reservados à
EDITORA SCHWARCZ S.A.
Rua Bandeira Paulista, 702, cj. 32
04532-002 — São Paulo — SP
Telefone: (11) 3707-3500
Fax: (11) 3707-3501
www.companhiadasletras.com.br
www.blogdacompanhia.com.br
facebook.com/companhiadasletras
instagram.com/companhiadasletras
twitter.com/cialetras

PARTE 5

Minhas duas malas vieram lentamente pela esteira na área de desembarque. Eram malas antigas, do fim da década de 1960, eu as tinha encontrado em meio às coisas da minha mãe quando estávamos preparando a mudança, um dia antes que o caminhão chegasse, e me apropriei delas no mesmo instante porque se adequavam a mim e ao meu estilo, a tudo de não muito contemporâneo e não muito aerodinâmico que eu buscava.

Apaguei o cigarro no cinzeiro vertical junto à parede, tirei as malas da esteira e levei-as para fora.

Eram cinco para as sete.

Acendi outro cigarro. Não havia pressa nenhuma, eu não tinha nenhum compromisso, ninguém para encontrar.

O céu estava encoberto, mas assim mesmo o dia estava claro e seco. A paisagem sugeria uma montanha, mesmo que o aeroporto às minhas costas estivesse a poucos metros do mar. As poucas árvores que eu via eram baixas e retorcidas. Os picos das montanhas no horizonte estavam brancos de neve.

Um pouco à minha frente o ônibus do aeroporto se enchia depressa.

Será que eu devia pegá-lo?

O dinheiro que o meu pai tinha me emprestado tão a contragosto para a viagem precisava durar até que eu recebesse o meu primeiro salário, dentro de um mês. Por outro lado, eu não sabia onde ficava o albergue da juventude, e sair numa busca dessas em uma cidade desconhecida com duas malas e uma mochila nas costas não seria um bom começo para a nova vida que eu planejava.

Não, seria melhor pegar um táxi.

A não ser por um curto passeio até uma lanchonete próxima, onde jantei duas salsichas que repousavam em um prato com purê de batata, passei a noite inteira no albergue da juventude, deitado na cama com o edredom nas costas e ouvindo música no walkman enquanto escrevia cartas para Hilde, Eirik e Lars. Também comecei uma carta para Line, que tinha sido minha namorada naquele verão, mas deixei-a de lado assim que terminei a primeira página, tirei a roupa e apaguei a luz, embora não fizesse muita diferença, porque a noite de verão era clara e a cortina laranja brilhava como um olho no meu quarto.

Em geral eu dormia bem independente das condições, mas aquela noite eu passei em claro. Faltavam cinco dias para o meu primeiro dia de trabalho. Em apenas cinco dias eu entraria na sala de uma escola em um pequeno vilarejo litorâneo no norte da Noruega, um lugar onde eu nunca tinha estado e a respeito do qual eu nada sabia, nem mesmo através de fotos.

Eu!

Um garoto de dezoito anos nascido em Kristiansand que tinha acabado de completar o colegial e acabado de sair de casa, sem nenhuma experiência profissional a não ser por umas tardes e fins de semana passados numa fábrica de parquê, um pouco de jornalismo praticado no jornal local e um recém-terminado mês de trabalho de verão num hospital psiquiátrico, seria a partir de então professor na escola de Håfjord.

Não, eu não conseguia dormir.

O que os alunos pensariam de mim?

Quando eu entrasse na sala para a minha primeira aula e todos estivessem a postos nas carteiras, o que eu ia dizer?

E os outros professores, que diabos pensariam de mim?

Uma porta se abriu no corredor, ouviam-se música e vozes. Alguém saiu cantarolando pelo corredor. Ouvi um grito de *"Hey, shut the door!"*. Pouco depois a porta se fechou e todos os barulhos desapareceram mais uma vez. Me virei para o outro lado. A estranheza de estar deitado em uma noite clara também contribuiu para que eu não conseguisse dormir. E quando a ideia de que eu não conseguia dormir se estabeleceu, tornou-se absolutamente impossível pegar no sono.

Me levantei, vesti de novo as roupas, me sentei na cadeira junto à janela e comecei a ler. *Dødt løp*, de Erling Gjelsvik.

Todos os livros de que eu gostava versavam no fundo sobre a mesma coisa. *Hvite niggere*, de Ingvar Ambjørnsen, *Beatles*, de Lars Saabye Christensen, *Jack*, de Ulf Lundell, *On the Road*, de Jack Kerouac, *Last Exit to Brooklyn*, de Hubert Selby, *Romance com cocaína*, de M. Aguéiev, *Koloss*, de Finn Alnæs, *Lasso rundt fru Luna*, de Agnar Mykle, os três livros de Jens Bjørneboe sobre a história da bestialidade, *Gentlemen*, de Klas Östergren, *Ikaros*, de Axel Jensen, *The Catcher in the Rye*, de J. D. Salinger, *Humlehjertene*, de Ola Bauer, *Cartas na rua*, de Charles Bukowski. Eram livros sobre jovens que não se adaptavam à sociedade, que desejavam para suas vidas mais do que uma simples rotina, mais do que uma família, em suma, jovens que desprezavam a burguesia e saíam em busca da liberdade. Eles viajavam, enchiam a cara, liam e sonhavam com um grande amor ou com um grande romance.

Tudo que eles queriam era o que eu também queria.

Tudo que eles sonhavam era o que eu também sonhava.

O grande anseio que eu sempre havia sentido no meu peito se aplacava quando eu lia esses livros, para depois voltar com intensidade dez vezes maior quando eu os deixava de lado. Assim tinha sido durante todo o colegial. Eu detestava todo tipo de autoridade e me opunha a toda a maldita sociedade em que eu havia me criado, cheia como era de valores burgueses e perspectivas materialistas. Eu desprezava as coisas que tinha aprendido no colegial, mesmo aquelas relacionadas à literatura; tudo que eu precisava saber, todo o conhecimento verdadeiro, o único realmente necessário, se encontrava nos livros que eu lia e nas músicas que eu escutava. Eu não tinha o menor interesse em dinheiro ou em status, porque sabia que o valor da vida estava em outro lugar. Eu não queria estudar, não queria me formar em uma instituição convencional como a universidade, eu queria viajar para o sul da Europa, dormir nas praias, em hotéis baratos, na casa dos amigos que eu fizesse pelo caminho. Fazer bicos para sobreviver, lavar pratos em um hotel, carregar ou descarregar navios, colher maçãs... Naquela primavera eu tinha comprado um livro com listas de todos os trabalhos possíveis e imagináveis que se podia conseguir em diferentes países europeus. Mas tudo desaguaria em um romance. Eu queria escrever num vilarejo espanhol, ir a Pamplona correr dos touros, descer até a Grécia e escrever nas ilhas para depois voltar à Noruega com um romance pronto na mochila depois de um ou dois anos.

Esse era o plano. Foi por isso que não entrei para o serviço militar ao fim do colegial, como muitos dos meus colegas, nem me matriculei na universidade, como os outros haviam feito, mas em vez disso fui ao escritório de empregos em Kristiansand e pedi uma lista com todas as vagas abertas de professor no norte da Noruega.

— Ouvi dizer que você vai ser *professor*, Karl Ove — diziam as pessoas que eu encontrava no final do verão.

— Não — eu respondia. — Vou ser escritor. Mas no meio-tempo eu preciso me sustentar. Vou trabalhar no norte por um ano, guardar dinheiro e depois viajar pelo sul da Europa.

Essa já não era mais uma simples ideia, mas a realidade em que eu me encontrava: no dia seguinte eu iria até o porto de Tromsø, pegaria o barco expresso para Finnsnes e de lá um ônibus um pouco mais para o sul, até o pequeno vilarejo de Håfjord, onde o zelador da escola estaria me esperando.

Não, eu não conseguia dormir.

Peguei a meia garrafa de uísque que eu tinha na mala, peguei um copo no banheiro, me servi, abri a cortina e tomei o primeiro gole arrepiante enquanto olhava para os prédios sob a estranha iluminação no lado de fora.

Quando acordei às dez horas na manhã seguinte minha ansiedade havia passado. Arrumei as malas, chamei um táxi na recepção e saí com as malas para fumar enquanto esperava. Era a primeira vez na minha vida que eu viajava para um lugar sem precisar voltar depois. Já não havia mais volta a partir daquele momento. Minha mãe tinha vendido a nossa casa e se mudado para Førde. Meu pai estava morando com a nova esposa ainda mais ao norte do país. Yngve morava em Bergen. E eu estava a caminho do primeiro apartamento só meu. Lá eu teria o meu trabalho e ganharia o meu próprio dinheiro. Pela primeira vez na vida era eu quem decidia sobre todos os elementos que compunham a minha vida.

E, caralho, era uma sensação maravilhosa!

O táxi subiu a encosta, eu joguei meu cigarro no chão, pisoteei-o e depois coloquei minha bagagem no porta-malas, que o taxista, um senhor corpulento que tinha cabelos brancos e uma corrente de ouro no pescoço, tinha aberto para mim.

— Para o cais — eu disse, me acomodando no assento de trás.

— O cais é grande — ele disse, virando-se para mim.

— Eu quero ir para Finnsnes com o barco expresso.

— Muito bem, então.

O taxista pôs o carro em marcha.

— Você vai fazer o colegial por lá?

— Não — respondi. — Vou seguir viagem até Håfjord.

— Ah, é? Vai pescar, então? Você não tem jeito de pescador!

— Na verdade eu vou trabalhar como professor.

— Ah, claro. Claro. Muitos sulistas fazem a mesma coisa. Mas você não é jovem demais? A idade mínima é dezoito anos, não?

Ele riu e me olhou pelo espelho.

Eu também ri um pouco.

— Eu terminei o colegial no verão. Me parece melhor do que nada.

— É verdade — o taxista respondeu. — Mas pense nos jovens que moram por lá. Sempre professores recém-formados. Um novo a cada ano. Não chega a ser nenhuma surpresa que tantos virem pescadores quando terminam a escola!

— Não — eu disse. — Mas isso não é minha culpa.

— Não, não, de jeito nenhum! Ninguém está falando em culpa! Pescar é uma ocupação bem mais interessante do que estudar, sabe? Do que simplesmente ficar lendo até completar trinta anos...

— Sei. Eu não vou estudar.

— Mas você vai ser professor!

Ele me olhou pelo espelho mais uma vez.

— É — concordei.

Por alguns minutos fez-se silêncio. Então o taxista tirou a mão do câmbio e apontou para fora.

— É de lá que parte o barco expresso.

Ele parou em frente ao terminal, deixou minha bagagem no chão e fechou o porta-malas. Eu entreguei o dinheiro sem saber direito como funcionavam as gorjetas e tinha passado o trajeto inteiro preocupado com isso, mas resolvi o problema dizendo que ele podia ficar com o troco.

— Muito obrigado! — o taxista agradeceu. — E boa sorte!

Eram cinquenta coroas.

Quando o táxi se afastou eu contei meu dinheiro, ainda de pé.

A situação não era muito boa, mas com certeza eu poderia pedir um adiantamento assim que chegasse, afinal todos entenderiam que eu não tinha como ter dinheiro *antes* de começar a trabalhar.

Com uma única rua principal e várias construções de alvenaria provavelmente erguidas às pressas, arredores humildes e cordilheiras de montanhas ao longe, me ocorreu que Finnsnes parecia uma pequena cidade no Alasca ou no Canadá quando horas mais tarde eu aguardava a partida do ônibus, sentado numa confeitaria com uma caneca de café em cima da mesa. Não havia como falar em centro; a cidade era tão pequena que tudo contava como centro. A atmosfera não era a mesma das outras cidades às quais eu estava acostumado, em parte porque Finnsnes era bem menor, claro, mas também porque em parte alguma se percebia qualquer esforço para que o lugar parecesse mais bonito ou mais agradável. A maioria das cidades tinha um lado da frente e um lado de trás, mas lá tudo parecia ser igual.

Comecei a folhear os dois livros que eu havia comprado na livraria próxima. Um se chamava *Det nye vannetog* e era escrito por Roy Jacobsen, um autor ainda desconhecido para mim, e o outro era *Sennepslegionen*, de Morten Jørgensen, que havia tocado em bandas que eu costumava acompanhar uns anos atrás. Talvez não tivesse sido muito inteligente gastar dinheiro com aquilo, mas afinal de contas eu queria ser escritor, ler era importante, especialmente para entender no que consistia a técnica. Será que eu conseguiria escrever daquele jeito?, eu me perguntava o tempo inteiro enquanto folheava as páginas.

Depois fui até o ônibus, fumei um último cigarro do lado de fora, guardei as malas no bagageiro, paguei o motorista e pedi que me avisasse quando chegássemos a Håfjord, fui até o fundo e me sentei no penúltimo assento à esquerda, o meu lugar favorito desde sempre.

Do outro lado do corredor, na diagonal, estava uma garota bonita e loira, talvez um ou dois anos mais nova do que eu, no assento ao lado havia uma mochila e imaginei que ela talvez cursasse o colegial em Finnsnes e estivesse voltando para casa. Ela me viu quando entrei, e quando o motorista engatou a marcha e o ônibus começou a sacolejar ela se virou e olhou para mim mais uma vez. Não por muito tempo, foi bem rápido, um simples lance de olhos, mas assim mesmo bastou para me deixar de pau duro.

Peguei os fones de ouvido e coloquei uma fita no walkman. The Smiths, *The Queen is Dead*. Para não parecer insistente, me concentrei em olhar para fora da minha janela durante os primeiros quilômetros e resisti a todos os impulsos de olhar na direção dela.

Depois do centro passamos por um bairro que avançava por mais uns quilômetros e parecia um loteamento, onde mais ou menos a metade dos passageiros desceu, e então pegamos um trecho longo e deserto em linha reta. Enquanto o céu de Finnsnes era pálido e a cidade abaixo via-se banhada por aquela luz indiferente, naquele ponto a luz azul parecia mais intensa e mais profunda, e o sol acima das montanhas a sudoeste, cujas encostas baixas mas íngremes impediam a visão do mar que devia estar do outro lado, fazia o denso urzal avermelhado e quase lilás que crescia nos dois lados da estrada cintilar. As árvores que cresciam por lá eram na maioria pinheiros retorcidos e bétulas-anãs. No meu lado as montanhas verdejantes rumo às quais o vale subia tinham encostas suaves, que mais pareciam colinas, enquanto do outro lado tinham encostas íngremes, brutas e alpinas, mesmo que a altura fosse modesta.

Não se via nenhuma pessoa e nenhuma casa.

Mas eu não tinha ido tão longe para encontrar outras pessoas, eu tinha ido tão longe para escrever em paz.

Esse pensamento fez com que um arrepio de felicidade atravessasse todo o meu corpo.

Eu estava a caminho, eu estava a caminho!

Duas horas mais tarde, ainda envolto pela música, vi uma placa de trânsito mais à frente. Pelo comprimento do nome, concluí que devia ser Håfjord. O caminho apontado seguia reto em direção à montanha. Não se poderia falar exatamente em um túnel, aquilo estava mais para um buraco, as paredes de rocha detonada não tinham recebido nenhum tratamento e tampouco havia luz lá dentro. A água escorria do teto em uma quantidade tão grande que o motorista ligou o limpa-vidros. Quando chegamos ao outro lado eu quase não acreditei. Em meio a duas cordilheiras longas e escarpadas, íngremes e estéreis, havia um pequeno fiorde, e mais além, como uma imensa planície azul, estendia-se o mar.

Ahhh!

O trajeto feito pelo ônibus acompanhava de perto a montanha. Para apreciar melhor a paisagem, me levantei e fui para o outro lado do ônibus. Com o rabo do olho percebi que a garota loira se virou em minha direção e sorriu ao me ver com o rosto colado no vidro. Abaixo das montanhas no outro lado havia uma pequena ilha com o interior repleto de casas e a orla deserta, ou pelo menos era o que se via àquela distância. Alguns barcos pesqueiros estavam amarrados em um pequeno porto no interior de um molhe. As montanhas continuavam por cerca de um quilômetro. Na parte mais central as encostas eram cobertas de vegetação, mas no exterior eram totalmente nuas e desciam a pique rumo ao mar.

O ônibus atravessou outro túnel que parecia uma gruta. Do outro lado, na encosta de um vale que parecia suave naquele cenário, ficava o vilarejo onde eu passaria o ano seguinte.

Meu Deus.

Aquilo era incrível!

A maioria das casas ficava ao redor de uma estrada em forma de U que serpenteava pelo vilarejo. Um pouco abaixo da estrada mais baixa havia uma construção de aspecto industrial junto a um cais, que devia ser o mercado de peixes, a julgar pela grande quantidade de barcos no lado de fora. No final do U se erguia uma capela. Um pouco acima da estrada mais alta havia uma fileira de casas, e mais atrás havia apenas urzes e arbustos e bétulas-anãs até o ponto em que o vale terminava, onde uma grande montanha se erguia nos dois lados.

Não havia mais nada.

Ou melhor: no lugar onde a estrada mais alta atravessava a estrada mais baixa, logo após a entrada do túnel, havia dois prédios grandes. Devia ser a escola.

— Håfjord! — o motorista anunciou lá na frente. Coloquei os fones de ouvido no bolso e comecei a caminhar, o motorista desceu os degraus comigo e abriu a porta do bagageiro, eu disse obrigado pela viagem, ele respondeu de nada sem abrir um sorriso, subiu outra vez e em seguida manobrou o ônibus e tornou a entrar no túnel.

Com uma mala em cada mão e o saco de marinheiro nas costas, olhei primeiro para cima, depois para baixo do terreno à procura do zelador enquanto eu enchia o pulmão com o ar fresco e salgado daquele lugar.

Na casa em frente ao ponto de ônibus uma porta se abriu. Lá de dentro saiu um homenzinho vestido apenas com uma camiseta e calça de malha. Pelo caminho que fez, compreendi que era o homem que eu procurava.

A não ser por uns resquícios de cabelo ao redor das orelhas, ele era totalmente calvo. O rosto tinha uma expressão suave, com traços marcantes de um homem na casa dos cinquenta anos, mas quando ele se aproximou notei que os olhos por trás dos óculos eram pequenos e penetrantes de uma maneira que não correspondia ao restante da figura.

— Knausgård? — ele perguntou, estendendo a mão sem me olhar nos olhos.

— Eu mesmo — respondi, apertando a mão dele. Era uma mão pequena, seca e meio animalesca. — E você deve ser Korneliussen?

— Correto — ele respondeu com um sorriso enquanto deixava os braços penderem ao lado do corpo e olhava para longe. — O que você me diz?

— A respeito de Håfjord? — perguntei.

— Você gostou do lugar? — ele disse.

— É incrível — respondi.

Korneliussen se virou e apontou para a parte mais alta do terreno.

— É lá que você vai morar — ele disse. — Vamos ser vizinhos. Eu moro bem ali, está vendo? Vamos subir e dar uma olhada?

— Vamos — eu disse. — Você sabe se as minhas coisas já chegaram?

Ele balançou a cabeça.

— Não que eu saiba — disse.

— Então devem chegar na segunda-feira — eu disse enquanto começava a subir a estradinha ao lado dele.

— Pelo que entendi, o meu filho mais novo vai ser aluno seu — ele disse. — O Stig. Ele está na quarta série.

— Você tem mais filhos, então? — eu disse.

— Quatro no total — Korneliussen respondeu. — Dois ainda moram em casa. O Johannes e o Stig. A Tone e o Ruben moram em Tromsø.

Olhei para o vilarejo enquanto caminhávamos. Vultos se erguiam em frente àquilo que devia ser uma loja, onde também havia dois carros estacionados. E no lado de fora de uma tenda, na estrada mais alta, estavam pessoas com bicicletas.

Um barco a uma grande distância se aproximava lentamente do fiorde.

As gaivotas gritavam no porto.

No mais tudo estava em silêncio.

— Quantas pessoas moram aqui? — eu perguntei.

— Umas duzentas e cinquenta — ele disse. — Depende se você conta as crianças que vão à escola ou não.

Paramos em frente a uma casa de madeira da década de 1970, junto à porta do térreo, que ficava atrás de um vestíbulo.

— Aqui está — ele disse. — Pode entrar. A porta deve estar aberta. Mas eu já posso entregar a chave para você agora mesmo.

Abri a porta, entrei no corredor, larguei as malas no chão e peguei a chave que ele tinha me alcançado. O interior tinha o cheiro das casas que passam um tempo desabitadas. Um leve odor de umidade e mofo, que por pouco não remetia a um ambiente a céu aberto.

Empurrei a porta entreaberta e cheguei à sala. O chão era coberto por um carpete cor de laranja. Havia também uma escrivaninha marrom-escura, uma mesa de jantar marrom-escura e um pequeno conjunto de sofá e poltronas de madeira escura com estofamento marrom e laranja. Duas janelas grandes voltadas para o norte.

— Parece muito agradável — eu disse.

— A cozinha fica ali — disse Korneliussen, apontando para uma porta no fim da pequena sala. Em seguida ele se virou. — E o quarto ali.

O tapete da cozinha tinha uma clássica estampa amarela, marrom e branca da década de 1970. Uma mesa pequena ao lado da janela. Uma geladeira com um congelador na parte de cima. Uma pia com um pequeno balcão da Respatex. Assoalho de linóleo cinza.

— E por último o quarto — disse Korneliussen. Ele ficou na porta quando entrei. O carpete do chão era mais escuro que o da sala, o papel de parede era claro e a peça estava totalmente vazia, a não ser por uma cama baixa e muito larga feita do mesmo material que os outros móveis. Teca, ou imitação de teca.

— Perfeito! — eu disse.

— Você tem roupas de cama?

Balancei a cabeça.

— Estão vindo com a mudança.

— Você pode pegar um jogo emprestado, se quiser.

— Seria ótimo — eu disse.

— Já vou trazer, então — ele disse. — E se você tiver qualquer dúvida, qualquer dúvida mesmo, é só bater na minha porta. Por aqui não temos medo de visitas!

— Certo — eu disse. — Obrigado!

De uma das janelas da sala eu segui Korneliussen com o olhar enquanto ele descia o terreno em direção à casa dele, que ficava a uns vinte metros da minha.

Minha!

Eu tinha a minha própria casa!

Andei de um lado para o outro lá dentro, abri umas gavetas e espiei dentro de uns armários até que o zelador voltasse com uma pilha de roupas de cama nos braços. Quando ele foi embora, comecei a organizar as poucas coisas que eu havia levado comigo. Minhas roupas, uma toalha, a máquina de escrever, alguns livros, um maço de folhas de ofício. Arrastei a escrivaninha para junto de uma das janelas da sala, coloquei a máquina de escrever em cima, afastei a luminária de pedestal e organizei meus livros no parapeito, junto com um exemplar do periódico literário *Vinduet*, que eu tinha comprado em Oslo e decidido assinar. Ao lado empilhei as quinze ou vinte fitas cassete que eu havia levado comigo, e ao lado do maço de papel em cima da mesa coloquei o meu walkman e pilhas sobressalentes.

Quando terminei de arrumar a escrivaninha, guardei minhas roupas nos armários do quarto, enfiei as malas vazias na prateleira mais alta e depois fiquei parado no meio do quarto sem saber o que fazer.

Tive vontade de telefonar para alguém, mas não havia telefone na casa. Será que eu devia sair e procurar um telefone público?

Eu também estava com fome.

O que seria aquela tenda que parecia uma lanchonete? Será que eu devia ir até lá?

Não havia nada a fazer em casa.

Em frente ao espelho do pequeno banheiro no corredor deixei a minha boina preta. Já do lado de fora da casa, parei durante alguns instantes e olhei para baixo. Bastava correr os olhos para ver o vilarejo inteiro e todo mundo que morava nele. Não havia muito onde se esconder. Quando fui até a estrada, que na parte mais alta era de cascalho, e na mais baixa de asfalto, eu me senti transparente.

Um grupo de garotos por volta dos quinze anos estava reunido em frente à lanchonete. A conversa foi interrompida assim que cheguei. Passei sem olhar para eles, subi a escada que levava à plataforma que fazia as vezes de terraço e me aproximei do guichê, que reluzia com um intenso brilho amarelo na claridade noturna do fim de verão. A janela estava quase grudada de tanta gordura. Um garoto na mesma faixa etária dos outros apareceu e abriu o guichê. Dois ou três fios pretos cresciam no queixo dele. Os olhos eram castanhos, os cabelos eram pretos.

— Um hambúrguer com fritas e uma Coca-Cola — pedi. Ouvi com atenção para ver se os cochichos mais atrás diziam respeito a mim. Mas não. Acendi um cigarro e andei de um lado para o outro na plataforma enquanto esperava. O garoto baixou o instrumento em formato de rede cheio de palitos de batata para dentro do óleo fervente. Largou um hambúrguer na chapa. A não ser pelos sussurros das vozes cheias de entusiasmo às minhas costas, tudo estava em silêncio. As luzes estavam acesas nas casas da ilha para além do fiorde. As nuvens estavam baixas acima da ilha, porém mais altas acima do mar, fechadas e meio cinzentas, mas não chegavam a ser nuvens escuras.

O silêncio não era opressor, era aberto.

Mas não aberto para nós, pensei por um motivo qualquer. O silêncio sempre tinha sido daquela forma naquele lugar, muito antes de existirem as pessoas, e continuaria a ser o mesmo depois que todos houvessem desaparecido. Um silêncio que repousa naquele berço de montanhas em frente ao mar.

Onde será que acabava? Nos Estados Unidos?

É, devia ser. Em Newfoundland.

— Aqui está — disse o garoto enquanto colocava uma bandeja de isopor com um hambúrguer, algumas tiras de alface, um quarto de tomate e um montinho de batatas fritas na prateleira do lado de fora do guichê. Paguei, peguei a bandeja e me virei para ir embora.

— É você o novo professor? — perguntou um dos garotos, debruçado por cima do guidom da bicicleta.
— Sou — respondi.
— Nós vamos ser seus alunos — ele disse, e então cuspiu e afastou o boné dos olhos.
— Estamos no nono ano. E ele está no oitavo.
— É mesmo? — eu disse.
— É — ele respondeu. — Você é do sul?
— Sou — eu disse. — De Sørlandet.
— Muito bem — ele disse, acenando a cabeça como se eu estivesse numa entrevista e aquele fosse o sinal de que eu estava dispensado.
— Como vocês se chamam? — perguntei.
— Logo você vai saber — ele respondeu.
Todos riram. Sorri como se aquilo não fosse nada, porém me senti estúpido quando os deixei para trás. Aquele garoto tinha me vencido.
— Como você se chama? — ele gritou às minhas costas.
Eu virei o rosto sem interromper minha caminhada.
— Mickey — eu disse. — Mickey Mouse.
— Vejam só, o novo professor também é comediante! — ele gritou.

Depois de comer o hambúrguer, tirei a roupa e me deitei. Não eram mais de nove horas, o quarto brilhava como no meio de um dia encoberto e o silêncio que pairava sobre tudo amplificava os ruídos de cada movimento, então mesmo que eu estivesse cansado levei horas para adormecer.
Despertei no meio da noite com ruídos de passos e de uma porta. Pouco depois os passos foram para o andar de cima. Ainda meio dormindo, tive a impressão de estar deitado no escritório do meu pai, na casa em Tybakken, e de que era ele quem caminhava no andar de cima. Como eu tinha acabado naquela situação?, pensei antes que meus pensamentos desaparecessem mais uma vez em meio ao escuro. Quando acordei outra vez eu estava em pânico.
Que lugar era aquele?
A casa em Tybakken? A casa em Tveit? O estúdio de Yngve? O albergue da juventude em Tromsø?
Me sentei na cama.

Corri o olhar pelo quarto sem me ater a nada, porque nada do que eu via fazia sentido. Era como se todo o meu ser tivesse escorregado por uma parede lisa.

De repente me ocorreu.

Håfjord, eu estava em Håfjord.

Na minha própria casa em Håfjord.

Me deitei mais uma vez e refiz a viagem nos meus pensamentos. Então imaginei o vilarejo que se estendia do outro lado da janela, todas as pessoas em todas as casas que eu não conhecia e que não me conheciam. Um sentimento que podia ser expectativa, mas também medo ou insegurança, surgiu dentro de mim. Me levantei e fui até o minúsculo banheiro, tomei uma chuveirada e vesti minha camisa verde que parecia de seda, a calça de algodão larga e preta, me postei em frente à janela e passei um tempo olhando para a loja, onde eu ainda tinha que comprar comida para o café da manhã, mas não naquele exato momento.

Umas quantas vagas do estacionamento estavam ocupadas. Havia um pequeno grupo de pessoas reunidas entre os carros. De vez em quando alguém saía com sacolas de compras nas mãos.

Talvez não fosse má ideia aproveitar o momento.

Fui até o corredor e vesti o sobretudo, coloquei a boina e calcei os tênis de basquete, me olhei depressa no espelho, ajeitei a boina, acendi um cigarro e saí.

O céu estava suave e cinzento como no dia anterior. Do outro lado a encosta das montanhas despencava rumo ao fiorde. Havia um elemento brutal naquele cenário, percebi com um simples relance de olhos, as montanhas não tinham a menor consideração, qualquer coisa podia estar ao redor delas e mesmo assim não significaria nada, era como se elas estivessem em outro lugar ao mesmo tempo que estavam lá.

Cinco pessoas estavam no estacionamento. Duas eram mais velhas, tinham pelo menos cinquenta anos, e as outras três pareciam ser um pouco mais velhas do que eu.

Com certeza me viram de longe, eu tinha certeza, não havia como evitar, afinal não devia ser comum que uma figura estranha de sobretudo preto aparecesse descendo a encosta.

Levei o cigarro à boca e dei uma tragada funda a ponto de aquecer o filtro.

Havia duas bandeiras de plástico branco com o logotipo do *Verdens Gang* nas laterais da porta. A vitrine estava cheia de placas de papelão verde e laranja com diversas ofertas escritas à mão.

Eu estava a quinze metros daquelas pessoas.

Será que eu devia cumprimentá-las? Dar um "Olá" decente e bem-educado?

Será que eu devia parar e puxar assunto?

Dizer que eu era o novo professor, fazer um pouco de graça?

Um dos vultos olhou para mim. Fiz um discreto aceno de cabeça.

O vulto não respondeu.

Será que não tinha percebido? Será que o meu aceno tinha sido tão discreto a ponto de parecer um simples ajuste de posição da cabeça, ou um pequeno espasmo?

A presença daquelas pessoas era para mim como uma série de punhaladas. A um metro da porta eu joguei meu cigarro no chão, parei e o amassei com o pé.

Será que eu podia deixá-lo ali mesmo? Será que pegaria mal? Ou será que eu devia juntá-lo?

Não, assim eu daria uma impressão meio *pedante*, não?

Puta que pariu, no fim eu simplesmente deixei o cigarro no chão, aquele era um vilarejo de pescadores que com certeza jogavam a merda do cigarro no chão quando terminavam de fumar!

Coloquei a mão na porta e a empurrei, peguei uma das cestinhas vermelhas e comecei a caminhar pelo corredor em meio aos diferentes produtos. Uma mulher rechonchuda de uns trinta e cinco anos com um pacote de salsichas na mão disse qualquer coisa a uma menina que provavelmente era filha dela. Magra e longilínea, a menina tinha uma expressão contrariada e azeda no rosto. Do outro lado da mulher estava um menino de talvez dez anos que remexia os itens em cima do balcão. Coloquei na minha cesta um pão integral, um pacote de café Ali e uma caixa de chá Earl Grey. A mulher me encarou, pôs o pacote de salsichas na cesta e depois caminhou até a outra ponta do corredor com a menina e o menino atrás. Levei um bom tempo andando de um lado para o outro e examinando as coisas vendidas naquele lugar, peguei da prateleira refrigerada um pacote de queijo marrom, uma lata de patê de fígado e uma bisnaga de maionese. Depois peguei uma caixa de leite e um pote de margarina e fui até o caixa, onde a mulher estava guardando os produtos numa sacola enquanto a filha dela lia o quadro de anúncios junto à porta.

O funcionário do caixa me cumprimentou com um aceno de cabeça.

— Olá — eu disse, e então comecei a tirar minhas compras da cesta.

Ele era pequeno e robusto, tinha o rosto largo e nariz aquilino, e o queixo de traços fortes estava coberto por um tapete de fios pretos e cinzentos da barba de dois ou três dias.

— Você por acaso é o novo professor? — ele perguntou enquanto teclava os preços na máquina registradora. Do quadro de anúncios a garota se virou e olhou para mim.

— Sou — eu disse. — Cheguei ontem.

O menino segurou o braço da garota, mas ela o puxou com força e saiu pela porta. O menino foi atrás, e logo depois a mãe os seguiu.

Eu também precisava de laranjas. E de maçãs.

Fui depressa até a prateleira das frutas, joguei umas laranjas dentro de um saco, peguei duas maçãs e voltei ao caixa, onde o funcionário estava teclando o preço do último item.

— Também vou levar um pacote de tabaco Eventyr Blanding e papel de seda. E um *Dagbladet*.

— Você é do sul? — ele me perguntou.

Fiz um gesto afirmativo com a cabeça.

— De Kristiansand — completei.

Um homem mais velho e de boina entrou pela porta.

— Bom dia, Bertil! — ele cumprimentou o caixa.

— Não acredito! — disse o caixa, piscando o olho para mim. Abri um sorriso discreto, paguei, coloquei minhas compras numa sacola e saí. Um dos vultos que estava ao lado me fez um aceno de cabeça, eu acenei de volta e logo estava fora do alcance deles.

No alto do morro olhei para a montanha que se erguia no final do vilarejo. A montanha era totalmente verde durante toda a subida, e talvez aquele fosse o detalhe mais surpreendente de todo o cenário, eu tinha esperado um lugar humilde e desprovido de cores, não com matizes de um verde que dava a impressão de cantar por toda parte, relativizado somente pela imensidão azul e cinza do mar.

* * *

 Voltar para casa me deu uma sensação boa. Foi o primeiro lugar que pude chamar de meu, e eu aproveitava até mesmo as tarefas mais triviais, como pendurar a minha jaqueta ou guardar o leite na geladeira. Claro, eu já tinha morado por um mês no pequeno apartamento do hospital psiquiátrico Eg naquele verão, foi para lá que a minha mãe me levou de carro quando nos mudamos da casa onde havíamos morado durante os últimos cinco anos, mas aquele não era um apartamento de verdade, apenas um quarto em um corredor cheio de outros quartos onde nos velhos tempos moravam as enfermeiras solteiras, daí o nome "Galinheiro", e o trabalho que eu tinha feito tampouco era um trabalho de verdade, só um emprego temporário sem nenhuma responsabilidade verdadeira. E além de tudo o hospital ficava em Kristiansand. Para mim era impossível me sentir livre em Kristiansand, eu tinha laços demais com pessoas demais, tanto reais como imaginários, para que pudesse fazer o que eu gostaria naquela cidade.
 Mas em Håfjord seria tudo diferente!, pensei enquanto levava a fatia de pão à boca e olhava para a rua. O reflexo das montanhas no outro lado se partia como num caleidoscópio graças aos movimentos da água mais abaixo. Lá ninguém sabia quem eu era, lá não havia laços, nenhum padrão estabelecido, lá eu podia fazer o que bem entendesse. Passar um ano escrevendo às escondidas, construindo uma coisa em segredo. Ou simplesmente levando a vida numa boa e guardando dinheiro. Não tinha muita importância. O mais importante era que eu estava lá.
 Servi leite no copo e o esvaziei em longos goles. Coloquei-o no balcão com o prato e a faca, guardei as coisas na geladeira e fui para a sala, onde liguei a máquina de escrever na tomada, botei os fones de ouvido, aumentei o volume ao máximo, coloquei uma folha no cilindro da máquina, centralizei o texto e digitei o número 1 no alto da página. Olhei para a casa do zelador. Um par de botas de borracha verdes estava largado em frente à porta. Uma escova com cerdas vermelhas estava apoiada contra a parede. Havia pequenos carrinhos de brinquedo sobre a areia e o cascalho que recobriam o trecho em frente à entrada. Entre as duas casas crescia musgo, líquen, um pouco de grama e umas árvores magras. Eu tamborilava os dedos contra as bordas da mesa no ritmo da música. Escrevi uma frase. "Gabriel está no

alto da gandra, olhando para o loteamento com uma expressão insatisfeita no rosto."

Acendi um cigarro, preparei um bule de café, olhei para o vilarejo e para o fiorde e também para as montanhas do outro lado. Escrevi mais uma frase. "Ao lado dele está Gordon." Cantei o refrão. Escrevi. "Ele sorria como um lobo." Empurrei a cadeira para trás, apoiei os pés em cima da mesa, acendi mais um cigarro.

Era um bom começo, não?

Peguei O *jardim do Éden* de Hemingway e folheei um pouco o livro prestando atenção na linguagem. Eu tinha ganhado o livro de Hilde dois dias antes como um presente de despedida na estação de trem de Kristiansand, quando eu estava indo a Oslo para tomar o avião para Tromsø. Lars estava junto, e também Eirik, o namorado de Hilde. Além deles havia Line, que seguiria comigo até Oslo para se despedir lá.

Só naquele momento percebi que havia uma dedicatória na guarda do livro. Hilde havia escrito que eu tinha um significado especial para ela.

Acendi um cigarro e continuei sentado, olhando para a rua enquanto pensava naquilo.

O que eu podia significar para Hilde?

Ela me via, dava para notar, mas assim mesmo eu não sabia o que ela via. Ser amigo dela era ter alguém que cuidava de tudo para mim. Mas o carinho que reside na compreensão também diminui quem o recebe. Para mim não era um problema, mas de qualquer forma eu percebia.

Eu não merecia Hilde. Fiz de conta que merecia, e o mais estranho foi que ela acreditou, porque não tinha nenhum problema em compreender essas coisas. Hilde era a única pessoa que eu conhecia que lia livros de verdade, e a única pessoa que também escrevia. Fomos colegas por dois anos e desde o início eu havia notado sua presença, Hilde tinha uma disposição irônica e às vezes até rebelde em relação às coisas que eram ditas na sala de aula que eu nunca tinha visto numa garota. Ela desprezava a mania que as meninas tinham de se enfeitar, de sempre se fazerem de educadas, a infantilidade muitas vezes fingida, mas não de um modo agressivo ou amargo, ela simplesmente não participava daquilo, era uma garota gentil e carinhosa, com uma essência suave, mas também dotada de certa rispidez, de um elemento obstinado um tanto incomum naquele contexto, que me levou a olhar para ela com uma frequência cada vez maior. Hilde era pálida, tinha sardas pálidas nas bochechas, cabelos avermelhados, era magra e de aparência frágil, entendida como o oposto da robustez, o que numa personalidade um pouco menos independente e marcante talvez despertasse nas pessoas o impulso de cuidar dela, mas não era o que acontecia, muito pelo contrário, era Hilde quem cuidava das pessoas que se aproximavam dela. Muitas vezes ela usava uma jaqueta militar e um jeans azul, que em termos políticos eram símbolos da esquerda, mas no que dizia respeito à cultura ela pertencia ao outro lado, porque era contra o materialismo e a favor do espírito. Para Hilde, o que vinha de dentro estava acima do que vinha de fora. Por esse motivo ela ridicularizava escritores como Solstad e Faldbakken e admirava Bjørneboe e Kaj Skagen e até mesmo André Bjerke.

Hilde havia se transformado na minha grande confidente. Ela era a pessoa mais próxima de mim. Comecei a frequentar sua casa, conheci os pais dela, às vezes eu jantava com sua família e dormia por lá. O que eu fazia com Hilde, às vezes na companhia de Eirik, às vezes quando estávamos apenas nós dois, era conversar. Sentados com as pernas cruzadas e uma garrafa de vinho no apartamento do subsolo onde ela morava, com a escuridão da noite nas janelas, conversávamos sobre os livros que tínhamos lido, sobre questões políticas, sobre o que a vida nos reservava e o que podíamos fazer. Hilde era muito séria, era a única pessoa da minha idade que tinha essa característica, e ela também percebia esse detalhe em mim, ao mesmo tempo que ria bastante e nunca se afastava muito da ironia. Poucas coisas me agradavam mais do que estar lá, na casa deles, com Hilde e Eirik e às vezes Lars, mas ao mesmo tempo aconteciam na minha vida outras coisas incompatíveis com essas situações, o que me deixava com uma sensação permanente de consciência pesada: se estava bebendo nas baladas e dando em cima das garotas, eu ficava com a consciência pesada em relação a Hilde e a tudo que eu representava para ela; se estava na casa de Hilde conversando sobre a liberdade ou a beleza ou o significado da vida, eu ficava com a consciência pesada em relação às pessoas com quem eu saía, ou em relação ao que eu representava para elas, porque a hipocrisia que eu, Hilde e Eirik tanto criticávamos também era minha. Minha orientação política era de extrema esquerda, a ponto de quase cruzar a fronteira rumo ao anarquismo, eu detestava as unanimidades e os estereótipos e, como todos os outros jovens da cena alternativa de Kristiansand, desprezava o cristianismo e todos os imbecis que acreditavam naquela doutrina e frequentavam encontros com pastores carismáticos e estúpidos.

Mas eu não desprezava as garotas cristãs. Não, por um ou outro motivo eram sempre elas que me atraíam. Como explicar uma coisa dessas para Hilde? Mesmo que sempre tentássemos ver além da superfície, baseados na premissa fundamental e tácita de que a verdade e a essência encontravam-se um pouco mais abaixo, e sempre tentássemos ao máximo encontrar um significado, mesmo que por vezes fosse apenas o reconhecimento de uma ausência de significado, era justamente na superfície bela, reluzente e sedutora que eu queria viver, era justamente o meu desejo pela ausência de sentido que eu buscava saciar — em suma, eu me sentia atraído pelos bares e pelas festas, onde eu queria só beber até perder a consciência do que eu estava fazendo e cambalear de um lado para o outro em busca de garotas que eu pudesse comer, ou pelo menos bolinar um pouco. Como explicar isso para Hilde?

Não havia como, então não expliquei. Em vez disso abri uma nova seção no subterrâneo da minha vida. Era a seção de bebedeiras e promiscuidade, que ficava logo ao lado da seção de reflexão e introspecção, separada apenas por uma pequena mudança de personalidade não maior do que uma cerca de jardim.

Line era cristã. Não de um jeito panfletário, mas mesmo assim era cristã, e a presença dela na estação de trem, perto de mim, fez com que eu me sentisse um pouco mal.

Ela tinha cabelos pretos e crespos, sobrancelhas marcadas e olhos azul-claros. Se mexia de um jeito muito gracioso e tinha aquele tipo raro de independência que não procura a companhia dos outros. Ela gostava de desenhar e investia muito tempo nos desenhos, provavelmente tinha talento nessa área; depois de se despedir de mim ela começaria os estudos de estética numa faculdade. Eu não era apaixonado por Line, mas mesmo assim ela era uma garota legal de quem eu gostava demais, e às vezes quando tomávamos um vinho branco eu descobria em mim sentimentos bastante intensos por ela. O problema era que havia limites muitos claros até onde ela podia ir. No decorrer das semanas que passamos juntos eu pedi e implorei duas vezes quando estávamos dando uns amassos já meio sem roupa na cama dela ou no quarto onde eu morava no Galinheiro. Mas não, ela não tinha se guardado para mim.

— Me deixe fazer por trás, então! — eu disse uma vez no desespero, sem compreender ao certo o que isso envolvia. Line se aconchegou em mim e me encheu de beijos. Poucos segundos depois senti aquela odiada contração na virilha, que encheu minha cueca de porra, e discretamente me afastei de Line, que, ainda tomada por aquele desejo de provocar, não entendeu que para mim o clima havia mudado completamente de um instante para o outro.

Line estava ao meu lado na plataforma com as mãos enfiadas nos bolsos de trás e uma pequena mochila nas costas. Faltavam seis minutos para o trem partir. Um pouco mais à frente as pessoas já estavam entrando nos vagões.

— Vou passar rapidinho no quiosque — ela disse, olhando para mim. — Você quer alguma coisa?

Balancei a cabeça.

— Ou melhor, quero. Uma Coca-Cola.

Ela foi depressa até o quiosque do Narvesen. Hilde me olhou e sorriu. Lars não conseguia fixar os olhos em nada. Eirik olhava em direção ao porto.

— Eu vou dar um conselho a você, agora que você vai sair sozinho pelo mundo afora — ele disse, virando-se para mim.

— Ah, é? — eu disse.

— Pense antes de agir. Cuide para que nunca peguem você com a boca na botija. Assim tudo vai dar certo. Se você quiser uma chupada de uma aluna, por exemplo, faça isso *atrás* da cátedra. Não na frente. Está bem?

— Esse não é um princípio moral um pouco questionável? — perguntei.

Ele riu.

— E se você arranjar uma namorada e precisar bater nela, bata num lugar onde as marcas não apareçam — Hilde completou. — Jamais no rosto, por mais que você tenha vontade.

— Você acha então que eu vou ter duas? Uma aqui no sul e outra lá no norte?

— Por que não? — ela perguntou.

— Uma em quem você bate e uma em quem você não bate — disse Eirik. — Um equilíbrio perfeito.

— Mais algum conselho? — perguntei.

— Uma vez eu vi uma entrevista com um velho ator na TV — disse Lars. — Perguntaram se depois de uma vida tão longa ele tinha alguma vivência que pudesse compartilhar com o público. Ele disse que tinha, claro. Dizia respeito à cortina do chuveiro. Ela devia estar sempre para dentro da banheira, e não para fora. Se você deixa a cortina para fora, a água escorre e molha todo o chão.

Todos nós rimos. Lars olhou satisfeito ao redor.

Atrás dele Line voltou de mãos vazias.

— A fila estava muito comprida — ela disse. — Mas de qualquer jeito o trem tem um café.

— É verdade — eu disse.

— Vamos, então?

— Tudo bem — eu disse. — Acho que era isso. Kristiansand nunca mais!

Ganhei abraços de todos. Tínhamos começado com aquilo na segunda série. Sempre que nos encontrávamos nos dávamos um abraço.

Depois coloquei a mochila nas costas, peguei a mala e entrei com Line no trem. Os outros abanaram para nós e em seguida o trem se pôs em movimento e avançou em direção ao estacionamento.

Quase não dava para acreditar que tudo havia se passado apenas dois dias atrás.

Larguei o livro de Hemingway e enquanto enrolava mais um cigarro e tomava um gole de café morno li as três frases que eu tinha escrito.

Na loja o movimento havia diminuído. Peguei uma maçã na cozinha e me sentei mais uma vez junto à escrivaninha. Nas horas seguintes escrevi três páginas. Era uma história sobre dois garotos num loteamento, e na minha opinião estava boa. Talvez estivesse pronta com mais umas três páginas. Não seria nada mau escrever um conto inteiro no meu primeiro dia em Håfjord. Se eu continuasse naquele ritmo, teria uma coletânea pronta no Natal!

Ao enxaguar a borra que havia ficado no bule vi um carro subir a estrada que vinha da loja. O carro parou em frente à casa do zelador e dois homens de vinte e poucos anos desceram. Os dois eram fortes, um era alto e o outro era um pouco menor e mais rechonchudo. Endireitei o bule, segurei-o embaixo da torneira até que estivesse cheio e o coloquei no fogão. Os dois homens começaram a subir a encosta. Dei um passo ao lado para que não me vissem pela janela.

Os passos detiveram-se pouco antes de entrar no vestíbulo.

Será que estavam me procurando?

Um deles falou qualquer coisa para o outro. O barulho da campainha ecoou pela casa.

Sequei as mãos na calça, fui até o corredor e abri a porta. O homem mais baixo estendeu a mão. Ele tinha um rosto quadrado, um queixo curvo, uma boca pequena e um olhar astuto. Tinha um bigode preto e uma barba de alguns dias. Uma grossa corrente de ouro no pescoço.

— Remi — ele disse.

Apertei a mão dele, ainda um pouco confuso.

— Karl Ove Knausgård — respondi.

— Frank — disse o homem mais alto, estendendo um punho enorme. O que o rosto do outro homem tinha de quadrado, o dele tinha de redondo. Redondo e carnudo. Os lábios eram grandes, a pele era delicada, quase cor-de-rosa. Os cabelos eram loiros e grossos. Ele parecia uma criança grande. Os olhos pareciam bondosos, também como os de uma criança.

— Podemos entrar? — perguntou Remi. — Ouvimos dizer que você estava sozinho aqui e que talvez quisesses um pouco de companhia. Afinal, você ainda não conhece ninguém aqui no vilarejo.

— Ah — eu disse. — Quanta gentileza! Entrem, por favor.

Dei um passo para trás. Que beleza! De onde aquela gente podia ter saído? Por acaso eu tinha cinquenta anos?

Os dois pararam na sala e olharam ao redor. Remi acenou a cabeça.

— O Harrison morou aqui no ano passado — ele disse.

Eu o encarei.

— O antigo professor temporário — ele disse. — Passamos um bom tempo juntos aqui. Ele era um homem e tanto!

— Um homem muito prestativo — disse Frank.

— Para ele não existia não — Remi completou.

— Já estamos sentindo saudade — disse Frank. — Podemos nos sentar?

— Claro, claro — eu disse. — Vocês não querem um café? Já está no fogo.

— Café? Eu aceito.

Os dois tiraram os casacos, que ficaram jogados no braço do sofá, e sentaram-se. Os corpos deles eram como barris. Os braços de Frank eram grossos como as minhas coxas. Mesmo de costas para eles no balcão da cozinha eu notava aquelas presenças, que preenchiam toda a casa e faziam com que eu me sentisse fraco e efeminado.

"Quanta gentileza!" "Vocês não querem um café?"

Merda, eu não tinha canecas para servir! Só a que eu havia levado comigo.

Abri os armários acima do balcão. Estavam vazios, claro. Depois abri o armário de baixo. E lá dentro, ao lado do cano da pia, havia um copo. Lavei-o, coloquei um pouco de café no bule, bati-o um pouco contra o fogão e o levei para a sala, onde tentei encontrar alguma coisa para apoiá-lo.

Acabei usando O jardim do Éden.

— E então? — disse Remi. — O que você me diz, Karl Ove?

Incomodado por ouvir meu nome usado de maneira tão familiar por um homem que eu nunca tinha visto antes, senti meu rosto corar.

— Não sei — respondi. — Do que você está falando?

— Vamos ter uma festa hoje à noite — disse Frank. — Em Gryllefjord. Você vem com a gente?

— Ainda temos uma vaga num dos carros, e como sabemos que você não teve tempo de passar no Vinmonopolet, trouxemos aguardente para você. Que tal?

— Não sei — eu disse.

— O que houve? Você prefere ficar sozinho em casa sem nada para fazer?

— Deixe que ele mesmo decida! — exclamou Frank.

— Claro, claro.

— Eu tinha pensado em trabalhar um pouco — respondi.

— Trabalhar? Trabalhar no quê? — perguntou Remi. Mas o olhar dele já havia encontrado a máquina de escrever. — Você escreve?

Senti que eu havia corado mais uma vez.

— Um pouco — respondi, dando de ombros.

— Ah, então temos um escritor! — disse Remi. — Nada mau.

Ele riu.

— Não li um único livro em toda a minha vida. Nem mesmo na minha época de escola. Eu sempre dava um jeito de me escapulir. E você? — ele perguntou, olhando para Frank.

— Eu li vários. Os livrinhos da *Cocktail*, sabe?

Os dois riram alto.

— Esses também contam? — Remi me perguntou. — Estou perguntando a você, que é escritor. As revistas *Cocktail* também são literatura?

Abri um sorriso forçado.

— Um livro é um livro — eu disse.

Fez-se uma pausa.

— Ouvi dizer que você é de Kristiansand — disse Frank.

Fiz um gesto afirmativo com a cabeça.

— Você tem uma namorada por lá?

Hesitei um pouco antes de responder.

— Sim e não — eu disse.

— Sim e não? Parece bem interessante! — disse Remi.

— Parece o tipo de coisa que você gostaria — emendou Frank, olhando para Remi.

— Eu? Eu faço mais o tipo ou sim ou não.

Fez-se uma nova pausa enquanto os dois tomavam um gole de café.

— Você tem filhos? — Remi perguntou.

— Filhos? — eu repeti. — Porra, eu tenho dezoito anos!

Finalmente uma resposta à altura.

— Já houve outros casos registrados na história — emendou Remi.

— Vocês têm filhos? — perguntei.

— O Frank não. Mas eu tenho. Um menino de nove anos. Mora com a mãe.

— Desde a época do "ou sim ou não" — Frank comentou.

Os dois riram. Depois olharam para mim.

— Bem, acho que para um primeiro dia já chega de incomodar o nosso recém-chegado — disse Remi enquanto se levantava. Frank também se levantou. Os dois pegaram os casacos e foram até o corredor.

— Pense sobre a festa hoje à noite — disse Remi. — Vamos estar na casa da Hege, caso você mude de ideia.

— Mas ele não sabe onde ela mora — disse Frank.

— É só você subir pela estrada de cima. É a quarta casa à esquerda. Não tem como errar. Vai ter vários carros na frente.

Por fim ele estendeu a mão.

— Espero que você apareça. Obrigado pelo café!

Quando fechei a porta, fui até o quarto e me deitei de costas na cama. Estendi os braços e as pernas e fechei os olhos.

Um carro subiu pela estrada e parou no lado de fora.

Abri os olhos. Mais visitas?

Não. Ouvi passos em outro lugar da casa. Eram os meus vizinhos do andar de cima, quem quer que fossem. Talvez estivessem voltando de um passeio de compras a Finnsnes. Ah, como eu tinha vontade de ligar para algum conhecido e bater um papo!

Dormir para me afastar de tudo, o que eu também queria, era simplesmente impossível. Em vez disso fui até o banheiro, tirei a roupa e tomei mais um banho. Era uma forma de tentar me convencer de que aquele era o começo de um novo período. Não era tão bom quanto dormir, mas assim mesmo era melhor do que nada. Foi assim, com os cabelos molhados e a camisa grudando no pescoço, que me sentei para continuar escrevendo. Deixei que os dois meninos vagassem pela floresta. Estavam com medo das raposas, e cada um tinha uma pistola de espoleta na mão para assustá-las caso aparecessem. De repente eles ouviram tiros de verdade. Foram até o lugar de onde os estampidos haviam partido e de repente se depararam com um lixão no meio da floresta. Dois homens estavam lá, atirando nos ratos. Quando cheguei a essa parte notei uma tensão dentro de mim, um arco de alegria e força, de um momento para o outro senti que eu não conseguia escrever depressa o suficiente, o texto estava sempre com certo atraso em relação à história, e esse era um sentimento maravilhoso, límpido e reluzente.

Os homens que estavam atirando nos ratos foram embora, os meninos levaram duas cadeiras e uma mesa para dentro da floresta, sentaram-se e começaram a ler revistas pornográficas, Gabriel enfiou o pau no gargalo de uma garrafa e de repente sentiu uma picada forte, quando ele tirou o pau para fora havia um besouro na ponta. Gordon riu tanto que chegou a rolar pelo urzal. Os dois se esqueceram completamente da hora, quando Gabriel se deu conta já era tarde demais, o pai estava furioso quando ele chegou em casa, bateu de mão fechada na boca do filho, que começou a sangrar, e depois o trancou no quartinho da caldeira, onde ele passou a noite inteira sozinho.

Quando terminei eram quase oito e meia, e sete páginas de texto compacto formavam uma discreta pilha ao lado da máquina de escrever. Meu sentimento de triunfo era tão grande que tive vontade de contar o que eu tinha feito. Para qualquer um! Qualquer um!

Mas eu estava sozinho.

Desliguei a máquina de escrever e preparei uns sanduíches abertos, que comi de pé em frente à janela da cozinha. Um vulto passou depressa pela estrada sob o céu já levemente esverdeado, mas ainda azul. Dois carros saíram quase juntos do túnel. Eu tinha que sair. Não aguentava mais ficar trancado em casa.

Ouvi batidas na minha porta.

Abri. Uma mulher com cerca de trinta anos, vestida apenas com uma camiseta e um par de calças, estava no lado de fora. O rosto tinha um formato delicado, o nariz era grande, mas não muito dominante, os olhos eram castanhos e ternos. Os cabelos eram loiro-escuros e estavam presos atrás da cabeça em um coque.

— Olá! — ela me cumprimentou. — Eu queria apenas me apresentar. Afinal, somos vizinhos. Eu moro no andar de cima. E além do mais somos colegas! Eu também sou professora. Meu nome é Torill.

Ela estendeu a mão. Tinha dedos magros, mas o aperto era firme.

— Karl Ove — eu disse.

— Seja muito bem-vindo — ela disse com um sorriso.

— Obrigado — respondi.

— Pelo que me disseram você chegou ontem?

— É. Vim de ônibus.

— Certo. Bom, nós ainda vamos ter muitas conversas. De qualquer jeito, queria dizer que se você precisar de qualquer coisa é só bater na minha porta. Açúcar, café, roupas de cama... enfim, qualquer outra coisa que possa faltar. Você tem rádio, por acaso? Nós temos pelo menos um sobrando!

Fiz um gesto afirmativo com a cabeça.

— Eu tenho um walkman — respondi. — Mas de todo modo agradeço. Essa foi uma gentileza e tanto!

"Uma gentileza e tanto."

Torill sorriu.

— Nos vemos mais tarde, então — ela disse.

— Com certeza.

Depois que ela foi embora eu continuei de pé no corredor. O que estava acontecendo, afinal?

Cada pessoa que eu encontrava naquele lugar era como um golpe de machado na alma.

Não, eu tinha que sair.

Me vesti, passei alguns segundos em frente ao espelho do banheiro ajeitando a minha boina, tranquei a porta às minhas costas e comecei a descer a encosta. Um pouco mais abaixo era possível ver o mar além do fiorde e a linha do horizonte traçada contra o céu. Duas nuvens grandes e totalmente brancas pairavam imóveis mais ao longe. Do outro lado do fiorde um barco pesqueiro vagava rumo a terra. Aquele era o Fugleøyfjorden. A ilha evidentemente se chamava Fugleøya. Muito bem, devem ter pensado os primeiros humanos a chegar à região. Como vamos chamar esse fiorde? Fiskefjorden? Não, já demos esse nome ao fiorde anterior. Que tal Fuglefjorden? Claro! Muito bem pensado!

Continuei ao longo da estrada, deixei para trás o mercado de peixes, que estava totalmente vazio a não ser pelas gaivotas empoleiradas no telhado, e dobrei rumo à parte mais alta do vilarejo. Bem em frente à última casa a montanha se erguia a prumo. Não havia regiões intermediárias, como aquelas a que eu tinha me acostumado a ver nos cenários da minha infância, eram apenas lugares de limites pouco definidos que ou eram uma propriedade ou eram a natureza. Lá estava a natureza, e não era a natureza baixa e macia de Sørlandet, mas a natureza bruta, inóspita e castigada do Ártico, era esse lugar que as pessoas de Håfjord adentravam ao sair pela porta de casa.

Talvez fossem umas cem casas.

Naquele lugar distante, ao pé das montanhas e à beira-mar.

Eu tinha a sensação de estar nos limites do mundo. De que não era possível ir mais longe. Mais um passo e eu estaria fora.

Meu Deus, como era fantástico poder morar num lugar assim!

Aqui e ali eu percebia movimentos por trás das janelas das casas. As luzes cintilantes das telas de televisão. Tudo parecia estar afundado no murmúrio das ondas que batiam contra a terra lá embaixo, ou antes envolto nele, porque o barulho era tão regular e tão constante que tudo parecia ser uma qualidade do próprio ar, como se não apenas pudesse ser frio ou quente, mas também alto ou baixo.

À minha frente surgiu a casa onde Hege devia morar, pelo menos havia vários carros no pátio, ouvia-se música na porta aberta da varanda e dentro, por trás das janelas dos anos 1970, percebi o que devia ser um grupo de pessoas sentadas ao redor de uma mesa. Minha vontade era de simplesmente bater na porta, eles não podiam esperar nada de mim, afinal eu não conhecia ninguém, uma certa timidez seria natural, então não haveria problema nenhum em me sentar e beber em silêncio até que o álcool começasse a funcionar e soltasse tudo, inclusive o meu coração, que naquele momento estava muito pequeno e envolto por amarras um tanto apertadas.

Não parei enquanto eu pensava, nem ao menos diminuí a velocidade, porque se me vissem hesitar no lado de fora e então retomar o caminho de casa, aquelas pessoas imaginariam saber alguma coisa a meu respeito.

Eu queria talvez que o meu coração transbordasse, embora não fosse necessário, e eu também devia escrever, pensei enquanto caminhava, mas de repente passei reto pela casa e então já era tarde demais.

Quando parei em frente à porta da minha casa olhei o relógio.

Eu tinha levado quinze minutos para dar a volta em todo o vilarejo.

Dentro daqueles quinze minutos eu viveria a minha vida inteira durante o ano que eu tinha pela frente.

Senti um calafrio. No corredor, tirei as roupas de inverno. Embora eu soubesse que nada ia acontecer, tranquei a porta e a mantive trancada durante a noite inteira.

No dia seguinte eu não saí, fiquei em casa escrevendo e observando as pessoas que a intervalos irregulares surgiam e desapareciam na estrada lá embaixo, fiquei andando de um lado para o outro, pensando no que dizer quando as aulas começassem na terça-feira e elaborando frases de abertura uma atrás da outra na minha cabeça ao mesmo tempo que pensava na melhor estratégia a adotar em relação aos alunos. A primeira coisa que eu precisava fazer era descobrir em que nível estavam. Será que o ideal seria começar aplicando provas de todas as matérias? Para depois dar a continuidade mais adequada a partir dos resultados? Não, as provas logo de cara pareceriam violentas demais e um pouco autoritárias, um pouco escolares demais.

Talvez passar outras tarefas, como lição de casa?

Não. As aulas duravam muito tempo, então o melhor seria dar todas as tarefas ainda na escola. Assim eu poderia continuar a desenvolvê-las no dia seguinte.

Fui para o quarto e me deitei na cama, li um pouco dos dois livros que eu tinha comprado e, quando terminei, comecei a ler os artigos do periódico literário que eu havia trazido comigo de Oslo sem entender muito bem o que estava escrito. Eu conhecia a maioria das palavras, mas o significado exato delas parecia estar o tempo inteiro fora do meu alcance, como se dissessem respeito a um mundo desconhecido onde a linguagem do mundo conhecido não servisse mais. Mas uma coisa se revelou naquelas páginas com mais força do que todas as outras, e era a descrição de um livro, *Ulysses*, que, de um jeito bastante particular, dava a impressão de ser absolutamente incrível. Imaginei uma torre enorme, que parecia brilhar de tão úmida, rodeada pela neblina e pela luz fraca e pálida do sol encoberto. Esse livro era considerado a obra-prima do modernismo, e por modernismo eu entendia carros de corrida baixos e velozes, pilotos com capacetes e jaquetas de couro, zepelins pairando acima de arranha-céus em metrópoles escuras e cintilantes, computadores, música eletrônica. Nomes como Hermann Broch, Robert Musil, Arnold Schönberg. Nesse mundo exaltavam-se os elementos de culturas antigas e desaparecidas há muito tempo, como acontecia ao Virgílio de Broch e ao Odisseu de Joyce.

Eu não tinha pensado que aquele dia seria um domingo quando fui às compras na véspera, e por isso estava comendo fatias de pão com patê de fígado e maionese quando de repente a campainha tocou outra vez. Limpei a boca com as costas da mão e caminhei depressa até o corredor.

Do lado de fora estavam duas garotas. De cara reconheci uma delas. Era a garota que estava sentada do outro lado do ônibus que eu havia tomado para Håfjord.

Ela sorriu.

— Oi! — disse. — Você está me reconhecendo?

— Claro — eu disse. — Você estava no ônibus comigo.

Ela riu.

— E você é o novo professor aqui em Håfjord! Foi o que eu imaginei quando vi você, embora não tivesse certeza. Mas fiquei sabendo na festa de ontem.

Ela estendeu a mão.

— Meu nome é Irene — ela se apresentou.

— Karl Ove — eu disse com um sorriso.

— E essa é a Hilde — ela disse, virando o rosto em direção à outra garota, que também cumprimentei com um aperto de mão.

— Nós somos primas — disse Irene. — Hoje estou de visita na casa da Hilde. Mas na verdade era só uma desculpa para vir conhecer você. — Ela riu. — Não. Estou só brincando.

— Vocês não querem entrar? — perguntei.

As duas se olharam.

— Obrigada — disse Irene.

Ela estava usando calça e jaqueta jeans e por baixo uma blusa rendada branca. Era meio cheinha, tinha peitos pesados sob a blusa e quadril largo. Os cabelos eram loiros e mais ou menos compridos, e a pele era pálida com umas poucas sardas ao redor do nariz. Os olhos eram grandes, azuis e provocantes. Quando ainda no corredor senti o perfume de Irene, também pesado, e ela me entregou a jaqueta, porque não havia ganchos na parede, senti meu pau endurecer outra vez.

— Pode me dar a sua também — eu disse para Hilde, que não tinha nada da presença da prima, e que me estendeu a jaqueta com um sorriso tímido e modesto. Pendurei-as nas costas da cadeira da escrivaninha e enfiei uma das mãos no bolso da calça para esconder o volume no meio das minhas pernas. As duas garotas entraram, um pouco hesitantes.

— Minhas coisas ainda não chegaram — expliquei. — Mas logo devem chegar.

— É, ainda está um pouco triste por aqui — Irene comentou com um sorriso.

As duas sentaram no sofá com os joelhos bem juntos. Eu me sentei na cadeira em frente, com as pernas cruzadas para esconder o volume no meio das minhas pernas, que não havia diminuído em nada. Afinal, Irene estava sentada a um metro de mim.

— Quantos anos você tem? — ela perguntou.

— Dezoito — eu disse. — E você?

— Dezesseis — Irene respondeu.

— Dezessete — disse Hilde.

— Então você acabou de sair do colegial? — Irene perguntou.

Fiz um gesto afirmativo com a cabeça.

— Eu estou no segundo ano — Irene continuou. — Estudo em Finnsnes. É um internato. Moro em um estúdio lá. Você pode me visitar, se quiser! Com certeza você vai acabar indo a Finnsnes mais cedo ou mais tarde.

— Com certeza — respondi.

Nossos olhares se encontraram.

Ela sorriu. Eu sorri de volta.

— Mas na verdade eu sou de Hellevika. É o primeiro vilarejo atrás de Håfjord. Fica do outro lado da montanha, a uns quilômetros daqui. Você tem carta de motorista?

— Não — respondi.

— Que pena — ela comentou.

Ficamos um tempo em silêncio. Me levantei e peguei o cinzeiro e o pacote de tabaco e enrolei um cigarro.

— Posso fazer um também? — Irene perguntou. — Os meus estão na jaqueta.

Joguei o pacote para ela.

— Eu tive que rir ontem no ônibus para cá — ela disse enquanto começava a enrolar o cigarro. — Fiquei com a impressão de que você estava prestes a descer pela janela!

As duas garotas riram. Irene lambeu a cola e fechou a seda apertando o indicador contra o polegar, levou o cigarro já pronto aos lábios e o acendeu.

— Este lugar é muito bonito — eu disse. — Mas eu não fazia a menor ideia de como seria. Para mim Håfjord era apenas um nome, ou talvez menos do que isso.

— Por que você quis vir para cá?

Dei de ombros.

— Eu recebi uma lista de nomes na agência de empregos e acabei escolhendo este.

Ouvi passos no andar de cima.

Olhamos todos para o teto.

— Você já conheceu a Torill? — Irene perguntou.

— Mal e mal — respondi. — Vocês se conhecem?

— Claro. Aqui todo mundo se conhece. Em Hellevika e em Håfjord.

— E em Fugleøya — Hilde completou.

Tudo ficou em silêncio.

— Vocês não querem tomar um café? — perguntei enquanto eu me levantava da cadeira.

Irene balançou a cabeça.

— Não, acho que já está na hora de ir. Você não acha?

— Sim, já está na hora — concordou a prima.

Nós levantamos, peguei as jaquetas que estavam na cadeira e me aproximei dela mais do que seria estritamente necessário para devolver a jaqueta. Encantado com o quadril revelado pelo contorno da calça justa, e também com as coxas, as panturrilhas e os pezinhos, com o pescoço e os peitos pesados, com o nariz pequeno e os olhos azuis, ao mesmo tempo inocentes e provocantes, fechei a porta. Tudo não havia durado mais do que dez ou quinze minutos.

Entrei na cozinha para preparar o café e mais uma vez ouvi batidas na porta.

Era ela, dessa vez sozinha.

—Vai ter uma festa em Hellevika no fim de semana que vem — disse. — Esse foi meio que o motivo dessa visita, para fazer o convite. Você está a fim de ir? É uma boa maneira de conhecer as pessoas daqui!

— Claro que estou a fim — eu disse. — Se eu puder, com certeza apareço.

— Se você puder? — ela me interrompeu. — É só entrar num carro! Todo mundo vai estar lá.

Em seguida ela piscou para mim. Depois se virou e começou a descer o morro, onde Hilde a esperava mexendo no cadarço do sapato à beira da estrada.

Pouco depois das oito horas na manhã seguinte eu saí de casa pela primeira vez em praticamente vinte e quatro horas. O sol acima das montanhas no oriente ficava em frente à minha porta, e ao fechá-la eu senti no rosto um sopro ameno de verão. Mas poucos metros adiante, no ponto onde o cenário se escondia nas sombras atrás das montanhas, estava bem mais frio, e a impressão que tive, de que havia pequenas lagoas no ar, bem como riachos e redemoinhos, corredeiras e cataratas, me encheu de ânimo. À minha frente, no ponto mais alto de um pequeno platô, ficava a escola, e mesmo que eu não chegasse a me afligir com a ideia de ir para lá, estava nervoso o suficiente para sentir pequenos relâmpagos de ansiedade por todo o meu corpo quando me aproximei.

O aspecto era o mesmo de todas as outras escolas, de um lado uma construção longa de pavimento único ligada por uma passagem que mais parecia um túnel a uma construção maior, mais nova e mais alta onde ficavam a sala de carpintaria, o ginásio de esportes e a piscina. Entre as duas construções ficava o pátio da escola, que continuava até mais atrás, onde havia um grande campo de futebol. No outeiro um pouco mais além ficava o que imaginei ser o centro comunitário.

Havia dois carros estacionados em frente à entrada. Um grande jipe branco e um Citroën preto. O sol brilhava nas fileiras de janelas. A porta estava aberta, eu entrei no corredor, o piso amarelado de linóleo parecia quase branco com o brilho do sol, que atravessava a porta de vidro em longos fachos de luz. Dobrei num corredor lateral, havia três portas à direita, duas à esquerda e mais abaixo o corredor levava a um ambiente coletivo bastante espaçoso. Nesse lugar um homem parou e olhou para mim. Ele tinha barba e era um pouco calvo. Devia ter entre trinta e trinta e cinco anos.

— Olá! — ele me cumprimentou.

— Olá — eu disse.

— Você é o... Karl Ove?

— Sou eu mesmo — respondi, parando na frente dele.

— Eu sou o Sture — ele se apresentou.

Apertamos as mãos.

— Karl Ove foi pura adivinhação — ele disse sorrindo. — Mas você não tem cara de Nils Erik.

— Nils Erik? — perguntei.

— É. Este ano vamos ter dois professores do sul. Você e o Nils Erik. O restante dos professores é daqui mesmo, então já os conheço todos.

— Você também é daqui?

— Eu sou, claro!

Ele me encarou durante alguns segundos. Tive uma sensação desagradável. O que seria aquilo, uma espécie de teste? De qualquer modo, eu não queria ser o primeiro a desviar os olhos, então continuei a encará-lo.

— Você é muito jovem — ele disse enfim, olhando para o lado, em direção à porta. — Mas claro que nós já sabíamos. Tudo vai dar certo! Venha, quero apresentar você para os outros.

Ele apontou em direção à porta. Eu a abri e entrei. Era a sala dos professores. Uma pequena copa, um conjunto de sofás, uma saleta cheia de papéis equipada com uma copiadora e um cômodo alongado com escrivaninhas de ambos os lados.

— Olá! — eu disse.

Havia seis pessoas sentadas ao redor da mesa. Todos os olhares se voltaram para mim.

Eles acenaram a cabeça e balbuciaram cumprimentos. Da copa saiu um homenzinho de barba vermelha, que no entanto parecia robusto e enérgico.

— Karl Ove? — ele me perguntou com um sorriso largo. Depois que acenei a cabeça e ele apertou minha mão, o homem se virou em direção aos outros.

— Este aqui é o Karl Ove Knausgård, o jovem que veio de Kristiansand para trabalhar com a gente!

Depois ele me apresentou os outros pelos nomes, que esqueci no instante seguinte. Todos tinham uma caneca de café na mão ou em cima da mesa, e todos, a não ser por uma mulher mais velha, eram jovens. Pareciam ter vinte e poucos anos.

— Sente-se, Karl Ove. Aceita um café?

— Aceito — eu disse enquanto me ajeitava na borda do sofá.

Durante as horas a seguir o diretor, que se chamava Richard e devia estar quase chegando aos quarenta anos, tratou de vários assuntos escolares. Os professores temporários foram levados a várias salas, receberam chaves e uma mesa de trabalho e depois repassamos as grades horárias e outros procedimentos. A escola tinha tão poucos alunos que em muitas aulas diferentes classes eram reunidas. Torill seria conselheira de classe da primeira e da segunda série, Hege da terceira e da quarta, eu da quinta, sexta e sétima e Sture da oitava e da nona. Eu não tinha a menor ideia sobre por que essa responsabilidade tinha sido atribuída justamente a mim, parecia um pouco desconfortável, especialmente porque Nils Erik, o outro professor temporário que tinha chegado do sul, era visivelmente mais velho do que eu e pensava em seguir carreira no magistério ao fim daquele ano. Para ele aquilo era coisa séria, era o futuro dele, enquanto para mim não era nada, a última coisa que eu queria ser na vida era professor. Os outros professores temporários moravam na região, conheciam as condições da escola e certamente estavam mais bem preparados do que eu para assumir a responsabilidade por uma turma. Provavelmente o diretor havia tomado a decisão com base no meu currículo, o que fez com que eu me sentisse um pouco mal, já que eu tinha exagerado um pouco além da conta.

O diretor nos mostrou onde ficavam os planos de aula e explicou todos os meios de auxílio que tínhamos à nossa disposição. À uma hora estávamos prontos e eu desci até a agência dos correios, que ficava do outro lado do vilarejo, aluguei uma caixa postal, mandei umas cartas, comprei mais comida na loja, preparei o jantar em casa, me deitei na cama e passei uma hora escutando música e tomando nota de palavras-chave que eu havia pensado a respeito das minhas aulas, mas tudo me pareceu um tanto estúpido, o que já era bastante esperado, então amassei as folhas e as joguei fora.

Tudo estava sob controle, absolutamente tudo.

À noite voltei à escola. Era uma sensação estranha entrar sozinho naquela construção enorme e andar pelos corredores. Tudo estava em silêncio e vazio, preenchido pela luz noturna que entrava pelas janelas. Todas as prateleiras e armários estavam vazios, as salas de aula não tinham nenhuma indicação.

Na sala dos professores havia um telefone em um pequeno cubículo, fui até lá e liguei para a minha mãe, ela também havia começado a trabalhar em uma nova escola naquele mesmo dia, e além disso estava ocupada arrumando as coisas no novo endereço que tinha alugado, uma casa geminada próxima ao centro de Førde. Contei um pouco sobre como as coisas estavam no norte e sobre o meu nervosismo em relação às aulas do dia seguinte. Ela disse que tinha certeza de que eu me sairia bem, e mesmo que as recomendações não valessem muita coisa, afinal de contas ela era minha mãe, ajudaram mesmo assim.

Quando desliguei, desci à sala da copiadora e fiz dez cópias do conto que eu havia escrito. A ideia era mandá-lo para conhecidos no dia seguinte.

Depois passei por todas as salas da escola. No ginásio de esportes, abri a porta da garagem que dava para a saleta com todos os equipamentos, atirei uma bola no chão e fiz uns arremessos em direção a um dos gols de handebol. Apaguei a luz e fui até a piscina. A água estava plácida e escura. Fui até a sala de carpintaria e depois à sala de ciências naturais. As janelas ofereciam uma vista de todo o vilarejo, que se estendia ao pé das montanhas com uma grande quantidade de casinhas em diferentes cores e dava a impressão de vibrar, e também do mar, do mar infinito, e do céu que se erguia ainda mais além, repleto de nuvens compridas e vaporosas.

Na manhã seguinte chegariam os alunos, e a partir de então as coisas ficariam mais sérias.

Apaguei as luzes, tranquei a porta e desci a encosta com o grande molho de chaves tilintando na mão.

Quando acordei no dia seguinte eu estava quase vomitando de nervosismo. Meu café da manhã se limitou a uma caneca de café. Cheguei à escola meia hora antes da primeira aula, sentei no meu lugar e comecei a folhear os livros escolares. A atmosfera em meio aos outros professores, que andavam de um lado para o outro entre a sala da copiadora, as salas de aula, a copa e o conjunto de sofás, era descontraída e alegre. Pela encosta do outro lado da janela os alunos começavam a chegar. Senti meu peito sufocado pelo medo. Meu coração batia como se estivesse sendo esmagado. Eu via as letras nas páginas dos livros, mas não conseguia fazer com que significassem coisa alguma. Passado um tempo me levantei e fui até a copa pegar uma caneca de café. Ao me virar encontrei os olhos de Nils Erik. Ele parecia estar tranquilo no sofá e tinha o corpo inclinado para trás e as pernas bem afastadas.

— Você tem a primeira aula livre, não? — perguntei.

Ele acenou a cabeça. Tinha o rosto levemente ruborizado. Os cabelos dele eram pretos e tinham o mesmo redemoinho indomável que Geir, o meu melhor amigo, também tinha. Os olhos eram azul-claros.

— Estou nervoso pra burro — eu disse, me sentando na cadeira ao lado.

— Nervoso por quê? — ele perguntou. — Você sabia que são apenas cinco ou seis alunos por turma?

— Sabia — eu disse. — Mas assim mesmo...
Nils Erik sorriu.
— Você quer trocar de lugar? Afinal de contas, eles não nos conhecem! Eu posso ser o Karl Ove e você o Nils Erik.
— Pode ser — eu disse. — Mas o que vamos fazer quando a gente tiver que destrocar?
— Destrocar? Destrocar para quê?
— Você tem razão — eu disse, olhando para a janela. Os alunos estavam agrupados no lado de fora. Uns corriam de um lado para o outro. Havia também mães. Os filhos delas estavam arrumados.

A mensagem era clara. Alguns daqueles alunos estavam indo à escola pela primeira vez. Era o primeiro dia de aula deles.
— De onde eu venho, então? — perguntei.
— De Hokksund — ele disse. — E eu?
— De Kristiansand.
— Que beleza! — ele disse.
Eu balancei a cabeça.
— Não, você está enganado — eu respondi.
Ele me encarou com um olhar de sabichão.
— Você é que *pensa* — disse. — Espere uns anos.
— O que vai acontecer daqui a uns anos? — perguntei.
Na mesma hora o sinal tocou.
— Daqui a uns anos você vai pensar na sua cidade natal como um paraíso — ele disse.
O que você sabe a respeito desse assunto?, pensei, mas não disse nada, simplesmente me levantei, peguei a caneca de café com uma das mãos, a pilha de livros com a outra e saí em direção à porta.
— Boa sorte! — ele disse às minhas costas.

A sétima série tinha cinco alunos. Quatro meninas, um menino. Além deles eu seria também responsável pelos três que estavam na quinta e na sexta série. Oito alunos ao todo.
Quando parei em frente à cátedra e larguei as minhas coisas, todos estavam olhando para mim. A palma das minhas mãos estava suada, meu coração batia com força e a minha respiração estava ofegante.

— Olá! — eu disse. — Meu nome é Karl Ove Knausgård, eu venho de Kristiansand e vou ser o conselheiro de classe de vocês este ano. Achei que seria bom começar aprendendo o nome de vocês. Tenho o nome de todos aqui, mas como vocês podem imaginar eu ainda não sei quem é quem.

Enquanto eu falava os alunos trocavam olhares, duas meninas riam um pouco. A atenção que concentravam em mim não era perigosa, percebi no mesmo instante, mas infantil. Eram crianças.

Peguei a folha da chamada. Olhei para a folha, olhei para os alunos. Reconheci a menina da loja. Mas a que tinha a aura mais forte era uma menina de cabelos avermelhados e óculos pretos. Notei que ela parecia um tanto cética. Os outros não ofereciam nenhuma resistência.

— Andrea? — chamei.

— Aqui — disse a menina da loja. Ela respondeu com o olhar fixo no chão, mas olhou para mim logo que a voz se dissipou.

Eu sorri para ela, tentando dar a entender que aquilo não tinha grande importância.

— Vivian?

A menina ao lado dela riu.

— Sou eu! — ela disse.

— Hildegunn?

— Aqui — disse a menina de óculos.

— Kai Roald?

Ele era o único menino na sétima série. Vestido com jaqueta e calça jeans, não parava de mexer na caneta.

— Aqui — ele respondeu.

— Live? — chamei.

Uma menina de cabelos longos, rosto arredondado e óculos sorriu.

— Sou eu — ela disse.

Além deles havia um menino e uma menina na sexta série e uma menina na quinta.

Larguei a folha e tomei o meu lugar na cátedra.

— Eu vou dar para vocês aulas de norueguês, matemática, religião e ciências. Vocês são alunos dedicados?

— Não muito — respondeu a menina de cabelos vermelhos com óculos. — Sempre tivemos professores do sul que não têm nenhum tipo de especialização e não passam mais do que um ano aqui.

Eu sorri. Ela não sorriu.

— Quais são as matérias preferidas de vocês, então?

Eles se olharam. Tive a impressão de que ninguém queria responder.

— Kai Roald?

Ele se retorceu. Um leve rubor se espalhou pelo rosto.

— Não sei — ele disse. — Carpintaria, talvez. Ou educação física. Mas norueguês não, com certeza!

— E você? — perguntei, olhando para a menina da loja e depois fixando os olhos mais uma vez no papel. — Andrea?

Ela tinha cruzado as pernas por debaixo da carteira e estava inclinada para a frente, desenhando numa folha.

— Eu não tenho uma matéria preferida — ela disse.

— Porque você gosta de todas ou porque não gosta de nenhuma? — eu perguntei.

Ela olhou para mim. Percebi certo brilho naquele olhar.

— Porque não gosto de nenhuma! — ela respondeu.

— É assim com todo mundo? — perguntei.

— É! — a turma respondeu.

— Muito bem, então — eu disse. — A questão é que vamos ter que passar todo este tempo juntos, independente de vocês gostarem ou não. Por isso eu acho importante a gente se esforçar para que o momento das aulas seja o mais agradável possível. Vocês não concordam?

Ninguém respondeu.

— Como eu não sei *nada* a respeito de vocês, pensei em usar nossas primeiras aulas para conhecer melhor a turma e descobrir no que precisamos nos concentrar.

Me levantei, tomei um gole de café e sequei a boca nas costas da mão. Na sala ao lado alguém começou a cantar. Uma voz alta e clara, devia ser Hege, e em seguida vieram as vozes de crianças pequenas.

Eram os alunos da primeira classe!

— Pensei em começar com uma tarefa simples — eu continuei. — Vocês vão escrever uma breve apresentação de uma página.

— Essa não! Vamos ter que escrever? — disse Kai Roald.

— Como é uma apresentação? — Vivian perguntou.

Olhei para ela. O arco do queixo era tão discreto que o rosto parecia quase quadrado. Mesmo assim, não dava uma impressão de dureza, mas de maciez e juventude. Os olhos azuis quase desapareciam quando ela sorria, e já naquele instante percebi que ela sorria com frequência.

— É um texto em que você escreve sobre quem você é — eu disse. — Imagine que você tem que explicar quem você é para uma pessoa desconhecida. O que você escreveria?

Ela se ajeitou na cadeira e juntou os joelhos, mantendo as pernas em forma de X.

— Que eu tenho treze anos? E que estou na sétima série da escola de Håfjord?

— Isso mesmo — eu disse. — E também que você é menina.

Ela riu.

— É, isso é importante saber — ela disse.

— Tudo bem então? — perguntei. — Eu quero que escrevam uma página a respeito de vocês. Ou mais, se quiserem.

— Você vai ler para todo mundo? — Hildegunn perguntou.

— Não — eu disse.

— E vamos escrever onde? — Kai Roald perguntou.

Bati com a palma da mão na testa.

— É verdade! Vocês ainda não têm cadernos!

Eles riram um pouco, porque eram crianças e achavam esse tipo de coisa engraçado. Fui depressa até a sala dos professores, peguei uma pilha de cadernos, os distribuí para a turma e logo todos estavam concentrados nas apresentações enquanto eu olhava para fora da janela em direção aos picos das montanhas no outro lado do fiorde, onde davam a impressão de convulsionar-se rumo ao céu, escuras e frias contra o fundo leve e claro.

Quando o sinal bateu e recolhi os meus papéis, se espalhou pelo meu corpo um sentimento de efervescência, quase de júbilo. Tudo havia dado certo, não havia motivo para ter medo. E após doze anos de vida escolar ininterrupta, o momento seguinte, de abrir a porta e entrar na sala dos professores, veio acompanhado de uma estranha alegria; eu havia cruzado a linha, estava do outro lado, era um adulto responsável pela minha própria turma.

Larguei minhas coisas no meu lugar, me servi de café, sentei no sofá e olhei para os outros professores que estavam lá dentro. Eu estava no *backstage*, pensei, mas o que naquele primeiro instante foi um pensamento agradável transformou-se no oposto já no momento seguinte, porque não era aquilo que eu queria da minha vida, puta que pariu, eu tinha virado professor, será que podia existir coisa *mais deprimente* do que isso? Um *backstage* de verdade envolvia uma banda, mulheres, bebida, turnês, fama.

Mas também não era aquilo que eu queria. Aquele era apenas um pedaço do caminho.

Tomei um gole de café e olhei em direção à porta, que se abriu na mesma hora. Era Nils Erik.

— Como foi? — ele me perguntou.

— Tudo bem — eu disse. — Nada a temer!

Hege apareceu às costas dele.

— Esses pequenos são *tão queridos!* — ela disse.

— Karl Ove? — uma voz chamou da copa. Olhei para lá; Sture tinha uma caneca de café na mão e estava olhando para mim.

— Você joga futebol, não?

— Jogo — eu disse. — Mas não sou muito bom. Joguei na quinta divisão duas temporadas atrás.

— Nós temos um time aqui — ele continuou. — Eu sou o treinador. É um time de sétima divisão, então acho que você não teria nenhum problema para nos acompanhar. Está a fim?

— Claro — eu disse.

— O Tor Einar também está no time. Não é verdade, Tor Einar? — ele disse, olhando para a sala com as mesas de trabalho.

— Você já está falando merda a meu respeito outra vez? — ele respondeu lá de dentro. No instante seguinte Tor Einar pôs a cabeça na abertura da porta.

— O Tor Einar jogou na quarta divisão — Sture disse. — Mas infelizmente ele não tem nenhum outro talento.

— Pelo menos eu não perdi os cabelos — disse Tor Einar ao entrar. — Assim não preciso deixar a barba crescer para preservar a minha masculinidade, como certas pessoas fazem.

Tor Einar era de Finnsnes, tinha a pele pálida e sardas, cabelos muito ruivos e um sorriso constante nos lábios. Os movimentos dele eram lentos e cuidadosos, de um jeito quase ostensivo, como se pretendesse deixar claro que era uma pessoa que faz tudo em um ritmo próprio e não se importa com os outros.

— Em que posição você joga? — ele perguntou.

— No meio de campo — eu disse. — E você?

— Eu sou o cara que rouba a bola no meio de campo — ele respondeu, piscando o olho.

— Ah, um cão de caça no meio de campo! — eu disse. — Meu apelido na época que eu jogava era "Alce". Isso diz um bocado a meu respeito...

Tor Einar riu.

— Por que "Alce"? — Hege perguntou.

— Por causa da forma de correr — expliquei. — Passos longos e desajeitados, com uma cadência estranha.

— Existem outros bichos no campo de futebol? — ela perguntou.

— Será que existem? — eu disse, olhando para Tor Einar.

— Claro, tem o atacante, que é forte como um touro e põe a bola na rede com um coice.

— E tem também o tigre — eu disse. — Os saltos de tigre dos goleiros. E além disso tem o garçom.

— Quem é o garçom?

— O jogador que sabe onde os outros estão e oferece passes deliciosos no momento exato.

— Que coisa mais infantil! — disse Hege.

— E tem o escudeiro.

— E muitas vezes as duplas de radares. E também o lobo solitário, claro.

— Vocês esqueceram o juiz — disse Nils Erik. — O juiz é um asno.

— E pensar que vocês participam voluntariamente disso! — Hege disse.

— Eu não — disse Nils Erik.

— Mas vocês dois participam — ela disse, olhando para mim.

O sinal bateu mais uma vez. Me levantei para pegar os livros da aula seguinte. Sture pôs a mão no meu ombro.

— Agora você vai dar uma aula para a minha turma, não? — ele perguntou.

Fiz um gesto afirmativo com a cabeça.

— A aula de inglês.

— Fique de olho no Stian. Pode ser que ele tente aprontar para cima de você. Mas é só você não se preocupar que tudo vai dar certo. Tudo bem?

Dei de ombros.

— Espero que sim — eu disse.

— Se você deixar sempre uma saída aberta ele não vai causar problemas.

— Está bem — eu disse.

Inglês era a matéria em que eu me saía pior, e ainda por cima eu tinha apenas dois anos a mais do que os alunos mais velhos, então quando passei à outra construção, onde ficavam as salas do oitavo e do nono anos, outra vez o nervosismo me fez sentir um embrulho no estômago.

Larguei os livros em cima da cátedra. Os alunos estavam sentados nas carteiras como se tivessem sido atirados para lá por uma centrífuga. Todos fizeram de conta que não tinham me visto.

— *Hello, class!* — eu disse. — *My name is Karl Ove Knausgård, and I'm going to be your teacher in English this year. How do you do?*

Ninguém respondeu. A turma era composta por quatro garotos e duas garotas. Dois ou três olharam para mim enquanto os outros rabiscavam e uma das garotas tricotava. Reconheci o garoto da lanchonete, ele tinha um boné na cabeça e se balançava na cadeira enquanto me olhava com um sorriso zombeteiro nos lábios. Devia ser Stian.

— *Well, now I would like you to introduce yourself* — eu disse.

— Fale norueguês! — disse Stian. O garoto atrás dele, um tanto alto e magro, e inclusive mais alto do que eu, que tinha um metro e noventa e quatro na época, riu alto. Algumas das garotas contiveram as risadas.

— *If you are going to learn a language, then you have to talk it* — eu disse.

Uma das garotas, de cabelos escuros e pele clara, com traços regulares e arredondados e olhos azuis, levantou a mão.

— *Yes?* — eu disse.

— *Isn't your English a bit too bad? I mean, for teaching?*

Senti o rubor subir pelo meu rosto e dei uns passos à frente para tentar neutralizá-lo.

— *Well* — eu disse. — *I have to admit that my English isn't exactly perfect. But that isn't the most important thing. The most important is to be understood. And you do understand me?*
— *Sort of* — ela respondeu.
— *So* — prossegui. — *What's your name, then?*
A garota revirou os olhos.
— *Camilla* — ela respondeu.
— *Full sentences, please.*
— *Ah! My name is Camilla. Happy?*
— Sim — respondi.
— *You do mean yes?* — ela disse.
— *Yes* — repeti, sentindo o rubor mais uma vez no meu rosto.
— *So. What's your name?* — eu perguntei, olhando para a garota sentada atrás de Camilla.
Ela levantou o rosto e olhou para mim.
Minha nossa.
Ela era linda!
Olhos azuis e delicados, que se apertavam quando ela sorria. Boca grande. Maçãs do rosto altas.
— *My name is Liv* — ela disse, rindo um pouco.
— *Camilla, Liv. And you?* — perguntei, acenando a cabeça na direção de Stian.
— *Æ heitte Stian* — ele respondeu.
— *Well* — eu disse. — *What will that be in English?*
— *Stian!* — ele repetiu. Todos riram.

Quando o sinal bateu e pude sair da sala de aula eu me sentia exausto. Muita coisa ainda tinha que ser evitada, muita coisa ainda tinha que ser compreendida, muita coisa ainda tinha que ser ignorada, muita coisa ainda tinha que ser reprimida. A garota que se chamava Camilla tinha suspirado e cruzado os braços acima da cabeça enquanto olhava para a minha cara. Ela estava usando apenas uma camiseta, e os peitos, que eram grandes e arredondados, se delineavam com toda a clareza imaginável contra o tecido branco. Fiquei de pau duro, era impossível resistir, por mais que eu tentasse pensar em outra coisa. Mas por sorte eu estava sentado atrás da cátedra! Como se não bastasse, a garota que se chamava Liv além de bonita era também encantadora, ao mesmo tempo extrovertida e tímida, e o que ela tinha de espontâneo, que talvez se manifestasse acima de tudo nos volumosos cabelos loiros e nas muitas pulseiras tilintantes, mas também na contradição entre a linguagem corporal recatada e o brilho no olhar, tornava impossível não pensar nela quando ela estava na sala. E também havia Stian, que passava o tempo inteiro mexendo num canivete e não perdia nenhuma oportunidade de aprontar para cima de mim, e que não queria fazer nada do que eu pedia que fizessem, e o amigo dele, Ivar, que ria de tudo que ele dizia, uma risada cava e um pouco estúpida que sempre era seguida por discretos lances de olhos ao redor. Mas o olhar dele era aberto, às vezes também para mim, eu ainda podia conquistá-lo, e por duas ou três vezes ele também havia rido de um comentário meu.

Na sala dos professores me deixei afundar no sofá. Uma outra professora chamada Vibeke parou e sorriu para mim. Ela tinha dezenove anos, tinha um corpo grande e largo e um rosto redondo e amistoso, olhos azuis e alegres e cabelos loiros com permanente.

— Como estão indo as coisas? — ela me perguntou.

— Bem — eu disse. — E para você?

— Também — ela disse. — Mas para mim as novidades não são tantas quanto para você. Eu também fui aluna aqui na escola.

Eu não sabia o que responder, e ela sorriu mais uma vez antes de entrar na sala de trabalho. Ao meu lado estava Jane, ela também era do vilarejo, tinha vinte e poucos anos e era enorme: os braços dela tinham o dobro da circunferência dos meus. Ela tinha um nariz longo e reto, quase romano, bochechas achatadas e lábios finos, com frequência virados para baixo nos cantos, como se ela sentisse repulsa por aquilo que via. Os olhos dela eram amargos, toda a aura dela era amarga. Mas em duas ou três ocasiões eu a tinha visto sorrir, e nesses momentos todo o corpo dela ganhava vida, a transformação era total, ela tinha dificuldade para conter as risadas quando elas começavam, e era uma alegria vê-la lutar na tentativa de recobrar o controle.

Além de todos os professores temporários jovens havia também uma mulher mais velha na escola, Eva; ela tinha quase uns cinquenta anos, dava aula de trabalhos manuais e técnicas domésticas, era pequena, magra, tinha um rosto marcante, cabelos loiros e grossos e uma voz penetrante, e naquele momento estava sentada do outro lado da mesa com um tricô nas mãos. Eva parecia um tanto cética a meu respeito, segundo pude notar pela maneira como olhava e não olhava para mim. E com razão, pois afinal o que eu estava fazendo naquele lugar? O que eu podia querer com aquele emprego?

Quando voltei da aula de inglês Eva me encarou e eu fiquei com a impressão de que ela sabia de todos os sentimentos que me preenchiam.

Era impossível, mas foi a impressão que eu tive.

No intervalo fui até a agência dos correios no outro lado do vilarejo. As encostas verdejavam à luz do sol. O mar se revelava em um azul profundo. Algum detalhe na qualidade da luz ou no frio que se deixava pressentir no ar como que *por baixo* de tudo que era aquecido pelo sol, tão característico de agosto, reavivou lembranças da atmosfera de volta às aulas no fim das férias, o elemento de entusiasmo e de expectativa que revelava as possibilidades incríveis do ano prestes a começar!

Atrás da última fileira de casas já havia traços de amarelo em meio ao verde. O outono sem dúvida chegaria mais cedo no norte. Cumprimentei um carro que passou com um aceno de cabeça. A motorista, que parecia ser mãe, devolveu meu cumprimento, e então continuei pela estradinha de cascalho até a agência dos correios, que ficava situada no subsolo de um prédio residencial. No corredor ficavam as caixas postais, na parte de dentro o escritório com o balcão de atendimento, os cartazes dos correios nas paredes e os mostruários com cartões-postais e envelopes.

A mulher do outro lado do balcão devia ter uns cinquenta anos. Permanente nos cabelos ruivos e finos, óculos e uma grossa corrente de ouro no pescoço. Um homem com andador usava uma moeda para raspar uma raspadinha na mesa junto à janela.

— Olá — eu disse à atendente, largando meus envelopes em cima do balcão. — Eu queria postar essas cartas.

— Pois não — ela disse. — A propósito, já chegou uma carta para você.

— É mesmo? — eu disse. — Nada mau!

Enquanto ela pesava as cartas e pegava os selos, abri minha caixa postal. Era uma carta de Line.

Voltei ao balcão, paguei, abri minha carta e comecei a ler enquanto eu subia pela estradinha de cascalho.

Ela tinha escrito que estava sentada no quarto, pensando em mim. Gostava demais de mim, segundo dizia a carta, e tínhamos nos divertido muito juntos, mas ela nunca tinha sido apaixonada por mim, então naquela situação, quando já estávamos longe um do outro, talvez o melhor e o mais sincero a fazer fosse terminar o namoro. Ela desejava tudo de bom na minha vida, insistia para que eu levasse a escrita a sério, da mesma forma como ela levaria o desenho, e esperava que eu não ficasse bravo, mas entendesse que uma vida nova estava começando para nós, estávamos longe um do outro, no dia seguinte ela começaria os estudos na universidade popular e eu já estava no vilarejo onde começaria a trabalhar, e em vista de toda essa situação, e também da ausência de um amor verdadeiro, qualquer outra coisa que não fosse o término do namoro seria uma traição contra ela mesma. Mas ela dizia que eu era uma pessoa boa, e que o fim não tinha nada a ver com qualquer coisa no sentido contrário. Não se pode controlar os sentimentos, eles simplesmente são como são.

Enfiei a carta no bolso do sobretudo.

Eu tampouco era apaixonado por Line, tudo que ela dizia a meu respeito eu também poderia dizer a respeito dela, mas assim mesmo fiquei triste e um pouco bravo quando li o que ela tinha escrito. Eu queria que *ela* me amasse! E mesmo que eu não quisesse continuar o namoro com ela e me sentisse feliz porque houvesse chegado ao fim, quem devia terminar era eu. Daquela forma ela havia ficado numa posição superior em relação a mim porque tinha sido ela a dizer não, e também porque provavelmente estava convencida de que eu continuava a amá-la e ficaria arrasado ao receber a carta.

Muito bem, muito bem.

Havia muito movimento no mercado de peixes. Muitos barcos atracados, dois caminhões que andavam de um lado para o outro e entravam no que eu imaginava ser um galpão escuro. Homens com botas de borracha de cano alto andavam pra lá e pra cá, um grupo de mulheres vestidas com longos aventais brancos e toucas brancas fumava em frente ao galpão e uma revoada de gaivotas esvoaçava pelo ar. Entrei na loja e comprei uns pães, um queijo, um pote de margarina e um litro de leite, cumprimentei o caixa, que me perguntou se eu estava me adaptando, e respondi que sim, que tudo estava indo bem.

Eu não tinha aula nenhuma no período seguinte, então depois de comer dois pães e guardar a comida na pequena geladeira que havia na sala dos professores eu sentei no meu lugar e comecei a planejar as aulas dos dias seguintes. Nós, que éramos professores temporários, tínhamos uma pedagoga a nossa disposição, ela apareceria na escola uma vez por semana para que pudéssemos discutir eventuais problemas e dificuldades em relação às aulas. Também faríamos um curso em Finnsnes na semana seguinte, junto com os outros professores temporários do distrito. E havia muitos, porque os estudantes nascidos naquela parte do país raramente voltavam ao concluir a formação como professores em outros lugares. Diversas medidas tinham sido adotadas, porque naturalmente esse era um grande problema. No lugar aonde o meu pai tinha ido morar o governo oferecia vários incentivos fiscais, e esse foi um dos motivos que o levou a se mudar com Unni para o norte. Os dois trabalhavam em um colégio; ou melhor, naquela época apenas o meu pai estava trabalhando, porque os dois estavam esperando um bebê. Na última vez em que tínhamos nos visto, semanas antes, na casa geminada que eles haviam comprado em Sørlandet e que os estaria aguardando quando terminassem de cumprir os deveres assumidos no norte, a barriga dela estava grande.

    Foi naquele instante que tive a ideia de ir para o norte. Estávamos todos sentados na varanda, o meu pai sem camisa, deixando a pele cor de noz à mostra, com uma cerveja em uma das mãos e um cigarro na outra, e eu com minha cruz balançando na orelha e meus óculos de sol, quando ele me perguntou o que eu faria no outono. O olhar dele estava perdido em lugares mais distantes, e quando ele fez a pergunta a voz parecia cansada e desinteressada, levemente pastosa por conta de todas as cervejas que ele havia tomado desde a minha chegada, e assim respondi com indiferença, mesmo que aquilo me desse um aperto no coração, eu simplesmente dei de ombros e disse que não queria continuar estudando nem entrar para o Exército. Quem sabe arranjar um emprego, eu disse. Num hospital ou coisa parecida.

    Ele se inclinou para a frente e apagou o cigarro no grande cinzeiro em cima da mesa. O ar estava cheio de pólen, e por toda parte ouvia-se o zumbido das vespas e mamangavas. Você não quer ser professor?, ele me perguntou enquanto se atirava de volta na cadeira, talvez vinte quilos mais gordo do que em nosso último encontro. No norte eu tenho certeza de que você consegue uma vaga. Se você terminou o colegial, vão receber você de braços abertos.

Pode ser, eu disse. Vou pensar a respeito. Pense mesmo, ele disse. Se você quiser mais uma cerveja, já sabe onde a caixa está. Claro, por que não, eu disse, e então entrei na sala, que parecia escura como breu para quem vinha da luz forte no lado de fora, e entrei na cozinha, onde Unni lia o jornal. Ela sorriu para mim. Estava usando shorts cáqui e uma camisa cinza e larga. Vim pegar mais uma cerveja, eu disse. Claro, ela disse. Afinal, são as férias de verão! É, eu disse. Onde está o abridor? Em cima da mesa, ela disse. Você está com fome? Não muita, eu disse. Está quente demais. Mas você vai passar a noite aqui, não?, ela perguntou. Vou, respondi. Então podemos esperar mais um pouco, ela disse. Inclinei a cabeça para trás e tomei um gole demorado. Hoje era para eu ter trabalhado um pouco no jardim, ela disse. Mas está quente demais, simplesmente. É, eu disse. E depois de um tempo pra cá a barriga também começa a incomodar. É, eu disse. Você nem imagina. Me diga uma coisa, você não quer tomar um banho no lago? Parece que hoje está cheio de gente por lá. Balancei a cabeça. Ela sorriu, eu sorri e depois voltei para a rua com o meu pai. Ah, estou vendo que você foi buscar mais uma, ele disse. É, eu disse, e então me sentei mais uma vez. Se fossem os velhos tempos, ele estaria trabalhando no jardim. E se não estivesse trabalhando no jardim, toda a atenção dele estaria focada nas coisas que aconteciam ao redor, mesmo que fosse apenas um carro estacionando e um jovem que abrisse a janela e se inclinasse para fora. Mas tudo isso havia desaparecido. No olhar dele havia apenas indiferença e desinteresse. Mas não de maneira unívoca, porque quando eu olhava para ele e o olhar dele roçava o meu, eu sentia que *ele* ainda estava naquele lugar duro e frio que eu conhecia desde a minha infância e que ainda me dava medo.

    Meu pai levou o corpo à frente com um gesto vagaroso e colocou a garrafa vazia no chão, pegou mais uma e a abriu com o abridor que tinha no chaveiro. Ele buscava as garrafas sempre de três em três ou de quatro em quatro, porque assim não precisava ficar indo à cozinha o tempo inteiro, como ele mesmo dizia. Levou o gargalo aos lábios, tomou longos goles. É, ele disse. Esse sol está muito bom. É, eu disse. Eu, pelo menos, já estou moreno!, ele disse. É, eu disse. Eu também. Não mesmo!, ele disse, soltando ar pela boca. Nós compramos uma cama de bronzeamento artificial lá no norte, sabia? Você precisa de uma naquela escuridão toda. É, eu disse. Eu vi quando estive por lá. É, talvez você tenha visto mesmo, ele disse. Meu pai tomou mais um longo gole, largou a garrafa vazia ao lado da outra, enrolou um cigarro, acendeu-o, abriu mais uma garrafa. A que horas você quer jantar?, ele perguntou. Para mim é indiferente, eu respondi. Podem decidir vocês. Eu nem sinto fome nesse calor, ele disse, pegando o caderno do jornal que estava em cima da mesa. Apoiei o braço na balaustrada e olhei para longe. O gramado do pátio estava totalmente queimado, mais amarelo e marrom do que verde. A estrada cinzenta estava totalmente vazia. Um pouco mais perto havia um pátio de cascalho, atrás do cascalho algumas árvores, e mais atrás paredes de casas e telhados. Eles não conheciam ninguém naquele lugar, fosse no bairro ou na cidade. Um teco-teco cruzava o céu azul. Ouvi os passos pesados de Unni vindos da sala. Mais uma batida de frente na E18, disse o meu pai. Um carro contra um caminhão. Como?, eu perguntei. Quase todos esses acidentes são suicídios disfarçados, ele disse. As pessoas aceleram contra um caminhão ou contra uma encosta rochosa. Ninguém tem como descobrir se foi de propósito ou não. E assim as pessoas evitam a vergonha. Você acha mesmo?, perguntei. Claro, ele respondeu. E além de tudo é um método eficaz. Basta uma pequena curva para o lado e segundos depois a morte chega. Ele ergueu o jornal para que eu pudesse ler. As chances de sair vivo não são muito boas, você não concorda?, ele me disse. A fotografia mostrava um carro totalmente destruído. Não, eu disse, e então me levantei, desci a escada e entrei no banheiro. Me sentei no vaso. Eu estava meio bêbado. Me levantei outra vez e lavei o rosto com água fria. Puxei a descarga, para o caso de alguém estar prestando atenção a esses detalhes. Quando retornei à varanda o meu pai tinha largado o jornal. Estava com o cotovelo apoiado na balaustrada, e eu pensei que era daquele jeito que ele costumava dirigir no verão, com o cotovelo apoiado na janela aberta. Que idade tinha o meu pai?, pensei enquanto eu começava a calcular. Ele faria quarenta e três em maio. Em seguida pensei no aniversário dele, pensei que sempre comprávamos a mesma loção pós-barba da Mennen com o frasco verde, e lembrei que eu sempre havia me perguntado o que ele fazia com aquilo, já que usava barba. Eu sorri. Meu pai se levantou cambaleando um pouco e parou durante uns instantes para recuperar o equilíbrio. Depois saiu andando em direção à sala com passos largos enquanto puxava a bermuda para cima.

 A ideia que ele havia plantado em mim, de trabalhar como professor no norte da Noruega, ganhou cada vez mais força. Era um plano que me traria apenas vantagens. 1) Eu queria morar num lugar distante, longe de todos e de tudo que eu conhecia, onde eu tivesse liberdade total. 2) Eu queria ganhar o meu próprio dinheiro num trabalho de verdade. 3) Eu queria ter oportunidade para escrever.

E naquele instante eu estava lá, pensei, olhando para a página do livro aberto à minha frente. Torill apareceu no fim do pequeno corredor que levava à sala dos professores, onde ficavam os dois banheiros. Ela sorriu, mas não disse nada, simplesmente se abaixou e tirou uma pasta da prateleira.

— Como é bom ser professor! — eu disse.

— Espere mais um pouco...! — ela disse, e então abriu um sorriso apressado e saiu outra vez. No pátio do lado de fora, Nils Erik apareceu rodeado pelos meus alunos.

Cinco anos atrás eu tinha a idade deles. Em cinco anos eu teria a idade de Nils Erik.

Ah, e a essa altura eu já teria feito a minha estreia como escritor! Moraria em uma cidade grande, onde eu passaria o tempo escrevendo, bebendo e vivendo. Teria uma namorada bonita, esbelta e graciosa com olhos escuros e seios fartos.

Me levantei e entrei na sala dos professores, peguei a garrafa térmica e agitei-a de leve. Estava vazia, então enchi o bule de água, transferi a água para a cafeteira, pus um filtro, medi cinco colheres de café em pó e coloquei todo aquele circo em ação, com direito a tossidos e gorgolejos e à lenta subida do líquido preto no interior do bule, que tinha um olho vermelho e brilhante.

— Tudo bem por enquanto? — perguntou uma voz excessivamente próxima de mim. Me virei. Era Richard, que me encarava com aqueles olhos intensos e um sorriso largo. O que era aquilo, será que ele era capaz de se mover pela escola sem fazer nenhum barulho?

— Acho que sim — eu disse. — Estou bem entusiasmado.

— É assim mesmo — ele disse. — Ser professor é um trabalho muito recompensador e especial. E cheio de responsabilidades, claro.

Por que ele tinha dito aquilo? Será que achava que eu precisava ouvir? Se fosse esse o caso, por quê? Por acaso eu transmitia uma ideia de irresponsabilidade?

— Aham — eu disse. — O meu pai é professor. Está trabalhando um pouco mais ao norte.

— Não diga! — disse Richard. — O seu pai é nortista?

— Não. Ele veio ao norte por conta dos incentivos fiscais. Richard riu.

— Você quer uma caneca? — eu perguntei. — O café logo vai estar pronto.

— Você pode deixar tudo no bule. Depois eu mesmo posso me servir.

Ele desapareceu sem fazer nenhum ruído, da mesma forma como havia surgido. Eu não sabia o que era pior, "você pode deixar tudo no bule" ou "depois eu mesmo posso me servir". De qualquer maneira, aquilo soou muito condescendente. Não havia por que me tratar como um menino em idade escolar simplesmente porque eu tinha dezoito anos. Eu era tão empregado da escola quanto ele.

Pouco depois o sinal bateu e os professores começaram a chegar um atrás do outro, uns em silêncio, outros com breves comentários para todo mundo. Eu tinha deixado o bule em cima da mesa e estava de pé junto à janela com uma caneca cheia na mão. No pátio os alunos corriam por toda parte. Tentei atribuir nomes aos rostos, mas o único nome que eu lembrava era o de Kai Roald, o garoto da sétima série, talvez porque eu houvesse simpatizado com ele, com a renitência que eu tinha percebido no corpo dele, que de vez em quando era vencida por um brilho de interesse ou talvez de entusiasmo no olhar. E também Liv, a menina linda do nono ano, claro. De pé junto à parede e com as mãos enfiadas nos bolsos, ela usava uma jaqueta bege, calça jeans e um par de tênis de corrida cinza e desgastado, mascava chiclete e naquele exato momento afastava os fios de cabelo que o vento havia soprado no rosto dela. E Stian, de pé com as pernas afastadas e as mãos nos bolsos enquanto falava com o amigo varapau.

Me virei mais uma vez em direção à sala. Nils Erik sorriu para mim.

— Onde você está morando? — ele perguntou.

— Um pouco mais para baixo — eu disse. — No térreo de um sobrado.

— Embaixo de mim — disse Torill.

— Onde você mora? — eu perguntei.

— Na parte mais alta do morro. Também no térreo de um sobrado.

— Embaixo de mim! — disse Sture.

— Então é assim que funciona? — eu disse. — Os professores formados ganham um andar com direito a vista e tudo mais, enquanto os professores temporários ficam nos porões?

— O quanto antes você aprender essa lição, melhor — disse Sture. — Todos os privilégios são conquistados. Eu me arrebentei por três anos no curso de magistério. Alguma coisa eu ia ter que receber em troca.

Ele riu.

— Nós também vamos ter que carregar as sacolas de vocês? — eu perguntei.

— Não, seria responsabilidade demais para vocês. Mas nos sábados pela manhã vocês têm que aparecer na nossa casa para fazer a faxina — ele disse, piscando o olho para mim.

— Fiquei sabendo da festa em Hellevika no fim de semana — eu disse. — Alguém está pensando em ir?

— Parece que você se aclimatou bem depressa — disse Nils Erik.

— Quem foi que convidou você? — perguntou Hege.

— Eu simplesmente ouvi dizer — respondi. — E fiquei pensando se alguém mais ia estar lá. Não teria graça ir sozinho.

— Você nunca está sozinho nas festas por aqui — disse Sture. — Estamos no norte!

— Você vai, então? — perguntei.

Ele balançou a cabeça.

— Tenho que cuidar da minha família — ele disse. — Mas posso te dar umas dicas. Se você quiser, claro.

Ele riu.

— Eu pensei em aparecer — disse Jane.

— Eu também — disse Vibeke.

— E você? — perguntei, olhando para Nils Erik.

Ele deu de ombros.

— Quem sabe? A festa é no sábado ou no domingo?

— Acho que é na sexta — eu disse.

— Talvez não seja má ideia — ele disse.

O sinal bateu.

— Nos falamos com mais calma depois — ele disse enquanto se levantava.

— Combinado — eu disse, e então larguei a caneca em cima do banco, peguei os meus livros, fui até o ambiente coletivo, me sentei na cátedra e fiquei esperando os alunos chegarem.

* * *

Quando voltei para casa depois das aulas, minhas caixas de mudança estavam no vestíbulo. Aquilo era tudo que eu tinha: uma caixa de discos, outra com o meu aparelho de som vagabundo e uma terceira com pequenos objetos que eu havia pegado no meu velho quarto, além de uns livros da minha mãe. Mesmo que tudo fosse meu, a sensação que tive ao entrar na sala foi de como se eu tivesse ganhado um grande presente. Montei o aparelho de som, arrumei meus discos junto à parede, passei-os um por um, escolhi *My Life in the Bush of Ghosts* com Brian Eno e David Byrne, um dos meus favoritos, e com a música ribombando comecei a organizar as outras coisas. Eu tinha pegado tudo aquilo da minha própria casa quando nos mudamos; as panelas, talheres, canecas e copos ao meu redor tinham me acompanhado desde que eu era pequeno e morávamos em Tybakken. Pratos marrons, copos verdes, uma grande panela, quase preta no fundo e também um pouco nos lados. A fotografia de John Lennon que pendurei na parede da máquina de escrever tinha ficado no meu quarto durante toda a minha época de colegial. O enorme pôster do Liverpool FC da temporada 1979/1980, que foi colocado na parede do sofá, tinha sido meu desde os meus onze anos. Talvez aquele fosse o melhor time do Liverpool de todos os tempos. Tinha Kenny Dalglish, Ray Clemence, Alan Hansen, Emlyn Hughes, Graeme Souness e John Toshack. O pôster de Paul McCartney já não me interessava mais, e assim o deixei enrolado no quarto, em cima do armário. Quando tudo estava guardado, passei meus discos um por um mais uma vez enquanto eu imaginava ser outra pessoa que nunca os tivesse visto e especulava sobre o que essa pessoa teria pensado a respeito da coleção, ou melhor, sobre o dono da coleção, no caso eu. Havia pouco mais de cento e cinquenta LPs, a maioria comprada nos últimos dois anos, durante os quais eu tinha escrito resenhas para o jornal local e usado praticamente todo o dinheiro que eu tinha para comprar discos novos, e muitas vezes o catálogo completo de bandas que eu gostava. Cada um daqueles discos era um pequeno mundo à parte. Cada um deles expressava uma atitude, uma visão de mundo e uma atmosfera totalmente única. Mas nenhum dos discos era uma ilha, havia ligações e ramificações entre eles — Brian Eno, por exemplo, tinha começado com o Roxy Music, lançado discos solo, produzido discos do U2, trabalhado com Jon Hassell, David Byrne, David Bowie e Robert Fripp, que havia tocado no *Scary Monsters* de Bowie, que havia produzido os discos do Lou Reed, do Velvet Underground, e de Iggy Pop, do Stooges, enquanto David Byrne era membro do Talking Heads, que no melhor disco da banda, *Remain in Light*, tinha convidado o guitarrista Adrian Belew, que também havia tocado em vários discos de Bowie e por muito tempo havia sido o guitarrista preferido dele para os shows. Mas as ramificações e as ligações não existiam apenas entre os discos, elas também se estendiam à minha própria vida. Minha relação com a música era tão próxima que não havia nenhum disco que deixasse de evocar lembranças. Tudo que tinha acontecido nos últimos cinco anos subia como o vapor de uma caneca de café quando eu os ouvia, não exatamente sob a forma de pensamentos e raciocínios, mas como atmosferas, espaços e aberturas. Às vezes genéricos, às vezes específicos. Se minhas lembranças estavam amontoadas em uma pilha no reboque da minha vida, a música era a corda que mantinha tudo junto e no lugar.

Mas isso não era o mais importante. O mais importante era o que a música representava em si mesma. Quando eu ouvia por exemplo *Remain in Light*, um disco que eu punha para tocar regularmente desde o oitavo ano sem nunca me cansar dele, e a terceira faixa, "The Great Curve", trazia aquela composição ritmada, porém ao mesmo tempo complexa, repleta de energia, e de repente os sopros entravam, e depois o coral, era impossível não começar a se mexer, impossível, aquilo botava fogo no meu corpo inteiro, e eu, o cara de dezoito anos mais desajeitado do planeta, de repente começava ainda sentado a mexer o meu corpo como uma cobra, para a frente e para trás, e sentia a necessidade de aumentar o volume, de girar o botão até o máximo, e então, já de pé, ah, eu começava a dançar se estivesse sozinho. Depois, já quase no fim, por cima de tudo, como um caça rasgando os céus acima de uma pequena cidade em festa, entra a guitarra distorcida de Adrian Belew, e ah, ah, meu Deus, eu começava a dançar e a alegria preenchia todo o meu ser e eu desejava que aquilo pudesse durar, que aquele solo continuasse para sempre, que o caça nunca pousasse, que a noite nunca viesse, que a vida nunca acabasse.

Ou *Heaven Up Here* do Echo and the Bunnymen, o exato oposto do Talking Heads, porque nesse caso o importante não são os ritmos e o impulso, mas o som e as atmosferas, o som enorme que a banda cria, o desejo e a beleza e a tristeza que o tempo inteiro se abrem e se fecham na música, ou melhor, que são a própria música. E mesmo que eu saiba muita coisa a respeito do vocalista, mesmo que eu já tenha lido pilhas de entrevistas com ele, como aliás era o caso de quase todas as bandas cujos discos eu tinha, esse conhecimento é empurrado para longe da música, a música não quer saber disso, porque na música não existe um significado, não existe um sentido, não existem pessoas, mas apenas atmosferas, cada uma delas com uma característica própria, como se elas fossem caracterizadas simplesmente por ser aquilo que são, cultivadas sem corpo nem personalidade, ou melhor, como uma espécie de personalidade desprovida de pessoa, e em cada disco existe um número interminável dessas impressões de um outro mundo, que ressurgem cada vez que o disco é tocado. Eu nunca descobri o que me preenchia quando eu ouvia música, apenas que eu queria sempre mais daquilo.

Além de tudo a música me transformou, claro, graças à música eu me tornei uma pessoa que estava na vanguarda, uma pessoa digna de admiração, não do mesmo tipo de admiração devida a quem criava a música, claro, mas entre os ouvintes eu era um dos mais importantes. Em Håfjord ninguém perceberia, da mesma forma como quase ninguém havia percebido em Kristiansand, mas eu sabia que existiam círculos em que essas coisas eram percebidas e valorizadas. E era desses círculos que eu queria participar.

Passei um tempo organizando os discos, ordenando-os de maneira a aumentar a impressão causada por cada um deles e talvez sugerir novas e inesperadas relações a quem os visse, e depois fui até a loja comprar umas cervejas e um jantar congelado — macarrão à carbonara. Além do jantar comprei uma couve-rábano, uma couve-flor, maçãs, ameixas e um cacho de uvas, que eu usaria na aula de ciências e estudos sociais do dia seguinte com a terceira e a quarta série, em uma visualização abrangente de tudo que existia, conforme eu havia pensado em fazer quando folheei o plano de aula deles no dia anterior.

Quando cheguei em casa, coloquei o macarrão congelado no forno e comi direto da caixa, sentado à mesa com uma cerveja e um exemplar do *Dagbladet*. Então me deitei satisfeito na cama para descansar por uma hora. Imagens de professores e alunos e também do interior da escola surgiram nos meus pensamentos até que eu finalmente desaparecesse em meio ao sono.

Acordei uma hora e meia depois do planejado com a campainha tocando. Eu já não sabia mais o que esperar, afinal qualquer um sentia-se no direito de bater à minha porta, então atravessei a casa em um misto de sonolência e nervosismo até chegar à porta no fim do corredor.

Três garotas da minha turma estavam do lado de fora. Andrea, a primeira, deu um sorriso sincero e perguntou se elas podiam entrar; Vivian, a segunda, deu uma risadinha e corou; e Live, a terceira, me encarava por trás dos óculos grandes e grossos.

— Claro — eu disse. — Entrem!

Elas fizeram como os outros visitantes e olharam ao redor quando chegaram à sala. Passaram o tempo inteiro bem perto umas das outras, com direito a cutucões e risadinhas e rostos corados de menina.

— Sentem! — eu disse, apontando com a cabeça na direção do sofá.

As três obedeceram.

— E então? — eu disse. — O que trouxe vocês até aqui?

— A gente só queria ver como você estava. Estávamos meio aborrecidas, sabe? — disse Andrea.

Será que ela era a líder do grupo? Não era o que tinha parecido na escola.

— Não tem nada para fazer aqui — disse Vivian.

— Nada — repetiu Live.

— Eu sei como é — respondi. — Mas infelizmente vocês também não vão encontrar nada de muito interessante aqui na minha casa.

— Realmente este lugar é um buraco — disse Andrea.

— A minha casa? — eu perguntei.

O rosto dela corou no mesmo instante.

— Não, seu bobo! Este vilarejo — ela disse.

— Vou me mudar daqui no dia em que eu terminar o nono ano — disse Vivian.

— Eu também — disse Live.

— Você sempre me imita — disse Vivian.

— É mesmo? E daí? — disse Live.

— "É mesmo? E daí?" — disse Vivian em uma imitação perfeita, que incluía até mesmo o tique de Live, uma discreta torcida de nariz por baixo dos óculos, repetida duas vezes.

— Aaah! — disse Live.

— Você não pode ter o monopólio sobre ir embora do vilarejo quando fizer dezesseis anos — eu disse olhando para Vivian, que sorriu e desviou o olhar.

— Você fala de um jeito *bem estranho*, Karl Ove — disse Andrea. — O que é um monopólio?

O emprego repentino do meu nome me atingiu com tanta força que eu, que estava olhando para ela, já que era ela quem estava falando, enrubesci e olhei para baixo.

— É quando alguém faz alguma coisa sozinho — eu disse, olhando mais uma vez para ela.

— Ah, seeeei — ela disse, como se de repente estivesse caindo de aborrecimento. As outras duas garotas riram. Eu sorri.

— Vocês têm muita coisa a aprender — eu disse. — Sorte de vocês que eu vim para cá!

— Eu não — disse Andrea. — Eu já sei tudo que preciso saber.

— Menos dirigir — disse Vivian.

— Eu sei dirigir! — disse Andrea.

— É, mas você ainda *não pode*. Foi isso que eu quis dizer.

Fez-se uma pausa. Olhei sorrindo para as garotas, e provavelmente com um certo ar de condescendência, porque Andrea apertou os olhos e disse:

— Nós já temos treze anos. Não somos criancinhas, se era isso que você estava pensando.

Eu ri.

— Por que eu acharia uma coisa dessas? Vocês estão no sétimo ano e eu sei disso. E eu lembro muito bem como foi.

— Como foi o quê?

— Começar o ginásio. Hoje foi o primeiro dia de vocês no ginásio.

— Deu para notar — disse Vivian. — Acho que foi mais chato até do que o ano passado.

A campainha tocou mais uma vez. As garotas se olharam. Me levantei e fui atender.

Era Nils Erik.

— Olá — ele disse. — Será que você teria um café a oferecer para um velho colega?

— Você não prefere uma cerveja?

Nils Erik ergueu as sobrancelhas e me encarou de um jeito meio desconfiado, ou talvez meio cético.

— Não, obrigado. Vou dar um passeio de carro depois e prefiro não arriscar.

— Entre — eu disse.

As garotas olharam assim que Nils Erik entrou na sala.

— Então é aqui que vocês passam a noite! — ele exclamou.

— As meninas ainda não passaram na sua casa? — eu perguntei.

Nils Erik balançou a cabeça.

— Mas tive uma visita da quarta série à tarde. Enquanto eu fritava bolinhos de peixe.

— A gente não tinha nada para fazer — disse Live.

As outras duas a encararam com irritação no olhar. Então se levantaram.

— Muito bem — disse Andrea. — Temos que ir.

— Obrigado pela visita — eu disse. — E fiquem à vontade para aparecer outro dia!

— Ha! — disse Vivian no corredor, antes que a porta batesse.

Nils Erik sorriu. Pouco depois vimos as três garotas descendo a encosta em direção à loja.

— Coitadas — eu disse. — Devem estar realmente desesperadas para gastar o tempo livre com visitas aos professores.

— Você já pensou que talvez elas achem você interessante? — Nils Erik perguntou.

— E você não? — eu disse.

— Não, eu não — ele disse com um suspiro. — Mas, escute, eu pensei em dar um passeio de carro. Você quer vir junto?

— Um passeio onde?

Ele deu de ombros.

— No outro lado do fiorde, talvez? Ou em Hellevika?

— Hellevika parece uma boa ideia — eu disse. — O outro lado do fiorde a gente pode ver daqui.

Nils Erik era um cara que gostava de fazer coisas ao ar livre. Me contou que tinha procurado um emprego no norte por causa da natureza, ele tinha uma barraca e um saco de dormir e tinha planos de acampar todos os fins de semana, e me perguntou se eu não gostaria de ir junto.

— Não todos os fins de semana, claro — ele disse sorrindo enquanto avançávamos devagar ao longo do fiorde no carro amarelo.

— Não faz muito o meu estilo — eu respondi. — Acho que vou passar.

Nils Erik acenou a cabeça.

— Era o que eu achava — ele disse. — Mas o que leva um homem da cidade grande todo vestido de preto a se mudar para o norte?

— Eu vou escrever — respondi.

— Escrever? — ele repetiu. — Como assim? Você vai preencher formulários? Enviar solicitações? Fazer anotações para você mesmo a respeito de coisas que não pode esquecer? Escrever cartas? *Limericks* para o *Nitimen*? Contribuições do leitor?

— Estou trabalhando em uma coletânea de contos — eu disse.

— Contos! — ele disse. — A Fórmula 1 da literatura!

— É assim que chamam os contos? — perguntei.

— Não — ele respondeu com uma risada. — Na verdade não. É assim que chamam os *poemas*. Os *stuntpoetene*, sabe? Um deles falou alguma coisa parecida.

Eu não sabia, mas não disse nada.

— Mas você pode ir acampar comigo de vez em quando mesmo assim, não? Pelo menos dois ou três fins de semana. Tem uma reserva natural incrível a uma hora daqui.

— Acho que não. Se quero ter um livro pronto, preciso trabalhar.

— Mas, rapaz, estamos falando da natureza! Da maravilhosa criação de Deus! De todas as cores! De todas as plantas! De todas as coisas sobre as quais você tem que escrever!

Dei uma risada de escárnio.

— Eu não acredito na natureza — respondi. — É um clichê.

— Mas então sobre o que você está escrevendo?

Dei de ombros.

— Eu mal comecei. Mas você pode ler, se quiser.

— Claro!

— Levo para você amanhã, então.

Voltamos ao vilarejo às oito horas. Tudo estava claro como se ainda fosse dia. O céu acima do mar era tão enorme que parei em frente ao vestíbulo e fiquei admirando a paisagem durante vários minutos antes de entrar. Era um céu vazio, não havia nada nele, mas assim mesmo pensei que era também suave e amistoso e que desejava o bem das pessoas que moravam debaixo dele. Talvez porque as montanhas fossem tão duras e hostis?

Jantei, acendi um cigarro e fiquei bebendo chá enquanto corrigia os exercícios dos meus alunos.

Meu nome é Vivian e tenho treze anos. Moro num vilarejo chamado Håfjord. Eu gosto daqui. Tenho uma irmã chamada Liv. Meu pai é pescador e minha mãe é dona de casa. Minha melhor amiga se chama Andrea. A gente faz muita coisa juntas. A escola é chata. Às vezes a gente trabalha no mercado de peixes. Corta as línguas dos bacalhaus. Tô guardando dinheiro para comprar um aparelho de som.

Então Vivian e Liv eram irmãs!

Por um motivo ou outro a descoberta me animou. A falta de jeito dela também mexia comigo. Ou seria talvez a abertura?

Resolvi não corrigir as palavras escritas em dialeto porque seria muito desmoralizante para ela, e em vez disso escrevi um pequeno comentário em vermelho: *Muito bem, Vivian! Mas da próxima vez tente escrever em norueguês padrão.*

Então peguei o caderno seguinte.

Meu nome é Andrea. Sou uma menina de treze anos que mora na costa de uma ilha no norte da Noruega. Tenho um irmão de dez anos e uma irmã de cinco. Meu pai é pescador e minha mãe fica em casa cuidando da Camilla. Gosto de ouvir música e assistir filmes. O meu favorito é O campeão. Quando não estou fazendo nada disso eu ando pelo vilarejo com as minhas amigas Vivian, Hildegunn e Live. É meio chato por aqui, mas tudo vai ficar melhor quando a gente tiver idade para ir nas festas!

Andrea e Vivian eram para mim quase como gêmeas, eu mal havia conseguido distingui-las nas duas vezes em que as tinha encontrado, mas pelas redações entendi que havia uma diferença considerável entre as duas. Ou será que uma delas era simplesmente mais confiante na própria capacidade de escrever que a outra?

Escrevi um comentário no caderno de Andrea, li as outras três redações, que oscilavam entre as duas primeiras em qualidade, comentei-as, guardei os cadernos na minha bolsa, coloquei *My Bag* de Lloyd Cole para tocar e olhei para o vilarejo enquanto sentia meus pelos se arrepiarem com a música. Aos poucos comecei a movimentar o corpo, primeiro com um simples movimento do braço e um discreto bater de pé, mas depois de apagar a luz para que ninguém me visse comecei a dançar com os olhos fechados enquanto eu cantava minha felicidade.

Naquela noite gozei enquanto dormia. Uma onda de prazer atravessou meu corpo, me levando de volta para a vigília, onde eu não queria estar de jeito nenhum, e tampouco a atingi, porque antes que eu alcançasse os pensamentos conscientes e o pressentimento sobre quem eu era e sobre como as coisas estavam boas para mim se tornasse real, afundei mais uma vez em um sono escuro e pesado, onde permaneci até que o alarme tocasse no dia seguinte e eu abrisse os olhos em um quarto cheio de luz com a cueca grudenta de porra.

Primeiro senti a consciência pesada. Só Deus podia saber com o que eu havia sonhado. Depois, quando lembrei de onde eu estava e o que tinha que fazer, voltei a sentir um frio na barriga. Me levantei e entrei no banheiro enquanto dizia para mim mesmo que não havia motivo para nervosismo, a turma era pequena, os alunos eram crianças, mas não adiantava, a sensação era como se eu tivesse que subir no palco sem ter decorado as minhas falas. Tentei me lembrar da atmosfera incrível da noite anterior, quando eu havia corrigido as redações dos alunos e apreciado o sentimento novo que o papel de professor me proporcionava, que incluía ver os alunos e pensar no que podia ser feito para ajudá-los, mas tudo sumiu de repente enquanto eu me secava em meio ao vapor, porque eu não era professor nenhum, não era nem ao menos um adulto, mas apenas um adolescente ridículo que não sabia nada a respeito de nada.

— *Merda!* — gritei! Depois limpei o vapor do espelho com a toalha de rosto e fiquei me observando durante os poucos segundos que a umidade levou para embaçar o vidro outra vez.

A minha aparência estava ótima.

E havia um detalhe especial.

Eu tinha cortado os longos cabelos da minha nuca pouco antes de viajar para o norte. Naquele momento eu tinha uma camada de uns três centímetros de altura que cobria toda a minha cabeça e ficava cada vez mais curta ao se aproximar da fronte e da nuca. Na minha orelha esquerda eu tinha uma cruz.

Eu sorri.

Meus dentes eram brancos e bem alinhados. Meus olhos tinham um brilho que eu gostava de ver, mas em pouco tempo a vergonha de ser uma pessoa que fica sorrindo e quase pisca o olho para si mesma enquanto se olha no espelho fez com que o frio na minha barriga voltasse.

Puta que pariu!

Vesti minha camiseta do *Dream of the Blue Turtles*, a Levi's preta, um par de meias brancas e fiquei um tempo em frente ao espelho experimentando a jaqueta militar fina e a jaqueta jeans, escolhi a primeira opção, experimentei minha boina, vi que não combinou e dois minutos mais tarde eu estava subindo a encosta rumo à escola com a cabeça descoberta e uma sacola do café Ali cheia de livros e material escolar.

A terceira e a quarta séries, que assistiam a todas as aulas juntas, somavam doze alunos, cinco meninas e sete meninos. Eles pareciam ser mais numerosos, talvez porque sempre tinha alguém correndo e gritando e que nunca conseguia parar quieto. Quando todos finalmente sentavam era hora de braços e pernas começarem a se agitar, e assim as atenções iam de um lado para o outro como se fossem cachorros irrequietos.

Os alunos não me conheciam, tinham apenas ouvido falar a meu respeito e me visto de longe, então quando entrei no ambiente coletivo todos ficaram me seguindo com os olhos.

Eu sorri e larguei a sacola em cima da cátedra.

— O que você tem aí dentro? — perguntou um dos alunos. — O que você tem nessa sacola?

Olhei para ele. Pele clara e meio gorducha, olhos castanhos, cabelo bem curto.

— Qual é o seu nome? — eu perguntei.
— Reidar — ele respondeu.
— O meu nome é Karl Ove — eu disse. — E tem uma coisa que vocês precisam aprender o quanto antes, que é levantar a mão quando vocês quiserem falar.

Reidar levantou a mão.

Um espertinho!

— Sim? — eu disse.
— O que você tem na sacola, Karl Ove?
— É segredo — eu disse. — Mas vocês logo vão descobrir. Primeiro tenho que saber o nome de todo mundo.

O menino atrás de Reidar, um coitadinho de cabelos e olhos claros e olhar relativamente duro para a pouca idade, levantou a mão.

— Qual é o seu nome? — eu perguntei.
— Stig — ele respondeu. — Você é muito exigente?
— Exigente? Não! — eu disse.
— A minha mãe disse que você é jovem demais para ser professor! — ele disse, e então olhou ao redor.

Todos riram.

— Sou mais velho do que vocês, pelo menos! — eu disse. — Acho que não vamos ter problemas.
— Por que você tem uma cruz na orelha? — Reidar perguntou. — Você é cristão?
— O que foi que eu acabei de dizer a respeito de levantar a mão para falar?
— Ah! — ele disse rindo, e então levantou a mão.
— Não, eu não sou cristão — respondi. — Sou ateu.
— O que é isso? — Reidar perguntou.
— E a sua mão? Onde está?
— Ah!
— Ateu é como se chama uma pessoa que não acredita em Deus — eu disse. — Mas agora eu quero que vocês digam seus nomes. Vamos começar por trás.

Todos se apresentaram em sequência.

Vibeke

Kenneth
Susanne
Stig
Reidar
Lovisa
Melanie
Steve
Endre
Stein-Inge
Helene
Jo

Imediatamente relacionei certos alunos a uma característica especial, e tive certeza de que eu me lembraria deles mais tarde — a menina que era incrivelmente educada e parecia uma boneca, desde os traços do rosto até o formato do corpo e o estilo das roupas, o menino de rosto redondo, o coitadinho que parecia bravo, o cara exibido, a menina de cabelos loiros com trancinhas, que parecia muito objetiva e racional — mas outros permaneceram vagos e se mostraram demasiado pouco para que eu pudesse fixá-los na memória.

— Vocês são a terceira e a quarta série! — eu disse. — Como se chama o vilarejo onde vocês moram?

— Håfjord, ora essa! — disse Reidar.

Eu não disse nada, simplesmente olhei para eles. Depois foi como se uma luz se acendesse para dois ou três, e então eles levantaram as mãos. Apontei para a criaturinha que parecia uma boneca.

— Lovisa? — eu disse.

— Håfjord — ela disse.

— E como se chama o condado onde Håfjord se localiza?

— Troms.

— E o país?

Nesse ponto todos levantaram as mãos. Apontei para o gorducho.

— Noruega! — ele disse.

— E o continente?

— Europa — ele disse.

— Muito bem — eu disse, e então ele sorriu.

— E como se chama o planeta? Alguém sabe? Reidar?

— Terra?

— Exato.

Me virei e escrevi a sequência no quadro. HÅFJORD, TROMS, NORUEGA, EUROPA, TERRA. Me virei outra vez em direção aos alunos.

— E onde fica a Terra?

— No espaço — disse Stian.

— É verdade — eu disse. — Mas ele fica num sistema solar em uma galáxia que se chama...

No quadro eu escrevi VIA LÁCTEA.

— Vocês já ouviram esse nome antes?

— Já! — exclamaram diversas vozes ao mesmo tempo.

— Para nós essa galáxia parece gigantesca. Mas em relação a todo o espaço ela é muito, muito pequena.

Olhei para os alunos.

— O que vocês acham que existe do lado de fora do espaço?

Todos me encararam com olhares confusos.

— Vocês nunca pensaram nisso? Endre?

Endre balançou a cabeça.

— Quer dizer então que existe alguma coisa do lado de fora?

— Ninguém sabe — eu disse. — Mas é difícil que não haja nada, vocês não acham? Não parece que deve existir alguma coisa?

— O que diz o livro do professor? — Reidar perguntou.

— Não diz nada — eu respondi. — Ninguém sabe.

— Ninguém?

— Ninguém.

— E como vamos aprender, então? — ele me perguntou.

Eu sorri.

— Vocês vão aprender sobre o lugar onde vocês moram. E esse lugar é o universo. Claro, temos que nos afastar um pouco para perceber. Mas moramos no espaço. Em meio às estrelas que vocês enxergam todos os dias no céu. Ou talvez não enxerguem, já que vocês são pequenos e têm que deitar cedo.

— Nã-ão! A gente não é pequeno!

— Foi uma brincadeira — eu disse. — Mas as estrelas que vocês enxergam quando está escuro. E a lua e os planetas. Vamos aprender a respeito deles.

Me virei mais uma vez e escrevi UNIVERSO no quadro.

— Muito bem — eu disse. — Alguém sabe o nome dos planetas do nosso sistema solar?

— Terra! — disse Reidar.

Algumas crianças riram.

— Algum outro?

— Plutão!

— Marte!

— Ótimo! — eu disse. Quando as sugestões acabaram, desenhei todo o sistema solar no quadro-negro.

SOL

MERCÚRIO

VÊNUS

TERRA

MARTE

JÚPITER

SATURNO

URANO

NETUNO

PLUTÃO

— Nesse desenho parece que os planetas ficam próximos uns dos outros. Mas na verdade essas distâncias são imensas, e nós levaríamos muitos anos para chegar a Júpiter, por exemplo. Pensei em mostrar essas distâncias a vocês. Coloquem os casacos e vamos até o campo de futebol!

— Nós vamos sair? No meio da aula?

— Vamos. Podem vir comigo. Vistam os casacos e vamos para o campo de futebol.

Todos saíram correndo pela sala e foram até a parede com os cabides. Fiquei esperando junto à porta com a minha sacola na mão.

Os alunos se juntaram ao meu redor e fomos até o campo. Me senti como um pastor, tamanha a diferença entre mim e aquelas criaturinhas indomáveis.

— Vamos parar aqui! — eu disse, e então tirei uma bola da sacola. Deixei-a no chão. — Este é o Sol. Está bem?

Todos me olharam um pouco hesitantes.

— Vamos lá! Precisamos continuar!

Nos afastamos talvez vinte metros antes que eu parasse e largasse a ameixa no chão.

— Este é Mercúrio, o planeta mais próximo do Sol. Vocês estão vendo o Sol lá do outro lado?

Todos olharam para a bola, que projetava um pouco de sombra no campo de futebol, e acenaram a cabeça.

Depois larguei duas maçãs, duas laranjas, a couve-rábano, a couve-flor e por fim, quase junto à porta do centro comunitário, larguei a uva que representava Plutão.

— Estão vendo como a distância entre os planetas é imensa? — eu perguntei. — O Sol está lá longe, e Mercúrio, que tem o tamanho de uma ameixa, já nem pode ser visto daqui. E tudo isso, eu disse enquanto eles olhavam para o campo de futebol, é apenas uma parte muito, muito, muito pequena do espaço! Muito, muito pequena! Não é estranho? Saber que o lugar onde moramos fica a milhões e milhões de quilômetros dos outros planetas?

Quase dava para ouvir os estalos de certas cabecinhas pensantes. Outros alunos olharam para o vilarejo ou em direção ao fiorde.

— Mas agora temos que voltar para a sala — eu disse. — Vamos correr!

Na sala dos professores eu peguei um exemplar do meu conto, grampeei as páginas e o entreguei a Nils Erik, que estava lendo o *Troms Folkeblad*.

— Aqui está o conto que eu mencionei ontem — eu disse.

— Ah, obrigado! — ele disse.

— Quando você está pensando em ler? Hoje à noite?

— Por acaso o conto vai explodir? — Ele me olhou e sorriu. — Eu tinha pensado em ir a Finnsnes hoje à tarde. Você não quer ir junto?

— Quero. É uma boa ideia.

— Então eu leio o seu conto até amanhã e depois podemos fazer um pequeno colóquio. Que tal?

O colóquio representava a universidade e o conhecimento, as aulas, as garotas e as festas.

— Ótimo — eu disse e saí para buscar uma caneca de café.

— O que você estava fazendo no pátio com a turma? — Nils Erik me perguntou.

— Nada de mais — eu disse. — Estava ilustrando as distâncias entre os planetas.

Quando entrei na sala para a aula seguinte, três meninas perto da janela estavam tendo uma discussão acalorada. Minha chegada não as influenciou em nada.

— Vocês não podem ficar aí paradas conferenciando! — eu disse. — A aula já começou! Quem vocês acham que são? Vocês são alunas e têm que seguir as regras e obedecer os professores!

As três se viraram na minha direção. Elas viram que eu estava sorrindo e simplesmente continuaram.

— Ei! — eu disse. — Vamos, sentem-se!

Então, com uma lentidão que me pareceu intencional, já que veio acompanhada por movimentos visivelmente refinados ao mesmo tempo que o jeito um pouco infantil se transformou de repente na postura de mulheres adultas, as três sentaram-se.

— Li as redações de todos vocês — eu disse enquanto começava a distribuir os cadernos. — Estavam muito boas. Mas tem uma ou duas coisas que podemos discutir agora e que dizem respeito a todos vocês.

Os alunos folheavam os cadernos para ver o que eu havia escrito.

— Não ganhamos nota? — Hildegunn perguntou.

— Não por uma tarefa simples como essa — eu disse. — O mais importante para mim era conhecer vocês um pouco melhor.

Andrea e Vivian estavam comparando os comentários que eu havia escrito.

— Os comentários dizem quase a mesma coisa! — Vivian protestou. — Você é sempre bonzinho assim?

— Bonzinho? — eu disse com um sorriso. — Logo eu vou começar a dar notas para que vocês possam ver melhor as diferenças. Acho que vocês não têm tantos motivos para se alegrar quanto imaginam.

Às minhas costas a porta se abriu. Me virei. Era Richard. Ele foi até uma mesa junto à parede e sentou-se enquanto fazia gestos indicando que eu devia continuar a aula.

O que era aquilo? Por acaso ele estava me *vigiando*?

— A primeira coisa que precisamos combinar diz respeito ao dialeto de vocês — eu disse. — Vocês *não podem* escrever em dialeto. Está *completamente proibido*. Vocês *têm* que escrever "jeg" em vez de "æ". "Er" em vez de "e". E "hvordan" em vez de "koss".

— Mas é assim que *todo mundo* fala! — disse Vivian, virando o corpo na cadeira enquanto olhava para Richard, que continuou sentado e de braços cruzados sem esboçar nenhuma reação. — *Por que* temos que escrever "jeg" se todo mundo diz "æ"?

— No ano passado o Harrison disse que a gente podia escrever em dialeto — disse Hildegunn.

— Ele disse que era melhor a gente se preocupar em escrever *coisas interessantes* do que em escrever certo — disse Live.

— No ano passado vocês estavam no primário — eu disse. — Agora vocês estão no ginásio. Já está na hora de começar a escrever de acordo com as regras da língua padrão. É assim em todos os países do mundo. Vocês podem falar como quiserem, mas na hora de escrever precisam escolher entre *bokmål* e *nynorsk*. Não há nem o que discutir. A não ser que vocês queiram receber as redações de volta cheias de marcas em vermelho e tirar notas baixas, *é assim que tem que ser*.

— Ah! — disse Andrea, olhando primeiro para mim e depois para Richard. Os outros contiveram as risadas.

Pedi aos alunos que pegassem os livros e, quando todos os tinham abertos e na mesma página, pedi a Hildegunn que lesse. Nesse instante Richard se levantou, fez um discreto aceno de cabeça para mim e saiu pela porta.

Durante o intervalo eu bati na porta da sala dele.

Richard estava sentado junto da escrivaninha e me olhou quando entrei.

— Olá, Karl Ove — ele disse.

— Olá — eu disse. — Posso saber por que você entrou na minha aula hoje?

Richard me encarou com um olhar intrigado e curioso. Depois sorriu e mordeu o lábio inferior, um hábito que eu já havia percebido que ele tinha, de maneira que o queixo coberto pela barba se projetou para a frente e deu-lhe uma aparência que lembrava a de um bode.

— Eu queria apenas ver como você estava se saindo numa situação de aula — ele disse. — Vou fazer isso de vez em quando. Como você mesmo sabe, temos muitos professores sem formação em magistério aqui. Eu preciso ter uma ideia de como vocês estão se virando. Ser professor não é fácil.

— Eu prometo que aviso quando eu tiver qualquer tipo de problema — eu disse. — Pode confiar em mim.

Ele riu.

— Eu sei. Não é disso que estamos tratando. Mas vá descansar um pouco agora!

Depois ele voltou a olhar para os papéis que tinha em cima da mesa. Aquele era um truque autoritário, e por alguns instantes me neguei a ceder ao mesmo tempo que percebia que não havia mais nada a fazer, eu não tinha mais nada a dizer e não havia nada de mais no que ele havia dito, então por fim dei meia-volta e entrei na sala dos professores.

Havia três cartas na minha caixa postal quando fui ao correio depois das aulas. Uma de Bassen, que tinha entrado numa universidade em Stavanger, uma de Lars, que tinha ido morar com a namorada em Kristiansand, e uma de Eirik, que tinha começado um curso na Norges Tekniske Høgskole em Trondheim.

Bassen narrava um episódio que tinha acontecido pouco antes da mudança. Ele tinha ido para a casa de uma garota, ou melhor, de uma mulher, afinal ela já tinha vinte e cinco anos, e enquanto os dois mandavam ver ela teve algum tipo de ataque. Bassen ficou apavorado. Ele escreveu que ela começou a ter uma convulsão, o corpo tremia e estertorava, ele achou que era uma crise epiléptica, saiu de cima da cama e se pôs de pé.

Karl Ove, eu estava apavorado! Não sabia se eu devia chamar uma ambulância ou o quê. Imagine se ela tivesse morrido! Era o que eu achava. Mas de repente ela abriu os olhos e me puxou de volta para a cama e me perguntou o que eu estava fazendo de pé. Você tem que continuar!, ela gritou. Você consegue imaginar? Era simplesmente um orgasmo! É assim que as mulheres adultas fazem!

Eu ri enquanto lia a carta, mas também me senti um pouco incomodado, porque eu nunca tinha ido para a cama com ninguém, nunca tinha feito sexo, eu era virgem, em outras palavras, e não apenas me envergonhava desse fato a ponto de ter inventado um monte de experiências sexuais que provavelmente haviam convencido Bassen e outros amigos, mas também ansiava pela minha hora como um louco, pela chance de poder me deitar com uma garota, qualquer que fosse, e sentir aquilo que Bassen e os meus outros amigos sentiam regularmente. Toda vez que eu ouvia a respeito dessas aventuras era como se a exaustão e a luxúria se espalhassem em partes iguais dentro de mim, como se o langor e a força se espalhassem em partes iguais dentro de mim, pois quanto mais tempo se passava sem que eu fosse para a cama com uma garota, maior era o meu medo. Eu conseguia discutir quase todos os meus problemas com outras pessoas, conseguia abrir o coração, mas eu nunca poderia falar com ninguém sobre esse tipo de coisa em circunstância nenhuma, e sempre que eu pensava a respeito do assunto, o que acontecia com uma frequência razoável, de várias vezes por hora, eu me sentia tomado por uma escuridão pesada, uma escuridão cheia de desesperança, às vezes fugaz, como uma nuvem que passa em frente ao sol, às vezes duradoura, mas independente da forma assumida por essa desesperança eu não conseguia evitá-la, e a insegurança e o sofrimento estavam intimamente relacionados a ela. Será que eu conseguiria? Será que eu conseguiria? Mesmo que contra todas as probabilidades eu conseguisse me colocar na situação necessária, ou seja, sozinho num quarto com uma garota nua, será que eu realmente conseguiria fazer sexo com ela? Será que eu saberia o que fazer?

O mistério e a encenação ao redor do assunto faziam com que tudo parecesse ainda mais difícil para mim.

— Você sabe o que fica na ponta de uma camisinha? — Trond havia me perguntado certa vez durante um intervalo naquela primavera, quando estávamos reunidos em um grupo no gramado em frente à escola conversando.

Ele olhou para mim.

Por que aquilo? Será que ele suspeitava que eu mentia a respeito das garotas, que eu mentia a respeito de sexo?

Senti o meu rosto corar.

O que eu podia responder? Se respondesse que não eu estaria me entregando. Se respondesse que sim, ele me perguntaria, então o que é?

— Não, o que fica lá?

— Por acaso você tem um pau tão pequeno assim?

Todos riram.

Eu ri também, me sentindo aliviado.

Mas será que Espen não estava me observando? Com um jeito de espertalhão e um brilho meio triunfante no olhar?

Dois dias mais tarde ele me deu carona de volta para casa, tínhamos passado um tempo juntos na casa de Gisle.

— Karl Ove, quantas garotas você já comeu de verdade? — ele me perguntou enquanto subíamos a encosta suave perto de Krageboen, que tinha casas velhas e estragadas nos dois lados da estrada.

— Por que você está perguntando? — eu retruquei.

— Eu só queria saber — ele disse, lançando um olhar rápido na minha direção antes de se concentrar mais uma vez na estrada logo à frente. Nos lábios dele havia um sorriso astuto.

Enruguei as sobrancelhas e fiz de conta que eu estava me concentrando.

— Ah — eu disse. — Seis. Não, *cinco*.

— Quem?

— Você está fazendo um interrogatório?

— Nã-ão. Mas você com certeza lembra quem foram essas garotas?

— A Cecilie, sabe? Aquela minha namorada de Arendal — eu disse.

Passamos em frente à loja onde antigamente eu surrupiava doces. Fazia anos que a loja tinha fechado as portas. Espen ligou o pisca-pisca.

— Quem mais? — ele perguntou.

— A Marianne — eu disse.

— Você *comeu* a Marianne? — ele disse. — Essa eu não sabia! Por que você nunca disse?

Dei de ombros.

— Porque eu gosto de ter um pouco de privacidade.

— Ah! Eu não conheço ninguém a respeito de quem eu saiba menos do que sei a respeito de você! Mas você só disse o nome de duas.

O grande homem com uma barriga enorme e a boca eternamente aberta estava junto do portão e olhou para nós quando passamos.

— Aqui mora uma família bem estranha — eu disse.

— Não tente mudar de assunto — disse Espen. — Ainda faltam três. Depois eu digo quem foram as minhas, se você aguentar.

— Está bem. Tinha uma garota islandesa que trabalhava num quiosque de sorvetes perto de onde eu ficava no verão do ano passado. Eu vendia fitas cassete na rua em Arendal. Uma vez eu passei a noite na casa dela.

— Uma islandesa! — disse Espen. — Que beleza!

— Foi mesmo — eu disse. — E além disso tive duas *one night stands* aqui na cidade. Eu nem sei como elas se chamavam.

Descemos a última encosta. Na direção do rio as árvores decíduas eram tão próximas umas das outras que mais pareciam um muro. Mais para baixo aquilo tudo se abria, eu olhei para a paisagem e para o pequeno campo de futebol, onde três pequenos vultos se revezavam chutando contra um quarto que estava no gol.

— Quem foram as suas? — eu perguntei.

— Agora não temos mais tempo pra isso — ele disse. — Já chegamos.

— Ah, vamos lá! — eu disse.

Espen riu e parou o carro.

— Nos vemos amanhã! — ele disse.

— Seu filho da puta! — eu disse, abrindo a porta e indo em direção à minha casa. Enquanto ouvia o barulho do carro descendo a encosta e sumindo, pensei que eu talvez houvesse oferecido detalhes demais, que teria sido melhor responder que não era da conta dele. É o que Espen teria me dito se fosse eu que tivesse perguntado.

Por que ele conseguia e eu não?

Espen não dava tanto valor às garotas quanto eu. Não que gostasse menos delas, de jeito nenhum, mas ele não achava que as garotas eram *melhores* do que ele, não achava que eram inalcançáveis a ponto de ser impossível conversar ou fazer coisas simples na companhia delas, para ele as garotas estavam em pé de igualdade, ou talvez ele pensasse até que estava um pouco acima delas, porque uma coisa que não faltava a Espen era autoestima. O resultado era que ele não se importava com isso, e quando as garotas percebiam, era a ele que resolviam conquistar. Eu via as garotas como criaturas das quais era absolutamente impossível se aproximar, como se fossem quase anjos, eu adorava tudo que dizia respeito a elas, desde as veias na pele translúcida dos pulsos até a curvatura das orelhas, e se eu percebesse os contornos de um peito debaixo de uma camiseta ou uma coxa desnuda por baixo de um vestido de verão era como se tudo se desprendesse no meu âmago, como se tudo começasse a girar, e o desejo enorme que se erguia nessas horas era leve como a luz, leve como o ar, e nele havia uma promessa de que tudo era possível, não apenas aqui, mas em toda parte, e não apenas naquele instante, mas para todo o sempre. Ao mesmo tempo que todos esses sentimentos se erguiam, uma consciência que se assemelhava a uma tromba-d'água surgia pelo lado de baixo como uma coisa escura e pesada — aquilo era a resignação, a fraqueza, o mundo que se fechava ao meu redor. Era a insegurança, o silêncio, o olhar assustado. As bochechas coradas e a grande inquietude.

Mas também havia outros motivos. Havia uma coisa que eu não sabia fazer e não entendia. Havia segredos e havia escuridão, havia cenas que fugiam da luz e uma gargalhada que ria de tudo. Ah, eu pressentia tudo, mas não sabia nada a respeito dessas coisas. Nada.

Guardei a carta de Bassen no bolso e subi a encosta depressa, Nils Erik passaria de carro dentro de meia hora e eu ainda tinha que comer alguma coisa.

Duas horas depois chegamos à rua principal de Finnsnes. Quando eu tinha visitado a cidade vindo de Oslo ou de Tromsø, o lugar tinha me parecido um buraco. Poucos dias depois, ao chegar vindo de Håfjord, Finnsnes parecia um lugar grande e quase urbano, cheio de possibilidades.

Nils Erik estacionou em frente ao grande supermercado, e então saímos à procura do Vinmonopolet. Eu comprei uma garrafa de Koskenkorva para a festa e quatro garrafas de vinho branco e meio litro de uísque para ter em casa, enquanto Nils Erik comprou três garrafas de vinho tinto, e eu me surpreendi ao descobrir que ele bebia vinho tinto e não cerveja ou destilados. Deixamos as garrafas no porta-malas e o convenci a entrar comigo numa loja de artigos elétricos e eletrodomésticos que também vendia aparelhos de som. O meu era ruim demais, já fazia tempo que eu pensava em trocar, e como eu tinha arranjado um emprego resolvi dar um jeito naquilo.

Na loja eles só tinham racks, não eram dos melhores, mas de qualquer forma eu poderia comprar um conjunto de verdade mais tarde, pensei, e comecei a procurar um vendedor.

Um homem estava de costas atrás do balcão, abrindo uma caixa de papelão com um estilete. Fui até lá.

— Você pode me atender? — eu perguntei.

O homem mal virou a cabeça.

— Só um instante — ele disse.

Voltei até a parede onde estavam os racks. Chamei Nils Erik, que estava olhando uma caixa cheia de discos.

— Que modelo você compraria? — eu perguntei.

— Nenhum — ele respondeu. — Esses racks são um lixo.

— Concordo — eu disse. — Mas pelo visto são a única coisa que eles têm por aqui. E além do mais eu pretendo usar um desses só enquanto morar por aqui.

Nils Erik me encarou.

— Você por acaso caga dinheiro? Ou a família Knausgård é dona de navios? Eu não sabia!

— Vou fazer parcelado. Veja. 3499 coroas. As parcelas não vão ser mais do que algumas centenas por mês.

O vendedor endireitou as costas e correu os olhos pela loja à minha procura. Era um homem com uma barriguinha, óculos de armação metálica e um penteado que tentava esconder a careca.

Apontei para o rack da Hitachi.

— Vou levar esse — eu disse. — Dá para fazer parcelado, certo?

— Desde que você tenha um emprego fixo — ele disse.

— Eu trabalho como professor em Håfjord — eu disse.

— Então tudo bem — ele disse. — Você tem apenas que preencher uns formulários, então por favor me acompanhe até o balcão...

Enquanto eu preenchia os papéis, o vendedor entrou no depósito para buscar o aparelho.

— Você acha mesmo que é uma boa ideia? — perguntou Nils Erik. — Com esse parcelamento você acaba pagando quase o dobro do preço. E você vai amargar os pagamentos um tempão. O salário que você ganha não é tão bom assim.

Eu olhei para ele.

— Você por acaso é a minha mãe? — perguntei.

— Está certo, isso é assunto seu — ele disse enquanto voltava para a caixa de discos.

— É mesmo — eu disse.

No instante seguinte o vendedor saiu do depósito com uma enorme caixa de papelão nos braços. Ele a entregou para mim e eu a segurei enquanto ele conferia os papéis e a minha identidade, e quando tudo ficou pronto levei a caixa até o carro e a coloquei no banco de trás.

A última parada no programa era o supermercado. Com o carrinho deslizando à nossa frente, andamos de um lado para o outro pegando mercadorias que não eram vendidas na loja do vilarejo. A primeira coisa que peguei foram duas carteiras de cigarro. Nos fundos do supermercado, junto ao balcão de frutas, enquanto Nils Erik escolhia um macarrão eu meti as carteiras para dentro da minha jaqueta, uma em cada bolso, e depois continuei a encher o carrinho normalmente. Eu sempre roubava cigarros em grandes supermercados e sabia que era totalmente seguro, nunca tinham me pegado. Para mim, roubar era uma sensação relacionada à liberdade, a simplesmente não se importar e fazer o que desse na telha, e não o que se devia fazer. Era uma atitude rebelde e insubordinada, e ao mesmo tempo aproximava a minha personalidade de lugares onde eu gostaria de estar. Eu roubava, eu era um ladrão.

Sempre tinha dado certo, mas assim mesmo senti um certo nervosismo quando empurrei o carrinho em direção à garota do caixa. Mas não havia nada de estranho no olhar dela, e não percebi a aproximação discreta de mais ninguém, então coloquei as mercadorias em cima da esteira com as mãos suadas, paguei, guardei tudo nas sacolas e fui para o lado de fora, embora não depressa a ponto de chamar a atenção, parei, acendi um cigarro e esperei por Nils Erik, que um minuto depois estava do meu lado com duas enormes sacolas plásticas cheias nas mãos.

Durante os primeiros quilômetros permanecemos em silêncio no carro. Eu ainda estava um pouco irritado com a lição de moral na loja onde eu tinha comprado o aparelho de som. Eu detestava quando outras pessoas se metiam no que eu estava fazendo, independente de ser a minha mãe, o meu irmão, o meu professor ou o meu melhor amigo: pouco importava. Ninguém me dizia o que fazer.

De vez em quando ele lançava um olhar breve na minha direção. O cenário ao nosso redor tinha ficado mais plano. Árvores baixas, urze, musgo, pequenos córregos, lagos rasos de águas totalmente pretas e ao longe cordilheiras com picos altos e escarpados. Nils Erik tinha enchido o tanque em um posto na saída de Finnsnes, o carro ainda cheirava a gasolina e aquilo me deixou um pouco enjoado.

Ele me olhou mais uma vez.

— Você não quer pôr uma música para tocar? Eu tenho umas fitas no porta-luvas.

Abri o compartimento e larguei a pilha de cassetes no mcu colo.

Sam Cooke. Otis Redding. James Brown. Prince. Marvin Gaye. UB40. Smokey Robinson. Stevie Wonder. Terence Trent D'Arby.

— Você gosta de soul? — perguntei.

— Soul e funk — ele disse.

Coloquei para tocar o único álbum que eu já tinha ouvido antes, *Parade*, do Prince. Me reclinei no assento e fiquei olhando para as montanhas, que nas partes mais baixas eram cobertas por um denso tapete verde de árvores, e mais acima por musgo e urze, também verdes.

— Por que você roubou aqueles cigarros? — perguntou Nils Erik. — Não que eu tenha qualquer coisa a ver com o assunto. Você faz o que bem entender. Mas eu fiquei curioso.

— Você me viu? — eu disse.

Nils Erik fez um gesto afirmativo com a cabeça.

— Eu sei que você tem dinheiro — ele continuou. — Então não foi por necessidade.

— Não — eu disse.

— E se tivessem flagrado você? O que você acha que ia acontecer? Na sua carreira de professor, eu digo?

— Por acaso me flagraram?

— Não.

— Não? Então essa pergunta é puramente hipotética — eu respondi.

— Não precisamos falar a respeito disso — ele disse.

— Podemos muito bem falar — eu disse. — Fique à vontade para dizer tudo que você pensa.

Ele deu uma risada breve.

A pausa que veio a seguir foi longa, embora não constrangedora, a estrada era reta, as montanhas eram bonitas, a música era boa e Nils Erik era um cara que gostava de estar ao ar livre com quem eu pouco me importava.

Mas logo tudo mudou. Era como se eu tivesse avançado um bom pedaço numa direção e de repente estivesse voltando, porque eu tinha um assunto a resolver, Nils Erik não tinha feito nada para mim, não me desejava nenhum mal, ele estava apenas curioso e talvez fosse um pouco direto, e naquele lugar, onde eu não conhecia ninguém, talvez isso não fosse ruim.

Cantarolei a melodia de "Sometimes it Snows in April".

— Você já ouviu o novo disco do Prince? — eu perguntei. — *Lovesexy?* Ele balançou a cabeça.

— Mas se ele vier para a Noruega ou para a Suécia no verão eu quero assistir. Os shows dele parecem incríveis. Eu conversei com um pessoal que viu shows na turnê do *Sign o' the Times*. Disseram que foi o melhor show a que já tinham assistido.

— Não seria má ideia — eu disse. — Mas, enfim, o último disco é bom. Não tão bom quanto *Sign o' the Times*, mas... Eu escrevi uma resenha para o *Fædrelandsvennen* quando o disco saiu e quase cometi um grande erro.

Olhei para Nils Erik.

— Eu tinha lido em uma revista americana que o Prince era analfabeto e quase escrevi isso, sabe? Foi por muito pouco que não apresentei o disco sob esse aspecto, escrevendo que o Prince não sabia ler, mas felizmente aquilo me pareceu um pouco estranho e resolvi deixar de lado. Depois me ocorreu que talvez o que ele não saiba ler sejam partituras. Mas eu realmente não sei. Essa quantidade de informações imprecisas que você acaba memorizando e simplesmente não faz sentido é um problema e tanto. Dizer esse tipo de coisa já é ruim, mas escrever no jornal é ainda pior.

— Sempre achei que os jornais se especializavam nesse tipo de desinformação — Nils Erik disse, sorrindo com o olhar para a estrada.

— É, dá para dizer que sim.

Bem mais adiante estava o acesso a Håfjord, uma pequena estrada cinzenta que adentrava um buraco preto na montanha.

— A propósito, recebi uma longa carta da minha namorada na terça-feira — eu disse.

— É mesmo? — ele disse.

— É. Ou melhor, namorada em termos. Passamos o verão juntos. O nome dela era Line...

— Era? Por acaso ela morreu?

— Para mim, morreu. A questão é essa. Ela terminou comigo. Escreveu dizendo que eu era uma boa pessoa e tudo mais, mas que ela não me amava e que seria melhor terminar agora que eu me mudei para cá.

— Então você está solteiro — disse Nils Erik.

— Exato — eu disse. — Era o que eu ia dizer.

Do túnel saiu um carro preto e compacto como um besouro, que andava a uma velocidade considerável.

O motorista nos cumprimentou ao passar, Nils Erik devolveu o cumprimento, diminuiu a velocidade e entrou no último pedaço da estrada antes de chegarmos ao vilarejo.

— É meio estranho, não? — eu disse. — Todo mundo sabe quem somos, mas a gente não conhece ninguém.

— É — ele concordou. — Viemos parar num lugar aterrorizante.

Ele torceu uma alavanca no painel para ligar o farol alto e empurrou outra para ligar os limpa-vidros. As gotas caíam no capô, no para-brisa e no teto. Os paredões de rocha faziam o barulho do motor ecoar, e esse som nos envolveu como se fosse uma casca até desaparecer de um instante para o outro quando chegamos ao outro lado e o fiorde amplo e azul se revelou aos nossos olhos.

— Você também está solteiro? — perguntei.

— Estou — ele disse. — Na verdade, extremamente solteiro. Faz anos que não tenho namorada.

Será que Nils Erik era gay?

Essa não, era só o que me faltava!

Ele era mesmo um pouco esquisito. E aquelas bochechas coradas...

— Como você já deve ter percebido, não existem muitas opções por aqui — ele continuou. — Mas a concorrência também não é muito grande. Então eu achei que dava na mesma.

Ele riu.

"A concorrência também não é muito grande." O que isso podia significar? Que não havia muitos outros gays em Håfjord?

Olhei para o mar de superfície azul e opaca me sentindo gelado por dentro.

— A Torill parece bem interessante — ele disse.

Torill!

Alarme falso!

Olhei mais uma vez para Nils Erik. Mesmo que ele tivesse os olhos fixos na estrada, a atenção daquele olhar estava voltada para mim.

— Mas ela é velha — eu disse.

— Velha? Não mesmo! — ele disse. — Se eu tivesse que chutar, diria que ela tem vinte e oito anos. No máximo trinta. Pode ser. Mas uma mulher de trinta anos não é velha! Além do mais, ela é sexy. *Muito* sexy, aliás.

— Não foi o que me pareceu — eu disse.

— Eu não tenho mais dezoito anos, Karl Ove. Tenho vinte e quatro. No meu caso uma mulher de vinte e oito não parece velha. Nem inalcançável.

— Ele riu um pouco.

— Se ela é ou não é inalcançável para mim é *outra* questão.

Seguimos devagar pela estradinha que passava junto ao pé da montanha. Os motoristas do vilarejo dirigiam tão depressa quanto em qualquer outro lugar naquele trecho, mas com Nils Erik era diferente, ele fazia o tipo cuidadoso e racional, conforme eu já havia entendido.

— E você? — ele perguntou. — Já está de olho em alguém?

Eu sorri.

— Uma garota que estava comigo no ônibus quando vim para cá. Ela é aluna do colegial em Finnsnes. Mora em Hellevika.

— Ah!

— Vamos ver. Mas não sei.

— A Vibeke é uma garota exuberante — ele disse.

— Você quer dizer gorda?

— Não, você sabe... ela é doce, não há como negar. Um pouco cheinha, talvez, mas o que importa? E a Hege é... bem, não deve ser fácil se acertar com ela, imagino. Mas assim mesmo ela é atraente. Você não acha?

— Você é onívoro? — perguntei.

— Mulheres são mulheres. Esse é o meu lema.

O vilarejo estava abaixo de nós. Nils Erik parou em frente à minha casa e carregou as sacolas para mim enquanto eu me ocupava com a enorme caixa do aparelho de som, me deu tchau e seguiu viagem. Montei o aparelho de som e coloquei para tocar o álbum *Sulk*, do The Associates, um disco totalmente histérico que ouvi atirado no sofá. Depois de um tempo escrevi umas cartas, tentei ser breve para dar conta do maior número possível, porque o importante não era o que eu escrevia naquele momento, mas o conto que eu estava mandando junto com as cartas.

* * *

Em um dos intervalos no dia seguinte Sture me procurou.
— Posso trocar uma palavra com você? — ele perguntou, coçando a cabeça.
— Pode, claro — eu respondi.
— Na verdade eu só queria dar um conselho a você — ele disse. — A respeito da turma com a terceira e a quarta séries. Fiquei sabendo que ontem você deu uma aula sobre o universo...
— O que tem? — eu disse.
— Eles são bem pequenos, sabe? Talvez não fosse má ideia começar por coisas mais próximas. Falando sobre a escola, por exemplo. E depois sobre o vilarejo. Depois sobre a ilha e assim por diante. Você entende? Começar pelas coisas que eles conhecem, para depois chegar à Noruega, à Europa e ao mundo. Assim talvez você possa chegar até o universo. Se ainda estiver por aqui, claro!
Ele deu uma risada discreta e piscou o olho para mim, para fazer com que o conselho parecesse amigável, e não autoritário. Mas aquilo não era conselho nenhum, era uma reprimenda. Quando olhei para ele senti o meu sangue ferver.
— Vou pensar a respeito — eu disse, e então dei meia-volta e me afastei.
Eu estava furioso, mas ao mesmo tampo estava também constrangido, porque sabia que ele tinha razão. As crianças eram pequenas e provavelmente não tinham entendido nada, e aquilo que parecia empolgante para mim quando eu tinha dez anos não pareceria necessariamente empolgante para elas.
Eu não queria falar com ninguém na sala dos professores, então sentei no meu lugar e fingi que estava lendo até que o sinal tocasse e eu pudesse ir direto ao encontro dos meus alunos.
Era estranho, pensei quando parei em frente à cátedra e fiquei esperando os alunos chegarem, era estranho que eu me sentisse à vontade justamente com os alunos na sala de aula, e não com os meus colegas na sala dos professores.
Onde será que estavam?
Fui até a janela. Não havia vivalma no pátio entre os dois prédios. Será que estavam no campo de futebol?

Olhei para o relógio. Já fazia cinco minutos que o sinal havia tocado. Alguma coisa tinha acontecido, pensei enquanto eu saía para o corredor e ia até a porta. Sture apareceu do outro lado, andando com passos apressados. Abriu a porta e saiu, e enquanto eu o seguia com os olhos ele começou a correr.

Os alunos estavam brigando no pátio. Dois garotos estavam agarrados, um atirou o outro no chão, mas em seguida ele se levantou. Ao redor, um grupo de alunos observava a cena. Todos estavam em absoluto silêncio. Mais atrás o vilarejo se estendia, e ainda mais atrás estavam o fiorde e o mar.

Comecei a correr também, acima de tudo por instinto, porque eu sabia que Sture cuidaria de tudo, porém me senti feliz assim mesmo.

Os brigões eram Stian e Kai Roald. Stian era o mais forte, ele tinha jogado Kai Roald no chão, mas Kai Roald não se entregou e investiu mais uma vez contra Stian.

Os dois pararam assim que Sture os alcançou. Ele agarrou Stian pela parte de trás da jaqueta e o afastou enquanto o repreendia. Stian baixou a cabeça como um cachorro. Com certeza ele não faria aquilo comigo.

Parei em frente a eles.

Kai Roald tinha o olhar fixo no chão. A calça dele estava suja nos joelhos e nas coxas. Ele tinha lágrimas nos olhos.

— O que você está fazendo? — eu perguntei. — Você está brigando?

— Ah, cale a boca! — ele gritou.

Coloquei a mão no ombro dele. Kai Roald se afastou.

— Vamos entrar — eu disse. Olhei para o restante da turma. — E vocês? — eu perguntei. — O que estão fazendo no pátio a esta hora? Vocês não podem nem ao menos dizer que estavam brigando!

Kai Roald me olhou depressa, como se esperasse um castigo, mas naquele instante tivesse compreendido que aquilo não daria em nada.

— Venham todos — eu disse. — Vamos para a sala de aula. Kai Roald, você pode ir ao banheiro se arrumar. Sua aparência não está nada boa.

A turma de Sture o esperava junto à porta.

— Isso é sangue? — ele perguntou.

— Não — eu disse. — Apenas sujeira e ranho.

Conversamos um pouco sobre o que tinha acontecido; quando Kai Roald entrou eu disse que ele podia brigar o quanto quisesse, desde que não brigasse na escola. Nos fins de semana você pode brigar desde a hora em que acorda até a hora de ir para a cama, pode brigar a tarde inteira se quiser, eu disse, mas não aqui na escola. Pode ser?, eu perguntei. Ele balançou a cabeça. Foi o Stian que começou!, disse. Tudo bem, respondi. Então se acerte com ele depois que você for para casa. Mas aqui não. Se isso voltar a acontecer eu vou ser obrigado a deixar você de castigo, entendido? E não vale a pena ficar de castigo. Espere mais umas horas e você pode fazer o que bem entender. Mas agora temos que começar a aula, e vocês têm coisas a aprender. Muita coisa, aliás. Vocês não sabem nada!

As quatro meninas olharam para mim com uma expressão de puro mau humor.

— Nada! — eu repeti. — Então tratem de abrir os livros.

— E você por acaso sabe de coisas para diabo? — perguntou Hildegunn. Vivian e Andrea riram.

Levantei o indicador.

— Não quero saber de xingamentos! Esse foi o primeiro e o último.

— Mas todo mundo xinga aqui no norte — disse Vivian.

— Para esses xingamentos vale a mesma coisa que eu disse em relação às brigas — eu respondi. — Em casa vocês podem xingar o quanto quiserem. Mas aqui não. Estou falando sério. Não vou aceitar esse tipo de comportamento. Estamos combinados. E agora vamos continuar a tarefa da última aula. Da página treze em diante. Me chamem se vocês precisarem de ajuda. No início da próxima aula podemos discutir os problemas. Tudo bem?

Fui até a janela e cruzei os braços. Escutei a voz de Nils Erik na outra ponta do ambiente coletivo, ele estava dando aula de inglês para a quarta série. Pensei em Stian, imaginei aquele sorriso travesso, e olhei para as meninas da turma, que tinham os olhares apontados para ele. Eu já tinha percebido que elas o admiravam. Será que chegavam a sonhar com ele?

Com certeza.

Esse pensamento foi um pouco incômodo. Afinal, ele não passava de um merdinha.

Fui até a cátedra e olhei para Hege, que tinha levado os alunos para o cantinho da biblioteca, onde todos estavam sentados em almofadas ouvindo a história que ela contava.

Ela percebeu o meu olhar, virou o rosto na minha direção e sorriu. Sorri de volta, me sentei atrás da cátedra e folheei o livro do professor para ver o que eu poderia fazer na aula seguinte.

Quando levantei o rosto encontrei os olhos de Andrea. Uma nuvem de sangue tomou conta do rosto dela. Eu sorri. Ela ergueu a mão e baixou o rosto. Me levantei e fui até o lugar dela.

— Você quer uma ajuda? — eu perguntei.

— Essa parte aqui — ela disse, apontando. — Está certo?

Me abaixei um pouco e li o que ela tinha escrito. Andrea estava irrequieta e seguia com os olhos o dedo que eu deslizava ao longo da página. Ela tinha um cheiro discreto que me fez pensar em maçãs. Devia ser o xampu, pensei, e senti um arrepio no peito. A respiração dela, o cabelo por cima do rosto, os olhos que espreitavam logo atrás. Tudo aquilo estava próximo demais.

— Muito bem — eu disse. — Está tudo certo.

— Mesmo? — ela disse, olhando para mim. Endireitei as costas assim que nossos olhares se encontraram.

— Mesmo — eu disse. — Pode continuar!

Não havia ninguém quando entrei na sala dos professores depois da aula. Só percebi Torill depois que me sentei, ela estava na copa preparando um sanduíche aberto.

— Você teve esse período livre? — perguntei.

Ela fez um gesto afirmativo com a cabeça e mordeu o pão, mantendo um dedo no ar enquanto mastigava e engolia.

— Tive — ela disse. — Mas tempo livre eu não tenho nunca! Fiquei preparando as próximas aulas.

— Claro — eu disse, pegando o jornal que estava em cima da mesa. Continuei a perceber os movimentos dela enquanto eu folheava as páginas. O sanduíche aberto que subiu até a boca e tornou a baixar no mesmo instante em que ela começou a andar de um lado para o outro.

Torill inclinou o corpo e abriu a geladeira. Levantei o rosto. Ela estava usando calças pretas de stretch. Observei as coxas delineadas pelo tecido justo e tornei a desviar os olhos para o chão. Torill era grande, mas não grande demais, pelo contrário, parecia feminina e exuberante com todas aquelas curvas.

Meu pau começou a latejar, então cruzei as pernas sem desviar os olhos. Devia ser incrível ir para a cama com ela e sentir aquelas coxas e aquela bunda contra o corpo! Meu Deus. Meter fundo. Meu Deus. Ah! Sentir os peitos dela nas minhas mãos! Ah, sentir a pele! Sentir a maciez entre as coxas!

Engoli em seco. Aquilo nunca daria certo. Mesmo que, contra todas as expectativas, eu acabasse na cama com ela ou com outra mulher como ela, nunca daria certo. Eu tinha certeza.

Torill se levantou com uma caixa de leite na mão. Abriu-a, começou a servir o leite num copo e lançou um rápido olhar para mim. Quando nossos olhares se encontraram ela sorriu.

Tinha percebido tudo.

Senti meu rosto corar e devolvi o sorriso enquanto eu tentava desesperadamente pensar em qualquer coisa que pudesse desviar a atenção da cor no meu rosto e de tudo que eu tinha acabado de ver e pensar.

Torill inclinou a cabeça para trás e bebeu o leite em um só gole. Limpou o bigode branco com as costas da mão e olhou mais uma vez para mim.

— Karl Ove, você quer um café? Parece que você está precisando!

O que ela queria dizer com aquilo? Por que eu dava a impressão de estar precisando de um café?

— Não, obrigado — eu disse.

Mas a minha negativa chamaria a atenção!

— Ou melhor, quero sim — acrescentei às pressas. — Obrigado!

— Com leite?

Balancei a cabeça. Ela serviu duas canecas, me entregou uma delas e sentou-se ao meu lado com um suspiro.

— Você já está suspirando? — perguntei.

— Eu suspirei? — ela disse. — É que já é tarde. Eu dormi mal essa noite.

Soprei a superfície preta e opaca, coberta por pequenas bolhas junto às bordas, e tomei um gole.

— Não estou fazendo muito barulho para vocês? — eu perguntei. — Com a música e tudo mais?

Ela balançou a cabeça.

— Eu escuto que você está lá — ela disse. — Mas não tem problema.

— Tem certeza?

— Claro.

— Bem, me avise se você achar que está alto demais.
— Você ouve os barulhos do nosso apartamento? — ela perguntou.
— Não, muito pouco. Só quando você anda pelo apartamento.
— É só porque o Georg é pescador — ela disse. — Eu sou bem mais quieta quando estou sozinha.
— Ele vai passar bastante tempo longe de casa?
— Não, eles já estão voltando agora no sábado.

Ela sorriu, e percebi que os lábios eram macios e vermelhos e deslizavam por cima dos dentes brancos e duros.

— Sei — eu disse enquanto levantava o rosto, porque naquele instante a porta se abriu e Tor Einar entrou, seguido por Hege e Nils Erik.
— A tropa chegou toda junta — eu disse.
— Simplesmente respeitamos a duração das aulas — disse Nils Erik. — Sabemos que cada minuto é importante para a vida futura dos alunos. Então não podemos, e vou repetir, *não podemos* terminar a aula três minutos antes do sinal. Seria uma grande irresponsabilidade. Eu diria inclusive que seria *imperdoável*.
— É, a sua responsabilidade como professor horista é maior — eu disse. — Por que você não quis ser conselheiro de classe, como eu? Assim você teria mais autonomia para decidir sobre o tempo.
— O meu objetivo é ter um cargo na direção — disse Nils Erik. — Não é comum para um professor sem especialização e não vai ser fácil, mas é a meta que estabeleci para mim. — Ele esfregou as mãos e fez uma careta que mais parecia uma caricatura da avareza. — Vai ser ótimo comer uns pães com queijo marrom agora!

Vibeke, Jane e Sture entraram pela porta. Me levantei, pensei que eu devia oferecer meu lugar para os colegas que fossem comer e então parei em frente à janela e olhei para a rua com a caneca na mão.

O céu estava cinza, mas não muito carregado. As meninas da minha turma conversavam próximas ao outro lado da parede. Alunos do oitavo e do nono ano tinham permissão para ficar nas salas de aula se quisessem, e era o que quase sempre queriam, pelo menos no caso das garotas. Já as crianças tinham por hábito ficar do outro lado, próximas ao campo de futebol.

Eu ainda não tinha desempenhado o papel de supervisor em nenhum dos intervalos.

Me virei em direção aos outros professores.

— Quem é o supervisor agora? — perguntei.

— Meu palpite é de que é você — disse Sture com o ombro apoiado contra a guarda da porta e um dos braços levantados.

Fui conferir a lista afixada na parede. Realmente era eu.

— Merda, eu tinha esquecido totalmente — disse enquanto saía para o corredor, pegava minha jaqueta e a vestia ao mesmo tempo que saía ao pátio.

Um vulto pequeno e gorducho saiu do galpão das roupas de chuva e veio em minha direção. Era Jo. Fingi que eu não o tinha visto e saí pelo outro lado, onde um bando de crianças corria para lá e para cá em frente a um dos gols com uma pesada bola cinza.

Eles me viram e interromperam a partida.

— Você quer jogar com a gente? — eles me perguntaram.

— Pode ser — eu disse. — Pelo menos um pouquinho.

— Então é você contra todo mundo!

— Está bem — eu disse.

Entregaram a bola ao goleiro, que a chutou em direção ao amontoado de crianças. Eram muitas, porém todas tinham as pernas curtas, então foi relativamente fácil roubar a bola e manter o domínio sobre a partida. De vez em quando eu derrubava um dos meus adversários, eles gritavam pedindo pênalti e eu gritava de volta dizendo que eles eram chorões, e então eles tomavam impulso mais uma vez e corriam atrás de mim. Por duas ou três vezes eu deixei a bola escapar para não desmotivá-los, mas por fim corri em direção ao gol, marquei um gol e gritei que eu havia ganhado e que a partida tinha chegado ao fim. Não, não vá embora, eles gritavam, nós vamos acabar com você! Os mais novos se agarravam à minha calça. Para me libertar precisei dar uns passos correndo. Depois vi que eles retomaram a partida e saí andando para ver como estavam os alunos do outro lado.

Junto à parede, com a touca enfiada até a testa, Jo estava sozinho.

— Você não quer jogar futebol? — perguntei ao passar.

Ele deu uns passos na minha direção e eu me vi obrigado a parar.

— Eu não gosto de futebol — ele disse em tom lamentoso.

— Mas você pode jogar mesmo assim! — eu disse.

— Não — ele respondeu. — Será que não posso ficar com você?

— Ficar comigo? — eu disse. — Eu só estou dando uma volta no pátio.

Ele pegou a minha mão e me encarou com um sorriso no rosto.

— Tudo bem — eu disse. — Se é assim que você quer...

Será que ele não imaginava como os colegas reagiriam ao vê-lo de mãos dadas com o professor?

Provavelmente não.

Com o gorduchinho a reboque, fui até a outra parte do pátio, onde os alunos da minha turma se misturavam aos colegas do oitavo e do nono ano.

— Ontem eu fiquei lendo a nossa lição um tempão — ele disse, olhando para mim.

— É mesmo? — eu disse. — Que ótimo! E você conseguiu entender?

— Acho que consegui — ele respondeu. — Pelo menos um pouco.

— E do que você gosta, já que não gosta de futebol?

— De desenhar — ele disse. — Eu adoro.

— E quando você está na rua?

— Eu gosto de andar de bicicleta. Junto com o Endre.

— Vocês são bons amigos?

— Às vezes.

Olhei para Jo. A expressão no rosto dele era totalmente neutra.

Um coitadinho sem nenhum amigo.

Os olhos dele encontraram os meus, e o rosto se abriu em um sorriso. Coloquei a mão no ombro dele e me agachei.

— Você não quer jogar futebol comigo? — eu perguntei. — Com nós dois no mesmo time?

— Mas eu não sei jogar futebol! — ele disse.

— Ora — eu retruquei. — Claro que sabe. É só correr e chutar a bola! Eu posso ajudar você. Mas temos que nos apressar. Logo o sinal vai tocar.

— Está bem — ele disse, e então corremos em direção à quadra.

Parei em frente à criançada e ergui a mão.

— Eu quero jogar outra vez! — disse. — E o Jo está no meu time. Nós dois contra todo mundo. Está bem?

— Mas o Jo é ruim demais! — gritou Reidar.

— Vocês são todos ruins — eu disse. — Vamos lá!

Realmente Jo era muito ruim. Quando eu passava a bola ele mal conseguia chutar. Mas ele corria de um lado para o outro com um sorriso nos lábios, e por sorte o sinal tocou dois ou três minutos depois.

— Jo, você pode deixar a bola na sala dos professores?

— Posso! — ele disse, e então saiu correndo com a bola debaixo do braço. Fui depressa atrás dele, porque eu ainda tinha esperança de ver Liv, a garota do nono ano, antes de entrar.

E consegui. Ela estava andando ao lado de Camilla quando as alcancei e lançou um olhar rápido e meio roubado na minha direção ao dobrar no corredor. Olhei para aquela bunda esbelta e firme, perfeitamente formada, e senti como se um abismo se abrisse dentro de mim.

Depois da última aula fiquei na sala dos professores esperando que os outros fossem para casa. Uma parte de mim gostaria de aproveitar uma solidão diferente da que eu tinha em casa, outra parte de mim queria dar alguns telefonemas.

Por fim apenas o carro de Richard estava no estacionamento. Ele estava no escritório, mas podia entrar na sala dos professores a qualquer momento, então fiquei lendo um volume de enciclopédia à espera de que ele também pegasse as coisas dele e fosse embora.

Nas últimas horas o céu tinha ficado mais escuro, e enquanto eu estava na sala dos professores as primeiras gotas começaram a tamborilar nas janelas. Me virei e vi que as primeiras caíram no asfalto sem deixar marcas, como se nunca tivessem existido, para segundos depois espalhar o líquido escuro assim que o céu abriu as portas e derramou a chuva. A água veio com força, e as faixas de água cortavam o ar com uma força tão grande que os pingos ricocheteavam ao cair no chão. A água começou a escorrer pelos canos que drenavam as calhas e a se espalhar pelo chão ao longo da parede do outro prédio. Um barulho duro e percussivo vinha das janelas e do teto acima da minha cabeça.

— Parece que começou uma tempestade! — disse Richard, que estava na porta sorrindo para mim, com um casaco verde e uma faca na cintura.

— É, não é pouca chuva — eu disse.

— Você está fazendo trabalho extra? — ele perguntou ao entrar.

— Mais ou menos — eu disse. — Quer dizer, é o que pensei em fazer.

— O que você achou dessa primeira semana?

— Acho que está tudo bem — eu disse.

Ele fez um gesto afirmativo com a cabeça.

— Na sexta-feira que vem você vai poder falar com a Sigrid. A nossa pedagoga, sabe? Não seria má ideia trazer umas anotações com dúvidas e questionamentos. Assim você pode tirar o maior proveito possível do encontro com ela.

— É o que pretendo fazer — eu disse.

Ele mordeu o lábio e saiu como se fosse um bode.

— Muito bem então — disse. — Um bom fim de semana para você!

— Bom fim de semana — repeti.

Trinta segundos depois Richard apareceu do lado de fora e correu até o carro protegendo a cabeça com a pasta de documentos.

Pegou as chaves, abriu a porta, sentou no banco.

Os faróis se acenderam e eu senti um calafrio nas costas. O brilho vermelho das sinaleiras espalhou-se pelo asfalto úmido e preto e os faróis acenderam fachos de luz amarela em direção à parede, que deu a impressão de se espalhar por cima deles quando foi iluminada.

A chuva que tamborilava, os grandes Vs desenhados pela água que escorria morro abaixo e a inundação que escorria pelas calhas.

Ah, aquele era o mundo, e era bem no meio dele que eu estava vivendo.

O que eu podia fazer? Eu tinha vontade de bater com os punhos fechados nas janelas, correr ao redor e berrar enquanto atirava mesas e cadeiras para todos os lados, porque eu sentia a vida e a força transbordarem dentro de mim.

IT'S THE END OF THE WORLD AS WE KNOW IT!, eu cantava o mais alto que podia na sala dos professores.

IT'S THE END OF THE WORLD AS WE KNOW IT!

AND I FEEL FINE!

AND I FEEL FINE!

Quando o carro de Richard desapareceu, dei uma volta pelo interior do prédio para ver se, contra todas as minhas expectativas, alguém mais estava por lá. O zelador, por exemplo, talvez estivesse consertando uma coisa ou outra. Mas o prédio estava completamente vazio, e quando tive certeza, entrei na saleta do telefone e disquei o número da minha mãe.

Ela não atendeu.

Talvez houvesse trabalhado até mais tarde, talvez houvesse passado no supermercado a caminho de casa, ou então saído para jantar fora.

Liguei para Yngve. Ele atendeu na mesma hora.

— Alô? — disse.

— Alô? É o Karl Ove — eu disse.

— Você está mesmo no norte?

— Estou, claro. Como vão as coisas?

— Bem. Acabei de chegar da biblioteca. Vou descansar um pouco e depois sair.

— Para onde você vai?

— Para o Hulen, acho.

— Sortudo do caramba.

— Foi você quem resolveu ir para o norte. Você podia ter se mudado para Bergen, se quisesse.

— É.

— Como vão as coisas por aí? Você já tem casa e tudo mais?

— Já. E a casa é bem legal. Comecei a dar aulas na terça-feira. Para dizer a verdade está bem legal. Eu também vou sair hoje à noite. Mas não vou para um lugar como o Hulen. Tem um centro comunitário na cidade vizinha.

— As garotas daí são bonitas?

— Sããão... tem uma que eu conheci no ônibus. Talvez dê em alguma coisa. Mas fora ela parece que todas se mudaram daqui. Ou são alunas da escola ou então donas de casa. Pelo menos é o que parece.

— Mas você pode se virar com uma aluna, não?

— Ha ha.

Fez-se uma pausa.

— Você recebeu o meu conto? — perguntei.

— Recebi.

— E chegou a ler?

— Mais ou menos. Dei uma olhada. Eu tinha pensado em escrever uns comentários para você. Talvez seja meio complicado fazer isso por telefone.

— Mas você gostou? Ou não é tão simples assim responder?

— Gostei, gostei bastante. Achei o conto bonito e cheio de vida. Mas, como eu disse, acho melhor a gente falar sobre os detalhes mais tarde, pode ser?

— Pode.

Mais uma pausa.

— E o pai? — perguntei. — Você teve notícias dele?

— Nada. E você?

— Não. Nada. Eu tinha pensado em ligar agora.

— Mande lembranças minhas. Assim não preciso ligar nas próximas semanas.

— Pode deixar — eu disse. — E vou escrever uma carta para você nesta semana.

— Combinado — ele disse. — Até mais!

— Até mais — eu disse, e então desliguei, entrei na sala dos professores e me sentei no sofá com os pés em cima da mesa. A conversa com Yngve tinha me deixado um pouco para baixo, mas eu não sabia direito por quê. Talvez porque ele ia a uma festa no Hulen em Bergen, uma cidade grande, com todos os amigos, enquanto eu ia a uma festa em um vilarejo longe pra cacete, onde eu não conhecia ninguém?

Ou talvez fosse aquele "gostei bastante".

"Gostei, gostei bastante", ele tinha dito.

Bastante?

Eu tinha lido um conto de Hemingway sobre um menino que estava com o pai, que era médico, em um acampamento indígena, uma mulher estava prestes a dar à luz naquele lugar, mas o parto não dava muito certo, ou pelo menos era assim que eu recordava a história, talvez um dos personagens morresse, mas depois do acampamento eles voltavam para casa e o conto terminava. Tudo muito objetivo. O meu conto não era tão bom quanto aquele, eu sabia. O ambiente era outro, mas era porque Hemingway tinha escrito em outra época. Eu escrevia na minha época, e o meu conto saiu do jeito como saiu.

Mas, afinal de contas, o que Yngve entendia de literatura? Quantos livros ele tinha lido? Será que tinha lido Hemingway, por exemplo?

Me levantei e entrei mais uma vez na saleta do telefone, peguei o papel que eu tinha no bolso e disquei o número do meu pai. Era melhor fazer aquilo de uma vez.

— Alô? — ele atendeu. A voz era muito direta. Assim pelo menos a conversa seria curta.

— Oi, aqui é o Karl Ove — eu disse.

— Ah, oi — ele disse.

— Já estou acomodado por aqui — eu disse. — E também já comecei a trabalhar.

— Que bom — ele respondeu. — Você está gostando?

— Estou.

— Que bom.

— Como estão vocês?

— Como sempre, você sabe. A Unni está em casa, e eu acabei de chegar do trabalho. Agora vamos jantar. Mas foi bom falar com você.

— Mande um abraço para a Unni!

— Pode deixar. Tchau.

— Tchau.

A tempestade já tinha passado quando desci a encosta até a minha casa, mas continuava a chover forte o bastante para que os meus cabelos estivessem molhados quando abri a porta. Me sequei com uma toalha de rosto no banheiro, pendurei a jaqueta, liguei a estufa e coloquei os sapatos ao lado, fritei batatas com um pouco de cebola e uma salsicha cortada em pedaços, comi tudo na mesa da sala enquanto lia o jornal do dia anterior e depois fui para a cama, onde tirei um rápido cochilo, envolvido como eu estava pelo agradável barulho da chuva na janela.

Acordei com a campainha tocando. Na rua a chuva não apenas havia parado, como pude ver quando me levantei para abrir, mas o céu acima do vilarejo também estava azul.

Era Nils Erik.

Ele tinha os braços afastados do corpo, como se fossem dois parênteses, mantinha os joelhos flexionados, apertava os lábios com força e fazia os olhos rodopiarem nas órbitas.

— A festa é aqui? — ele perguntou, imitando a voz de um velho.

— É — eu disse. — É aqui mesmo. Pode entrar!

Nils Erik não se mexeu.

— Você tem... você tem... você tem meninas novinhas aqui? — ele perguntou.

— Novinhas quanto?
— Treze anos?
— Tenho! Mas entre de uma vez. Estou congelando.
Dei as costas para ele e entrei, peguei a garrafa de vinho branco e a abri.
— Você quer vinho branco? — gritei.
— Meu vinho é vermelho como o sangue das meninas! — ele respondeu da rua, ainda com a voz de velho.
— Quanta violência — eu disse. Nils Erik entrou na cozinha com uma garrafa de vinho tinto na mão e sentou-se no banco. Passei para ele o saca-rolhas.
Ele estava usando uma camisa azul da Poco Loco, uma gravata de couro preto e calças de lã vermelhas.
Pensei que ele não temia a impressão que pudesse causar nas pessoas e sorri. Esse era um aspecto importante do caráter de Nils Erik, ele não se importava muito com o que os outros pensavam a respeito dele.
— Você está bem colorido hoje — eu disse.
— Não posso deixar as chances escaparem — ele respondeu. — E ouvi dizer que por aqui você precisa estar bem vestido para atrair as mulheres.
— Mas vestido desse jeito? De vermelho e azul?
— Exato!
Ele prendeu a garrafa entre os joelhos e tirou a rolha com um estalo.
— Esse barulho é maravilhoso! — disse.
— Eu vou tomar uma chuveirada rápida, tudo bem? — perguntei.
Nils Erik fez um gesto afirmativo com a cabeça.
— Claro. Enquanto espero eu vou colocar um disco para tocar, pode ser?
— Claro.
— Ninguém vai dizer que não somos rapazes corteses — ele disse, rindo.
Entrei no banheiro, tirei a roupa às pressas, abri a torneira do chuveiro e entrei debaixo d'água, lavei os sovacos e a virilha, os pés, inclinei a cabeça para a frente, molhei os cabelos e desliguei o chuveiro, me sequei, passei um pouco de gel no cabelo, enrolei a toalha na cintura e atravessei a sala, onde Nils Erik ouvia David Sylvian com os olhos fechados no sofá, para então chegar ao quarto, onde vesti uma cueca e meias limpas, uma camisa branca e uma calça preta. Quando terminei de abotoar a camisa, peguei a minha gravata preta de cordão e voltei à sala.

— Foi justamente assim que disseram para a gente *não* se vestir! — disse Nils Erik. — Pelo menos não se você quiser atrair uma companhia. Camisa branca, gravata de cordão com enfeite de águia e calças pretas.

Tentei dar uma resposta esperta, mas não consegui.

— Ha ha ha — eu ri, enchendo a taça de vinho branco e esvaziando-a em um longo gole.

O gosto era de noites de verão, discotecas lotadas, baldes de gelo em cima das mesas, olhos brilhantes, braços morenos e nus.

Senti meu corpo estremecer.

— Desacostumado a beber? — perguntou Nils Erik.

Encarei-o com um olhar de desprezo e enchi o copo mais uma vez.

— Você já ouviu o novo do Chris Isaak? — perguntei.

Ele balançou a cabeça. Fui até o aparelho de som e coloquei o disco para tocar.

— Está muito bom.

Passamos um tempo sentados sem dizer nada.

Enrolei um cigarro e o acendi.

— Você chegou a dar uma olhada no meu conto? — perguntei.

Ele acenou a cabeça. Me levantei e abaixei um pouco o volume.

— Li antes de sair de casa. É um bom conto, Karl Ove.

— Você acha mesmo?

— Acho. A narrativa é bem vívida. Mas para dizer a verdade não tenho muito mais coisas a dizer. Não sou nenhum literato e também não sou escritor.

— Teve alguma parte que você gostou mais do que as outras?

Ele fez um gesto negativo com a cabeça.

— Não em especial, não. Mas o conto é bom e a história é bem amarrada.

— Que bom — eu disse. — O que você achou do final?

— O final é bem forte.

— É exatamente o que eu queria — respondi. — Que parecesse inesperado o que acontece com o pai.

— E é mesmo.

Nils Erik encheu o copo. Os lábios dele já estavam manchados de vinho.

— A propósito, você já leu *Beatles*, do Lars Saabye Christensen?

— Já, claro — eu disse. — É o meu romance favorito. Foi quando eu li *Beatles* que eu resolvi ser escritor. *Beatles* e *Hvite niggere*, do Ambjørnsen.

— Era o que eu imaginava — ele disse.

— Por quê? Você achou o meu conto parecido?

— Achei.

— Muito parecido?

Ele abriu um sorriso.

— Não, não foi isso que eu quis dizer. Mas dá para ver que você se deixou inspirar.

— E o que você achou da parte com o sangue? Que fica mais ou menos na metade? Quando a narrativa passa ao presente?

— Acho que essa parte não me chamou muito a atenção.

— Essa foi a parte que me deixou mais satisfeito. Eu descrevo como o personagem vê as veias e a carne e os tendões do Gordon. As coisas ficam bem intensas nessa parte.

Nils Erik acenou a cabeça e sorriu.

Depois tornamos a ficar em silêncio.

— Esse conto foi bem mais fácil de escrever do que eu tinha imaginado — eu disse. — Foi o primeiro conto que escrevi. Eu já tinha escrito para jornais e coisas assim, mas é bem diferente. Esse foi um dos motivos que me trouxe até aqui, eu quero ver se consigo escrever um livro. E quando eu comecei... bem, não precisei fazer mais nada além de escrever. Não é nenhum mistério.

— Não — ele concordou. — Você pensa em seguir essa carreira?

— Penso, penso, é o que eu mais quero. Quero ver se escrevo mais um conto durante o fim de semana. A propósito, você já leu Hemingway?

— Já. Você faz o mesmo estilo.

— É, mais ou menos. Bem direto. Simples e sem rodeios. Mas assim mesmo poderoso.

— É.

Enchi e esvaziei o meu copo mais uma vez.

— Você já imaginou o que aconteceria se a gente tivesse procurado emprego em outra escola?

— Como assim?

— Foi uma grande coincidência termos nos encontrado aqui em Håfjord. Podia ter sido em qualquer outro lugar. E nesse caso nos relacionaríamos com as pessoas desse outro lugar e as coisas seriam totalmente diferentes daqui.

— E ainda por cima outros dois caras iam estar aqui ouvindo vinho e bebendo o disco do Chris Isaak. Ou então o contrário. Vinhando o ouvido e discando a bebida do Chris Isaak. Já pensou? Ou melhor, pá jensou? Tudo seria confuso! Cudo seria tonfuso! Enfim, seria uma loucura.

Nils Erik riu.

— Saúde, Karl Ove, e obrigado por ser você que está aqui me fazendo companhia, e não outra pessoa!

Fizemos um brinde.

— Será que se fosse outra pessoa eu teria dito a mesma coisa?

No mesmo instante a campainha tocou.

— Deve ser o Tor Einar — eu disse enquanto me levantava.

Tor Einar estava de costas, admirando a paisagem, quando abri a porta. A luz cinzenta de agosto pairava em meio às encostas, demonstrando uma qualidade muito distinta em relação à luz do céu, azul e reluzente como metal.

— Olá — eu disse.

Tor Einar se virou com movimentos lentos e calculados na minha direção. Não parecia ter a menor pressa.

— Olá — ele disse. — Posso entrar?

— Venha.

Os movimentos com que entrou na casa reforçaram a ideia de precisão e exatidão que eu associava à natureza de Tor Einar desde o nosso primeiro encontro. Era como se ele pensasse uma ou duas vezes antes de executar cada um deles. Sempre com um sorriso nos lábios.

Ele cumprimentou Nils Erik com um aceno.

— Do que vocês estão falando? — Tor Einar perguntou.

Nils Erik sorriu.

— Sobre peixe — ele respondeu.

— Peixe e boceta — completei.

— Peixe salgado e boceta fresca ou peixe fresco e boceta salgada? — ele tornou a perguntar.

— Que diferença faz, será que você pode explicar? — eu disse.

— Preste bem atenção: uma polaca na vara e uma vara na polaca não são a mesma coisa. Peixe e boceta também não. Mas é verdade que são parecidos. Bem parecidos.

— Vara na polaca, é? — eu disse.

— O que tem? Foi você que começou!

Tor Einar riu e ajeitou a calça um pouco acima do joelho antes de sentar ao lado de Nils Erik.

— E então? — ele disse. — Já fizeram o resumo da semana?

— Era justamente o que a gente estava fazendo — respondeu Nils Erik.

— Parece que vai ser uma turma legal — disse Tor Einar.

— Os professores, você diz? — perguntei.

— É — ele disse. — Na verdade eu já conhecia todo mundo, a não ser vocês dois.

— Mas você não é daqui, certo? — perguntou Nils Erik.

— A minha vó mora aqui. Passo todos os verões e todos os Natais aqui desde que eu era pequeno.

— E você também acabou de terminar o colegial, não? — eu perguntei. — Em Finnsnes?

Tor Einar fez um gesto afirmativo com a cabeça.

— Você não conhece uma garota chamada Irene? — perguntei. — De Hellevika?

— Irene? Conheço, sim — ele respondeu com um sorriso no rosto. — Embora não tão bem quanto eu gostaria. Por quê? *Vocês* se conhecem?

— Dizer que a gente se conhece seria um exagero e tanto — expliquei. — Mas eu a conheci no ônibus quando vim para cá. Ela pareceu legal.

— Você quer se encontrar com ela hoje à noite? É esse o plano?

Dei de ombros.

— Ela disse que ia aparecer.

Meia hora depois subimos a encosta. Eu estava sentindo aquela embriaguez alegre proporcionada pelo vinho branco e meus pensamentos começaram a bater uns contra os outros como se fossem bolhas e a espalhar alegria no momento em que estouravam.

Nós três estávamos na minha casa, pensei, e me enchi de alegria.

Nós três éramos colegas, mas aos poucos estávamos criando laços de amizade.

E eu tinha escrito um conto bom pra caralho.

Alegria, alegria, alegria.

E também havia a luz, um pouco escurecida em meio aos homens e às coisas dos homens, repleta de uma escuridão desgastada que, espalhada na luz, não a dominava nem a subjugava, mas apenas a tornava mais discreta ou mais opaca, enquanto no céu a luz brilhava pura e clara.

Alegria.

E havia também o silêncio. O murmúrio do mar, nossos passos sobre o cascalho e um outro som de um lugar ou outro, quando alguém abria uma porta ou soltava um grito, tudo envolto pelo silêncio, que dava a impressão de se erguer do próprio chão, de se erguer das coisas, e nos envolvia de uma forma que eu não concebia como sendo essencial, mas assim mesmo a percebia dessa maneira, porque eu pensava no silêncio das manhãs de verão durante a minha infância em Sørbøvåg, no silêncio que pairava sobre o fiorde, sob a formidável encosta nebulosa de Lihesten. O silêncio do mundo. Esse silêncio também me acompanhava enquanto eu caminhava bêbado com meus novos amigos, e mesmo que o mais importante não fosse o silêncio nem a luz, eles também eram parte.

Alegria.

Dezoito anos e a caminho de uma festa.

— É ali que ela mora — disse Tor Einar, apontando uma casa por onde eu tinha passado uns dias atrás.

— É uma casa bem grande — disse Nils Erik.

— É, ela mora com o namorado — disse Tor Einar. — O nome dele é Vidar e ele é pescador.

— O que mais poderia ser? — eu disse enquanto parava em frente à porta e levava a mão à campainha.

— Aqui você simplesmente entra porta adentro — disse Tor Einar. — Estamos no norte!

Abri a porta e entrei. No andar de cima havia vozes e música. Uma nuvem de fumaça pairava sobre a escada. Tiramos nossos calçados sem dizer nada e subimos. O andar tinha um plano aberto, a cozinha ficava à frente, a sala à esquerda e os quartos provavelmente à direita.

Umas dez pessoas estavam sentadas na sala, conversando e rindo ao redor de uma mesa cheia de copos e garrafas, carteiras de cigarro e cinzeiros. Todos eram fortes, muitos usavam bigode e deviam ter entre vinte e quarenta anos.

— Aqui estão os professores — disse uma voz.

— Então acho que vamos ser reprovados hoje à noite — disse outra.

Todos riram.

— Olá, pessoal — disse Tor Einar.

— Olá — disse Nils Erik.

Hege, a única mulher lá dentro, se levantou e pegou as cadeiras da mesa de jantar, que ficava ao lado da janela.

— Sentem-se, rapazes — ela disse. — Se vocês precisarem de copos, podem buscar na cozinha.

Fui até lá sozinho e fiquei olhando para a encosta atrás da casa enquanto eu preparava um drinque com suco de laranja e vodca. Me detive por um instante na porta a fim de observar o grupo reunido em volta da mesa e pensei que pareciam bruxos com tantas misturas de cores diferentes, dependendo do que acrescentavam à vodca, se xarope, suco ou refrigerante, com os pacotes de tabaco que o tempo inteiro eram usados para fazer cigarros, os bigodes, os olhos escuros e a grande quantidade de histórias que contavam. Pensei que vinham de todos os cantos possíveis e se reuniam uma vez por ano para extravasar as próprias esquisitices em meio aos semelhantes.

Mas na verdade era o contrário. Eles representavam a regra e eu a exceção, o professor em meio aos pescadores. Nesse caso, o que eu estava fazendo naquele lugar? Será que eu não devia estar em casa escrevendo?

Foi um erro ir sozinho até a cozinha. Nils Erik e Tor Einar já haviam dado conta das frases introdutórias e estavam sentados com enorme naturalidade em meio àqueles pescadores, e eu poderia ter feito a mesma coisa e simplesmente aproveitado o abrigo oferecido pelos meus colegas para me inserir naquele lugar.

Bebi um gole e voltei para a sala.

— Aí está o autor! — disse uma voz que reconheci na mesma hora e pertencia a Remi, o homem que tinha batido à minha porta no primeiro dia.

— Oi, Remi — eu disse, estendendo a mão.

— Você por acaso frequentou um curso de memorização de nomes? — ele perguntou enquanto aceitava o meu cumprimento. Ele sacudiu minha mão para cima e para baixo de um jeito como não se fazia desde a década de 1950.

— Você foi o primeiro pescador que eu conheci — eu disse. — Não teria como esquecer o seu nome.

Ele riu. Fiquei contente por ter bebido antes de sair de casa, porque de outra forma eu teria ficado mudo.

— Escritor? — Hege perguntou.

— É, esse sujeito é escritor. Eu vi com meus próprios olhos!

— Eu não sabia — ela disse. — Então *você* tem a cabeça cheia de histórias?

Me sentei e acenei com a cabeça ao mesmo tempo que abri um sorriso meio apologético e tirei do bolso da camisa o pacote de tabaco que eu tinha comigo.

Durante a hora seguinte eu não disse uma palavra. Enrolei cigarros, fumei, bebi, sorri quando os outros sorriram, ri quando os outros riram. Olhei para Nils Erik, que estava um tanto bêbado e *se achando* engraçado, mesmo que não fosse, ele parecia diferente e tinha um ar leve que me fazia pensar no leste da Noruega, mas estava sempre como que do lado de fora. Não que o rejeitassem, não era nada disso, mas as piadas dele tinham um caráter fundamentalmente outro, que naquela situação parecia despi-lo de tudo. Ele brincava com as palavras, os nortistas não, ele assumia diversos papéis, fazia caretas e erguia e baixava a voz, os nortistas não. Me ocorreu que, quando Nils Erik ria, era com uma risada cheia de entusiasmo, quase histérica, que também não fazia parte daquele ambiente.

Tor Einar parecia um pouco mais integrado, ele sabia adotar o tom necessário e conhecia todos que estavam lá, mas tampouco era um deles, eu podia ver que ele não pertencia àquele lugar, mas parecia antes um folclorista que conhece o objeto de pesquisa bem o suficiente para imitá-lo em função da admiração que sente, e talvez a diferença fosse essa, ele *gostava* daquele tom enquanto para os outros aquele simplesmente era o tom. Provavelmente nunca tinham pensado se gostavam ou não.

Tor Einar dava tapas nas pernas quando ria, eu nunca tinha visto aquilo a não ser em filmes. Às vezes ele também esfregava as pernas ao falar.

Aquela reunião de pessoas era livre de polêmicas. Não se falava de política, mulheres, música nem futebol. O que eles faziam era contar histórias. Cada história contada desencadeava a história seguinte, as risadas se espalhavam pela mesa, e tudo que eles tiravam de dentro do chapéu, como os magos que eram, tinha origem no vilarejo e nas pessoas do vilarejo, que apesar do tamanho diminuto parecia conter uma quantidade interminável de situações.

Havia o pescador de sessenta anos que tinha sentido enjoos no mar durante a vida inteira, e que mesmo depois de todo aquele tempo começava a passar mal assim que subia no barco. Havia a turma que depois de uma boa temporada de pesca tinha alugado uma suíte no hotel da SAS em Tromsø e gastado quantias exorbitantes em dias um tanto intensos. Frank, o homem com um rosto carnudo de menino, havia torrado vinte mil coroas, e levou um certo tempo até eu entender que "torrado" queria dizer exatamente isso, que ele havia queimado o dinheiro. Um outro tinha se cagado todo no elevador, disseram, e mais uma vez levei um certo tempo para compreender que a frase devia ser entendida literalmente e que o homem estava tão bêbado que havia cagado na calça. A dizer pela conversa, essas coisas aconteciam o tempo inteiro. Em especial no caso de Frank, acordar todo cagado depois de uma bebedeira não era um acontecimento raro, pelo que pude entender. A mãe dele, que era a professora mais velha da escola, com certeza tinha motivos para reclamar, porque afinal de contas ele ainda morava em casa. As histórias de Hege eram diferentes, mas não menos estranhas, como a história sobre a amiga que estava nervosa antes de uma prova e que ela tinha levado até o meio da floresta e acertado com um taco de madeira na cabeça para que ela pudesse justificar a ausência. Eu olhei para Hege, será que estava tentando nos fazer de bobos? Não era o que parecia. Ela encontrou meus olhos e deu um sorriso largo, e depois estreitou os olhos e enrugou o nariz de leve, tornou a abrir os olhos, sorriu e desviou o olhar. O que significava aquilo? Seria o equivalente a uma piscadela? Ou significava que eu não devia acreditar em tudo que ouvia?

Eles não apenas se conheciam bem, mas de dentro para fora. Tinham crescido juntos e frequentado a escola juntos, trabalhado juntos e ido juntos às festas. Se viam praticamente todos os dias, e assim tinha sido durante a vida inteira. Conheciam os pais e os avós uns dos outros, e muitos eram primos de primeiro ou segundo grau. Talvez aquilo parecesse aborrecido, insuportavelmente aborrecido depois de um tempo, pois não havia nada de novo, tudo que acontecia, acontecia entre as duzentas e cinquenta pessoas que moravam naquele lugar e que conheciam todos os segredos e particularidades umas das outras. Mas não foi essa a impressão que tive, muito pelo contrário, eles pareciam se divertir muito com tudo isso, e a atmosfera era leve e despreocupada.

Continuei sentado, imaginando as frases que eu escreveria nas cartas que eu ia mandar para o sul. Por exemplo, "Todo mundo usava bigode! É a mais pura verdade! Todo mundo!", ou então, "Você sabe que tipo de música eles estavam ouvindo? Bonnie Tyler! E Dr. Hook! Quanto tempo faz que ninguém mais ouve esse tipo de música? Em que tipo de buraco eu fui parar?". E "Aqui, meu caro, o significado da expressão 'se cagar todo' é literal. *Say no more...*".

Quando enfim me levantei para ir ao banheiro já tinha bebido mais de um terço da minha garrafa de destilado e esbarrei no homem que estava ao meu lado, ele tinha um copo na mão e acabou derrubando um pouco da bebida.

— Me... me desculpe — eu disse enquanto me endireitava e começava a atravessar a sala.

— Uns falam enquanto outros bebem! — ele disse às minhas costas com uma risada.

Devia estar pensando em mim e em Nils Erik.

Assim que ganhei um pouco de velocidade, recuperar o equilíbrio foi simples.

Mas onde ficava o banheiro?

Abri uma porta. Lá dentro havia um quarto. O quarto de Hege, pensei enquanto eu fechava a porta o mais depressa possível. Se havia uma coisa que eu não gostava de ver era o quarto de outras pessoas.

— O banheiro fica do outro lado — disse uma voz na cozinha.

Me virei.

Um homem de olhos castanhos, cabelos escuros e um bigode que descia pelos dois lados da boca estava me olhando. Devia ser Vidar, o namorado de Hege. Havia um elemento muito natural na maneira como ele se portava.

— Obrigado — eu disse.

— Não há de quê — ele respondeu. — Desde que você não mije no chão está tudo bem.

— Vou me esforçar ao máximo — respondi enquanto eu entrava no banheiro. Me apoiei contra a parede enquanto mijava e sorri para mim mesmo. Ele parecia um baixista de uma banda dos anos 1970. Uma banda como o Smokie. E também parecia inacreditavelmente forte.

O que Hege estava fazendo com um sujeito estilo machão?

Puxei a descarga e fiquei cambaleando em frente ao espelho, ainda sorrindo para mim mesmo.

Quando saí do banheiro, o pessoal havia decidido que estava na hora de sair. Estavam falando em pegar um ônibus.

— Ainda passa ônibus a essa hora? — perguntei.

Remi se virou na minha direção.

— É o ônibus da nossa banda — ele disse.

— Existe uma banda por aqui? E você faz parte?

— Claro. O nome da banda é Autopilot. Tocamos nas festas dos centros comunitários da região.

Desci a escada logo atrás dele. As coisas estavam ficando cada vez melhores.

— E o que você toca? — perguntei no corredor enquanto vestia o sobretudo.

— Bateria — ele respondeu.

Coloquei a mão no ombro dele.

— Eu também. Ou melhor, *tocava*. Já faz dois anos.

— Não diga — ele disse.

— É verdade — eu disse, e então afastei a mão, me inclinei para a frente e tentei calçar um sapato. Tropecei em alguma coisa. Era Vidar outra vez.

— Me desculpe — eu disse.

— Tudo bem — ele respondeu. — Você lembrou de pegar a sua bebida?

— Porra, esqueci — eu disse.

— É essa aqui, não? — ele perguntou, mostrando uma garrafa de vodca.

— Essa mesma! — eu disse. — Muito obrigado! Muito obrigado!

Ele sorriu, mas assim mesmo tinha o olhar frio e indiferente. Mas aquilo não era problema meu. Coloquei a garrafa no chão e me concentrei nos meus sapatos. Quando terminei de calçá-los, saí em meio à noite clara e desci até a estrada, onde o pessoal estava me esperando. O ônibus estava parado em uma estradinha cem metros adiante. Alguém abriu a porta e assumiu o banco do motorista, enquanto os outros subiram e começaram a andar pelo corredor do antigo veículo. O ônibus era equipado com sofás, mesas e bar, com acabamento em pelúcia e folheado. Ocupamos nossos lugares, o motorista deu a partida no motor e então nos restava apenas pegar as bebidas e curtir a estrada, e enquanto sacolejávamos estrada afora ao longo do fiorde tínhamos uma bebida numa das mãos e um cigarro na outra.

Era uma aventura.

Cantei *Pølsemaker, pølsemaker, hvor har du gjort av deg* a plenos pulmões enquanto balançava os braços e tentava convencer os outros a cantarem junto. O ônibus havia me levado a pensar no antigo filme em que Leif Juster era motorista de ônibus, e Leif Juster tinha me levado a pensar no filme *Den forsvundne pølsemaker*.

Pouco mais de uma hora depois o ônibus parou em frente ao centro comunitário, eu desci e entrei naquele lugar lotado.

Quando acordei, a princípio eu não me lembrava de nada.

Branco total.

Eu não sabia quem eu era nem onde estava. A única coisa que eu sabia era que tinha acordado.

Mas o ambiente era familiar, era o meu quarto no apartamento. Como eu tinha ido parar lá?

Me sentei e percebi que ainda estava bêbado.

Que horas podiam ser?

O que tinha acontecido?

Apoiei o rosto nas mãos. Eu tinha que beber alguma coisa. Naquele instante. Mas não consegui chegar até a cozinha e me deixei afundar mais uma vez na cama.

Eu tinha participado da reunião antes da festa, entrado no ônibus. E cantado.

Eu tinha cantado!

Essa não.

E eu tinha colocado a mão no ombro dele. Como se fôssemos camaradas. Com a diferença de que não éramos camaradas. Eu não era nem ao menos um homem. Não passava de um sulista imbecil que não sabia nem ao menos atar um nó. Com braços finos como um par de canudinhos.

Não, eu *tinha* que beber alguma coisa.

Me sentei. Senti o corpo pesado como chumbo, mas arrastei os pés no assoalho, me concentrei em tomar impulso e consegui me pôr de pé.

Puta que pariu.

A vontade de voltar para a cama era tão grande que precisei concentrar toda a minha força de vontade para não me deitar outra vez. Os poucos passos até a cozinha me deixaram exausto e precisei me apoiar no banco antes de conseguir encher um copo d'água e bebê-lo. Depois bebi outro e mais outro. A distância até o quarto parecia tão grande que parei no meio do caminho e me deitei no sofá.

Eu não tinha feito nada de errado, ou será que tinha?

Eu tinha dançado. Tinha dançado com todas as pessoas imagináveis.

Não havia por acaso uma senhora de uns sessenta anos? Uma senhora para quem eu sorri antes de tirá-la para dançar? Uma senhora que eu apertei junto do meu corpo?

Sim, era isso que eu tinha feito.

Puta que pariu. Puta que pariu.

Puta que pariu, caralho.

Foi como se a pressão que eu sentia dentro de mim aumentasse, mas sem um ponto específico para a dor, tudo doía, e a dor não parava de aumentar, era insuportável, e eu sentia os músculos da minha barriga se contraírem. Engoli em seco, me coloquei de pé e tentei me segurar enquanto me arrastava em direção ao banheiro, a pressão aumentava cada vez mais, era como se não existisse mais nada, e então abri a tampa do vaso, me ajoelhei, segurei na porcelana e vomitei uma cascata verde-amarelada com tanta força que a água chegou a respingar no meu rosto, mas aquilo não importava, nada mais importava, era uma sensação deliciosa sentir o meu corpo se esvaziar, deliciosa.

Depois me esparramei no chão do banheiro.

Meu Deus, que coisa boa.

Mas logo aquilo voltou. Os músculos na minha barriga se retorciam como serpentes. Puta que pariu. Me debrucei mais uma vez por cima do vaso e tive a impressão de ver um pentelho ao lado do meu sovaco, que apoiei contra a porcelana, enquanto as contrações atravessavam minha barriga vazia e eu abria a boca e gemia, aaaah, aaaaaaah, aaaaaah, sem que saísse nada.

Mas então, sem nenhum aviso prévio, veio uma pequena golfada de bile amarela. Escorreu pela porcelana branca enquanto um fio continuou pendurado na minha boca, e então eu o sequei e me deitei no chão do banheiro, será que aquilo era o fim? Será que tinha acabado?

Sim.

De repente tudo estava em paz, como no interior de uma igreja. Fiquei deitado em posição fetal no chão do banheiro, aproveitando ao máximo a serenidade que havia se instaurado no meu corpo.

O que eu tinha feito com Irene?

Senti tudo que havia dentro de mim despertar.

Irene.

Nós havíamos dançado.

Eu a tinha apertado junto do meu corpo, esfregado meu pau duro com vontade na barriga dela.

E depois?

O que mais?

Era como se essa imagem estivesse rodeada pela escuridão por todos os lados. Eu me lembrava dessa cena única, mas não do que vinha antes ou depois.

Nada de errado, então?

Imaginei Irene atirada em uma vala, estrangulada e com os joelhos esfolados.

Não, não, que bobagem.

Mas a imagem retornou. Irene numa vala, estrangulada e com os joelhos esfolados. Como a imagem podia ser tão nítida? A calça azul, com as coxas exuberantes e deliciosas por baixo, a blusa branca rasgada, o peito parcialmente à mostra, o olhar vazio. O barro na vala, as folhas de grama, amarelas e verdes, a luz doentia da madrugada. Não, não, que bobagem.

Como eu tinha voltado para casa?

Por acaso eu não tinha parado na frente do ônibus quando a banda terminou de tocar e o espaço em frente ao centro comunitário estava cheio de pessoas que riam e gritavam?

Sim.

E Irene estava lá!

Nós tínhamos nos beijado!

Eu com a garrafa de vodca na mão, porque estava bebendo do gargalo. Irene pegou a lapela da minha jaqueta, ela era o tipo de garota que pega lapelas de jaqueta, depois olhou para mim e disse…?

O que foi que ela disse?

Ah, caralho!

Do nada as serpentes na minha barriga começaram a se movimentar, e como não havia mais nada lá dentro elas estavam furiosas e começaram a apertar com toda a força até que eu começasse a gemer. AAAAAH, eu disse. AAAHHHH.

Me apoiei nas bordas do vaso e deixei minha cabeça pender acima do buraco, mas não veio nada, minha barriga estava vazia.

CACETE!, gritei. JÁ CHEGA!

Então uma golfada de bile amarela e incrivelmente viscosa encheu minha boca, eu cuspi aquilo fora e imaginei que era o fim, mas não, minha barriga continuou a se contorcer e eu tentei ajudar pigarreando um pouco, com o fundo da garganta, porque se eu vomitasse apenas mais um pouco os espasmos com certeza iam parar.

AAAHH. AAAHH. AAAHH.

Veio um pouco mais de muco.

Pronto. Assim.

Será que tinha acabado?

Sim.

Ah.

Ai.

Me segurei na borda da pia e me coloquei de pé. Lavei o rosto com água fria e fui cambaleando até a sala, me sentindo relativamente leve e bem, me deitei mais uma vez no sofá e pensei que eu tinha que descobrir que horas eram, mas não havia como, o jeito era simplesmente deixar meu corpo se recuperar para que o dia pudesse começar. Afinal, eu queria escrever um novo conto.

Esses lapsos de memória, nos quais eu lembrava apenas em parte o que tinha acontecido, me acompanhavam desde a primeira vez que eu havia bebido. Foi no verão em que terminei o nono ano, durante a Norway Cup, eu não conseguia parar de rir, foi uma experiência fundadora, a embriaguez me levou a lugares onde eu era livre e podia fazer o que eu bem entendesse, ao mesmo tempo que me levava a novas alturas e fazia com que todas as coisas ao meu redor parecessem maravilhosas. Depois, a regra era recordar somente pedaços e fragmentos, cenas avulsas fortemente iluminadas contra um fundo de escuridão de onde surgiam e no qual também desapareciam. E continuou assim. Na primavera seguinte eu fui a uma festa de Carnaval com Jan Vidar, minha mãe tinha feito em mim uma maquiagem como a da capa de *Aladdin Sane* do David Bowie, a cidade estava cheia de pessoas com perucas escuras e crespas, shorts e lantejoulas, por todos os lados ouviam-se tambores e samba, mas o ar era frio, as pessoas estavam duras, havia uma quantidade interminável de constrangimento a vencer, e o tempo inteiro era assim, dava para ver nos desfiles, as pessoas mais se contorciam do que dançavam, porque elas queriam ser livres, era disso que se tratava, elas não eram livres, mas queriam ser, essa era a década de 1980, aquela época libertária e progressista na qual tudo que era norueguês parecia triste e tudo que vinha do sul parecia livre e cheio de vida, aquela época na qual o canal de TV que por vinte anos tinha informado todos os noruegueses a respeito daquilo que um grupo de acadêmicos em Oslo achava que era bom para eles de repente se viu cercado por novos canais de TV completamente diferentes que tinham uma abordagem mais leve e queriam entreter, queriam vender, e a partir de então essas duas medidas foram juntadas em uma só: o entretenimento e o comércio tornaram-se dois lados de uma mesma coisa e sobrepuseram-se a todo o resto, que também foi transformado em entretenimento e comércio, da música à política, passando pela literatura, pelas notícias, pela saúde, enfim, tudo. O Carnaval marcava a transição de um povo que saía da seriedade dos anos 1970 para o relaxamento dos anos 1990, e essa transição era visível nos movimentos desajeitados, nos olhares hesitantes ou nos modos desenfreados e triunfantes daqueles que haviam vencido a falta de jeito e a insegurança e rebolavam as bundas magras nos caminhões que avançavam devagar pelas ruas de Kristiansand naquela noite fria de primavera com uma leve sensação de vertigem no ar. Era assim em Kristiansand, e era assim em todas as outras cidades norueguesas com um certo porte e uma certa medida de respeito próprio. O Carnaval era uma novidade destinada a virar uma tradição, diziam, todo ano aquelas pessoas brancas e desajeitadas haviam de celebrar a liberdade em cima de um caminhão, vestidas como as pessoas do sul enquanto dançavam e riam para os tambores que os ex-integrantes da banda marcial tocavam em um ritmo instigante e hipnótico.

Até mesmo adolescentes de dezesseis anos como eu e Jan Vidar entendíamos que era uma situação triste. Não havia nada que quiséssemos com mais ardor do que uma explosão de costumes sulistas em nossa realidade, porque aquele era o nosso desejo, peitos e bundas provocantes, música e diversão, e se pudéssemos escolher o que ser, seríamos os homens morenos e cheios de confiança que conquistavam aquelas mulheres a seu bel-prazer. Nós éramos contra a avareza e a favor da generosidade, contra a opressão e a favor da abertura e da liberdade. Mesmo assim, víamos aqueles desfiles e nos enchíamos de tristeza pela nossa cidade e pelo nosso país, porque aquilo tudo parecia indigno, era como se a cidade inteira fizesse o papel de palhaço sem entender por quê. Mas nós entendíamos e estávamos tristes ao caminhar com nossas garrafinhas de destilado no bolso, e aos poucos ficamos mais e mais bêbados e começamos a amaldiçoar a cidade e as pessoas cretinas que moravam lá, mesmo que passássemos o tempo inteiro à procura de rostos conhecidos com os quais talvez pudéssemos estabelecer contato. Ou melhor, rostos conhecidos de garotas, ou em último caso rostos conhecidos de garotos que estivessem acompanhados por rostos desconhecidos de garotas. Nosso projeto estava fadado ao fracasso, nunca arranjaríamos garotas daquele jeito, mas não desistíamos, porque sempre havia um resquício de esperança, e enquanto esse resquício de esperança existisse continuaríamos a caminhar cada vez mais longe, cada vez mais bêbados e cada vez mais tristes. Em um determinado momento desse processo eu desapareci para mim mesmo. Não para Jan Vidar, que continuava a me ver, claro, e quando falava comigo ele sempre ouvia uma resposta, então achou que estava tudo bem, mas não estava, eu tinha desaparecido, eu me sentia vazio, eu estava no meio do vazio da minha alma e não sei descrever o sentimento de outra forma.

Quem somos quando não sabemos quem somos? Quem somos quando não lembramos quem somos? Quando acordei no estúdio da Elvegaten no dia seguinte sem me lembrar de nada, tive o sentimento de que eu havia estado à solta pela cidade. Eu podia ter feito qualquer coisa, porque no estado de embriaguez em que eu me encontrava não havia limites, eu fazia tudo que me desse na telha, e quais são os limites para o que pode nos dar na telha?

Liguei para Jan Vidar. Ele estava dormindo, mas o pai dele o chamou para atender o telefone.

— O que aconteceu? — perguntei.

— Nada — ele respondeu. — Estritamente falando, nada. Por isso foi tão chato.

— Eu não me lembro de nada no final — eu disse. — Minhas últimas lembranças são do Silokaia.
— Você não se lembra de mais nada depois? Nada mesmo?
— Não.
— Nem da hora em que você subiu num caminhão e mostrou a bunda para todo mundo?
— Eu fiz isso?
Jan Vidar riu.
— Não, claro que não. Relaxe, não aconteceu nada. Ou melhor, quando estávamos voltando para casa você dobrou os espelhos de todos os carros numa rua. Alguém gritou "Ei!" e a gente saiu correndo. Mas eu não notei nada de errado com você. Você estava tão bêbado assim?
— É, foi o destilado.
— Eu acabo dormindo quando estou bêbado demais. Mas puta que pariu, que noite horrível. Você nunca mais vai me convencer a participar do Carnaval.
— Sabe o que eu acho?
— O quê?
— Que no Carnaval do ano que vem nós dois vamos estar lá outra vez. Não temos como perder essa oportunidade. Você sabe que não acontece muita coisa nesta cidade do cacete.
— É verdade.
Desligamos e eu fui tirar minha maquiagem de Aladdin Sane.
Aconteceu de novo na noite de São João, quando mais uma vez eu estava com Jan Vidar. Tínhamos nos arrastado até uma região cheia de escolhos um pouco abaixo da floresta próxima a Hånes, cada um com uma sacola de cerveja na mão, e lá ficamos bebendo e congelando em meio à chuva fina de verão, rodeados pelos vários amigos de Øyvind e por um outro pessoal de Hamresanden. Øyvind tinha escolhido justamente aquela tarde para terminar com Lene, a namorada dele, e ela estava chorando sentada em uma pedra um pouco afastada dos outros. Me aproximei para oferecer um pouco de consolo, sentei ao lado dela e passei a mão nas suas costas enquanto eu dizia que existiam outros garotos, que ela ia superar aquilo, que ela era jovem e linda, e ela me encarou com um olhar agradecido e fungou, pensei que era uma pena estarmos ao ar livre e não num lugar equipado

com camas, e que além de estarmos ao ar livre estava chovendo. De repente ela olhou para a jaqueta e gritou, o ombro estava cheio de sangue, e as costas também. O sangue era meu, eu havia cortado a mão sem perceber e o sangue tinha escorrido durante todo aquele tempo. Seu imbecil, ela disse, e então se levantou. Essa jaqueta é nova, você tem ideia de quanto ela custou? Me desculpe, eu disse, não fiz por querer, eu só queria oferecer um pouco de consolo a você. Vá para o inferno, ela disse, e então seguiu na direção do grupo, onde Øyvind se compadeceu dela mais uma vez, enquanto eu continuei sentado bebendo sozinho e olhando para a superfície cinzenta do mar que a chuva enchia de pequenos círculos até que Jan Vidar sentasse do meu lado e pudéssemos dar continuidade às muitas conversas anuais que tínhamos sobre que garotas eram bonitas ou não e quais delas tínhamos mais vontade de levar para a cama enquanto aos poucos ficávamos cada vez mais bêbados, até que por fim tudo se dissolvesse e eu adentrasse um mundo de assombrações.

Quando eu estava nesse mundo de assombrações ele simplesmente me atravessava, e ao acordar eu me lembrava de pouca coisa, no máximo um rosto, um corpo, um quarto, uma escada, um pátio, imagens cintilantes e pálidas, rodeadas por um mar de escuridão.

Que merda, era igual a um filme de terror! Às vezes eu lembrava de detalhes completamente bizarros, como uma pedra no fundo de um córrego ou uma garrafa de azeite numa prateleira da cozinha, imagens corriqueiras, mas que como representantes únicas de uma noite inteira de atividades pareciam um tanto bizarras. O que havia de especial naquela pedra? O que havia de especial naquela garrafa de azeite? Nas primeiras vezes em que aconteceu eu não senti medo, mas simplesmente registrei a existência dessas imagens como um fato neutro. Mas à medida que se repetiam, essas experiências começaram a se revestir de um elemento perturbador justamente por serem descontroladas. Não, nada tinha acontecido, e provavelmente nada ia acontecer, mas o fato era que eu não tinha nenhum controle sobre as minhas ações nesses momentos. Se no fundo eu fosse bom, eu também seria bom nessas horas, mas *será* que eu era bom no fundo? *De verdade?*

Por outro lado eu também sentia certo orgulho, afinal eu era durão e conseguia encher a cara até não me lembrar de nada.

Nessa época, o verão dos meus dezesseis anos, eu só queria três coisas. A primeira era arranjar uma namorada. A segunda era ir para a cama com uma garota. E a terceira era encher a cara.

Para ser bem sincero, eram apenas duas coisas: ir para a cama com uma garota e encher a cara. Eu fazia muitas outras coisas, tinha várias ambições em muitos outros campos, e gostava de ler, ouvir música, tocar guitarra, assistir a filmes, jogar futebol, tomar banho de mar com um snorkel, viajar para o exterior e ter dinheiro para comprar coisas e equipamentos, mas tudo se resumia a estar numa situação confortável, a dispor de tempo para que as coisas acontecessem da melhor forma possível, e tudo isso era muito bom, mas no fundo eu *só* queria essas duas coisas.

Não. No fundo era apenas *uma* coisa.

Eu queria ir para a cama com uma garota.

Essa era a única coisa que eu queria.

Era um desejo ardente, e um desejo que nunca arrefecia. Às vezes esse desejo se acendia enquanto eu dormia, e nesses casos eu não precisava ter mais do que o relance de um peito para gozar na minha cama.

Ah, não, essa não, eu pensava sempre que acordava com a cueca melecada grudando na minha pele e nos meus pentelhos. Era a minha mãe que lavava as minhas roupas, e nas primeiras vezes eu enxaguei bem a cueca antes de colocá-la no cesto de roupa suja, mas essa também era uma atitude suspeita, como aquele monte de cuecas encharcadas ia parar lá?, minha mãe devia pensar, então depois de um tempo eu decidi parar com aquilo e comecei a jogar as cuecas lambuzadas de porra, que depois de um tempo ficavam quebradiças, cheias de flocos de sal ou qualquer outra coisa parecida, direto no cesto de roupa suja, e mesmo que ela pudesse notar, porque acontecia no mínimo duas, geralmente três vezes por semana, eu deixava essas considerações de lado assim que tampava o cesto. Minha mãe nunca falava sobre o assunto, eu nunca falava sobre o assunto e o mesmo acontecia em muitos outros casos, e era assim que devia ser na casa onde eu e ela morávamos sozinhos: certas coisas eram comentadas e analisadas, possivelmente compreendidas, outras não eram comentadas nem analisadas, tampouco compreendidas.

O impulso era forte, porém se manifestava apenas no vazio do inconsciente, onde tudo que acontecia simplesmente acontecia. Eu certamente podia ter pedido conselhos a Yngve, afinal ele era quatro anos mais velho e tinha infinitamente mais experiência. Com certeza havia enfrentado a mesma situação. Mas eu não sabia como enfrentá-la. Então por que eu não pedia conselhos a ele?

Seria inconcebível. Era uma ideia que pertencia ao reino das coisas inconcebíveis. Eu não sabia ao certo por quê, mas simplesmente era assim. Além do mais, de que adiantariam conselhos? Seria como receber conselhos sobre como escalar o Monte Everest. Primeiro você vai pela direita, sabe?, e depois continua em frente até chegar.

Eu teria dado qualquer coisa para ter a chance de ir para a cama com uma garota. E podia ser qualquer uma. Se fosse com uma garota que eu amasse, como Hanne, ou com uma puta, ou ainda como parte de um ritual de iniciação satânica que envolvesse sangue de bode e capuzes, pouco importaria, eu teria aceitado de um jeito ou de outro, porque eu queria aquilo. Mas esse era o tipo de coisa que não se oferecia a ninguém, mas precisava ser conquistado. Eu não sabia exatamente como, e assim teve início um círculo vicioso, porque como não sabia eu me sentia inseguro, e se havia uma característica que se assemelhava a uma desqualificação, que ninguém desejava, essa característica era a insegurança. Isso eu já tinha entendido. Eu tinha que parecer seguro, decidido, convincente. Mas como? Como, em nome de Deus? Como, estando totalmente vestido na frente de uma garota em plena luz do dia, eu poderia acabar pelado com ela no escuro horas mais tarde? Havia um abismo entre as duas situações. Quando eu via uma garota na minha frente em plena luz do dia, na verdade eu estava diante de um abismo. Se eu me atirasse, o que mais poderia acontecer além da queda? Porque a garota não vinha ao meu encontro, ela percebia que eu tinha medo e então se afastava, se fechava em si mesma ou saía à procura de outro. Mas na verdade, eu pensava, na verdade a distância entre as duas situações era pequena. Bastava tirar a camiseta dela, soltar a presilha do sutiã, abrir os botões da calça e deslizá-la ao longo das pernas — e assim a garota estaria nua. Não levaria mais do que vinte ou trinta segundos.

Mas também não poderia haver impressão mais enganosa. Saber que eu estava a trinta segundos do que eu mais desejava e que ao mesmo tempo eu estava separado daquilo por um abismo me levava à loucura. Muitas vezes cheguei a desejar que estivéssemos na Idade da Pedra, para que assim eu pudesse simplesmente sair com um porrete na mão, acertar a cabeça da primeira mulher que eu visse e então arrastá-la para casa para fazer o que eu bem entendesse. Mas não havia como, não existiam atalhos, os trinta segundos não passavam de uma ilusão, como quase tudo que dizia respeito às mulheres. Ah, parecia uma zombaria perceber que as mulheres estavam apenas ao alcance dos olhos. Que independente do lado para onde eu olhasse havia sempre garotas e mulheres. Que independente do lado para onde eu olhasse havia peitos por baixo de blusas, coxas e quadris por baixo de calças, rostos femininos bonitos e sorridentes com os cabelos esvoaçando ao vento. Peitos grandes, peitos empinados, peitos redondos, peitos balançantes, peitos brancos, peitos morenos... um pulso nu, um cotovelo nu, um rosto nu, um olho nu que olha ao redor. Uma coxa nua num par de shorts ou num vestido curto de verão. Uma palma da mão nua, um nariz nu, uma garganta nua. Tudo isso eu via ao meu redor o tempo inteiro, havia garotas por toda parte, o acesso era interminável, eu andava em meio a um poço, não, em meio a um mar de mulheres, via centenas delas todos os dias, todas com uma maneira característica de se comportar, de parar em pé, de se virar, de caminhar, de erguer ou virar a cabeça, de piscar, de ver — desde que os olhos, onde se manifestava tudo que havia de mais único, tudo que vivia e existia apenas naquela determinada personalidade, se revelassem, independente de o olhar ser ou não destinado a mim. Ah, aquele olhar cintilante! Ah, aquele olhar obscuro! Ah, a alegria faiscante! A escuridão atraente! Ou até mesmo os olhares ingênuos e estúpidos! Neles também havia um apelo, e não era um apelo pequeno: o olhar vazio e estúpido e os lábios entreabertos em um belo corpo.

 Todas essas coisas estavam sempre próximas, e todas estavam a trinta segundos da única coisa que eu desejava — mas também estavam do outro lado de um abismo.

 Eu amaldiçoava esse abismo. Eu amaldiçoava a mim mesmo. Mas, independente da minha frustração, independente da escuridão em que eu me encontrava, as mulheres continuavam a brilhar.

 Por fim a chance apareceu.

 Semanas depois da fatídica noite de São João eu fui com o meu time de futebol para um acampamento de treino na Dinamarca. A cidade onde ficaríamos se chamava Nykøbing, localizada na ilha de Mors, em Limfjorden. Ficamos alojados numa espécie de albergue, talvez internacional, na periferia da cidade, rodeado por grandes campos cercados por enormes árvores frondosas. Ao entardecer tratávamos de dar uma escapada, não tínhamos permissão, mas a cidade era próxima, e desde que não perdêssemos nossos compromissos todo mundo fazia que não estava vendo caso percebesse. Comprávamos vinho barato nos supermercados, escolhíamos um banco para beber e depois íamos a uma discoteca que ficava nas proximidades. Já na segunda noite eu conheci uma garota dinamarquesa incrível, nos encontramos todas as noites durante o restante do tempo que passamos lá, ela era simpática e cheia de vida, e trocamos amassos no banco, dançamos juntos na discoteca e na última noite eu pensei agora tem que acontecer, era naquela oportunidade ou nunca.

Na noite de encerramento saímos todos juntos; começamos grelhando salsichas numa praia e bebendo cerveja e, quando terminamos, fomos de táxi até um lugar numa floresta não muito longe de onde estávamos hospedados. A garota dinamarquesa tinha dito que também ia aparecer, e apareceu mesmo, ela me cumprimentou cheia de entusiasmo, como de costume, ficou na ponta dos pés, me deu um beijo e pegou a minha mão. Escolhemos uma mesa para sentar e comecei a entornar o vinho na esperança de tomar coragem para o que eu queria tentar. No bar confessei tudo a Jøgge e a Bjørn, eu disse que a convidaria para ir ao quarto comigo e que tentaria levá-la para a cama. Os dois sorriram e me desejaram boa sorte, a noite estava alegre, por cima das árvores viçosas pairavam nuvens cinzentas e pesadas, sob as copas as pessoas andavam de um lado para o outro, bebiam, riam e dançavam, o ar cheirava a suor e perfume, fumaça de cigarro e álcool, ela estava sentada na nossa mesa falando com Harald, mas não parava de olhar na minha direção e ficou radiante quando me viu chegar com mais uma garrafa de vinho na mão. Senti minha barriga doer quando sentei do lado dela. Ela inclinou o corpo de leve para a frente, nos beijamos e eu fiz menção de servir mais vinho no copo dela, mas ela tapou-o com a mão e disse que precisava trabalhar no dia seguinte. Em todo caso, me convidou para aparecer na casa dela. Mas nós vamos embora amanhã, eu disse. Não, ela disse, você vai ficar por aqui. Você não vai embora nunca mais porque vai ficar aqui junto comigo. Afinal, você também pode estudar aqui! E arranjar um emprego também! O que você me diz? É, eu disse, pode ser.

Rimos juntos e senti o desespero tomar conta de mim: logo estaríamos no meu quarto, logo ela estaria junto de mim sussurrando, certa de que eu sabia o que estava fazendo.

Você não quer dar uma volta?, perguntei.

Ela fez um gesto afirmativo com a cabeça.

E o vinho?, ela perguntou.

A gente volta mais tarde, eu disse enquanto me levantava. Coloquei a mão no ombro dela e a conduzi para longe daquele lugar. Me virei e encontrei os olhos de Jøgge e Bjørn, os dois ergueram os polegares e sorriram para mim. Saímos juntos.

Ela olhou para mim.

Para onde vamos?

Para dentro da floresta?, perguntei. Peguei a mãozinha dela e comecei a andar. Eu já tinha beijado os peitos dela, quando estávamos num banco eu tinha enfiado a cabeça por baixo do blusão e fui beijando tudo que encontrava pelo caminho, ela tinha dado risada enquanto me abraçava. Era isso que eu fazia com as garotas, me deitava em cima delas, dava uns amassos e beijava os peitos delas. Uma vez eu tinha baixado a calcinha de uma menina e enfiado um dedo para dentro dela, mas já fazia dois anos.

Senti um arrepio.

— O que foi? — ela perguntou, colocando o braço em volta de mim. — Você está com frio?

— Acho que sim — eu disse. — Esfriou um pouco.

As nuvens grandes e cinzentas que haviam se aproximado e pairavam acima da floresta obscureciam ainda mais a luz do entardecer, naturalmente escura em meio aos troncos. O vento começou a soprar em rajadas. Os galhos balançavam nas copas acima das nossas cabeças.

Senti meu sangue pulsar.

Engoli em seco.

— Você quer ver onde estamos hospedados? — perguntei.

— Claro.

Assim que ela respondeu eu fiquei de pau duro. Senti o volume se espremendo contra a calça. Engoli em seco mais uma vez.

Na penumbra, a luz das nossas acomodações parecia totalmente amarela. Concentrava-se em discos que pareciam auras. Fiquei nauseado e senti as palmas das minhas mãos se umedecerem de suor. Mas a hora tinha chegado.

Parei e abracei a garota, nos beijamos, ela tinha a língua pequena e lisa. Meu pau latejava a ponto de doer.

— É logo ali — sussurrei. — Você quer mesmo vir comigo?

Um momento de hesitação nos olhos dela. Mas ela não disse nada além de sim.

Peguei a mão dela mais uma vez, apertei-a com força e apressei o passo nos últimos duzentos metros. Abracei-a mais uma vez em frente à recepção vazia e quase sufocada por tanta luz. Atravessei o corredor e fui até o quarto onde eu estava hospedado com três outros garotos. Peguei a chave, enfiei-a na fechadura com a mão trêmula, girei-a para o lado, baixei a maçaneta, abri a porta e entrei.

— Você já está de volta, Karl Ove? — perguntou Jøgge com um sorriso nos lábios.

— Trouxe visita? — perguntou Bjørn.

— Que bom! — disse Harald. — Você quer uma cerveja, Lisbeth?

Não consegui dizer nada. Eles também estavam hospedados no quarto e tinham o direito de estar lá. Eu não tinha como reclamar de que haviam corrido de volta para o quarto apenas para acabar com a minha alegria, porque nesse caso as minhas intenções em relação a Lisbeth ficariam escancaradas, e mesmo que ela provavelmente tivesse pressentido tudo, esse não era o tipo de coisa que se podia dizer. Muito menos na frente dos outros, porque numa situação daquelas seria uma exposição totalmente desnecessária.

— Que porra vocês estão fazendo aqui? — perguntei.

Jøgge sorriu.

— O que *vocês* estão fazendo aqui? — ele repetiu.

Lancei um olhar zangado em direção a ele. Jøgge se dobrou de tanto rir na cama.

Harald estendeu uma cerveja para Lisbeth. Ela a aceitou e olhou para mim com um sorriso.

— Que legal que os seus amigos também vieram — ela disse.

Como? Será que ela podia estar falando sério?

Lisbeth olhou ao redor.

— Alguém tem um cigarro?

— Somos jogadores de futebol — Harald respondeu. — O Karl Ove é o único que fuma.

— Pegue aqui — disse Bjørn, tirando um Prince Mild da carteira e estendendo-o para ela.

Anos se passariam até que surgisse outra chance como aquela. Mesmo assim, eles tinham estragado tudo pelo simples prazer de estragar.

Lisbeth enfiou a mão no bolso de trás da minha calça e se ajeitou bem perto de mim. Meu pau mais parecia um espeto. Suspirei.

— Karl Ove, pegue uma cerveja você também — disse Jøgge. — Estamos nos divertindo pra valer!

— É — eu disse. — Pra valer.

Mais uma vez ele se revirou de tanto rir.

Passamos meia hora lá dentro. Lisbeth falou com todo mundo. Quando terminamos de beber as cervejas, voltamos ao lugar no meio da floresta. Lisbeth foi embora à uma hora, mas nós ficamos lá até o dia amanhecer. No dia seguinte tivemos um encontro rápido, trocamos os nossos endereços e ela começou a chorar. Não muito, mas algumas lágrimas rolaram pelo rosto dela. Eu a abracei. Escute, eu disse. Você acha que podemos nos encontrar em Løkken daqui a não muito tempo? Eu posso vir de ferry. Você acha que dá? Claro, ela disse em meio às lágrimas. Então vou escrever para você e depois combinamos, está bem? Está bem, ela disse. Nos beijamos e, quando me virei para ir, ela continuou me olhando.

A história do encontro em Løkken era naturalmente uma besteira qualquer que eu tinha inventado para deixar a situação um pouco mais fácil. Lisbeth não significava nada para mim, eu era apaixonado por Hanne e era nela que eu tinha pensado durante todo o inverno e toda a primavera. Tudo girava em torno dela, tudo que eu queria era estar perto dela, não para ir para a cama com ela, ou sequer para beijá-la ou tocá-la, não, não era nada disso, eram a luz e o entusiasmo dela que me atraíam, e eu às vezes imaginava que não podiam fazer parte do mundo onde vivíamos, mas deviam vir de um outro lugar. Senão, como eu poderia explicar a maneira como eu me sentia? Hanne era uma garota comum, devia haver milhares de garotas como ela, mas somente ela, sendo exatamente do jeito dela, era capaz de fazer meu coração balançar e minha alma reluzir. Uma vez naquela primavera eu tinha me ajoelhado no chão e pedido Hanne em casamento. Ela empurrava a bicicleta, o dia estava escuro e chuvoso e subíamos a estrada próxima aos blocos de Lund, e quando eu fiz aquilo ela simplesmente riu. Achou que eu estava brincando.

— Não ria — eu disse. — Estou falando sério. Totalmente sério. Nós podemos casar. Podemos nos mudar para uma casinha numa ilha e ficar lá, só nós dois. E podemos mesmo! *Ninguém* pode nos impedir se a gente resolver assim.

Hanne riu mais uma vez aquela risada exuberante e maravilhosa dela.

— Karl Ove! — ela protestou. — Nós só temos dezesseis anos!

Me levantei.

— Eu sei que você não quer — eu disse. — Mas eu estou falando sério. Você entende? Não consigo pensar em outra coisa. Você é a única garota com quem eu gostaria de namorar. Não tenho como fingir que esse sentimento não existe.

— Mas eu tenho namorado. Você sabe muito bem!

— Sei — eu disse.

Não havia nada que eu soubesse melhor do que aquilo. Hanne dava aqueles passeios comigo simplesmente porque gostava de ser bajulada e porque eu era muito diferente dos outros amigos dela. A esperança de um dia namorar com ela aos poucos perdeu força, mas assim mesmo eu não desisti, e não desistiria jamais. Então, quando estava no convés do ferry, voltando da Dinamarca com o vento soprando nos cabelos e os olhos apertados por causa da luz forte do sol da tarde, rodeado pelo mar azul por todos os lados, eu pensei em Hanne, e não em Lisbeth.

Na verdade eu não iria para casa quando chegássemos a Kristiansand, eu iria para uma festa da escola em uma cabana no arquipélago, e Hanne provavelmente estaria lá também. Eu tinha mandado cartas para ela ao longo do verão, inclusive de Sørbøvåg, onde passei o tempo andando com meu walkman ao longo do rio, sem nenhuma outra pessoa ao redor, simplesmente pensando nela, e onde eu me levantava à noite e saía para caminhar sob o céu coalhado de estrelas cintilantes, subia o vale do rio até a cachoeira e escalava as pedras logo ao lado apenas para sentar no lugar mais alto sob as estrelas e pensar nela.

Ela tinha respondido com um cartão-postal.

Mas depois de Lisbeth a minha autoestima tinha aumentado, e a imensidão do mar não pôde diminuí-la, nem o enorme impulso que eu tinha dentro de mim, aquele impulso grande a ponto de me fazer derramar lágrimas à noite quando eu pensava em toda a beleza que existia no mundo que eu não podia usar para nada, ou tampouco queimar.

— Oi, Alce — Jøgge disse às minhas costas. — Você quer tomar uma última cerveja?

Respondi com um aceno de cabeça e Jøgge me passou uma lata de Tuborg e se sentou ao meu lado.

Abri a lata e a espuma ganhou volume e se derramou por cima da tampa. Chupei aquilo depressa. Depois inclinei a cabeça para trás e tomei um gole caprichado.

— Nada como beber pelo quarto dia seguido! — eu disse.

Ele riu a risada estranha dele, que parecia vir durante as inspirações, e que todo mundo imitava com grande facilidade.

— Uma garota e tanto, a Lisbeth — ele disse. — Como foi que você se arranjou com ela?

— Como foi que me arranjei? Eu nunca me arranjei com mulher nenhuma em toda a minha vida — respondi. — Você perguntou ao cara errado.

— Vocês passaram uma semana inteira aos amassos. Ela foi para o seu quarto. Se isso não é se arranjar com uma mulher, então eu não sei o que mais poderia ser.

— Mas não fui eu! Foi ela! Ela simplesmente me acompanhou! Depois colocou a mão no meu peito. Assim.

Eu coloquei a mão no peito de Jøgge.

— Pode parar com isso! — ele exclamou.

Rimos juntos.

— Enfim, não sei — ele disse enquanto olhava para mim. — Você acha que um dia eu também vou arranjar uma mulher para mim? De verdade?

— Você quer *mesmo* saber o que eu penso? De verdade?

— Não é hora de fazer piadas. Você acha que existe uma garota que possa querer um cara como eu?

Jøgge era a única pessoa que eu conhecia que era capaz de fazer esse tipo de pergunta a sério. Ele era totalmente aberto. Era também muito gentil. Mas pouca gente o descreveria como bonito. Elegante tampouco. A palavra mais acertada talvez fosse robusto. Sólido. Cem por cento confiável. Inteligente. Uma pessoa boa. Com senso de humor. Mas para modelo fotográfico ele não servia.

— Deve existir — eu disse. — Mas você costuma querer demais. Esse é o problema. Que garota você queria para você?

— A Cindy Crawford — ele respondeu.

— Como você mesmo disse, não é hora de fazer piadas — eu disse. — Sério. Em quem você costuma pensar?

— Na Kristin. Na Inger. Na Merethe. Na Wenche. Na Therese.

Abri os braços com as palmas das mãos para cima.

— Essas são as mais bonitas! Você nunca vai conquistar nenhuma delas! Entenda de uma vez por todas!

— Mas são elas que eu quero — ele retrucou, abrindo o sorriso mais largo que tinha.

— Eu também — concordei.

— Como é? — ele disse, olhando para mim. — Achei que você só queria saber da Hanne!

— No caso da Hanne é diferente — expliquei.

— Diferente como?

— É amor.

— Meu Deus — disse Jøgge. — Acho que está na hora de me juntar aos outros.

— Eu vou com você — disse eu.

Os outros garotos estavam jogando cartas em uma das mesas do café. Tomavam Coca-Cola; já estávamos próximos da terra. Me sentei com eles. Harald, Ekse, Helge e Tor Erling estavam lá. Eles não gostavam de mim, mas não havia ninguém mais com quem eu pudesse estar naquela hora. Eu era apenas tolerado, nada mais. Os comentários maldosos estavam sempre por perto. Mas não tinha problema nenhum, eu estava cagando para aquilo.

Com Jøgge era diferente. Havíamos sido colegas por dois anos, às vezes tínhamos discussões acaloradas sobre política, ele apoiava o Fremskrittspartiet, eu era simpatizante do Sosialistisk Venstrepartiet. Ele gostava de música boa, por mais estranho que parecesse, e naquela região de camponeses era a única pessoa que eu conhecia com um mínimo de bom gosto. Ele tinha perdido o pai ainda pequeno, morava com a mãe e o irmão mais novo e desde cedo havia assumido grandes responsabilidades. Às vezes tentavam se aproveitar dele, Jøgge era fácil de enganar, mas ele simplesmente ria e os outros desistiam. Os garotos com quem andávamos tinham por hábito provocá-lo de maneira inocente, e por vezes debochavam, imitavam a risada dele, mas Jøgge simplesmente ficava quieto ou então ria junto.

É, ele era um bom sujeito. Cursava economia no colegial, como outros dois ou três garotos da turma, enquanto os outros frequentavam a escola técnica, e tinha me pagado para escrever umas redações por ele, mas pediu que não fossem boas demais, senão os professores desconfiariam. Uma vez ele chegou mesmo a ficar em perigo, eu tinha escrito um poema e o professor dele achou que aquilo parecia muito distante da natureza e do caráter de Jøgge. Mas ele conseguiu se virar, a interpretação que ofereceu para o poema que tinha escrito foi razoável e ele tirou um 4.

Fiquei um pouco decepcionado, porque eu tinha colocado um pouco da minha alma e muito empenho no poema. Eu imaginava que merecia um 6. Mas aquilo era um colegial de economia, o que mais se podia esperar?

Na cidade, nos cafés, talvez eu desviasse os olhos se visse Jøgge entrar, ele fazia um tipo diferente, pareceria deslocado nesses lugares, mas será que ele mesmo também não sabia? De qualquer modo, nunca nos encontrávamos nesse tipo de situação.

— Ei, Casanova, mais uma cerveja? — ele me perguntou.
— Por que não? — eu disse. — Mas quem é você? O Anti-Casanova?
— Meu nome é Bøhn. Jørgen Bøhn — ele disse com uma risada.

Uma hora e meia depois eu desembarquei em Kristiansand com meu enorme saco de marinheiro no ombro. Os outros continuariam até Tveit, mas eu iria à festa com Bassen, que estava me esperando quando passei pela alfândega.

— Muito bem — ele disse.
— Muito bem — eu disse.
— O verão foi bom?
— Foi normal. E para você?
— Foi bom.
— Nada de mulheres? — perguntei.
— Claro, ora essa. Duas!

Ele riu, fomos juntos até a rodoviária e entramos no ônibus que nos levou até o ancoradouro de um ferry. Tínhamos uma espécie de competição entre nós dois naquele ano para ver quem dava uns amassos no maior número de garotas da nossa turma e falamos um pouco a respeito disso enquanto bebíamos cerveja e esperávamos que Siv aparecesse com o barco dela para nos buscar. A noite que se aproximava era minha última chance de mudar a relação de poder, que pesava em favor de Bassen; ele tinha dado uns amassos em sete, e eu em quatro.

Às vezes eu tentava imaginar como seria no outono. Ele começaria a estudar ciências naturais, eu ciências sociais, mas até aquele ponto éramos colegas de classe, e portanto era natural para mim passar o tempo com ele.

Em uma das primeiras aulas que tivemos, estávamos sentados lado a lado, e quando recebemos pedaços de papel onde devíamos escrever três características nossas, Bassen espiou o que eu tinha escrito. Pesado, lerdo, sério.

— Você por acaso é idiota? — ele me perguntou. — Você devia ter escrito que não tem nenhum talento para se descrever! Isso é a coisa mais absurda que eu já vi. Porra, você não é pesado nem lerdo! E também não é sério. Quem enfia essas ideias na sua cabeça?

— O que você escreveu?

Ele me mostrou o papel.

Telúrico, sincero, cheio de tesão.

— Jogue fora esse papel. Você não pode escrever essas coisas! — Bassen disse.

Fiz como ele pediu. Escrevi "inteligente, tímido, mas na verdade não" em um novo papel.

— Assim está melhor — ele disse. — Pelo amor de Deus! Lerdo e pesado!

A primeira vez que estive na casa de Bassen, no fim daquele outono, eu estava tomado por um sentimento de reverência, eu mal podia acreditar, ele era tudo que eu queria ser, e mesmo um pouco mais tarde, quando começamos a cuidar um do outro com frequência cada vez maior, esse pensamento estava sempre próximo. E também naquele instante. A presença dele me preenchia, tudo que ele fazia era para mim, cada olhar dele, mesmo que estivesse voltado ao mar por simples aborrecimento, era para mim motivo de atenção e reflexão.

Por que Bassen queria me encontrar? Eu não tinha nada que pudesse servir para ele.

Quando estávamos juntos, eu sempre tentava interromper nosso encontro com uma certa antecedência, para que ele não descobrisse o quanto eu era aborrecido. Era como uma febre dentro de mim, os dois sentimentos conflituosos, como na manhã de primavera em que matamos aula e levamos o *moped* até a casa dele e ficamos ouvindo discos no pátio. Foi incrível, mas assim mesmo tive que interromper o momento, eu sentia que não merecia aquilo, ou que não poderia me erguer à altura da situação. Então continuei nervoso enquanto ouvia a música do Talk Talk, que tínhamos descoberto ao mesmo tempo. *It's your life*, eles cantavam, e tudo devia estar bem, era primavera, eu tinha dezesseis anos, tinha matado aula pela primeira vez e estava no pátio da casa do meu novo amigo. Mas nada estava bem, aquilo era insuportável.

Bassen deve ter achado que eu estava com medo de uma reprimenda por ter matado aula, deve ter achado que por isso eu queria ir embora. Como poderia saber que era porque aquilo estava bom demais? Porque eu gostava demais dele?

Tínhamos passado talvez cinco minutos sem dizer nada.

Enrolei um cigarro para ocupar o silêncio de maneira natural. Bassen lançou um olhar rápido na minha direção. Tirou a carteira de Prince Mild do bolso da camisa, pôs um cigarro na boca.

— Você tem fogo? — ele perguntou.

Estendi o meu isqueiro Bic amarelo. Ele acendeu o cigarro e soltou uma nuvem de fumaça que pairou no ar durante alguns segundos antes de se dissipar.

— Como vão as coisas com o seu pai e a sua mãe? — ele me perguntou enquanto me devolvia o isqueiro. Peguei-o, acendi o meu cigarro, amassei a lata vazia com a outra mão e a joguei longe.

O crepúsculo pairava sobre as ilhas ao nosso redor, carregado pela baixa pressão atmosférica. A superfície do mar estava totalmente cinza e imóvel. A lata caiu rolando em direção às pedras da praia.

— Acho que vão bem — eu disse. — O meu pai está na casa em Tveit, com a nova namorada dele. A minha mãe está em Vestlandet. Mas ela vem para casa daqui a uns dias.

— E vocês vão continuar morando lá?

— Vamos.

Um barco surgiu de trás do promontório. A barqueira tinha longos cabelos loiros que reluziam em meio a todo aquele cinza, e quando nos levantamos e pegamos nossas mochilas ela abanou e gritou alguma coisa que as centenas de metros que nos separavam reduziram a um sussurro.

Era Siv.

Colocamos nossas mochilas para dentro do barco, nos sentamos e dez minutos mais tarde estávamos em frente à cabana dela.

— Só faltavam vocês — ela disse. — Agora vamos finalmente comer!

Hanne estava lá. Estava sentada à mesa com uma camiseta branca e calça jeans. Notei que a franja dela tinha crescido e tapado um pouco mais da testa.

Ela sorriu, um pouco constrangida.

Devia ser por causa da carta que eu tinha mandado.

Comemos camarão. Eu bebi cerveja, e a embriaguez que aos poucos tomou conta de mim foi mais pesada e mais primitiva do que as outras que eu havia sentido até então, sem dúvida por conta da bebedeira no dia anterior. Não era uma sensação que afetava apenas a minha cabeça e os meus pensamentos, ela começava nos recônditos mais escondidos do corpo e aos poucos se espalhava, e eu senti que a onda prestes a rebentar duraria um bom tempo.

E assim foi. Arrumamos a sala e começamos a dançar enquanto a noite caía no arquipélago, saímos para tomar banho no escuro, eu me equilibrei em cima do trampolim, o céu acima de mim era escuro, a água abaixo de mim era escura e, quando me joguei, foi como se eu nunca mais fosse voltar à superfície, fui caindo e caindo e caindo e de repente a água fria e salgada se fechou ao meu redor, eu não via nada, tudo estava escuro, mas não havia problema nenhum, precisei apenas dar umas braçadas e consegui voltar à superfície e ver todos os outros de pé na margem como árvores pálidas na escuridão.

Hanne estava me esperando com uma toalha, que ela colocou nos meus ombros. Subimos uns poucos metros na encosta e nos sentamos. Algumas das garotas lá embaixo começaram a tomar banho peladas.

— Elas estão tomando banho peladas! — eu disse.

— Estou vendo — Hanne disse.

— Você também não quer?

— Eu não! É a última coisa que imagino fazer.

Silêncio.

Ela olhou para mim.

— Você queria que eu também estivesse lá?

— Queria.

— Imaginei! — ela disse enquanto ria. — Será que você não pode ir, então?

— A água está muito fria. Vai ficar muito pequeno.

— O quê? — ela me perguntou com um sorriso.

— Você sabe — eu disse.

— Você é bem estranho — ela disse.

Fez-se uma pausa. Corri os olhos por todas as ilhas, que pareciam um pouco mais escuras do que o céu mais acima. Havia uma faixa de luz no horizonte. Seria o dia seguinte que raiava?

— É muito bom estar aqui com você — eu disse. — Eu te amo.

Hanne lançou um olhar rápido na minha direção.

— Não tenho certeza — ela disse.

— Como você pode não ter certeza? Eu não penso em nada além de você. Quando eu estava em Vestlandet, ah, foi incrível, mesmo que você não estivesse lá, eu me sentia repleto de você. Totalmente repleto.

— Você bebe demais — ela disse. — Será que pode maneirar um pouco? Por mim?

— Eu só disse que me sentia repleto de você.

— Eu sei! Mas agora estou falando sério. Você não precisa beber tanto, né?

— Você quer que eu me transforme num cristão alegre? No estilo "meu barato é Jesus"?

— Não estou brincando. Eu me preocupo com você. Será que tem algum problema?

— Não.

Ficamos os dois em silêncio. No trampolim dois vultos se empurravam. Imaginei que um deles devia ser Bassen.

Os dois caíram na água. Os que estavam em terra gritaram e aplaudiram.

Ao longe via-se o brilho de um farol. A porta aberta da cabana dava passagem à música que vinha de dentro.

— Na verdade você não sabe nada a meu respeito — ela disse.

— Eu sei o suficiente.

— Não, você está vendo outra coisa. Não está me vendo como eu sou de verdade.

— Você está enganada — eu disse. — Enganada mesmo.
Ficamos nos olhando por um bom tempo. Por fim Hanne sorriu.
— Vamos nos juntar aos outros? — ela sugeriu.
Suspirei e me levantei.
— Pelo menos assim eu posso continuar bebendo — eu disse.
Estendi a mão e a ajudei a se colocar de pé.
— Você prometeu! — ela disse.
— Não prometi nada. Mas escute… — eu disse.
— O quê?
— Será que podemos ir de mãos dadas até a cabana?
— Claro.

Vesti a calça e a jaqueta e comecei a dançar "(Don't You) Forget About Me" do Simple Minds com Bassen enquanto Hanne ficava sentada junto à mesa, ora conversando com Annette, ora nos observando.
Parei ao lado dela e enchi um copo com vodca e suco.
— Você fica muito sexy quando veste a jaqueta sem nada por baixo — ela disse.
— Você também acha? — perguntei, olhando para Annette.
— Não — ela respondeu. — Claro que não. Vocês não vão se beijar de uma vez?
— Pelo visto, não nesta vida — respondi.
— Talvez no céu, então? — ela disse.
— Mas eu não acredito em Deus — eu disse.
Hanne riu e eu fui ao encontro de Bassen, que estava debruçado por cima dos discos.
— Encontrou alguma coisa?
— Mais ou menos — ele disse. — Tem um disco do Sting. Mas eu tenho que me deitar em seguida. Amanhã eu viajo para a Inglaterra. Não quero perder o barco.
— Você pode dormir no barco — eu disse. — Não tem por que você se deitar agora.
Bassen riu.
— Por que não? Você vai ter este lugar inteiro para você quando eu sair de cena.

— Você ganhou. Não tive a menor chance.

Bassen virou a capa interna na diagonal e o disco rolou para fora. Com o polegar na borda e os outros dedos na etiqueta do meio, ele o colocou no toca-discos.

— Como vão as coisas entre você e a Hanne, afinal? — ele perguntou, levando a agulha para a primeira faixa e baixando o minúsculo braço devagar.

— Não estão dando certo — eu disse.

— Mas vocês dois pareciam estar bem felizes na encosta!

— Mas paramos por aí — eu disse.

Então "If You Love Somebody, Set Them Free" começou a tocar nos alto-falantes, e logo todos estavam dançando.

Passamos a noite no quarto, eu dormi até depois do meio-dia e comecei a aproveitar o tempo ao máximo quando acordei, eu não queria que aquele instante acabasse, eu queria continuar lá, na alegria que eu havia sentido, mas logo Siv já estava transportando o último grupo de volta, e quando entrei no barco fiquei em silêncio na proa durante o trajeto inteiro, encontrei um banco isolado e quieto no fundo do ônibus, apertei a testa contra o vidro e fiquei admirando a paisagem exuberante de Sørlandet, que aos poucos ficava cada vez mais urbana, até que por fim paramos na rodoviária e eu peguei o ônibus que ia para casa, onde o meu pai estava morando com Unni.

Eu tinha me sentado naquele ônibus praticamente todos os dias durante os últimos três anos, mas era como se fosse uma vida inteira. Eu conhecia todas as curvas e quase todas as árvores do caminho, e muitos dos passageiros que subiam ou desciam me eram familiares o bastante para que nos cumprimentássemos, mesmo que nunca houvéssemos trocado uma palavra.

O passeio tinha sido bom. Talvez eu nunca houvesse me divertido tanto. Por outro lado, tinha sido apenas uma festa da turma.

Mas também havia Hanne.

Tínhamos ficado de rosto colado em nossos sacos de dormir e conversado aos sussurros talvez durante uma hora antes de adormecermos. Ela também havia tentado rir aos sussurros, e quando isso aconteceu eu pensei que podia morrer naquele mesmo instante, que não faria diferença.

— Posso dar um beijo de boa-noite em você? — perguntei quando estávamos prestes a dormir.

— No rosto! — ela disse.

Impulsionei o corpo um pouco adiante, apoiado nos cotovelos, ela virou a bochecha na minha direção e projetei a cabeça devagar à frente, mas no último instante mudei de rumo e dei um beijo suculento nos lábios dela.

— Você trapaceou! — ela disse às risadas.

— Boa noite — eu disse.

— Boa noite — ela disse.

E assim tinha sido.

Me parecia impossível que toda aquela tarde e toda aquela noite não significassem nada.

Hanne tinha que sentir alguma coisa por mim.

Alguma coisa ela tinha que sentir.

Em diversas ocasiões ela tinha dito que não era apaixonada por mim. Dizia que gostava de mim, e gostava bastante, mas não era nada além disso.

Hanne ia trocar de escola e começar o colegial em Vågsbygd, onde ela morava.

Assim pelo menos eu me livraria da tortura de vê-la todos os dias!

O ônibus fez a curva em direção ao aeroporto de Kjevik, e no mesmo instante um avião passou voando baixo por cima de nós, tocou o solo no momento seguinte e continuou a desacelerar ao longo da pista numa velocidade que dava a impressão de estarmos parados.

Luzes piscantes, ruído de motor. Estávamos vivendo no futuro.

Eu podia encontrá-la de vez em quando na cidade, podíamos jantar juntos, ir ao cinema, numa manhã de sábado eu podia levá-la à piscina. Aos poucos Hanne perceberia que era apaixonada por mim. Ela terminaria o namoro e contaria tudo para mim com os olhos brilhando, e a partir de então não haveria mais nada a nos separar.

Mas e depois?

E quando finalmente estivéssemos juntos?

Começaríamos a nos visitar à noite, a nos beijar e a comer pizza juntos? A ir ao cinema com os amigos?

Não era o suficiente.

Eu a queria *para mim*. Não como uma parte da experiência do colegial, como uma simples namoradinha do colegial, para mim ela significava mais do que isso. Eu queria morar com ela. Passar os dias inteiros ao lado dela, compartilhar tudo com ela. Não na cidade, com tudo que acontecia o tempo inteiro ao nosso redor, mas no arquipélago ou talvez no interior da floresta, não importava, desde que fosse um lugar onde estivéssemos sozinhos.

Ou em Oslo, uma cidade grande onde ninguém nos conhecia.

Assim eu podia ir às compras depois que saísse da biblioteca, porque eu queria estudar, e depois preparar o jantar para ela em nosso apartamento.

Depois teríamos um filho.

O ônibus parou em frente ao último ponto e um homem de boné subiu com uma maleta, pagou e foi andando pelo corredor enquanto assoviava. Ele ocupou o assento bem na minha frente.

Fiquei inconformado. O ônibus estava vazio! E ele tinha escolhido justamente aquele lugar!

O homem tinha um leve cheiro de água-de-colônia. O pescoço dele estava cheio de pelos finos e esparsos. Os lóbulos das orelhas eram grossos e vermelhos. Um camponês de Birkeland.

Filho?

Eu não queria ter filho nenhum, não queria passar minha vida fechado num escritório das nove às quatro, era uma armadilha que eu queria evitar, mas com Hanne era diferente, era outra coisa.

Não, puta que pariu, claro que não íamos nos casar, claro que não íamos morar no arquipélago, claro que não teríamos filhos!

Eu sorri. Aquele devia ser o pensamento mais louco que alguém já havia pensado.

Do outro lado da pista de aterrissagem, do outro lado da estrada, ficava a casa de Jøgge. As janelas reluziam, e inclinei o corpo para a frente na tentativa de vê-lo. Mas se eu o conhecia bem, Jøgge devia estar deitado no colchão d'água ouvindo Peter Gabriel.

Acordei na manhã seguinte com o barulho de um aspirador de pó sendo puxado de um lado para o outro no cômodo de baixo. Continuei deitado. A aspiração parou, e então vieram outros barulhos: o tilintar de garrafas, o zumbido da máquina de lavar louça, a água que escorria para dentro de um balde. Quando cheguei pude ver que eles tinham dado uma festa. A última coisa que eu vi antes de ir para o meu quarto na noite anterior tinha sido o rosto contorcido dele e ela, que tinha a mão no ombro dele. Foi a primeira vez que o vi bêbado, e a primeira vez que o vi chorar. Depois de um tempo a porta se abriu, ouvi passos no cascalho do lado de fora e em seguida vozes embaixo da minha janela.

Nesse lugar havia uma mesa e um banco, onde meu pai costumava sentar no verão do jeito característico dele, com um pé por cima do outro e as costas levemente curvadas para a frente, muitas vezes com um jornal nas mãos e um cigarro fumegante preso entre os dedos.

Eles estavam rindo. A voz dela era clara, a dele, mais escura.

Me levantei e cheguei perto da janela.

O céu estava um pouco enevoado, como se as cores tivessem desbotado, mas o sol brilhava, e tudo no jardim parecia vibrar em silêncio.

Abri a janela.

Como eu tinha imaginado, os dois estavam sentados no banco lá embaixo, com as costas apoiadas na parede e os olhos fechados por causa do sol.

Os dois inclinaram a cabeça para trás e voltaram o olhar para cima, na minha direção.

— Ora, se não é o Kaklove lá em cima! — disse o meu pai.

— Bom dia, madrugador! — disse Unni.

— Bom dia — respondi, prendendo a janela. A forma como a voz deles pareceu me abraçar, como se a partir daquele momento fôssemos nós três, havia me desagradado. Não era verdade, eram eles dois e eu.

Mas eu gostava ainda menos de fazer o papel de adolescente inconformado. A última coisa que eu queria era dar a eles motivo para me censurar pelo que quer que fosse.

Comi umas fatias de pão na cozinha, limpei tudo com todo o cuidado, joguei os farelos que estavam na mesa e no meu prato no cesto de lixo que ficava embaixo da pia, busquei meu walkman no quarto, calcei os sapatos e fui até onde eles estavam.

— Vou dar uma volta — eu disse.

— Tudo bem — disse o meu pai. — Vai fazer uma visita a um amigo?

Meu pai não sabia o nome de nenhum dos meus amigos, nem mesmo de Jan Vidar, que tinha me feito companhia por três anos. Mas naquele momento ele estava ao lado de Unni e queria parecer um bom pai.

— É, acho que vou — respondi.
— Amanhã vou começar a levar as minhas coisas daqui embora. É bom que você esteja aqui, porque talvez eu precise de ajuda.
— Claro — eu disse. — Mas agora estou indo. Tchau!

Eu não ia fazer visita a amigo nenhum; Jan Vidar estava trabalhando em uma padaria na cidade durante aquele verão, Bassen estava a caminho da Inglaterra, Per estava provavelmente trabalhando na fábrica de parquê e eu não tinha a menor ideia do que Jøgge estaria fazendo, mas não era e nunca tinha sido natural para mim pegar a bicicleta e pedalar até a casa dele a menos que eu tivesse um assunto bem definido a tratar. Mas eu não me importava de estar sozinho e além do mais estava com os meus fones de ouvido, então apertei o play e deixei que a música tomasse conta de mim enquanto eu descia a encosta. Tudo no panorama estava totalmente calmo, e as poucas nuvens no céu, acima dos morros no outro lado do vale, permaneciam completamente imóveis. Segui pelo caminho, que também estava calmo, porque além de uma fazenda um quilômetro mais acima não havia praticamente mais nenhuma casa por dezenas de quilômetros. Nada além de floresta e água.

O verde das agulhas dos pinheiros ficava mais claro no sol e quase preto na sombra, mas todas as árvores tinham um aspecto leve, era o verão que as deixava daquele jeito, elas não se curvavam pesarosas como no inverno, não, elas se entregavam à atmosfera quente e se estendiam em direção ao sol, como todas as outras coisas vivas.

Segui pelo antigo caminho da floresta. Mesmo que ficasse apenas uns duzentos metros acima da nossa casa, eu não tinha ido até lá mais do que duas ou três vezes, sempre no inverno, com esquis nos pés. Afinal, não acontecia nada por lá, não havia ninguém, e nenhuma das crianças tomava aquele caminho: era na parte mais baixa que tudo acontecia, porque era na parte mais baixa que as pessoas moravam.

Pensei que se tivesse crescido naquele lugar eu talvez conhecesse cada moita e cada rocha, como acontecia com a paisagem ao redor da casa em Tybakken. Mas eu tinha morado apenas três anos naquele lugar e durante esse tempo nada havia se fixado em mim, na verdade nada significava nada.

Parei a música e deixei os fones de ouvido apoiados na minha nuca. Acima de mim o ar estava tão cheio da música dos passarinhos que eu quase tinha a impressão de poder vê-los. Às vezes eu notava o farfalhar num arbusto à beira da estrada, também deviam ser pássaros, pensei, mas não vi nada.

A estrada continuava subindo ao longo da encosta suave, protegida o tempo inteiro pela sombra das árvores que cresciam nos dois lados da estrada. No alto havia um laguinho, eu me atirei no chão um pouco afastado, me deitei de costas e fiquei olhando para o céu enquanto eu ouvia música, "Remain in Light", e pensava em Hanne.

Eu tinha que escrever mais uma carta para ela. A carta tinha que ser boa o suficiente para que ela não conseguisse pensar em mais nada além de mim.

Meu pai não precisou de muita ajuda para a mudança no dia seguinte. Ele carregou todas as caixas sozinho, colocou-as no grande carro branco que tinha alugado e partiu rumo à cidade, foram três viagens; apenas quando chegou a vez dos móveis ele precisou de mãos extras. Quando tudo estava no lugar ele bateu a porta e lançou um olhar breve na minha direção.

— Depois nos falamos — ele disse.

E então colocou a mão no meu ombro.

Ele nunca tinha feito aquilo antes.

Meus olhos ficaram úmidos, e fui obrigado a olhar para baixo. Ele afastou a mão, se acomodou no banco do motorista, deu a partida no motor e começou a descer a encosta devagar.

Será que ele gostava de mim?

Seria possível?

Esfreguei os olhos com a manga da minha camiseta.

Talvez fosse, pensei. A partir daquele momento eu não moraria nunca mais com ele. Da orla da floresta o gato veio correndo com a cauda em riste. Parou em frente à porta e ficou me olhando com aqueles olhos amarelos.

— Você quer entrar, Mefisto? — perguntei. — Por acaso você está com fome?

Ele não respondeu, mas empurrou a cabeça contra a minha perna quando me aproximei para abrir a porta, se enfiou pela fresta e correu em direção ao pote de comida, onde parou e ficou me olhando.

Abri uma lata, servi uma montanha de comida no pote e entrei na sala, onde resquícios do perfume de Unni ainda pairavam no ar.

Abri a porta da varanda e parei na escada do lado de fora. Mesmo que o sol não estivesse mais batendo no pátio, ainda estava quente no lado de fora.

Per estava subindo o morro, empurrando a bicicleta.

Fui até o ponto onde a encosta começava a descer.

— Você estava trabalhando? — perguntei.

— Com o suor do meu rosto! — ele respondeu. — Não sou como outras pessoas que passam o dia inteiro dormindo!

— Em quanto você acha que aumentou a sua aposentadoria hoje?

— Mais do que você vai conseguir aumentar durante a sua vida inteira.

Eu vi que ele deu uma risada e soltou ar pelo nariz. Per era do tipo que sempre parecia mais velho do que realmente era.

Ele ergueu a mão para me cumprimentar, eu fiz a mesma coisa e depois entrei mais uma vez em casa.

Meu pai havia levado dois quadros da parede. E também devia ter levado metade dos discos e metade dos livros, segundo imaginei. Todos os papéis dele, a escrivaninha e os artigos de escritório. O sofá da televisão, as duas poltronas de couro. Metade dos utensílios de cozinha. E, claro, todas as roupas dele.

Mas a casa não parecia vazia.

No cômodo ao lado o telefone tocou. Fui atender depressa.

— Alô? — eu disse.

— Oi, Karl Ove. É o Yngve. Como estão as coisas?

— O pai acabou de sair levando as últimas coisas dele. A mãe deve chegar daqui a pouco. Estou aqui sozinho com o gato. Onde você está?

— Ainda estou na casa do Trond. Pensei em dar uma passada aí. Na verdade eu tinha pensado em aparecer amanhã, mas se o pai já foi embora eu posso ir hoje à noite.

— Mesmo? Seria ótimo.

— Vamos ver. É o Arvid quem vai me deixar aí. Talvez ele arranje tempo. Mas tudo bem. Pode ser que a gente se veja hoje à noite, então!

— Beleza!

Desliguei e fui ver o que havia na geladeira.

Quando o carro da minha mãe subiu o morro uma hora mais tarde eu tinha salsichas fritas com cebola e batata e fatias de pão com manteiga em cima de uma mesa posta.

Fui até a porta. Ela estacionou na garagem, desceu, se espreguiçou na ponta dos pés e fechou o portão.

Estava usando calças brancas, um blusão vermelho-ferrugem e sandálias. Ela sorriu ao me ver. Parecia exausta, mas afinal tinha passado o dia inteiro dirigindo.

— Oi! — ela disse. — Você está sozinho?

— Estou — eu disse.

— E então, vocês se divertiram na Dinamarca?

— Sim, bastante. E você, estava boa a viagem a Sørbøvåg?

— Estava.

Inclinei o corpo para a frente e dei um abraço nela. Segui-a até a cozinha.

— Você preparou comida para me esperar? — ela perguntou.

Eu estava sorrindo.

— Sente. Você já passou muito tempo na estrada hoje. Só vou ferver uma água para o chá. Eu não sabia direito que horas você ia chegar.

— É, eu devia ter ligado — ela disse. — Mas me conte! Como foi lá na Dinamarca?

— Bem legal. Os campos de lá são incríveis. Jogamos duas partidas. E depois a gente saiu na última noite. Mas o melhor de tudo foi a festa da turma. Estava tudo muito bom.

— Você encontrou a Hanne por lá? — ela me perguntou.

— Encontrei. E foi justamente por isso que estava tão bom.

Minha mãe sorriu. Eu também sorri.

Então o telefone tocou. Me levantei para atender.

— É o pai.

— Oi — eu disse.

— A sua mãe está por aí?

— Está. Você quer falar com ela?

— Não, o que eu poderia ter para falar com ela? Eu só queria dizer que pensamos em convidar você para nos fazer uma visita na segunda-feira. Para um jantar de estreia.

— Parece uma ótima ideia. Que horas?

— Às seis. Você andou tendo notícias do Yngve?

— Não, acho que ele está em Tromøya.

— Diga que ele também está convidado caso vocês se falem.

— Pode deixar.

— Muito bem, então. Até mais.

— Até mais.

Desliguei. Como ele podia ter a voz tão fria naquele instante, quando havia colocado a mão no meu ombro poucas horas atrás?

Entrei na cozinha, onde a minha mãe estava despejando a água fervente na chaleira.

— Era o pai — eu disse.

— Ah, é? — ela disse.

— Ele me convidou para jantar.

— Que bom.

Dei de ombros.

— Você falou com ele durante o verão?

— Não. Só com o advogado dele — ela disse, largando a chaleira em cima da mesa antes de sentar.

— E o que o advogado disse?

— Bem, ele... queria falar sobre a forma como vamos dividir a casa. Não conseguimos chegar a um acordo. Mas você não precisa se preocupar com isso.

— Não preciso? Mas assim mesmo posso pensar a respeito se eu quiser, não? — eu disse, usando a espátula para servir uma porção de salsichas com cebolas e batatas no prato.

— Você não precisa tomar partido, foi isso que eu quis dizer — ela se explicou.

— Eu já tomei partido muito tempo atrás — eu respondi. — Quando tinha sete anos, eu já tinha tomado partido. Não vai ser nenhuma novidade. Nenhum problema, tampouco.

Espetei o garfo num pedacinho de salsicha que havia se curvado muito por causa do calor, levei-o à boca e comecei a mastigá-lo.

— Mas se as coisas acontecerem como eu acho que vão acontecer, não vamos ter muito dinheiro de agora em diante. Quer dizer, você vai receber uma pensão do seu pai. Acho que é justo que você fique com a maior parte possível desse dinheiro. Mas se eu precisar comprar a metade da casa que pertence a ele, a situação vai ficar bem apertada para mim.

— Não importa — eu disse. — É só dinheiro. A vida não é feita disso.

— Você tem razão — ela disse com um sorriso no rosto. — Essa é uma ótima forma de encarar as coisas.

Yngve e Arvid chegaram às dez horas. Arvid mal enfiou a cabeça para dentro da porta para nos cumprimentar antes de seguir viagem, e Yngve arrastou a mala e a grande bolsa dele até o quarto, que ele praticamente não tinha usado durante os três anos em que havíamos morado lá.

— Você não vai embora já amanhã, né? — perguntei quando ele desceu.

— Não — ele disse. — Vou pegar o avião depois de amanhã. Ou não. Afinal, estou na lista de espera.

Fomos à sala. Eu me sentei na cadeira de palha e Yngve sentou-se ao lado da nossa mãe no sofá. Dois morcegos esvoaçavam de um lado para o outro na rua, às vezes eles sumiam na escuridão dos morros no outro lado do rio, às vezes reapareciam com o céu mais claro ao fundo. Yngve pegou a garrafa térmica e serviu o café.

— É — disse ele. — Já estava na hora de fazermos umas atualizações.

Durante toda a nossa infância nós três havíamos nos sentado para conversar, eu estava acostumado, mas aquela foi a primeira vez que aconteceu sem que o meu pai estivesse morando na casa e a diferença foi enorme. O fato de que ele não poderia aparecer a qualquer hora e nos forçar a pensar no que dizer e no que fazer mudava tudo.

Sempre havíamos falado sobre todos os assuntos imagináveis, mas não dizíamos uma única palavra sobre o meu pai, essa era uma regra tácita.

Eu nunca tinha percebido antes.

Mas não podíamos falar a respeito dele, seria inconcebível.

Por quê?

Talvez por uma questão de lealdade. Talvez por medo de sermos ouvidos. Mas, independente do que tivesse acontecido durante o dia, e independente do quanto eu estivesse incomodado, eu nunca falava sobre esse assunto com a minha mãe e o meu irmão. Quando eu estava a sós com Yngve, sim, mas nunca quando estávamos nós três.

Foi como se as comportas de uma represa tivessem se aberto. De repente tudo escorreu pela mesma fenda, rumo ao mesmo vale, que logo se encheu de uma coisa que excluía a outra.

Yngve começou a falar a respeito de si, e logo estávamos os três contando histórias, uma atrás da outra. Yngve lembrou de quando o B-Max abriu e ele foi mandado para lá com dinheiro e uma lista de compras, mas também com o dever de trazer a nota fiscal de volta para casa. Foi exatamente o que ele fez, mas o troco não correspondia ao que constava na nota e o nosso pai o levou para o porão e deu uma surra nele. Depois ele falou sobre a vez em que o pneu da bicicleta dele furou e o nosso pai deu uma surra nele. Eu, por outro lado, nunca tinha levado uma surra, por um motivo ou outro nosso pai sempre tinha sido mais rígido com Yngve. Mas contei sobre as vezes que ele tinha puxado as minhas orelhas e as vezes que tinha me trancado no porão, e o tempo inteiro o sentido dessas histórias era o mesmo, a fúria dele era sempre desencadeada por um detalhe ínfimo, uma bagatela qualquer, e assim se tornava realmente cômica. Pelo menos rimos enquanto contávamos as histórias. Uma vez esqueci um par de luvas no ônibus, ele me deu um tapa no rosto quando descobriu. Outra vez esbarrei na mesinha do corredor e ela virou, ele veio e me bateu. Era totalmente injustificável! Eu disse que sentia medo dele o tempo inteiro, e Yngve disse que o nosso pai sempre tinha decidido e continuava a decidir sobre as coisas que ele fazia e pensava, mesmo naquele instante.

Nossa mãe não disse nada. Ela ficou sentada, ouvindo, olhando para um e depois para o outro. Às vezes o olhar dela dava a impressão de desaparecer. Ela já tinha ouvido muitas daquelas histórias antes, mas ouvi-las em um número tão grande contadas uma atrás da outra talvez fosse demais.

— Existe um caos muito grande dentro do pai de vocês — ela disse por fim. — Muito maior do que eu imaginava. Eu sempre via que ele estava bravo. Mas não via que ele batia em vocês. Ele nunca fez isso na minha frente. E vocês nunca me disseram nada. Mas eu tentava compensar essa fúria. Oferecer outras coisas a vocês...

— Mãe, relaxe — eu disse. — Está tudo bem com a gente. Isso tudo é passado. Temos que olhar para a frente.

— Nós sempre conversamos muito — ela continuou. — E o pai de vocês era manipulador, sem dúvida. Manipulador ao extremo. Mas ele sabia *muito bem* o que estava fazendo. E me contava tudo. E eu... bem, por causa disso eu sempre via o que acontecia a partir da perspectiva dele. Ele me dizia que tinha dificuldades na relação com vocês, e que era por minha causa. E de certa forma ele tinha razão, vocês dois sempre me procuravam. E quando ele chegava, vocês se afastavam. Eu me sentia mal por conta disso.

— Para mim essas coisas não foram tão marcantes — disse Yngve. — O problema de verdade foi quando vocês se mudaram para cá e eu tive que me virar. Quando eu não pude mais contar com a sua ajuda. Eu tinha dezessete anos, estava no colegial e não tinha dinheiro nenhum.

Minha mãe suspirou.

— Eu sei — ela disse. — Eu sempre fui leal a ele. E nesse caso eu não devia ter sido. Eu errei. E foi um grande erro.

— Ora, não fale assim — eu disse. — Agora tudo isso acabou. Somos só nós três.

Minha mãe acendeu um cigarro. Olhei para Yngve.

— O que vamos fazer amanhã?

Ele deu de ombros.

— O que você está a fim de fazer?

— Tomar banho de mar, quem sabe?

— Mas só se a gente não for para a cidade. O que você acha de passar em umas lojas de discos e em uns cafés?

Ele se virou em direção à nossa mãe.

— Posso pegar o carro?

— Pode, sim.

Minha mãe se deitou meia hora depois. Eu sabia que ela não tinha parado de pensar no que havíamos dito, e que continuaria acordada pensando naquilo tudo. Eu não queria que as coisas fossem daquela forma, não queria que ela fosse atormentada pelo que tinha acontecido, ela não merecia, mas não havia mais nada a fazer.

Quando ouvimos um rangido no teto do outro lado da sala, Yngve olhou para mim.

— Você não quer sair para fumar um cigarro?

Fiz um gesto afirmativo com a cabeça.

Fomos em silêncio até o corredor, calçamos nossos sapatos e saímos discretamente, pelo outro lado da casa.

— Quando você pretende contar para a mãe que começou a fumar? —

perguntei quando vi a chama que iluminou o rosto de Yngve e o rubor que tomou conta do rosto dele quando o fogo se apagou.

Ouvi quando ele soprou a fumaça.

— Quando *você* pretende contar?

— Eu tenho dezesseis anos. Não posso fumar. Mas porra, você tem vinte!

— Calma, calma — ele respondeu.

Fiquei um pouco ofendido e dei alguns passos em direção ao pátio. O ar tinha o cheiro marcante do arbusto com flores brancas que ficava próximo ao canteiro de batatas. Como era o nome daquilo, mesmo?

O céu estava claro, e a floresta do outro lado do rio, escura.

— Você se lembra de alguma vez ter visto o pai e a mãe se abraçarem? — Yngve me perguntou.

Voltei até onde ele estava.

— Não — eu disse. — Não lembro. E você?

Na penumbra, ele fez um gesto afirmativo com a cabeça.

— Uma vez. Foi em Hove, eu devia ter cinco anos na época. O pai tinha xingado a mãe tanto que ela começou a chorar. Ela estava de pé na cozinha, chorando. O pai entrou na sala. Depois ele voltou e deu um abraço nela e tentou oferecer consolo. Mas foi a única vez.

Eu comecei a chorar. Mas estava escuro, e eu não fiz nenhum ruído, então Yngve não percebeu.

Antes de sairmos para a cidade eu falei com a minha mãe. Ela estava no pátio com luvas de jardinagem, podando as bordas dos canteiros com uma pequena tesoura de jardim.

— Você pode me emprestar dinheiro? — perguntei. — Gastei tudo que eu tinha na Dinamarca.

— Vou ver o que eu tenho — ela disse, e entrou em casa para pegar a bolsa. Fui atrás.

— Você acha que cinquenta coroas é suficiente? — ela me perguntou, tirando uma nota da carteira.

— Você não tem cem? Eu queria comprar um disco ou dois.

Ela contou as moedas.

— Noventa. É tudo que eu tenho, infelizmente.

— É o suficiente — eu disse, e então fui até o carro, que já estava ligado, e me sentei ao lado de Yngve, que estava a postos com o Ray-Ban.

— Eu também vou comprar um desses quando tiver dinheiro — eu disse, apontando para os óculos.

Aos poucos fomos descendo a encosta.

— Compre quando você tirar o crédito estudantil — ele disse.

— Ainda faltam dois anos.

— Então você tem que começar a trabalhar. Talvez empilhando tábuas na Boen ou fazendo o que mais for preciso.

— Eu tinha pensado em começar a fazer resenhas de discos — eu disse. — E também entrevistas com bandas, esse tipo de coisa.

— Ah, é? — disse Yngve. — Parece uma boa ideia. Para quem você pretende trabalhar?

— Para o *Nye Sørlandet*.

Seguimos pela estradinha, passando por baixo das árvores decíduas e deixando para trás as antigas casas com pintura branca, sempre com o rio cintilando às nossas costas.

Quando chegamos à cachoeira e enxerguei vultos no alto do rochedo, me virei para ver melhor.

— Tem certeza que você não quer tomar banho depois? Temos tempo para fazer as duas coisas.

— Pode ser — Yngve respondeu. — Em Hamresanden?

— Legal.

— Tem alguém que venda sorvete por lá?

— Claro. Pode ser até que tenha sorvete italiano.

Levei Yngve até a Platebørsen, que ficava no prédio da antiga bolsa de valores da cidade, mas não sem tirar proveito da situação, porque naquele lugar era eu quem sabia onde tudo estava e como as coisas funcionavam.

Yngve mostrou um disco para mim.

— Você tem este?

— Não. O que é?

— The Church. *The Blurred Crusade*. Você não pode ficar sem este disco.

— Está bem. Então vou comprar.

Além daquele eu ainda tinha dinheiro para comprar um disco em promoção, então peguei um do Talking Heads. Yngve esperaria receber o dinheiro do crédito estudantil para comprar discos.

Pegamos uma mesa na cafeteria em frente à biblioteca e ficamos fumando e bebendo café. Eu tinha esperança de encontrar um conhecido, tanto para mostrar a Yngve que eu tinha amigos na cidade como para que os meus conhecidos me vissem com Yngve.

Mas naquele dia parecia não haver ninguém na cidade.

— Onde foi mesmo que a mãe comprou os discos no Natal? — Yngve perguntou. — Você lembra?

No Natal, Yngve tinha ganhado o primeiro disco do The The de presente da nossa mãe, e eu tinha ganhado *Script of the Bridge*, do The Chameleons. Eu nunca tinha ouvido falar a respeito do The Chameleons antes, mas a banda era absolutamente incrível. A mesma coisa tinha acontecido com Yngve e o The The. Nenhum de nós tinha entendido como a nossa mãe tinha feito aquilo. Pouca gente na cidade era mais bem informada a respeito de música do que eu e Yngve. Ela disse que tinha ido a uma loja de discos e descrito primeiro Yngve, depois eu, e baseado nessas descrições o vendedor tinha sugerido os discos.

Perguntei que loja era essa, ela me explicou e, entre o Natal e o Ano-Novo, fui até lá. Atrás do balcão estava Harald Hempel. Só então pude entender. Ele tocava no Lily and the Gigolos, e se não sabia determinada coisa a respeito de música, era porque não valia a pena saber.

— Na Dronningens Gate — eu disse. — O que você acha de passar lá?

— Um passeio rápido?

Quando saímos da última loja de discos, apontei um prédio na quadra seguinte.

— É ali que fica a redação do *Nye Sørlandet*. O jornal do qual eu tinha falado.

Yngve olhou para onde eu havia apontado quando passamos.

— Parece um lugar bem pequeno — ele disse.

— É, eles são o segundo jornal da cidade. Mais ou menos como o *Tiden* em Arendal.

Olhei em direção à Elvegaten, onde o nosso pai estava morando, para ver se eu o enxergava. Mas não.

— O que você acha melhor? — eu perguntei. — Escrever uma carta me oferecendo para trabalhar ou me apresentar pessoalmente?

— Acho que você deve ir pessoalmente.

— Está bem. Vou fazer isso, então.

— Aliás, você ficou sabendo que o Simple Minds vai tocar aqui? No Drammenshallen?

— Não!

— É verdade. Ainda falta tempo, mas os ingressos vão ser vendidos um pouco antes. Você não pode perder.

— Não, claro que não. Mas e você?

— Para mim é longe e caro demais. Mas você pode chegar lá de trem.

— É o que vou fazer — eu disse, me reclinando no assento. Enquanto o carro avançava, tentei imaginar a paisagem sem a estrada, sem os loteamentos, como devia ter sido em outras épocas. Baías e estreitos intocados, florestas enormes, talvez impenetráveis. A praia de Hamresanden era apenas uma estreita faixa de areia ao longo do rio e da baía. Não havia trailers, não havia barracas, não havia cabanas, não havia tendas, não havia pessoas. Não havia lojas, não havia posto de gasolina, não havia casas, não havia capela, nada. Apenas a floresta, a montanha, a praia e o mar.

Era um pensamento impossível.

— Acho melhor deixar Hamresanden para outro dia — Yngve disse. — Você não concorda? A mãe logo vai estar nos esperando com o jantar pronto.

— Pode ser — eu disse. — De qualquer jeito, estou curioso para ouvir o disco do The Church.

Eu nunca ficava triste quando as pessoas iam embora, como a minha mãe sempre fazia, a não ser que a pessoa em questão fosse Yngve. Ou melhor, eu não ficava triste, não era um sentimento violento. Era como se fosse uma melancolia.

Por isso não fui junto quando nossa mãe o levou até Kjevik, mas peguei minha bicicleta e pedalei até a casa de Jan Vidar, e de lá fomos até a queda d'água, onde nos banhamos por uma hora. Entramos na água e deslizamos rumo à parte mais baixa ao longo da encosta lisa e coberta de algas, era impossível resistir à força da correnteza, o único jeito era se deixar levar, talvez dando uma ou duas braçadas de vez em quando para se manter junto à margem.

Depois ficamos deitados num escolho com os braços estendidos ao longo do corpo para nos secar, com os nossos tênis no chão ao lado, Jan Vidar também havia deixado os óculos dele em cima dos calçados.

Nesse dia Merethe e Gunn estavam lá. Estavam na rocha que ficava no meio da correnteza, as duas de biquíni. A presença delas nos encheu de entusiasmo, sentimos um impulso violento ganhar força dentro de nós, mas ao mesmo tempo nos mantivemos completamente imóveis. O efeito era contrário à natureza. Pelo menos era assim que eu me sentia.

Merethe estava usando um biquíni vermelho.

Ela era dois anos mais nova do que nós e ainda estava no oitavo ano, mas e daí?

Eu não poderia namorar com ela, mas por acaso o meu corpo se importava com isso?

Ah, como era frustrante ficar deitado, devorando-a com os olhos! Ver aquelas coxas que ficavam ainda mais grossas pressionadas contra a rocha, fixar o olhar no pequeno espaço entre as coxas, no material vermelho que acompanhava as curvas do corpo bem naquele lugar. E também nos peitos dela, claro.

Quando nos levantamos, tínhamos a esperança de que as duas fossem nos ver e talvez pensar no que estávamos pensando. Mas as duas eram tão blasées, tão mundanas que nem mesmo nós, Jan Vidar e Karl Ove, éramos bons o suficiente para elas.

Subimos até a cachoeira mais acima, começamos a nadar na correnteza e fomos arrastados para baixo até o rio mais largo e mais fundo um pouco além.

Elas não deram a mínima.

Mas já estávamos acostumados àquela reação. Tinha sido daquele jeito por três verões seguidos. Aquilo doía em mim, e provavelmente em Jan Vidar também. Ele se revirava e se contorcia como eu.

Já não podíamos dizer um para o outro que a nossa hora tinha chegado, porque não acreditávamos mais nisso.

Por que os outros haviam estragado a minha chance na Dinamarca?

Aquele tinha sido um esquema diabólico. Eles tinham pouquíssimo a ganhar, não mais que uma simples risada, mas aquilo que tinham arruinado significava tudo para mim.

Contei o que havia acontecido para Jan Vidar.

Ele riu.

— Você teve o que merecia. Como você pôde ser burro a ponto de contar tudo para o Bjørn e o Jøgge?

— Estava tudo certo — eu disse. — Absolutamente tudo! Estava perfeito! E no fim... não deu em nada.

— Ela era bonita?

— Era bonita, sim. Muito bonita.

— Mais bonita do que a Hanne?

— Não, não dá para comparar. São duas coisas diferentes.

— Como assim?

— Não posso comparar a Hanne com uma dinamarquesa qualquer que eu pretendia comer. Você entende, não?

— Quer dizer que você não quer comer a Hanne?

— O certo é que eu não gostaria de falar a respeito dela desse jeito.

Jan Vidar sorriu e fechou os olhos.

Na manhã seguinte fui à casa do meu pai. Eu estava usando uma camisa branca, uma calça de algodão e tênis brancos de basquete. Para não me sentir exposto como eu me sentia quando estava apenas de camisa eu tinha comigo o paletó, mas eu o carregava atirado por cima do ombro, segurando-o pelo ganchinho interno, já que fazia calor demais para vesti-lo.

Desci do ônibus logo depois de Lundsbroa e atravessei as ruas vazias e sonolentas de verão a caminho da casa onde ele estava se hospedando, no mesmo lugar onde eu tinha morado num estúdio durante aquele inverno.

Quando cheguei encontrei-o no quintal, derramando acendedor líquido por cima do carvão da grelha. Ele estava sem camisa, com uma calça azul e os pés enfiados num par de sapatos de corrida folgados e sem cadarços. Aquelas roupas não faziam o estilo dele.

— Olá — ele disse.

— Olá — eu disse.

— Sente.

Ele fez um gesto de cabeça em direção ao banco que ficava junto à parede.

A janela da cozinha estava entreaberta, e lá de dentro vinham barulhos e ruídos de vidros e louças.

— A Unni está na cozinha arrumando um negócio — ele disse. — Ela já vem.

Os olhos dele estavam velados.

Ele deu um passo na minha direção, pegou o isqueiro que estava em cima da mesa e acendeu o carvão. Uma chama baixa e quase transparente, azul na parte mais baixa, se ergueu no fundo da grelha. Ela nem ao menos dava a impressão de estar em contato com o carvão, mas parecia flutuar logo acima.

— E então, você teve notícias do Yngve?

— Tive — eu disse. — Ele passou em casa pouco antes de voltar a Bergen.

— E pelo visto não quis vir para cá — disse o meu pai.

— Ele disse que queria ver como você estava, mas que o tempo era curto.

Meu pai atiçou o fogo, que já estava mais baixo. Se virou na minha direção, sentou-se em uma cadeira de camping que estava próxima. De repente fez aparecer uma taça de vinho tinto e uma garrafa. Deviam estar no chão logo ao lado.

— Hoje estou me regalando com um pouco de vinho — ele disse. — Afinal é verão, sabe?

— Sei — eu disse.

— A sua mãe não gostava dessas coisas — ele disse.

— Ah, é? — eu disse.

— É — ele disse. — E isso não era nada bom, você entende?

— Entendo — eu disse.

— É — ele disse, e então esvaziou o copo em um único gole.

— O Gunnar veio aqui para xeretar um pouco — ele disse. — Em seguida deve ter ido direto para a casa dos seus avós contar o que viu por aqui.

— Com certeza ele só queria fazer uma visita — eu disse.

Meu pai não respondeu, mas tornou a encher o copo.

— Unni, você não vem? — ele gritou. — Meu filho veio nos visitar!

— Já vou — ela disse, ainda na cozinha.

— Não, ele também veio xeretar — disse o meu pai. — Assim ele pode cair nas graças dos seus avós também.

Depois ele sentou à minha frente com a taça de vinho na mão.

Virou o rosto e me encarou.

— Você quer beber alguma coisa? Um refrigerante? Acho que temos refrigerante na geladeira. Entre e fale com a Unni.

Me levantei, feliz por estar me afastando dele.

Gunnar era um homem bom e honesto, e durante a vida inteira tinha sido uma pessoa justa e direita, não havia dúvida nenhuma em relação a isso. Qual poderia ser a origem daquela investida do meu pai contra ele?

Depois da claridade no quintal eu não enxerguei quase nada quando entrei na cozinha. Unni largou a escova de lavar louça e me recebeu com um abraço.

— Que bom ver você, Karl Ove! — ela disse com um sorriso.

Devolvi o sorriso. Ela era uma pessoa muito calorosa. Nas vezes em que havíamos nos encontrado ela sempre tinha parecido alegre, de uma alegria contagiante. E ela sempre tinha me tratado como um adulto. Aquilo me pegava de jeito. Ao mesmo tempo que eu gostava, eu também desgostava.

— Que bom ver você também — eu disse. — O pai disse que vocês devem ter um refrigerante no gelo.

Abri a porta da geladeira e peguei a garrafa de Coca-Cola que estava lá. Unni secou um copo e o ofereceu para mim.

— O seu pai é um homem e tanto — ela disse. — Mas claro que você sabe disso.

Não respondi, apenas sorri, e quando tive a certeza de que a ausência de resposta não seria interpretada como pouco-caso tornei a sair.

Meu pai estava sentado como antes.

— O que a sua mãe disse, afinal? — ele perguntou, mais uma vez como se estivesse falando sozinho.

— Sobre o quê? — perguntei enquanto eu me sentava, abria a tampinha da garrafa e enchia o copo até ter que afastá-lo do corpo para deixar que a efervescência fizesse o líquido se derramar nas pedras do chão.

Meu pai nem ao menos percebeu!

— Sobre o divórcio, ora — ele disse.

— Nada de especial — eu disse.

— Eu devo parecer um monstro — ele disse. — É sobre isso que vocês conversam quando estão juntos?

— Não. De jeito nenhum. Juro.

Fez-se silêncio.

Acima da cerca de tábuas era possível ver uma parte do rio, esverdeada sob a luz do sol forte, e também os telhados das casas que ficavam mais próximas no outro lado da margem. Por toda parte viam-se árvores, essas criaturas verdes com as quais nunca contamos, mas simplesmente passamos e as registramos sem que nos causem qualquer tipo de impressão, como fazem por exemplo os cachorros e os gatos, mas que na verdade, se pensarmos um pouco, apresentam-se de maneira bem mais imponente e maciça.

Na grelha a chama havia desaparecido por completo. Pedaços do carvão tinham ganhado um brilho alaranjado, outros haviam se transformado em cinzas, ainda outros permaneciam pretos como antes. Pensei se eu poderia acender um cigarro. Eu tinha uma carteira no bolso interno do casaco. Na festa deles não tinha havido problema. Mas isso não queria necessariamente dizer que não haveria problema naquele momento.

Meu pai bebeu mais um pouco. Bateu a mão contra o cabelo grosso na lateral da cabeça. Serviu o copo, que foi somente até a metade porque a garrafa terminou. Ele a segurou diante dos olhos e ficou examinando o rótulo. Em seguida levantou-se e entrou na casa.

Pensei que eu devia tratá-lo da melhor forma possível. Independente do que ele fizesse, eu tinha o dever de ser um bom filho.

Essa decisão veio junto com um sopro da brisa do mar, e de uma estranha maneira os dois fenômenos se associaram dentro de mim e tive uma impressão de frescor, de liberdade após um longo dia de impasse.

Meu pai saiu mais uma vez e bebeu o restante do vinho antes de encher o copo com a garrafa recém-trazida.

— Eu estou bem agora, Karl Ove — ele disse ao sentar-se. — Estamos bem juntos.

— Estou vendo — eu disse.

— É — ele concordou sem me escutar.

Meu pai grelhou bifes, que foram então levados para a sala, onde Unni tinha posto a mesa com uma toalha branca, talheres novos e reluzentes e copos. Não entendi por que não comeríamos no jardim, mas presumi que devia ter alguma coisa a ver com os vizinhos. Meu pai não gostava de ser visto, especialmente em situações que percebia como íntimas, como quando estava comendo.

Ele desapareceu durante uns minutos, voltou usando a camisa branca com folhos que tinha usado na festa e calça preta.

Enquanto ficamos sentados no jardim, Unni tinha cozinhado brócolis e assado batatas no forno. Meu pai serviu vinho tinto na minha taça, eu podia tomar uma com a refeição, mas não mais, ele disse.

Elogiei a comida. O sabor de grelhado ficava especialmente bom em carnes boas como aquela.

— Então saúde — disse o meu pai. — À Unni!

Erguemos nossas taças e corremos os olhos pelos rostos uns dos outros.

— E ao Karl Ove — Unni disse.

— Então podemos brindar a mim também — disse o meu pai, rindo.

Aquele foi o primeiro olhar agradável, e senti como que um calor se espalhar dentro de mim. De repente notei um brilho nos olhos do meu pai e comecei a comer mais depressa por conta do entusiasmo.

— Nós dois estamos muito bem aconchegados aqui — disse o meu pai, colocando a mão no ombro de Unni. Ela riu.

Antes, uma palavra como "aconchegado" jamais sairia dos lábios dele.

Olhei para a minha taça, que estava vazia. Hesitei, percebi que eu estava hesitando e espetei o garfo nas batatas para disfarçar, e como uma simples continuação desse movimento estendi o braço do jeito mais casual possível em direção à garrafa de vinho.

Meu pai não percebeu nada, e eu bebi a segunda taça depressa e servi uma terceira. Ele enrolou um cigarro e Unni enrolou um cigarro. Os dois estavam reclinados nas cadeiras.

— Temos que abrir mais uma garrafa — ele disse enquanto desaparecia na cozinha. Quando voltou, deu um abraço em Unni.

Levantei para buscar meus cigarros no bolso do casaco, me sentei e acendi um.

Meu pai tampouco percebeu qualquer coisa de estranho.

Ele se levantou mais uma vez e foi ao banheiro. Os passos dele pareciam meio cambaleantes. Unni sorriu para mim.

— Eu vou dar aulas de norueguês para uma primeira série no outono — ela me contou. — Você tem alguma dica para me dar? É a minha primeira turma.

— Claro — eu disse.

Ela sorriu e olhou nos meus olhos. Eu desviei o rosto e tomei mais um longo gole de vinho.

— Afinal, você se interessa por literatura, não é mesmo? — Unni continuou.

— É, digamos que sim — eu disse. — Entre outras coisas.

— Eu também — ela disse. — E nunca li tanto quanto eu costumava ler quando tinha a sua idade.

— Sei — eu disse.

— Eu lia tudo que você pode imaginar. Acho que era uma espécie de busca existencial. Esse foi o período mais intenso.

— Aham — eu disse.

— Vocês dois se acharam, pelo que estou vendo? — meu pai disse às minhas costas. — Que bom. Karl Ove, você tem que conhecer melhor a Unni. Ela é uma pessoa incrível. E ri o tempo inteiro. Não é verdade, Unni?

— O tempo inteiro, não! — ela disse rindo.

Meu pai sentou mais uma vez, esvaziou a taça e, quando acabou, tinha o olhar vazio como o de um bicho.

Ele se inclinou para a frente.

— Sei que nem sempre fui um bom pai para você, Karl Ove. Sei que é assim que você pensa.

— Não, não é.

— Pare com essas bobagens. Não precisamos mais fingir. Você não acha que eu fui sempre um bom pai. E você tem razão. Eu cometi muitos erros. Mas saiba que eu sempre fiz o melhor possível. Sempre!

Olhei para baixo. Meu pai tinha falado em tom de súplica.

— Quando você nasceu, Karl Ove, uma das suas pernas era torta. Você sabia disso?

— Sabia, mais ou menos — eu disse.

— Eu fui correndo até o hospital nesse dia. E a primeira coisa que vi ao chegar foi que a sua perna era torta! Os médicos puseram gesso e você ficou lá deitado, pequeno daquele jeito e com o pé inteiro engessado. Quando tiraram aquilo eu comecei a fazer massagem em você. Várias vezes ao dia, por meses a fio. Era necessário para que você pudesse andar. Eu fiz massagem em você, Karl Ove. Nessa época nós morávamos em Oslo.

As lágrimas corriam pelo rosto dele. Olhei depressa para Unni, ela também olhou para o meu pai e apertou a mão dele.

— Não tínhamos dinheiro nenhum — ele continuou. — Precisamos colher frutas silvestres e eu tive que pescar, você lembra?, para que as coisas funcionassem. Você tem que lembrar dessas coisas quando pensar no que aconteceu. Eu fiz o melhor possível, e você não deve pensar diferente.

— Eu não penso — respondi. — Muita coisa aconteceu, mas agora já não importa mais.

Meu pai levantou a cabeça depressa.

— IMPORTA, SIM! — ele disse. — Você não pode falar desse jeito!

Depois ele olhou para o cigarro que tinha entre os dedos. Pegou o isqueiro que estava em cima da mesa, acendeu-o e se reclinou na cadeira.

— Mas agora estamos numa situação bem confortável — ele disse.

— É verdade — eu disse. — Essa refeição estava bem farta.

— A Unni também tem um filho, sabia? — disse o meu pai. — Ele tem praticamente a mesma idade que você.

— Não vamos falar sobre isso — disse Unni. — Quem está conosco agora é o Karl Ove.

— Mas é claro que o Karl Ove também quer saber — disse o meu pai. — Os dois vão ser praticamente como irmãos. Não é verdade? Você não concorda, Karl Ove?

Fiz um gesto afirmativo com a cabeça.

— Ele é um bom garoto. Eu o conheci na semana passada — ele disse.

Enchi minha taça da maneira mais discreta possível.

Na sala de jantar o telefone tocou. Meu pai se levantou e foi atender.

— Opa! — ele disse quando perdeu o equilíbrio e por pouco não caiu. Depois foi até lá.

Pegou o telefone.

— Oi, Arne! — ele disse.

Meu pai falava alto, eu conseguiria ouvir cada palavra se quisesse, mas eu não queria.

— O seu pai tem sentido uma pressão enorme — Unni disse a meia-voz. — Ele precisava desabafar um pouco.

— Eu entendo — respondi.
— Foi uma pena que o Yngve não pôde vir — ela disse.
"Yngve"?
— Ele teve que voltar para Bergen — eu disse.
— Claro, meu amigo, você tem que entender! — disse o meu pai na sala de jantar.
— Quem é Arne? — perguntei.
— Um parente meu — ela disse. — Nós passamos um tempo com eles nesse verão. Eles são pessoas incríveis. Logo você também vai conhecê-los.
— É — eu disse.
Meu pai voltou e descobriu que a garrafa de vinho estava quase vazia.
— Vamos tomar um conhaque? — ele disse. — Depois da refeição?
— Você com certeza não bebe conhaque, certo? — Unni perguntou enquanto olhava para mim.
— Não, o Karl Ove não pode beber destilados — disse o meu pai.
— Eu já bebi conhaque — eu disse. — No verão. No acampamento de treino.
Meu pai olhou para mim.
— A sua mãe sabe? — ele perguntou.
— De novo a mãe? — disse Unni.
— Você pode tomar um copinho, mas nem uma gota a mais — meu pai disse enquanto olhava para Unni. — Está bom assim?
— Está — eu disse.
Ele buscou o conhaque e os copos, serviu-os e se reclinou no sofá branco e macio que ficava junto à janela que dava para a estrada, onde o crepúsculo pairava como um véu acima das paredes brancas das casas no outro lado.
Unni enlaçou meu pai com o braço e colocou a outra mão no peito dele. Meu pai sorriu.
— Você está vendo como estou bem, Karl Ove? — ele disse.
— Estou — eu disse, me arrepiando ao sentir o conhaque na língua. Meus ombros chegaram a estremecer de leve.
— Mas também é verdade que a Unni tem um temperamento difícil — ele disse. — Não é?
— É — Unni concordou, sorrindo.
— Uma vez o despertador se despedaçou nessa parede aqui — ele me contou.

— Eu gosto de resolver as coisas de uma vez — disse Unni.

— Não é como a sua mãe — disse o meu pai.

— Você tem que falar na mãe do Karl Ove o tempo inteiro? — Unni perguntou.

— Ora, ora — disse o meu pai. — Não seja tão sensível. Eu tive o meu filho com ela — disse o meu pai, olhando para mim. — Esse é o meu filho e nós temos o direito de conversar juntos.

— Muito bem — disse Unni. — Fiquem conversando então. Eu vou me deitar um pouco.

Ela se levantou.

— Mas Unni... — disse o meu pai.

Ela desapareceu na outra sala. Ele se levantou e a seguiu devagar, sem olhar para mim.

Ouvi as vozes deles lá dentro, baixas e irritadas. Bebi o meu conhaque, servi mais e tomei o cuidado de deixar a garrafa exatamente na mesma posição em que estava.

Opa.

De repente meu pai gritou.

Pouco depois ele tornou a aparecer.

— A que horas você tinha dito que passa o último ônibus? — ele perguntou.

— Às onze e dez — eu respondi.

— Daqui a pouco, então — ele disse. — Talvez seja melhor você ir agora, para não correr o risco de perder.

— Tudo bem — eu disse enquanto me levantava. Precisei andar com passos largos para não perder o equilíbrio. Eu sorri. — Obrigado por tudo.

— Vamos continuar nos falando — meu pai disse. — Não estamos mais na mesma casa, mas isso não deve mudar nada entre nós. É importante que as coisas continuem sendo como eram.

— É verdade — eu disse.

— Você entende?

— Entendo. É importante que a gente mantenha contato — eu completei.

— Você está bancando o atrevido? — ele perguntou.

— Não! — eu disse. — É importante agora que vocês se divorciaram.

— Muito bem — ele disse. — Depois eu ligo para você. E você pode aparecer sempre que estiver na cidade. Combinado?

— Combinado — eu disse.

Ao calçar os sapatos eu mal conseguia me aguentar de pé e tive que me apoiar na parede. Meu pai estava bebendo no sofá e não percebeu nada.

— Tchau! — eu disse, abrindo a porta.

— Tchau — respondeu o meu pai, e então eu saí para a escuridão e fui até o ponto de ônibus.

Esperei por uns quinze minutos até que o ônibus chegasse, sentado numa escada e fumando enquanto olhava para as estrelas acima de mim e pensava em Hanne.

Imaginei o rosto dela.

Ela estava rindo, os olhos brilhavam.

Ouvi a risada dela.

Ela ria quase o tempo inteiro. Mesmo quando não ria, as risadas volta e meia borbulhavam na voz.

Esplêndido!, ela costumava dizer quando achava qualquer coisa absurda ou cômica.

Pensei em como ela ficava quando a seriedade tomava conta. Nessas horas era como se ela estivesse nos meus domínios, e eu me sentia como uma enorme nuvem escura ao redor dela, cada vez mais. Mas apenas nos momentos de seriedade, nos outros, nunca.

Quando estava com Hanne eu também ria o tempo inteiro.

Aquele narizinho!

Ela era mais menina do que mulher, assim como eu era mais garoto do que homem. Eu costumava dizer que ela parecia uma gata. E era verdade, ela tinha um jeito de gata nos movimentos, e também tinha um jeito macio, como se quisesse sempre chegar um pouco mais perto.

Ouvi a risada dela enquanto eu fumava e olhava para as estrelas. Em seguida ouvi o pesado ronco do ônibus que subia a encosta por entre as casas, joguei o cigarro no chão, me levantei, contei as moedas que estavam no meu bolso e as entreguei ao motorista quando subi a bordo.

Ah, as luzes discretas e os sons abafados dos ônibus ao entardecer! Os passageiros escassos, cada um sentado em um mundo particular! O panorama que desliza no escuro do outro lado da janela! O ruído do motor! Quando alguém senta e pensa na coisa mais bonita que existe, naquilo que há de mais precioso, e simplesmente deseja estar lá, por assim dizer fora do mundo, no caminho entre um lugar e outro, não é justo nessa hora que realmente estamos em algum lugar? Quando nos sentimos preenchidos pelo mundo?

Ah, essa é a canção do jovem apaixonado. Será que ele tem o direito de usar uma palavra como "amor"? Ele não sabe nada a respeito da vida, não sabe nada a respeito da garota, não sabe nada a respeito de si próprio. A única coisa que sabe é que nunca sentiu nada com tanta intensidade e tanta clareza. Tudo dói, mas não existe sensação melhor. Ah, essa é a canção do jovem de dezesseis anos que está sentado no ônibus pensando nela, na escolhida, sem perceber que aos poucos, aos poucos os sentimentos vão se tornar mais baços e mais fracos, que a vida, que naquele momento é grande, enorme, vai se tornar implacavelmente menor, cada vez menor, até atingir um tamanho administrável e tornar-se uma coisa menos dolorida, que no entanto não proporciona sensações tão boas.

*

Só um homem de quarenta anos poderia ter escrito o trecho acima. Tenho quarenta anos agora, estou sentado no meu apartamento em Malmö e nos cômodos ao meu redor minha família está dormindo. Linda e Vanja estão no nosso quarto, Heidi e John estão no quarto deles e Ingrid, a avó das crianças, está em uma cama na sala. Hoje é dia 25 de novembro de 2009. Os meados da década de 1980 estão distantes tanto quanto a década de 1950 estava naquela época. Mas quase tudo nessa história ainda está por aí. Hanne está por aí, Jan Vidar está por aí, Jøgge está por aí. Minha mãe e meu irmão, Yngve — falei com ele ao telefone duas horas atrás, estamos planejando uma viagem à Córsega no verão, ele com os filhos dele, eu e Linda com os nossos — estão por aí. Mas o meu pai morreu, minha avó paterna morreu e meu avô paterno morreu.

Em meio às coisas que meu pai deixou para trás estavam três cadernos de anotações e um diário. Ao longo de três anos ele registrou os nomes de todas as pessoas que havia encontrado pessoalmente, de todas as pessoas para quem havia telefonado, todas as vezes que fez sexo e também o quanto havia bebido. Às vezes havia um breve resumo de uma situação qualquer, mas na maioria dos casos não.

Encontrei várias anotações que diziam "Visita de K. O.".

Era eu.

Às vezes havia uma anotação de "K. O. alegre" depois que eu tinha ido embora.

Às vezes "Conversa bem-sucedida".

Às vezes "Clima razoável".

Às vezes nada.

Entendi por que ele anotava o nome das pessoas que encontrava e com as quais conversava ao longo do dia, e também por que registrava todas as brigas e todas as reconciliações, mas não entendi por que anotava o quanto bebia.

Era como se estivesse escrevendo a crônica da própria queda.

*

Quando voltei à escola depois das férias senti como se eu tivesse voltado à estaca zero: tudo era como no dia em que eu havia começado o colegial um ano atrás. A turma era nova, os colegas e os professores eram desconhecidos. A única diferença era que na primeira turma havia vinte e seis garotas, e na segunda, apenas vinte e quatro.

Me sentei no mesmo lugar, na última fileira à esquerda de quem está na cátedra, e me comportei da mesma forma: eu tomava a palavra, contestava o que os professores diziam e batia de frente com outros colegas em questões políticas e religiosas. Quando chegava a hora do intervalo a turma inteira saía para se reunir aos grupos a que pertenciam ou encontravam os amigos de outras épocas, e eu usava praticamente todas as minhas energias e toda a minha força de vontade para evitar a humilhação de ficar sozinho.

Eu subia à biblioteca e lia por exemplo o *Falketårnet* de Erik Fosnes Hansen, escrito quando ele tinha vinte anos, pensando que faltavam apenas quatro anos para que eu fizesse vinte, será que nesse dia o meu nome também estaria impresso na capa de um livro? Eu ficava sentado na minha carteira e fingia que estava fazendo os deveres de casa. Subia até o posto de gasolina um pouco acima da escola e comprava uma coisa qualquer, na maioria das vezes um jornal de Oslo, porque ler jornal era algo que eu não podia fazer com outras pessoas, e essa era uma forma plausível de ficar sozinho na cantina durante o recreio interminavelmente longo. Ou então eu fingia que estava à procura de alguém. Subia e descia as escadas, atravessava os longos corredores, às vezes ia até o Gimlehallen ou até a escola de economia, sempre atrás de uma pessoa fictícia, que eu procurava aqui e acolá. Mas na maioria das vezes eu fumava em frente à porta de entrada, naturalmente porque essa atitude estabelecia um lugar para mim, um lugar onde eu tinha o direito de estar, e ao mesmo tempo havia outras pessoas ao redor, meus "amigos", para quem estivesse interessado em saber.

Esse temor de ser visto como alguém que não tinha amigos não era infundado. Certo dia apareceu um anúncio no quadro de recados. Um aluno que tinha acabado de se mudar para a cidade e que não conhecia ninguém na escola escreveu que estava procurando amigos, e que se alguém estivesse interessado em conhecê-lo, ele estaria junto ao mastro da bandeira ao meio-dia do dia seguinte.

No dia seguinte havia uma multidão de alunos junto ao mastro da bandeira. Todos queriam ver quem era aquela criatura sem amigos, que por razões óbvias não apareceu.

Será que tinha sido uma brincadeira? Ou será que aquela criatura sem amigos tinha ficado com medo e desistido ao ver toda aquela movimentação?

Sofri com ele, mesmo sem conhecê-lo.

Outro dia fui até a redação do *Nye Sørlandet* e pedi para falar com a pessoa responsável pela cobertura musical do jornal. Me levaram até o escritório de um certo Steinar Vindsland. Ele era jovem, tinha cabelos pretos cortados nas laterais e na nuca, mais ou menos como o baixista do Simple Minds, barba por fazer e um brilho marcante no olhar. Eu me apresentei e expliquei o que gostaria de fazer.

— Não temos nenhum resenhista fixo — ele disse. — Em geral sou eu mesmo que escrevo as resenhas, mas tenho tanta coisa para fazer que realmente seria bom ter outra pessoa responsável por essa parte.

Ele olhou para mim e começou a me examinar.

Eu tinha escolhido as roupas para a ocasião, estava vestindo a minha camisa xadrez, que era como a do The Edge, cinto de rebites e calças pretas.

— O que você gosta de ouvir? — ele perguntou.

Eu respondi, ele acenou a cabeça.

— Vamos fazer um teste. Tome — ele disse, remexendo a pilha de discos que atulhava a mesa. — Leve esses discos para casa e escreva a respeito deles. Se você fizer um bom serviço, vai ser o nosso novo resenhista.

Passei o fim de semana inteiro escrevendo rascunho atrás de rascunho, e quando a segunda-feira chegou fui até a redação do jornal assim que as minhas aulas terminaram e entreguei seis páginas manuscritas para ele. Ele leu tudo de pé no escritório, com uma rapidez impressionante. Depois olhou para mim.

— Estou olhando para o nosso novo resenhista de discos — ele disse.

— Você gostou mesmo?

— Está muito bom. Você tem mais uns minutos?

— Tenho, por quê?

— Quero tirar umas fotos de você para escrever uma apresentação. E também quero fazer umas perguntas. Você estuda na Katedralskole?

Respondi com um aceno de cabeça. Ele pegou uma câmera que estava em cima da mesa, ajustou-a ao rosto e apontou a lente para mim.

— Sente aqui — ele disse, apontando para o canto.

Senti um arrepio descer pelas minhas costas quando ouvi o clique da câmera.

— Tome — ele disse. — Pegue esses discos e segure-os junto do corpo.

Ele me passou três LPs e eu os levantei um pouco enquanto olhava com a minha expressão mais séria para a câmera.

— Você gosta do U2 — ele disse. — O que mais?

— Big Country. Simple Minds. David Bowie. E Iggy Pop, claro. Talking Heads. R.E.M. Você já ouviu Chronic Town? É sensacional. E pesado pra burro, também.

— Muito bem. Você tem alguma declaração a fazer?

Senti meu rosto corar.

— Nã-ão — eu disse.

— Do que você mais gosta? Em termos de música? Dos shows na cidade? Dos programas de música na NRK? O que você tem a dizer?

— Ah, eu acho ruim que a gente só tenha um programa bom sobre música no rádio e nenhum na TV.

— Ótimo! — ele disse. — E você tem dezesseis anos?

— Tenho.

— Muito bem. Vamos rodar essa apresentação amanhã. Você começa na semana que vem. Pode ser?

— Pode.

— Apareça de novo na... na quinta-feira, para a gente falar sobre como as coisas vão funcionar na prática.

Ele apertou a minha mão.

— Mais uma coisa — ele disse quando eu estava saindo.

— Sim? — eu disse.

— Você não pode escrever à mão. Simplesmente não dá. Se você não tem uma máquina de escrever, eu posso arranjar uma para você!

— Está bem — eu disse. — Obrigado!

No instante seguinte eu estava na rua.

Parecia bom demais para ser verdade. Eu era resenhista *fixo* de um jornal! Aos dezesseis anos!

Acendi um cigarro e comecei a andar. O asfalto seco, as janelas que em certos pontos estavam pretas de fumaça de escapamento e a quantidade de carros me fizeram pensar que eu estava em uma grande metrópole. Que eu era um jovem jornalista musical que andava pelas ruas de Londres. Recém-saído do ambiente caótico da redação.

Steinar Vindsland tinha correspondido perfeitamente à ideia que eu fazia a respeito dos jornalistas. Incrivelmente rápido. Tudo acontecia muito depressa. Eles tinham prazos a cumprir, eis o motivo, tinham que acertar tudo na velocidade máxima.

E ele também era bem informado a respeito de música. Conhecia Harald Hempel. Talvez conhecesse também as bandas de Oslo.

E a partir daquele momento eu poderia conhecer os integrantes pessoalmente!

Eu nem tinha pensado nessa possibilidade. Mas, como eu havia começado a trabalhar como jornalista musical, eu poderia muito bem passar um tempo com as bandas que fossem tocar na cidade.

Claro!

Quinze metros à minha frente estava o cruzamento da Dronningens Gate com a Elvegaten. Como eu estava por aquela região, seria bom aproveitar e fazer uma visita ao meu pai ou aos meus avós paternos.

Mas havia um problema, eu tinha apenas sete coroas, e depois das cinco horas o meu cartão de transporte escolar não era mais válido no ônibus.

Mas eu devia conseguir emprestada a quantia que me faltava. Afinal, eu tinha arranjado um emprego e tudo mais.

Parei em frente ao semáforo, que estava vermelho, apertei o botão na caixinha azul e fechei os olhos para ver como era para uma pessoa cega esperar que o sinal abrisse.

Talvez o mais importante naquele momento fosse visitar os meus avós. Eu ainda não os tinha visto desde a mudança do meu pai. Talvez estivessem com medo de perder o contato comigo após o divórcio dos meus pais, talvez achassem que eu tomaria o partido da minha mãe.

Eu podia visitar o meu pai na quinta-feira, depois da reunião com Steinar.

Steinar!

Então começou o tique-taque do semáforo. O sinal para os cegos. Abri os olhos e cruzei na faixa de segurança, deixando para trás a enorme construção quadrada onde ficava o supermercado, e cheguei a Lundsbroa, onde todos os cheiros eram mais intensos, e onde a luz também parecia mais intensa, provavelmente em função dos reflexos na água, que naquele ponto se estendiam para longe.

Pude ver duas velas brancas ao longe. Um barquinho estava navegando em direção à margem. Parei, apoiei as mãos na balaustrada e inclinei o corpo para a frente. A água ao redor das pilastras que sustentavam a ponte era totalmente verde.

Uma vez o meu pai tinha caído naquela água. Era uma das poucas histórias que tinha me contado a respeito da infância dele. Como resultado ele levou uma surra monumental do pai, segundo disse, e então passou horas debaixo da escada.

Se era verdade, eu não sabia. Meu pai também havia contado que uma vez tinha jogado no Start e que na juventude tinha sido uma promessa do time, mas acabei descobrindo que era tudo mentira. Outra vez tinha me dito que todas as músicas dos Beatles eram plagiadas, que eles tinham copiado tudo de um compositor alemão desconhecido, e quando eu, que na época tinha doze anos e adorava os Beatles, perguntei como ele sabia disso, ele me disse que tinha estudado piano quando era mais novo e que uma vez havia tocado as peças desse compositor alemão, cujo nome ele tinha esquecido, e descoberto que as melodias eram idênticas às dos Beatles. Ele ainda tinha as partituras em casa. Eu acreditei, claro, afinal era o meu pai que estava me dizendo aquilo. Quando voltamos para lá eu perguntei se ele não podia buscar as partituras e tocar essas músicas no piano. Meu pai disse que as partituras estavam guardadas no sótão e que ele levaria muito tempo para encontrá-las. E naquele momento eu compreendi! Ele estava mentindo! Meu pai estava mentindo!

Essa descoberta foi um alívio, não um fardo, porque assim a reputação dos Beatles permanecia intocada.

Caminhei mais um pouco, tomei o atalho que subia à direita, saí na Kuholmsveien e continuei subindo pela encosta suave, de onde pude ver o mar, azul e deserto, se estender para longe.

Mas por que o meu pai tinha dito que éramos pobres?

O que aquilo teria a ver com o que quer que fosse?

Balancei a cabeça e atravessei um pátio com cerca de tela, onde havia três macieiras carregadas de maçãs vermelhas. Ao lado, uma caminhonete azul reluzia ao sol.

Minha avó pôs a cabeça para fora da janela quando toquei a campainha, tornou a desaparecer e um minuto depois abriu a porta para mim.

— Então você veio nos fazer uma visita? — ela disse. — Entre!

Inclinei o corpo para a frente e a cumprimentei com um abraço. Senti o corpo dela enrijecer um pouco. Eu já estava velho demais para fazer aquilo, pensei enquanto eu me endireitava.

Ela tinha o mesmo cheiro de sempre, e era sempre como se toda a minha infância se repetisse dentro de mim quando eu o sentia. Vamos fazer uma visita à casa da vó! A vó está vindo nos fazer uma visita aqui em casa! A vó está aqui!

— O que é isso que você tem na orelha? — ela perguntou.

Eu tinha esquecido!

Nas duas vezes em que tinha feito uma visita à casa dos meus avós depois de colocar a cruz na orelha, eu tinha aparecido sem brinco. Mas naquele dia eu tinha esquecido.

— É uma cruz — eu disse.

— É, são os novos tempos — ela disse. — Menino de brinco! Mas hoje é assim que estão as coisas.

— É — eu disse.

Ela se virou e eu a segui pela escada. Meu avô estava sentado como sempre na cadeira da cozinha.

— É você mesmo? — ele disse.

Vi que sob o relógio junto à parede mais estreita estava a alta cadeira azul de que eu tanto gostava, e que em cima da mesa o bule de café estava posto em cima do apoio de arame que sempre havia estado lá.

— Você está usando brinco? — ele perguntou.

— É, hoje em dia são coisas como essa que os jovens usam para parecerem durões — disse a minha avó. Ela sorriu e balançou a cabeça. Se aproximou de mim e desgrenhou meus cabelos.

— Hoje eu arranjei um emprego — eu disse.

— É mesmo? — perguntou minha avó.

Fiz um gesto afirmativo com a cabeça.

— No jornal *Nye Sørlandet*. Como resenhista de discos.

— Então quer dizer que você entende de música? — disse o meu avô.

— Um pouco — eu respondi.

— O tempo passa depressa — ele disse a seguir. — Você cresceu.

— Ele já está no colegial — disse a minha avó. — Nosso neto é um homem feito! Deve ter namorada e tudo mais, você não acha?

Ela piscou o olho para mim.

— Não, infelizmente não tenho — eu disse.

— Mas logo vai ter — ela completou. — Imagine, um rapaz lindo como você!

— É só você tirar essa cruz que as garotas vão vir correndo — disse o meu avô.

— Mas você não acha que é na cruz que elas estão interessadas? — perguntou minha avó.

Meu avô não respondeu, mas ergueu o jornal que tinha baixado ao perceber minha chegada e continuou a leitura. Às vezes ele passava horas distraído com o jornal. Lia absolutamente tudo, cada um dos anúncios.

Minha avó sentou-se na cadeira e pegou o pacote de tabaco mentolado que estava em cima da mesa.

— Espero que você não tenha começado a fumar! — disse a minha avó.
— Para dizer a verdade eu comecei, sim — respondi.
Ela olhou para mim.
— É mesmo?
— Não muito. Mas já experimentei.
— Mas você não está tragando?
— Não.
— Não, você não deve tragar.
Ela olhou para o meu avô.
— Ei, vô! — ela disse. — Você lembra quem foi que nos fez começar?
Ele não respondeu, e minha avó lambeu a cola do papel e fechou o tubinho.
— Foi o seu pai — ela disse.
— O pai?
— É. Estávamos na cabana. Ele tinha uns cigarros. E disse que nós tínhamos que experimentar. E nós experimentamos, claro. Não é mesmo, vô?
Mais uma vez meu avô não respondeu e minha avó piscou o olho para mim.
— Acho que o seu avô está ficando gagá — ela disse, e então levou o cigarro à boca, acendeu-o e em seguida soprou uma enorme nuvem de fumaça.
Não, minha avó não tragava. Eu nunca tinha pensado naquilo antes.
Ela me encarou.
— Você está com fome? Nós já comemos, mas se você quiser eu posso esquentar um pouco de comida para você.
— Quero, sim — eu disse. — Estou morrendo de fome, para dizer a verdade.
Minha avó largou o cigarro no canto do cinzeiro, se levantou e foi até a geladeira arrastando as pantufas no chão. Estava usando um vestido azulado que descia até o meio das pernas, que tinham uma cor marrom-clara por causa da meia-calça.
— Se a comida está *guardada* você não precisa se dar ao trabalho — eu disse.
— Não me custa nada — minha avó respondeu.
Então ela começou a remexer na geladeira. Olhei para o meu avô. Ele se interessava por futebol e política. Eu também.

— Quem você acha que vai ganhar a eleição? — perguntei.

— Hm? — ele disse, baixando o jornal.

— Quem você acha que vai ganhar a eleição?

— Não dá para saber. Mas espero que o Willoch ganhe. Já chega de socialismo neste país, quanto a isso não há dúvida.

— Eu espero que a Kvanmo ganhe — eu disse.

Meu avô olhou para mim. Foi um gesto brusco e sério. Não, não, nada disso, porque no instante seguinte ele sorriu.

— Você é como a sua mãe — ele disse.

— É — concordei. — Não queremos que a vida das pessoas seja governada pelo dinheiro. Nem que as pessoas só se ocupem consigo mesmas.

— E com quem mais você acha que devemos nos ocupar? — ele perguntou.

— Com as pessoas que passam necessidade. Com os pobres. Com os refugiados.

— Mas por que devemos tomar conta dos refugiados? Eu gostaria que você me explicasse — ele disse.

— Não dê trela para o seu avô — minha avó disse enquanto colocava uma panela no fogão. — Ele está apenas implicando com você.

— Mas você não acha que temos o dever de ajudar as pessoas que precisam? — eu perguntei.

— Acho — meu avô concordou. — Mas antes temos que ajudar os nossos compatriotas. Depois podemos ajudar os outros. Mas o que essas pessoas querem é morar no nosso país. Elas não estão aqui para receber ajuda. Nós batalhamos e hoje estamos bem, e elas querem se beneficiar disso. Sem fazer nada em troca. Você acha que é um bom negócio para nós?

Minha avó sentou na cadeira dela.

— Você sabe o que o travesseiro disse para o ganso? — ela me perguntou.

— Não — eu disse, mesmo sabendo muito bem.

— Estou com pena de você! — ela disse, rindo.

Meu avô ergueu o jornal mais uma vez e continuou a leitura.

A cozinha ficou em silêncio. A panela crepitava no fogo. Minha avó acendeu outra vez o cigarro, colocou uma das mãos em cima do braço oposto e começou a cantarolar para si mesma.

Meu avô virou uma página do jornal.

Eu havia esgotado todos os meus assuntos. Tínhamos dedicado menos tempo do que eu havia imaginado à discussão do meu novo emprego como resenhista de discos.

Será que eu podia me atrever a pegar os cigarros que estavam no bolso da minha jaqueta?

Talvez fosse demais aparecer com uma cruz na orelha e ainda por cima fumar.

Imaginei o meu pai. Talvez porque eu tivesse pensado a respeito do cigarro, afinal eu tinha fumado duas vezes na frente dele e ele não havia dito nada.

Será que se estivesse tudo bem para ele tudo estaria bem para os meus avós?

Peguei a carteira.

Minha avó olhou para mim.

— Você tem uma carteira de cigarros? — ela me perguntou.

Respondi com um aceno de cabeça, eu não queria acender com o isqueiro dela, de certo modo seria um excesso de intimidade, ou uma invasão de privacidade, então pus a mão no bolso e peguei o meu. Acendi o cigarro.

— Fui visitar o pai uns dias atrás — eu disse. — Está tudo bem com ele.

— Ele passou aqui ontem — minha avó disse.

— Vamos tentar manter contato mesmo agora que moramos separados — eu disse. — Acho que ele sofreu muita pressão durante o verão. Com o divórcio e tudo mais.

— Você acha? — disse a minha avó enquanto soprava a fumaça.

— Acho — eu disse. — Afinal, os dois passaram muito tempo casados. Não deve ser nada fácil.

— Não, com certeza não — minha avó concordou.

— Vou tentar manter o máximo de contato possível com vocês também — eu disse. — Para mim é fácil passar aqui depois da escola, por exemplo. E agora que arranjei um emprego e tudo mais eu também posso jantar aqui de vez em quando.

Minha avó sorriu. Depois se virou, olhou na direção da panela, de onde vinham discretos barulhos quase gorgolejantes, como o ruído de bolhas, se levantou e tirou-a do fogo, desligou o fogão, pegou talheres e um prato e colocou tudo na minha frente.

Apaguei o cigarro meio fumado no cinzeiro. Ela levantou a panela, segurando-a pelo cabo enquanto usava a concha na outra mão para me servir três almôndegas, duas batatas e um pouco de cebola.

— Para facilitar um pouco eu também esquentei as batatas no molho — ela explicou.

— A cara está ótima — eu disse.

Ninguém falou enquanto eu comia. Terminei depressa.

— Muito obrigado! — eu disse ao terminar, largando os talheres em cima do prato. — A comida estava ótima!

— Que bom — disse a minha avó, e então se levantou, levou o prato para a pia, enxaguou-o, abriu a tampa da máquina de lavar louça e puxou a gaveta com as pequenas divisórias de plástico, que mais pareciam uma espinha de peixe, colocou o prato lá dentro e tornou a fechá-la.

O relógio da parede marcava cinco e dois.

Se pretendia pegar dinheiro emprestado eu não podia dar a impressão de que tudo havia sido planejado, de que eu estava contando com aquilo. Nesse caso eu poderia ter feito uma visita mais curta e pegado o ônibus a tempo, voltando para casa com o meu cartão de transporte escolar. Tinha que parecer repentino.

Mas eu não precisava fazer nada naquele exato instante.

Será que eu podia fumar mais um cigarro?

Minha intuição dizia que seria um erro. Que seria demais.

— O que esse jornal tem de tão interessante? — perguntou minha avó. — Eu li tudo hoje de manhã e não encontrei nada.

— Estou lendo os anúncios fúnebres — disse o meu avô.

— Que coisa interessante! — disse a minha avó, rindo. — Anúncios fúnebres!

Eu sorri.

— Vocês já conheceram a namorada nova do pai? — perguntei.

— Unni, não? Já a conhecemos, sim. Pareceu uma moça muito legal.

— É verdade — eu disse. — Acho que ela combina com o pai. Mas admito que para mim é um pouco estranho.

— Acredito — disse a minha avó.

— Mas não tem problema — eu emendei.

— Não, Deus o livre — disse a minha avó. — Claro que não.

Ela cantarolou mais um pouco, dobrou os dedos como se fossem os dentes de um ancinho e olhou para as unhas.

— Esse ano as árvores deram bastante fruta? — perguntei.

— Não foi nada mau — ela disse. — Você quer levar umas maçãs?

— Posso levar umas? O gosto sempre me faz lembrar de quando eu era pequeno.

— Imagino — ela disse. — Eu posso dar um saco para você.

Ergui a cabeça de maneira bem visível e olhei para o relógio na parede.

— Epa! — eu disse. — Já é tudo isso? Cinco e dez?

Me levantei e vasculhei os bolsos à procura de dinheiro. Esvaziei-os, contei quanto tinha, juntei as cédulas.

— Essa não — eu disse. — O último ônibus saiu às cinco horas, e depois disso o meu cartão não vale mais. E eu não tenho dinheiro para uma passagem.

Olhei depressa para a minha avó, e então desviei o rosto para baixo.

— Bem, acho que posso tentar pegar uma carona!

— Eu posso ver se não tenho uns trocados para você — disse a minha avó. — Assim você pode voltar o caminho inteiro de ônibus.

Ela se levantou.

— Acho que vou indo, então — eu disse para o meu avô.

Ele baixou o jornal.

— Então até a próxima! — ele me disse.

— Até a próxima — respondi, para então ir com a minha avó até o corredor. Ela pegou uma pequena carteira da capa branco-acinzentada que estava no armário, abriu-a e olhou para mim.

— Quanto custa uma passagem?

— Catorze coroas — eu disse.

Ela me deu duas notas de dez.

— Pode comprar uma coisa boa para você com o troco! — ela disse.

— Mas é só um empréstimo — eu disse. — Eu vou devolver esse dinheiro quando aparecer outra vez por aqui.

Ela soltou ar pela boca, como se indicasse que eu não devia me preocupar com aquilo.

Por um instante ficamos os dois parados no corredor. Percebi que ela estava esperando que eu fosse embora.

Será que tinha se esquecido das maçãs?

Por alguns instantes fiquei parado, sem saber o que fazer. Ela tinha dito que me daria as maçãs, então com certeza não seria estranho relembrá-la?

Por outro lado, ela tinha acabado de me dar dinheiro para o ônibus. Eu não queria parecer abusado.

Minha avó virou a cabeça e olhou para o próprio reflexo no espelho, levou a mão aos cabelos e os ajeitou um pouco.

— Você não falou que tinha umas maçãs para mim? Umas maçãs que eu podia levar para casa para que a mãe também pudesse provar? Ela com certeza também tem saudade desse gosto!

— É verdade! — disse a minha avó. — As maçãs.

Ela abriu a porta ao lado da escada, que levava até o porão.

Durante um tempo me olhei no espelho. Ajeitei a camiseta para que a gola, um pouco esgarçada, não ficasse caída. Passei os dedos pelos cabelos para arrepiá-los um pouco. Sorri. Fiquei sério. Sorri.

— Aqui estão — disse a minha avó ao retornar do porão. — As suas maçãs.

Ela me entregou um saco, eu o peguei, saí pela porta e tornei a me virar em direção à minha avó.

— Até a próxima! — eu disse.

— Até a próxima — ela disse.

Comecei a andar e ouvi o barulho da porta batendo atrás de mim.

No Rundingen acendi um cigarro enquanto esperava o ônibus. O ônibus passava somente uma vez a cada hora, mas dei sorte, porque ele apareceu em poucos minutos.

Entrei e, enquanto eu esperava pelo meu bilhete e pelo troco, corri os olhos pelos assentos.

Não era Jan Vidar?

Claro.

Ele estava olhando para a rua com o queixo apoiado na mão. Não me viu enquanto não parei no corredor ao lado dele. Ele tirou os fones de ouvido.

— Muito bem — disse.

— Muito bem — eu disse enquanto me sentava. — O que você está ouvindo?

— B. B. King — ele disse.

— B. B. King? — eu repeti. — O que deu em você?
— Ele é um guitarrista bom pra cacete — Jan Vidar respondeu. — Acredite ou não.
— Ah, é? — eu disse.
Jan Vidar fez um gesto afirmativo com a cabeça.
— Esse cara é tão gordo que a guitarra fica *deitada* quando ele toca — eu disse. — Você nunca percebeu? É quase como se ele estivesse tocando *steel guitar*.
— De onde você acha que o Led Zeppelin tirava as ideias? — ele me perguntou. — Dos antigos guitarristas de blues.
— Claro, eu sei — respondi. — Mas isso não quer dizer que a gente precisa ouvir essas coisas. Blues é um lixo, na minha opinião. Tudo bem, pode ser bom como inspiração para outras coisas, mas blues puro e simples? É sempre a mesma bosta de música tocada mil vezes.
— Se você sabe tocar como o B. B. King, não existe nada que você não possa tocar — retrucou Jan Vidar. — E você sempre adora falar em feeling. É por isso que você acha o Jimmy Page melhor guitarrista do que o Ritchie Blackmore ou o Yngwie Malmsteen. E eu concordo com você. Não precisamos levar essa discussão adiante. Mas se você quer ouvir um som com feeling, pelo amor de Deus, ouça isso aqui!
Jan Vidar me passou os fones de ouvido, eu os ajustei na cabeça e ele apertou o play. Ouvi por dois segundos antes de tirar os fones.
— Mesma coisa de sempre — eu disse.
Ele pareceu um pouco aborrecido.
— Você está aborrecido? — eu perguntei.
— Não, por que eu estaria? — ele disse. Eu sei que estou certo.
— Ha ha — eu disse.
O ônibus parou em frente ao semáforo da E18.
— O que você estava fazendo no Rundingen? — ele me perguntou. — Visitando os seus avós?
Fiz um gesto afirmativo com a cabeça.
— Mas antes eu estava na redação do *Nye Sørlandet*.
— O que você estava fazendo lá?
— Arranjando um emprego.
— Emprego?

— É.

— Que tipo de emprego? Entregador de jornal? — Ele riu.

— Ha ha — eu disse outra vez. — Não. Como jornalista musical. Eu vou fazer resenhas de discos.

— É mesmo? Que legal! Mas você está falando sério?

— Estou. Começo na semana que vem.

Fez-se silêncio. Jan Vidar ergueu os joelhos e fincou-os nas costas do assento à frente.

— E você? — perguntei. — Por onde andava?

— Na casa de um amigo. Tocando um pouco.

— E onde está a guitarra?

Ele virou a cabeça para trás.

— No assento de trás.

— O seu amigo toca bem?

— Melhor do que eu, pelo menos.

— Já me diz o bastante — eu disse.

Sorrimos um para o outro. Em seguida Jan Vidar tornou a olhar para a rua. Lancei um olhar para trás, para ver se havia mais alguém que eu conhecia no ônibus. Mas havia apenas um outro garoto que eu nunca tinha visto antes, talvez aluno da sétima série, e uma mulher na casa dos cinquenta anos com uma sacola branca de uma loja de sapatos no colo. Ela estava mascando chiclete, mas aquilo me pareceu errado, o chiclete não combinava com os óculos e os cabelos dela.

— Lembra de quando você me substituiu? — Jan Vidar perguntou.

— Claro que lembro — eu disse.

Jan Vidar havia trabalhado como entregador de jornal. O trajeto era longo e exaustivo. Quando chegou a hora de tirar férias eu assumi o trajeto. Mas ele não foi a lugar nenhum, simplesmente passava os dias inteiros curtindo a preguiça, e quando eu terminava o trajeto saíamos juntos para tomar banho de mar, andar de bicicleta ou qualquer outra coisa do tipo. Mas passados três dias haviam surgido tantas reclamações relativas às minhas entregas que Jan Vidar precisou reassumir o posto. *Lá se foram minhas férias*, ele disse. Mas aquilo não pareceu ter muita importância.

— Até hoje eu não entendo como você conseguiu arruinar tudo — ele disse.

Dei de ombros.

— Eu fiz o melhor que pude.

— Inacreditável! — ele emendou.

Ele tinha percorrido o trajeto duas vezes comigo, havia dois ou três detalhes importantes, pessoas que preferiam que o jornal fosse deixado na porta, caixas postais com nomes idênticos, mas quando me vi sozinho eu não consegui recordar essas nuances, que ele repetiu por diversas vezes, e simplesmente comecei a improvisar e a seguir meus instintos.

— E foi no ano passado! — eu disse. — Tenho a impressão que anos já se passaram!

— Foi um verão e tanto — ele disse.

— É, foi mesmo — concordei.

Entramos na floresta depois de passar o cruzamento de Timenes. O sol brilhava na copa das árvores em meio à gandra, mas estava ausente no lugar onde nos encontrávamos. O ponto de ônibus que deixamos para trás tinha para mim uma certa relação com Billy Idol, certa vez tínhamos acabado em uma festa meio desanimada, como de costume, e enquanto voltávamos para casa num frio de rachar eu comecei a cantarolar as músicas de um dos discos dele.

Rebel Yell.

— Esse maldito ponto de ônibus e o caminho de volta para casa me trazem lembranças — eu disse.

Jan Vidar respondeu com um aceno de cabeça.

À nossa direita, Topdalsfjorden se revelou. A água tinha um brilho quase azulado próximo à margem, enquanto ao longe espumava branca com o sopro da brisa. Havia duas famílias na praia, as crianças brincavam na parte rasa.

Logo seria outono.

— Que tal as garotas da escola técnica? — perguntei.

— Não vi nenhuma muito interessante. E na Katedralskole?

— Na minha turma tem uma menina linda. Mas, para início de conversa, ela é cristã.

— E por acaso isso alguma vez foi um problema para você?

— Não, mas ela é uma cristã perfeita. Frequenta as reuniões do grupo pentecostal Filadelfia. Usa aquelas jaquetas da Bik Bok e da Poco Loco, sabe?

— E além disso?

— Além disso ela não gosta de mim.

— E você tem visto a Hanne?

Balancei a cabeça.

— Não, só falei com ela umas duas vezes por telefone.

Imaginei que Jan Vidar pudesse estar um pouco farto de me ouvir falar sobre Hanne, então não insisti no assunto, mesmo que eu estivesse morrendo de vontade de falar justamente a respeito dela. Mas em vez disso passamos os últimos dez minutos em silêncio, embalados pelo ruído constante do ônibus que nós dois conhecíamos tão bem. Minha impressão era que tínhamos passado nossa vida inteira pegando aquele ônibus. Para cima e para baixo, de um lado para o outro, dia após dia. Ônibus, ônibus, ônibus. Sabíamos tudo a respeito de ônibus. Éramos especialistas em ônibus. Assim como éramos especialistas em passeios de bicicleta sem rumo nenhum e também em caminhadas intermináveis, para não falar da nossa especialidade e do aspecto central da nossa existência, que consistia em ter notícias de coisas que aconteciam num lugar ou outro. Um cara que tinha O *massacre da serra elétrica* em vídeo? Claro, pegamos nossas bicicletas e pedalamos até uma casa decrépita, cheia de ferragens velhas e lixo, onde um sujeito de vinte anos, completamente desconhecido e assustador, mas também com um jeito letárgico e sem nenhuma ocupação aparente, estava de pé no meio do pátio, simplesmente parado, e ao nos ver chegar de bicicleta se virou em nossa direção.

Essa casa dos infernos ficava bem no meio de um campo.

— É você que tem O *massacre da serra elétrica*? — perguntou Jan Vidar.

— Eu mesmo — ele disse. — Mas o filme está emprestado.

— Muito bem — disse Jan Vidar, olhando para mim. — Acho que vamos voltar então.

Um aluno do oitavo ano que estava sozinho em casa e tinha convidado uns amigos? Claro, andamos até lá, batemos na porta e fomos convidados a entrar, assistimos TV, não tinha nada para beber, não havia nenhuma garota e eles não passavam de idiotas completos sem nada na cabeça, mas assim mesmo ficamos lá sentados porque *não havia* alternativa melhor, pelo menos não se fôssemos sinceros com nós mesmos.

Em geral nós éramos.

Ah! Alguém tinha ganhado uma guitarra nova?

Claro, nesse caso o jeito era montar nas bicicletas e pedalar até lá para ver.

Éramos bons em ter notícias a respeito das coisas que aconteciam. Mas aquilo que fazíamos melhor do que tudo, aquilo em que éramos mestres absolutos, era ficar sentado em ônibus e em quartos.

Ninguém fazia isso melhor do que nós.

Nada disso dava em nada. Afinal, não éramos muito bons em fazer coisas que dessem em alguma coisa. Não dava para dizer que tínhamos conversas boas, os poucos temas que tínhamos se desenvolviam tão devagar que nós os considerávamos estagnados; nenhum de nós dois era um guitarrista brilhante, mesmo que esse fosse o nosso desejo mais ardente, e no que dizia respeito às garotas, em raras ocasiões encontrávamos umas que não protestavam quando levantávamos o blusão, para assim podermos baixar a cabeça e beijar os mamilos delas. Esses eram grandes momentos. Eram uma luz de misericórdia em nosso mundo repleto de grama verde, barro cinzento e estradas poeirentas. Pelo menos para mim era o que parecia. Eu imaginava que para Jan Vidar fosse a mesma coisa.

O que significava isso tudo? O que estávamos fazendo? Será que esperávamos por alguma coisa? Nesse caso, por que éramos tão pacientes? Nunca acontecia nada! Nada de novo aparecia! O que acontecia era sempre mais do mesmo! Num dia sim e no outro também! Na chuva e no vento, na neve e no gelo, no sol e na tempestade, fazíamos sempre a mesma coisa. Ficávamos sabendo de uma coisa qualquer, íamos até lá, voltávamos, sentávamos no quarto de Jan Vidar, ficávamos sabendo de uma outra coisa qualquer, tomávamos o ônibus, pegávamos nossas bicicletas, íamos a pé, nos sentávamos no quarto. Se fosse verão, tomávamos banho de mar. Fim.

O que significava isso tudo?

Nós dois éramos amigos, nada mais.

Quanto à espera, essa era a nossa vida.

Em Solsletta Jan Vidar desceu do ônibus com o estojo da guitarra nas mãos, eu continuei como único passageiro até Boen, onde também desci e comecei a me arrastar em direção à minha casa com a mochila nas costas e o pacote com as maçãs da minha avó na mão.

Minha mãe estava me esperando com o jantar pronto.

— Olá! — ela disse assim que atravessei a porta. — Eu também acabei de chegar.

— Veja só — eu disse, mostrando o pacote. — Maçãs da vó!
— Você passou na casa dos seus avós?
— Passei. Eu queria dar um alô.
— Obrigada — ela disse.

Destampei a panela de ferro. Molho de tomate com pedacinhos de peixe, sem dúvida escamudo.

— Eu jantei por lá — eu disse.
— Não tem problema — ela disse. — Mas eu estou com fome.

Ela largou o gato no chão, se levantou e pegou um prato.

— E como foi a visita de hoje ao *Nye Sørlandet*, Karl Ove? — eu disse.
— Ah! — disse a minha mãe. — Eu tinha me esquecido completamente.

Eu sorri.

— Eu consegui a vaga! Ele simplesmente correu os olhos pelas minhas resenhas e estava tudo resolvido.

— Você escreveu essas resenhas com muito esmero — ela disse enquanto servia os pedacinhos de peixe no prato, e então abriu a outra panela e pegou uma batata com a colher. A batata começou a balançar de um lado para o outro enquanto minha mãe a baixava até o prato, e por fim rolou para fora quando ela virou a colher.

— E eles também vão escrever uma breve apresentação — eu disse. — Vão rodar amanhã.

"Rodar" era uma expressão altamente jornalística.

— Que ótima notícia, Karl Ove — ela disse.
— É, mas tem um porém.

Minha mãe largou o prato em cima da mesa, pegou os talheres na gaveta e sentou-se. Eu me sentei do outro lado da mesa.

— Um porém? — ela perguntou.
— Disseram que eu preciso arranjar uma máquina de escrever. É um tabu escrever à mão naquela redação. Simplesmente não dá. Então vou ter que comprar uma.

— Uma máquina de escrever nova custa bastante dinheiro — minha mãe disse.

— Por favor! Nós *com certeza* podemos comprar uma. É um investimento! Vai ser o meu instrumento de trabalho. Você entende, não?

Ela fez um gesto afirmativo com a cabeça enquanto mastigava.

— Mas será que você não consegue uma emprestada na redação?

Eu bufei.

— No meu primeiro dia de trabalho? Você quer que eu chegue e peça emprestada uma máquina de escrever?

— Não, realmente talvez não seja a melhor ideia — ela admitiu.

O gato se enfiou no meio das minhas pernas. Inclinei o corpo para a frente e cocei o peito dele. O gato fechou os olhos e começou a ronronar. Peguei-o no colo e ele parou de pé, com as patas apoiadas nos meus joelhos.

— Quanto você acha que custa? — minha mãe perguntou.

— Não faço a menor ideia.

— Acho que podemos comprar quando eu receber no mês que vem. Mas agora estou falida de verdade.

— Será que você não entende? Mês que vem é tarde demais!

Ela fez um gesto afirmativo com a cabeça.

— Eu sei o que você vai dizer — eu disse. — Se não há dinheiro, não há dinheiro e pronto.

— Infelizmente é assim mesmo — ela disse. — Mas você também pode falar com o seu pai.

Não respondi nada. Era verdade. Ele tinha dinheiro suficiente. Mas será que me daria um pouco?

Se ele não quisesse eu teria problemas. Ele perceberia que eu estava fazendo uma exigência, e quando dissesse não, ou quando se sentisse obrigado a dizer não, a culpa por ter criado essa situação ia ser minha. E a essa altura já seria tarde demais, ele não poderia dizer sim de repente depois de ter dito não.

— Eu posso falar com ele — respondi enquanto coçava atrás da orelha do gato. Ele começou a se esfregar em mim, satisfeito e de olhos fechados.

— A propósito, chegou uma carta para você — disse a minha mãe. — Eu a deixei na cômoda do corredor.

— Uma carta?

Larguei o gato no chão meio contrariado, porque ele estava muito à vontade, mas no instante seguinte esse espinho na minha alma havia desaparecido, pois não era comum que eu recebesse cartas.

Vi meu nome escrito com letra de menina no envelope.

O carimbo de franqueamento era praticamente ilegível.

Mas o método de envio era correio aéreo, e os selos eram dinamarqueses.

— Vou subir para o meu quarto — eu avisei. — Você não se importa de comer sozinha?

— Claro que não — minha mãe respondeu da cozinha.

No quarto eu me sentei na cadeira da escrivaninha e abri o envelope, tirei a carta e comecei a ler.

Nykøbing, 20/8/85
Oi, Karl Ove
Espero que esteja tudo bem, não tenho como saber como você está porque você não escreveu conforme havia prometido. Por quê? Se você imaginasse como eu corro até a caixa de correio todos os dias quando acordo! Mas tudo bem, se você não quiser escrever eu não vou ficar chateada porque amo você demais, mas preciso admitir que vou acabar triste se eu nunca mais tiver notícias suas. Você pensa mesmo em vir para a Dinamarca? Se pensa, quando? Desde que você foi embora tudo ficou sem graça por aqui. Passo os dias com os meus amigos. À noite vamos para a Diskoteket. Mas logo tudo isso vai acabar, porque eu vou me mudar para Israel no dia 14 de setembro. Estou muito feliz com a mudança, mas eu queria demais encontrar você mais uma vez antes de viajar.
Talvez você me ache uma idiota por dar tanta importância ao curto tempo que passamos juntos. Mas a verdade é que você é o único garoto por quem eu me apaixonei perdidamente até hoje. Então por favor não me decepcione e escreva logo.

De quem te ama,
Lisbeth

Larguei a carta. Um desespero de proporções quase brutais tomou conta do meu peito. Eu *podia* ter ido para a cama com ela. Ela teria aceitado! Ela tinha escrito para dizer que estava apaixonada por mim e que me amava, então claro que ela teria aceitado.

Ela sabia o que estava prestes a acontecer e também o que eu estava pensando, eu tinha certeza. Maldito Jøgge!

Que *filhos da puta*!

Um impulso me levou a pegar e abrir o envelope. Lá dentro havia uma fotografia.

Peguei-a. Era Lisbeth. Ela não estava sorrindo, apenas olhando para a câmera com o rosto meio de lado. Usava uma blusa com o grande logotipo vermelho da NIKE. Os cabelos que caíam no lado da testa tapavam um dos olhos dela. Dava para ver uma pequena trança atrás da orelha do lado oposto.

O pescoço dela estava nu. Ela tinha um pescoço longo e bonito.

Os lábios dela também eram bonitos, carnudos, quase desproporcionalmente carnudos em relação às feições delicadas.

Ah, ela parecia muito insatisfeita.

Mas eu me lembrava de como tinha sido abraçá-la. Eu me lembrava de quando ela tinha enfiado a mão por baixo da minha camiseta para colocá-la no meu peito, e de como eu tinha endireitado as costas e respirado fundo.

— Você está estufando o peito! — ela disse. — Relaxe, eu gosto de você como você é. Você é incrível.

E ela era dinamarquesa.

Guardei a fotografia e a carta de volta no envelope, coloquei-o dentro do meu diário, guardei tudo na minha gaveta e me levantei.

Minha mãe estava lavando a louça quando voltei à cozinha.

— Ei — ela disse. — Eu tive uma ideia. O seu pai tinha uma máquina de escrever. E eu tenho certeza de que ela ainda deve estar por aqui guardada em algum lugar. Que eu lembre ele não a levou embora. Dê uma olhada nas caixas que estão no galpão.

— O *pai* tinha uma máquina de escrever?

— Claro. Ele a usou durante muitos anos para escrever cartas.

Minha mãe enxaguou um copo com água fria e o colocou de cabeça para baixo no balcão da pia.

— Nos primeiros anos que passamos juntos o seu pai também escrevia poemas.

— O *pai*?

— É. Ele tinha um grande interesse pela poesia. O poeta favorito dele era Obstfelder. E lembro que ele também gostava de Vilhelm Krag. Dos românticos.

— O *pai*? — tornei a perguntar.

Minha mãe sorriu.

— Mas os poemas não eram muito bons.

— Acredito — eu disse, e então fui até o corredor, calcei os meus sapatos e fui até os fundos do galpão, que na verdade eram a frente, pelo menos se o galpão fosse usado de acordo com o plano inicial, pois era naquela parte que ficava a maior porta, e lá dentro ficava o espaço onde em outra época tinham guardado feno. O andar de baixo, da maneira como o meu pai o usava, era dotado de pequenos cômodos, transformados em um apartamento na década de 1970. Mas o lugar não era usado para nada.

Entrei e pensei, como eu já tinha feito tantas outras vezes, que era estranho que tivéssemos um espaço tão grande. E que não o usássemos para nada.

Ou pelo menos para nada que não fosse guardar coisas velhas.

Nas paredes havia objetos relacionados ao campo, rodas de carroça, arreios, foices enferrujadas e pás de esterco e enxadas. Em alguns lugares meu pai tinha escrito a giz os apelidos que usava para me chamar na época, ele tinha feito aquilo logo depois que nos mudamos, quando estava feliz com tudo.

Os apelidos continuavam lá.

Kaklove
Loffe
Love
Klove
Kykkeliklove

As caixas estavam empilhadas junto à parede oposta. Eu nunca as tinha visto. Aquilo teria sido impensável na época em que o meu pai ainda morava com a gente, ele passava quase o tempo inteiro no apartamento debaixo do antigo piso de tabuão e com certeza teria subido se ouvisse os passos de alguém na parte de cima. Eu precisaria de uma razão muito boa para estar naquele lugar, e de outra melhor ainda para mexer naquelas caixas antigas.

Roupas do meu pai e da minha mãe que eu lembrava da minha época de infância estavam lá — calças boca de sino que deviam ter comprado no inverno que passaram juntos em Londres, porque na Noruega não havia bocas de sino tão largas como aquela nem mesmo nos anos 1970, o casaco branco da minha mãe, a jaqueta laranja com forro marrom que o meu pai usava para pescar, xales e saias e cachecóis, óculos de sol, cintos, botas e sapatos. E também havia uma caixa com as fotografias que tempos atrás decoravam as paredes da casa. Duas caixas com utensílios de cozinha.

Mas nenhuma máquina de escrever!

Abri mais duas caixas, examinei rapidamente o conteúdo delas. Por fim encontrei uma com o que deviam ser revistas guardadas em sacos plásticos.

Talvez histórias em quadrinhos que o meu pai tivesse esquecido?

Abri o primeiro saco.

Eram revistas pornográficas.

Abri o saco seguinte.

Mais revistas pornográficas.

Uma caixa de papelão inteira, cheia de revistas pornográficas.

De quem seriam?

Espalhei algumas revistas pelo chão e comecei a folheá-las. A maioria era dos anos 1960 e 70. As mulheres do pôster central tinham marcas de biquíni, sempre com os peitos e a virilha brancos. Muitas delas estavam rodeadas pela natureza. Atrás de árvores, deitadas em pastos, tudo reproduzido com as cores especiais da década de 1970, e todas com peitos e mamilos grandes, às vezes meio caídos.

Fiquei sentado de pau duro, folheando as revistas. Algumas eram dos anos 1980 e não apresentavam qualquer tipo de estranheza. As dos anos 1960 eram praticamente todas iguais.

Será que o meu pai tinha guardado revistas pornográficas em casa durante todos aqueles anos? No escritório dele?

E não apenas guardado, mas também comprado?

Juntei-as e comecei a pensar. Eu devia escondê-las, em primeiro lugar para que a minha mãe não as encontrasse. Em segundo lugar, eu queria folheá-las mais tarde.

Ou será que não?

Meu pai tinha folheado aquelas revistas. *Meu pai* tinha olhado aquilo.

Eu não poderia. Seria nojento demais.

No fim resolvi guardar as revistas como eu as tinha encontrado. De qualquer jeito a minha mãe nunca mexia naquelas caixas.

Mas a ideia não entrava na minha cabeça. Durante todos aqueles anos, mesmo quando eu era pequeno, porra, desde antes de eu nascer, o meu pai havia comprado revistas pornográficas e guardado tudo em nossa casa.

Puta que pariu.

Abri a caixa seguinte, e nela estava a máquina de escrever. Era uma máquina antiga, do tipo manual, como eu devia ter imaginado, e se eu a tivesse encontrado antes das revistas pornográficas eu teria sofrido uma decepção, talvez não a aceitasse, mas insistisse em pedir que a minha mãe ou o meu pai me comprassem outra, mas naquela situação, após ter descoberto as revistas pornográficas do meu pai, aquilo já não importava mais.

Desci e mostrei a máquina de escrever para a minha mãe, que estava deitada no sofá, descansando.

— Parece ótima — ela disse, com os olhos semicerrados.

— É, acho que vai servir — eu disse. — Você vai dormir?

— Só um pouquinho. Você pode me acordar daqui a meia hora se eu não estiver de pé?

— Claro — eu disse, e então subi até o meu quarto, onde li a carta de Lisbeth mais uma vez.

Ela tinha escrito que me amava.

Ninguém mais tinha feito aquilo.

Será que com Hanne era a mesma coisa? Quando eu dizia para ela que a amava? Porque eu não amava Lisbeth. Eu gostei de ler o que ela tinha escrito, mas aquilo não significava nada para mim. Era uma coisa boa, fiquei feliz em saber, mas era uma coisa externa a mim, Lisbeth era uma coisa externa a mim. Com Hanne era diferente.

Mas será que Hanne tinha por mim os mesmos sentimentos que eu tinha em relação a Lisbeth?

Foi o que ela disse.

Será que estava brincando comigo?

Por que ela não me queria? Por que não queria me namorar?

Ah, como eu queria namorá-la!

Era a coisa que eu mais queria! Era a única coisa que eu queria!

De verdade.

Mas, como ela não me queria, não adiantava nada. Simplesmente não importava.

Decidi que o melhor seria fazê-la provar do próprio veneno. De qualquer maneira, não importava.

Me levantei, desci, peguei o telefone e disquei todos os números, menos o último. Olhei para a rua. Dois pássaros estavam no arbusto do outro lado da estradinha, bicando as frutinhas vermelhas. Mefisto os observava com as patas encolhidas, balançando o rabo de um lado para o outro.

Disquei o último número.

— Alô? — disse o pai dela.

A pior coisa que podia acontecer era o pai dela atender o telefone, porque isso queria dizer que a filha estava com outra pessoa, não comigo, e ele sabia muito bem o que eu estava querendo. Às vezes nos falávamos por mais de uma hora ao telefone. Por esse motivo ele não gostava que eu ligasse.

— Oi, é o Karl Ove — eu disse. — A Hanne está em casa?

— Espere um pouco que eu vou conferir.

Ouvi os passos dele nos degraus da escada enquanto Mefisto chegava cada vez mais perto dos pássaros, que distraidamente continuavam a bicar as frutinhas com movimentos bruscos de cabeça. Em seguida ouvi os passos leves de Hanne e senti meu coração bater mais depressa.

— Oi! — ela disse. — Que engraçado você ter ligado! Eu estava agora mesmo pensando em você!

— E o que você estava pensando? — eu perguntei.

— Só em você.

— O que você vai fazer hoje à tarde?

— Estudar. Francês. Eu passei de nível no ano passado. Está bem difícil. Como está o seu francês?

— A mesma coisa que no ano passado. Eu não sabia nada e continuo não sabendo. Você lembra de quando eu tirei 4 naquela prova?

— Lembro, claro. Você se encheu de orgulho.

— Lógico! Minha nota máxima antes daquilo era 2. Claro que eu fiquei contente. Mas o que eu fiz foi a coisa mais simples do mundo. O texto era longo e cheio de palavras francesas, lembra? Eu simplesmente usei as mesmas palavras, mudando-as um pouco de lugar e misturando-as na minha resposta. E pronto, tirei um 4!

— Você é muito esperto!

— Sou mesmo, não?

— E você, o que vai fazer hoje à tarde?

— Nada de especial, para dizer a verdade. Recebi uma carta que eu li e reli algumas vezes.

— É mesmo? De quem?

— De uma garota que eu conheci na Dinamarca.

— É mesmo? Você não me contou!

— Não. Aconteceu muita coisa que eu achei que... que seria melhor se você não soubesse.

— Claro que é melhor se eu souber!

— Não sei.

— O que ela escreveu?

— Ela escreveu que me ama.

— Mas você ficou na Dinamarca uma semana!

— Como eu disse, aconteceu muita coisa nessa semana. Nós dois fomos para a cama.

— É mesmo? — Hanne perguntou.

— É — eu disse.

Fez-se um silêncio.

— Karl Ove, por que você está me contando essa história?

A princípio não respondi. Depois eu disse:

— Eu falei que seria melhor se você não soubesse. Mas você achou que seria melhor saber. Então achei que eu podia contar.

— É — ela disse.

— E além do mais... Depois que aconteceu eu fiquei pensando sobre nós dois. Que talvez não... ah, você sabe. Que talvez eu não sinta tudo que eu achava que sentia. Em relação a você. Aquelas cartas que eu escrevi... acho que eu estava simplesmente cultivando uma paixão. Você entende o que eu quero dizer? Quando conheci a Lisbeth... — eu disse, fazendo uma pausa para que o nome tivesse o maior impacto possível — ... eu senti que tudo aquilo era real. Que tudo era de carne e sangue. E não apenas imaginação. Quando eu recebi a carta dela, entendi que eu estava apaixonado. E é um sentimento incrível! Além do mais, nunca houve nada entre nós dois. E continua não havendo. Então... Achei que eu devia contar para você.

— Sei — ela disse. — Foi bom você ter falado. É bom saber.

— Mas claro que podemos continuar sendo amigos.

— Claro que podemos — ela disse. — Você pode se apaixonar por quem quiser! Afinal, não somos namorados.

— Não.

— Mas assim mesmo eu fico um pouco chateada. Estava muito bom na cabana. Foi muito bom estar com você.

— É — eu disse. — Foi bom mesmo.
— Se foi.
— Bem, acho que está na hora de você continuar estudando francês.
— É — ela disse. — Tchau. E obrigada por ter ligado.
— Tchau.
Desliguei.
Eu tinha acabado com tudo. Era o que eu queria. E naquele momento estava feito.

Durante o primeiro intervalo no dia seguinte eu corri até o posto de gasolina do outro lado da E18 para comprar o *Nye Sørlandet*. Peguei um exemplar do mostruário e folheei as páginas mais próximas à contracapa.

Senti meu rosto corar quando vi a minha fotografia. Era um artigo longo, quase uma página inteira, e a fotografia ocupava dois terços de todo o espaço. Eu aparecia olhando para o leitor, com três discos abertos em leque na minha frente.

Corri os olhos pelo texto. O artigo me descrevia como um jovem apaixonado por música e dizia que eu era contra a marginalização do rock na sociedade. Meu estilo favorito era o indie rock inglês, mas eu estava aberto a todo tipo de música, inclusive tudo aquilo que tocava nas paradas de sucesso.

Eu não tinha dito exatamente isso, ou melhor, eu não tinha dito nada disso, mas era o que eu tinha dado a entender, e Steinar Vindsland tinha entendido.

A fotografia estava ótima.

Paguei, dobrei o jornal e voltei para a escola. Na sala de aula, que aos poucos começou a se encher, larguei o exemplar em cima da carteira e me reclinei para trás na cadeira, escorando-a contra a parede, como eu tinha o costume de fazer enquanto observava os meus colegas.

Eu duvidava muito que alguém lesse o *Nye Sørlandet* mais do que ocasionalmente, ninguém fazia isso. O único jornal que importava era o *Fædrelandsvennen*. Por esse motivo, o jornal aberto em cima da minha carteira podia chamar a atenção. Por que você trouxe o *Nye Sørlandet* para a escola?

Todo mundo ia achar que eu tinha levado o jornal de casa! Que eu tinha levado o jornal de casa para mostrar aos outros!

Endireitei a cadeira e fechei o jornal. Não era nada daquilo. Eu tinha comprado o jornal no posto de gasolina, e não tinha nenhum lugar onde pudesse guardá-lo. Era por isso que estava comigo.

Mas puta que pariu! Será que eu não podia dizer logo?

De uma vez por todas?

Sem parecer que eu estava me gabando?

Mas eu não estava me gabando, era verdade, eu era o novo resenhista musical e naquele dia havia saído uma entrevista comigo no jornal e eu tinha comprado a edição no posto de gasolina próximo à escola.

De qualquer maneira, não seria nada fácil manter segredo.

— Oi, Lars — eu disse. Lars era um dos garotos mais inofensivos da turma. Ele virou o rosto para mim. Ergui o jornal.

— Eu agora estou trabalhando como resenhista musical! — eu disse. — Você quer ver?

Ele se levantou e foi até a minha carteira, eu abri o jornal.

— Nada mau! — ele disse. — Ei! O Karl Ove saiu no jornal! — ele gritou para a turma inteira.

Aquilo foi melhor do que eu podia ter imaginado, porque no instante seguinte ele tinha reunido um bando ao redor da minha carteira, e todos ficaram olhando para a minha fotografia e lendo o que estava escrito.

À tarde eu folheei minhas antigas revistas de música e reli artigos e resenhas. Descobri que havia três tipos de jornalista musical. Os que eram espirituosos e sagazes, e muitas vezes também maldosos, como Kjetil Rolness, Torgrim Eggen, Finn Bjelke e Herman Willis. Os que eram sérios e exigentes, como Øivind Hånes, Jan Arne Handorff, Arvid Skancke-Knutsen e Ivar Orvedal. E também os que eram bem informados e claros, que iam direto ao ponto, como Tore Olsen, Tom Skjeklesæther, Geir Rakvaag, Gerd Johansen e Willy B.

Era como se eu os conhecesse todos. Eu tinha uma enorme simpatia por Jan Arne Handorff. Não entendia praticamente nada do que ele escrevia, mas assim mesmo tinha a impressão de que ele sacava muita coisa em um lugar ou outro no meio daquele emaranhado de palavras estrangeiras, e ao mesmo tempo uma em cada duas cartas dos leitores mencionava o fato de que o que ele escrevia era totalmente incompreensível sem que ele desse a mínima, simplesmente continuava pelo mesmo caminho, cada vez mais fundo rumo à noite do impenetrável. Eu também admirava muito os críticos capazes de desarmar completamente os opositores com uma única frase matadora. E essa seria também a minha frase, a frase que eu usaria para aniquilar a oposição. Era importante que tivesse impacto. E muitos desses críticos eram durões; quando uma banda mudava de estilo e se tornava mais comercial, mais superficial, como o Simple Minds estava fazendo, eles não perdiam a oportunidade de confrontar os integrantes e pedir uma explicação. Por quê? Vocês eram bons pra caramba, tinham tudo e agora vão se vender? Para tocar nas estações de rádio? O que vocês estão fazendo? O que estão pensando? E mesmo que a banda estivesse além do alcance deles, como em geral estavam, já que a Noruega não era exatamente um país importante para bandas grandes, esses críticos não deixavam de fazer comentários afiados.

Quanto a mim, eu tinha escrito apenas as três resenhas que Steinar Vindsland havia lido. Tentei ser o mais concreto possível, mas assim mesmo também quis parecer crítico e destemido com dois ou três comentários irônicos que fiz em relação a um dos discos. Era o último disco dos Rolling Stones, eu nunca tinha gostado deles, a não ser pelo álbum *Some Girls*, que não era ruim. Naquele ponto todos os integrantes já tinham mais de quarenta anos e me pareciam completamente patéticos.

Eu sentia tudo isso dentro de mim. Bastava pôr tudo para fora.

A noite estava caindo, a mão do outono pairava sobre o mundo e eu adorava essa sensação. A escuridão, a chuva, as súbitas brechas do passado que se abriam de repente quando o cheiro de grama e terra molhada subia de uma vala qualquer, ou quando os faróis de um carro iluminavam uma casa, tudo por assim dizer envolto e amplificado pela música do walkman que eu sempre tinha comigo. Eu estava ouvindo This Mortal Coil e lembrando das nossas brincadeiras em Tybakken, um sentimento de alegria ganhou força dentro de mim, porém esse não era um sentimento leve e claro e despreocupado, mas um sentimento ligado a outra coisa, e quando encontrou a melancolia e a beleza da música e o mundo que aos poucos morria ao meu redor mais parecia uma tristeza, uma tristeza bonita, a sensação de um coração partido, a impossível mistura entre a dor e a alegria, que criava um anseio quase desesperado por viver mais. Por sair daquele espaço, por alcançar a vida onde a vida realmente é vivida, nas ruas das grandes cidades, à sombra dos arranha-céus, em grandes festas reluzentes com pessoas bonitas em apartamentos estranhos. Por encontrar o grande amor, todas as idas e vindas, e por fim a aceitação, o alívio, o êxtase.

Por jogar a amada fora, encontrar uma nova, jogá-la fora outra vez. Por subir cada vez mais, sem nenhuma consideração, um sedutor, um homem que todas desejam, mas nenhuma pode ter. Larguei as revistas de música na pilha mais baixa da estante de livros e desci a escada. Minha mãe estava falando ao telefone, a porta do cômodo estava aberta e ela sorriu para mim. Parei durante alguns instantes para descobrir com quem ela estava falando.

Era uma das irmãs dela.

Peguei uma fatia de pão na cozinha e a comi de pé, bebi um copo de leite. Subi mais uma vez e comecei a escrever uma carta para Hanne. Escrevi dizendo que seria melhor se a gente não se visse mais.

Foi bom escrever isso, porque de um jeito ou de outro eu queria me vingar dela, fazê-la pensar em mim como alguém que ela tinha perdido.

Coloquei a carta num envelope e o enfiei na minha mochila, onde ficou até que eu fosse comprar selos depois da escola no dia seguinte.

Despachei a carta antes de tomar o ônibus e pensei que aquilo era a coisa boa e certa a fazer.

À noite, quando eu estava deitado no sofá lendo *Før hanen galer* de Jens Bjørneboe, que eu tinha pegado na biblioteca da escola, de repente me dei conta do que eu havia feito.

Eu amava Hanne, por que dizer que eu não queria mais vê-la?

Senti a raiva explodir dentro de mim.

Eu tinha que desfazer aquilo.

Larguei o livro no braço do sofá e me sentei. Será que eu devia escrever outra carta dizendo que eu não queria dizer nada do que estava escrito na carta anterior? Dizendo que independente de qualquer outra coisa eu gostaria de continuar a vê-la?

Eu pareceria um idiota completo.

O melhor seria ligar.

Antes que eu tivesse tempo para mudar de ideia fui até o cômodo onde ficava o telefone e disquei o número dela.

Foi ela mesma quem atendeu.

— Oi — eu disse. — Eu só queria pedir desculpas pela minha última ligação. Eu não queria que as coisas fossem desse jeito.

— Você não tem motivo nenhum para se desculpar.

— Claro que tenho. Mas tem mais uma coisa. Enfim, não pretendo falar muito. Mas hoje eu mandei uma carta para você.

— É mesmo?

— É. Mas eu não penso nada do que escrevi. Não sei nem por que escrevi essa carta. Enfim, é apenas um monte de besteiras. Será que você pode me fazer um favor? Não ler a carta? E simplesmente jogá-la no lixo?

Ela riu.

— Agora você me deixou muito curiosa! Você acha mesmo que eu consigo resistir? O que foi que você escreveu?

— Eu não posso dizer! É justamente essa a questão!

Ela riu outra vez.

— Você é bem esquisito — ela disse. — Mas por que você escreveu o que quer que tenha escrito se você não estava falando sério?

— Não sei. Eu estava me sentindo meio estranho. Mas, Hanne, você me promete? Promete jogar fora essa carta e fazer de conta que ela nunca existiu? Na verdade ela nunca existiu mesmo, porque eu não penso nada do que escrevi.

— Vou ver o que eu posso fazer — ela disse. — Mas a carta foi escrita para mim. Sou eu quem decide a partir de agora, não?

— Claro. Eu só estou pedindo que você me faça um grande favor.

— Tem alguma coisa ruim escrita nessa carta? Deve ter, claro.

— Bem, agora você já sabe — eu disse. — Mas se você quiser que eu implore de joelhos, por mim não tem problema. Posso fazer isso agora mesmo. Estou de joelhos aqui. Por favor, jogue fora essa carta!

Ela riu.

— Trate de se levantar! — ela disse.

— O que você está usando? — eu perguntei.

Passaram-se alguns segundos até que ela respondesse.

— Camiseta e calça de corrida. Eu não sabia que você ia ligar! O que você está usando?

— Eu? Camiseta preta, calças pretas e meias pretas.

— Não sei nem para que perguntei — ela disse, rindo. — No Natal eu vou dar uma touca tão colorida para você que você vai ter vergonha de sair com ela na rua, mas vai ter que sair mesmo assim por ter sido um presente meu. Pelo menos quando você me encontrar.

— É maldade pura — eu disse.

— Você não tem monopólio sobre a maldade — ela disse.

— O que você está querendo dizer? Eu não sou mau simplesmente porque não acredito em Deus, sabia?

— Eu estava brincando. Não, você não é nem um pouco mau. Mas agora estão me chamando aqui, acho que para experimentar um prato.

— Você vai jogar a carta fora, então?

Ela riu.

— Tchau!

— Ei! — eu disse.

Mas ela já tinha desligado.

O encontro com Steinar Vindsland foi breve e serviu para ele me mostrar como eu devia escrever as resenhas, havia folhas especiais para o jornal, certos campos na parte de cima precisavam ser preenchidos de um jeito especial, e eu recebi uma pilha daquilo. Depois ele disse que toda semana eu devia pegar três lançamentos na loja de discos com a qual eles tinham um acordo. Eu podia ficar com os discos para mim, esse seria o meu salário, tudo bem? Claro, eu disse. Você me entrega e depois eu ajeito as coisas, ele disse.

Então piscou o olho para mim e apertou a minha mão. Depois se virou e começou a examinar uns papéis que estavam em cima da mesa, e eu saí para a rua, sentindo o corpo tenso por conta daquele encontro. Ainda eram três e meia, então desci para ver se o meu pai estava em casa. Parei em frente à porta e toquei a campainha, mas não aconteceu nada, então dei uns passos mais para o lado e olhei para dentro da janela, a casa parecia estar vazia e eu estava fazendo a volta para tomar o caminho do ponto de ônibus quando o carro do meu pai, o Ascona verde-claro, apareceu na estrada.

Ele manobrou o carro junto à calçada e parou.

Mesmo antes que descesse do carro, vi que ele era o mesmo de sempre. Sério, rígido, controlado. Ele soltou o cinto de segurança, pegou um pacote que estava no banco dos passageiros e se levantou. Não me viu enquanto atravessava.

— Então você está por aqui — ele disse.

— Estou — eu disse. — Achei que eu podia dar uma passada rápida.

— Você sabe que tem que ligar antes.

— Eu sei — respondi. — Mas eu já estava por aqui, então... — Dei de ombros.

— Não tem nada por aqui — ele disse. — Acho que é melhor você pegar o ônibus de volta para casa.

— Tudo bem — eu disse.

— E ligue antes na próxima vez, pode ser?

— Pode — eu disse.

Ele virou as costas para mim e enfiou a chave na fechadura. Comecei a me arrastar em direção ao ônibus. Como o meu pai tinha dito, era o melhor. Afinal, eu não tinha feito a visita por mim, mas por ele, e não havia problema nenhum se aquele não era um bom momento. Pelo contrário.

Ele me ligou às dez e meia. Parecia estar bêbado.

— Oi, é o pai — ele disse. — Você ainda não foi para a cama?

— Não — eu disse. — Gosto de ficar acordado até mais tarde.

— Não era uma boa hora quando você apareceu por aqui hoje, você entende? Mas é sempre muito bom que você venha fazer uma visita. Não há problema nenhum. Você entende?

— Aham.

— Não me venha com "aham"! É importante que a gente se entenda.

— Claro — eu disse. — Claro que é importante.

— Estou aqui dando uns telefonemas, sabe, para descobrir como as pessoas estão. E ao mesmo tempo estou aproveitando para tomar um *pjall*.

Pjall era uma das palavras do vocabulário de Østlandet que ele tinha adotado nos últimos tempos. Outra era *slakk*. Ele aprendia essas coisas com Unni. Estou meio *slakk*, ele disse uma vez, e eu o olhei e para mim foi como se não fosse o meu pai que estava falando, mas outra pessoa completamente desconhecida.

— Amanhã vamos ter um jantar por aqui com uns colegas meus que você conheceu em Sannes e seria bom se você pudesse aparecer.

— Claro — eu disse. — Que horas?

— Entre seis e seis e meia.

— Ótimo — eu disse.

— Mas não vamos desligar já, certo? Por acaso é o que você quer?

— Não — eu disse.

— Eu acho que você quer. Você não quer falar com o seu velho pai.

— Quero.

Fez-se um breve silêncio. Ele bebeu alguma coisa.

— Fiquei sabendo que você fez uma visita aos seus avós.

— É.

— Eles disseram alguma coisa sobre a Unni?

— Não — respondi. — Pelo menos nada de especial.

— Será que você pode ser um pouco mais específico? Eles disseram alguma coisa, mas nada de especial?

— Eles disseram que vocês tinham passado lá um dia antes, e que tinham conhecido a Unni e que ela era legal.

— Ah, então foi isso que eles disseram?

— Foi.

— E você já pensou sobre o Natal? Se vai passar com a gente ou com a sua mãe?

— Ainda não. Mas ainda tem tempo.

— Claro — ele disse. — Mas essas coisas precisam ser planejadas. E estamos pensando em passar o Natal no sul. Mas se vocês forem aparecer, vamos ficar por aqui. Então precisamos saber o quanto antes.

— Vou pensar um pouco, então — eu disse. — E falar com o Yngve.

— Você também pode vir sozinho se quiser.

— Claro, eu sei. Mas será que a gente pode esperar mais um pouco? Eu não tinha nem pensado nesse assunto.

— Claro — ele disse. — Claro que você pode pensar um pouco. Mas você prefere ficar com a sua mãe, não?

— Não necessariamente — eu disse.

— Sei — disse o meu pai. — Muito bem, então. Nos vemos amanhã.

Ele desligou, e eu entrei na cozinha e coloquei a água do chá para ferver.

— Você quer um chá? — gritei para a minha mãe, que ouvia música clássica no rádio com as pernas encolhidas debaixo do corpo e o gato no colo.

Na rua estava quase escuro.

— Quero, obrigada! — ela respondeu.

Quando cinco minutos depois eu apareci com uma caneca em cada mão, ela largou o tricô no braço do sofá e largou o gato de lado.

O gato estendeu as patas, esticou as garras e se espreguiçou. Minha mãe pôs os pés no chão e esfregou as mãos duas ou três vezes, como em geral fazia depois de ter passado um tempo parada.

— Acho que o pai anda bebendo — eu disse, e então me sentei na cadeira de palha junto à janela. A cadeira rangeu sob o meu peso. Assoprei o chá, tomei um gole pequeno e olhei para a minha mãe. Mefisto parou à minha frente e no instante seguinte pulou no meu colo.

— Era com ele que você estava falando agora? — minha mãe perguntou.

— Aham — eu disse.

— E ele estava bêbado?

— Um pouco. E estava completamente bêbado na última vez em que fui jantar com ele.

— E o que você pensa a respeito disso? — ela me perguntou.

Dei de ombros.

— Não sei. Acho que é meio estranho. A primeira vez que eu o vi bêbado foi quando fui àquela festa. E agora aconteceu mais duas vezes num intervalo bem curto.

— Talvez não seja tão estranho assim — minha mãe disse. — A vida dele sofreu grandes mudanças.

— É — eu disse. — Acho que vai passar. Mas está ficando um pouco cansativo, já. Ele começou a falar sobre as coisas erradas que fez quando a gente era menor, depois ficou sentimental e me contou sobre as massagens que fez na minha perna quando eu era recém-nascido.

Minha mãe riu.

Olhei para ela e sorri, porque aquele era um momento raro.

— Foi isso que ele disse? — ela me perguntou. — Acho que ele massageou você uma vez. Mas é verdade que ele tratava você com muito carinho.

— E depois não?

— Depois também. Claro, Karl Ove.

Ela me olhou. Larguei Mefisto no chão e me levantei.

— Você quer ouvir alguma coisa em especial? — perguntei de joelhos, ao lado da pequena coleção de discos que eu tinha deixado junto à parede. Mefisto andou devagar, como fazia apenas quando estava irritado, em direção à cozinha.

— Não, pode colocar o que você quiser — disse a minha mãe.

Liguei o toca-discos e coloquei Sade para tocar, era o único disco que eu tinha que a minha mãe talvez pudesse gostar.

— Você gostou? — perguntei depois que a música havia preenchido a sala por alguns minutos.

— Muito bom — ela disse enquanto largava a caneca na mesinha ao lado do sofá e tornava a pegar o tricô.

No dia seguinte eu fui à Platebørsen depois da escola, falei com o vendedor, expliquei que eu tinha um acordo com Steinar Vindsland do *Nye Sørlandet* para escolher três discos, ele acenou a cabeça e eu passei meia hora escolhendo os discos que eu ia resenhar, era importante escolher coisas que eu já conhecesse, e de preferência que já tivessem sido resenhadas em outros lugares para que eu pudesse me orientar um pouco melhor.

Comprei também um disco extra com o meu próprio dinheiro, que eu tinha ganhado da minha mãe naquela manhã. Para aplacar a fome desci até a Geheb e comprei um pão doce com creme de pasteleiro, caminhei mastigando em direção à Markens Gate com o pão numa das mãos e o saco de papel na outra, joguei a embalagem longe e esfreguei as mãos quando um homem mais velho e um pouco gorducho me chamou a atenção.

— Ei, você! — ele disse. — Você não pode andar pela cidade jogando papel no chão! Trate de juntá-lo!

Me virei com o coração batendo forte e o encarei com a maior frieza possível no olhar. Eu estava com medo, mas tentei desafiar esse sentimento e dei uns passos na direção do homem.

— Junte você mesmo, se é tão importante assim — eu disse.

E então, com as pernas bambas de medo e o coração palpitando de exasperação, dei as costas ao homem e continuei andando pelo meu caminho.

Eu estava preparado para que ele viesse correndo atrás de mim, me agarrasse pelo braço e me sacudisse, talvez até me desse um soco na barriga, mas não aconteceu nada.

De qualquer forma, andei depressa ao longo de vários quarteirões antes que eu tivesse coragem de olhar para trás.

Não havia ninguém.

E pensar que eu havia feito aquilo!

Respondido daquele jeito!

O homem com certeza tinha aprendido uma lição. O que estaria pensando para achar que podia me dar ordens daquela forma? Que tipo de liberdade era aquela?

Por acaso eu não era um homem livre? Ninguém ia me dizer o que fazer e o que não fazer. *Ninguém*!

Eu estava borbulhando por dentro quando passei em frente ao Caledonien. Não eram mais do que quatro horas, eu ainda tinha duas horas para matar e resolvi subir até a biblioteca, mas pelas ruas laterais, para não correr o risco de esbarrar com o homem uma segunda vez. Peguei um lugar vago na sala de leitura, passei um tempo examinando os discos que eu havia comprado e depois peguei um livro nas prateleiras atrás de mim, era o primeiro volume da trilogia de Bjørneboe sobre a história da bestialidade, que a minha colega Hilde tinha elogiado muito. A única coisa que eu conhecia de Bjørneboe, além das poucas páginas de *Før hanen galer* que eu tinha lido no dia anterior, era o romance *Haiene*, na época eu tinha doze anos e li aquilo como se fosse Jack London. Mas naquele instante, ao reler as primeiras páginas do livro, notei que eu não tinha entendido nada. Aquilo era muito profundo e muito doloroso. A abertura com o tornado era incrível.

Será que o mal vinha de fora?

Como um vento que dilacera as pessoas?

Ou será que vinha de dentro?

Olhei para a praça junto à igreja, já havia folhas amarelas e laranja por lá. Na rua logo atrás as pessoas andavam com os guarda-chuvas abertos.

Será que eu podia me tornar mau? Que eu podia ser levado por um vento contrário à natureza e torturar alguém?

Será que eu *já era* mau?

Pensei que na verdade essa história de tortura não era muito plausível e continuei a ler. Mas bastava roçar a página com o olhar para que o livro alçasse voo uma vez mais. A tortura era um caso extremo, o Holocausto judeu era um caso extremo. Mas essas coisas eram perpetradas por pessoas comuns! Por quê? Será que essas pessoas não sabiam que é errado? Claro que sabiam. Mas será que *queriam* fazer essas coisas, *de verdade*? Será que, enquanto andavam cheias de pompa pela cidade de fachada e se esforçavam para que todos fizessem o que deviam e as considerassem boas pessoas, *na verdade* desejavam perpetrar o mal se a chance aparecesse? Sem nem ao menos saber? Como se levassem consigo uma maldade inata, que se manifestava apenas quando a chance surgia?

Ah, e ainda por cima acreditavam na existência de um deus e de um paraíso. Quanta ingenuidade! Quanta ingenuidade! Por que Deus haveria de escolher justamente a elas, quando passavam o tempo inteiro preocupadas com que os outros fizessem o que era certo? Por que Deus se importaria com essas pessoas tão insignificantes?

Quase ri alto, mas no último instante consegui abafar minha risada.

Olhei ao redor, mas ninguém tinha percebido. Então, para disfarçar, tornei a olhar para a rua, mas com a cabeça meio de lado, para que o movimento parecesse uma escolha deliberada, como se eu estivesse procurando alguma coisa com os olhos.

Aquela não era Renate?

Caramba, era!

Ela entrou no Peppes. E ao lado devia ser Mona.

Por um instante desvairado tive a ideia de segui-las. Esbarrar nas duas por acaso, perguntar se eu podia sentar junto com elas, sentar e começar a falar com naturalidade e desenvoltura, e então pegar o ônibus de volta com elas, porque era sexta-feira, elas atraíam olhares, com certeza iriam a uma festa, onde podíamos tomar umas cervejas, eu podia acompanhar Renate até em casa, ela podia tomar a minha mão e perguntar se eu não queria entrar, eu aceitaria o convite e assim que entrássemos eu arrancaria a camiseta e a calça dela para colocá-la deitada na cama e começar a meter como se não houvesse amanhã.

Ha ha.

Veja no que você está pensando, em meter na Renate como se não houvesse amanhã!

A exaustão me atingiu em cheio, mesmo que fosse um simples pensamento. Claro, eu podia tirar as roupas dela, não seria impossível, num dia de sorte extrema talvez pudesse acontecer, mas eu não poderia fazer nada além disso. Tudo pararia naquele instante, e então viria a exaustão.

Renate era *dois* anos mais nova do que eu. Tinha um corpo de fazer qualquer um babar. Era o ideal de corpo onde eu morava.

Uma vez as duas tinham começado a me provocar no ônibus. Ou melhor, ela não, ela tinha simplesmente escutado tudo. Mas Mona. E Mona era três anos mais nova!

Você é muito bonito, Karl Ove, ela disse. Mas você nunca diz nada. Por que você nunca diz nada? O que você tem nas bochechas? Elas estão vermelhas! Você vem com a gente? Vamos para a casa da Renate? Seria uma diversão e tanto, não? Ou por acaso você é bicha? É por isso que você está quieto?

Mona era um demônio atrevido com uma boca enorme e uma autoestima maior ainda.

Eu tinha sido apaixonado pela irmã dela durante todo o oitavo ano e não tinha muita coisa a oferecer. Eu era muito mais velho do que elas e não podia responder, porque nesse caso Mona ia usar minha resposta contra mim. Ao mesmo tempo Renate estava junto, e ela não era três anos mais nova, apenas dois, estava no nono ano e... ah, mas não, afinal ela tinha ouvido tudo e também visto a maneira como fiquei olhando para a rua, com as bochechas coradas, como se eu achasse que o melhor jeito de lidar com a situação seria fazer de conta que eu não tinha visto nem ouvido nada.

Não havia esperança. Será que eu não podia ao menos comer as duas? Tudo bem, Mona não, mas talvez Renate?

Não. Eu *não podia*.

Baixei os olhos e continuei minha leitura. Não se passaram muitos segundos até que todos os pensamentos além daqueles que Bjørneboe havia escrito desaparecessem da minha cabeça. E foi bom.

Havia seis outros convidados para o jantar com o meu pai e Unni. Eles tinham arrumado a mesa grande na sala de jantar com toalha branca e velas, guardanapos e prataria. Tome uma taça de vinho tinto com a refeição, disse o meu pai, e foi o que fiz. Eu não disse muita coisa, passei a maior parte do tempo apenas observando a atmosfera ganhar força enquanto os convidados riam e conversavam. Quando esvaziei o meu copo, estendi a mão em direção à garrafa e a levantei. Meu pai olhou para mim e balançou a cabeça uma única vez. Coloquei a garrafa de volta no lugar. Um dos convidados tinha um bebê de seis meses em casa, e ele estava discutindo com a mãe do bebê se deviam ou não batizá-lo. Nenhum deles acreditava em Deus, mas a tradição era importante para os dois. Será que isso basta?, ele perguntou.

Senti o coração bater forte no meu peito.

— Eu fiz a confirmação só para ganhar dinheiro de presente — eu disse. — E no dia em que completei dezesseis anos pedi que tirassem meu nome dos registros da igreja.

Todos olharam para mim, a maioria com um discreto sorriso nos lábios.

— Você saiu da igreja? — perguntou o meu pai. — Em segredo? Quem te deu permissão?

— Todo mundo ganha permissão ao completar dezesseis anos — eu disse. — E agora eu tenho dezesseis.

— Pode ser — disse o meu pai. — Mas isso não quer dizer que seja certo.

— Mas você mesmo também saiu da igreja! — disse Unni, rindo. — Como você vai dizer para o seu filho que ele não deve fazer a mesma coisa?

Meu pai não gostou nem um pouco do comentário.

Ele escondeu as emoções com um sorriso, mas eu o conhecia, e ele não tinha gostado nem um pouco daquilo. Notei a frieza dele. Unni não percebeu nada. Ela continuou a rir e a conversar.

Aos poucos a frieza desapareceu, ele começou a beber e se deixou levar, tudo aquilo perdeu a importância, junto com o fato de que eu devia beber apenas uma taça de vinho, arrisquei mais uma vez e deu certo, peguei a garrafa, ele não percebeu, me servi e acabei com uma taça cheia na minha frente.

Meu pai relaxou e a aura dele parecia grande, enorme na sala de jantar. Todos prestavam atenção nele, todos os olhares se concentravam nele. Mas esses olhares não eram calorosos. Ninguém o olhava com ternura. Ele exagerava, estava falando alto, se comportando de maneira inadequada, rindo sem motivo, falando besteiras e ignorando os outros convidados. Depois se ofendeu, se afastou por um bom tempo e voltou como se nada tivesse acontecido. Deu um longo beijo em Unni na frente de todo mundo. Os outros se afastaram dele, tanto no olhar como na expressão do rosto, não queriam saber do que ele tinha a oferecer naquele momento, era violento demais para o gosto deles, meu pai estava sendo inconveniente, eu vi, e pensei que aqueles imbecis não sabiam de nada, que eram pequenos e ainda não sabiam, e o pior de tudo era justamente isso, que todos se achavam incríveis, quando na verdade eram meramente pequenos.

Um padrão se desenhou naquele outono. Meu pai bebia todos os fins de semana, não importava se eu fazia uma visita à tarde ou à noite, no sábado ou no domingo, mas quando a semana recomeçava ele parava de beber, ou então bebia menos, a não ser talvez por uma noite durante a semana, quando a coisa saía um pouco do controle, meu pai ligava para todo mundo que conhecia, inclusive para mim, e começava a tagarelar a respeito de um assunto qualquer. Eu tentava visitá-lo no mínimo uma, em geral duas vezes por semana, e quando não bebia ele me parecia austero e objetivo, como sempre tinha sido, me fazia duas ou três perguntas a respeito da escola e talvez de Yngve, e depois ficávamos vendo TV sem dizer mais uma palavra até que eu me levantasse e dissesse que estava na hora de ir embora. Ele não me queria na casa dele, eu percebia, mas assim mesmo eu continuei ligando e perguntando se eu podia aparecer no dia tal, e ele dizia pode, eu vou estar em casa. Quando ele estava bêbado tudo era um caos e uma confusão, ele começava a falar sobre como estava bem com Unni e não se furtava a mencionar detalhes sobre a vida com a minha mãe, sobre como se comparava à vida que ele estava levando com Unni. Depois ele começava a chorar, ou então Unni dizia qualquer coisa sem pensar e ele saía numa fúria incontida ou numa agitação profunda, bastava ela dizer o nome de um homem para que ele às vezes se levantasse e saísse do cômodo, e a mesma coisa valia para ela, bastava ele dizer o nome de uma mulher para que ela às vezes se levantasse e fosse embora.

Pelo menos uma vez em cada uma dessas tardes ele falava sobre a minha infância, que logo se misturava à infância dele, ele me contou que tinha apanhado do pai, e mesmo que não tivesse sido um bom pai para mim, tinha feito o melhor que podia, ele me dizia com os olhos rasos de lágrimas, sempre com os olhos rasos de lágrimas nessa hora, quando dizia que tinha feito o melhor que podia. Volta e meia ele dizia que tinha feito massagem na minha perna, e também que na época éramos pobres e quase não tínhamos dinheiro.

Eu contava poucas dessas coisas para a minha mãe. Com ela eu vivia uma outra vida, a minha vida de verdade, com ela eu falava sobre tudo aquilo em que eu pensava, com exceção das garotas, do meu sentimento terrível de estar isolado na escola e das coisas que o meu pai andava fazendo. Todo o resto eu contava para ela, e ela me ouvia, às vezes com uma expressão genuína de surpresa no rosto, como se nunca tivesse pensado no que eu havia dito. Mas claro que ela tinha, acontecia simplesmente que a capacidade dela de se colocar no lugar dos outros era tão grande que ela chegava a esquecer de si mesma. Às vezes era como se pensássemos de maneira idêntica. Ou ao menos como se ocupássemos posições idênticas. Mas às vezes a situação mudava e a distância entre nós surgia de repente. Como durante as semanas que passei lendo Bjørneboe, quando por várias noites seguidas eu falei sobre a ausência de sentido de todas as coisas até que ela explodisse em um surto de riso incontrolável, com o rosto banhado em lágrimas, igual ao pai dela, e dissesse, mas as coisas não são assim, olhe ao redor! Passei o resto daquela semana ofendido. Mas ela tinha razão, e o mais estranho era que de certa forma havíamos trocado de posição. Em geral era eu quem dizia que o importante era aproveitar a vida, que eu nunca ia cair na armadilha de arranjar um trabalho das nove às quatro, e ela quem dizia que a vida era uma faina, que simplesmente era o que era. Eu assinava embaixo do pessimismo de Bjørneboe e da muralha instituída pela ausência de sentido assim que se começava a especular sobre esses assuntos, reconhecia as misérias do mundo, porém aquilo não se aplicava muito bem à minha vida nem aos meus planos, que eram cheios de luz e de força. Mas ao mesmo tempo essas coisas também tinham uma certa relação, porque a vida alternativa, fora da sociedade burguesa, estava consciente dessa ausência de sentido, e não seria justamente essa consciência o alicerce de todos os pensamentos relativos a aproveitar a vida, não trabalhar, simplesmente mandar tudo para o inferno e não cumprir as obrigações sociais? O diário que escrevi durante os meus anos de colegial era cheio desse tipo de raciocínio. Por acaso existe um Deus?, eu tinha escrito no alto de uma página, não, claro que não, eu concluía três páginas depois. Eu não era um anarquista punk ao estilo "foda-se tudo", mas um anarquista estrutural, eu acreditava que ninguém devia estar acima de ninguém e que o Estado não devia existir, apenas uma reunião difusa de indivíduos em um plano local. Nada de empresas multinacionais, nada de capitalismo, e acima de tudo nada de religião. Eu era um defensor da liberdade, de pessoas livres que agissem de maneira livre. E quem cuidaria dos doentes?, minha mãe podia me perguntar. Ora, esses cuidados podem ser oferecidos no plano local. E quem vai pagar essas pessoas, e em que moeda?, ela podia continuar, você não acha que precisaria de certas instituições nacionais? Ou por acaso você gostaria de abolir todo o sistema financeiro? Por que não?, eu perguntava, o que há de errado com um estilo de vida mais natural? Mas nesse caso quem fabricaria os seus discos? Como esse monte de discos seria produzido num sistema desses? Nesses momentos eu sentia que não dava mais pé, havia uma colisão entre os meus dois mundos, o mundo que continha tudo que era bom e legal e o mundo dos meus princípios. Ou, dito de outra forma, o mundo de tudo aquilo que eu queria e o mundo de tudo aquilo em que eu acreditava. Porra, eu não era ecovegetariano! Não era nada disso. Mesmo assim, eu acabava sempre nesse lugar se tentasse seguir o meu princípio até as últimas consequências.

Às vezes minha mãe recebia visitas das amigas de Arendal, às vezes recebia visitas de colegas da época de estudante em Oslo e às vezes recebia visitas de colegas de trabalho em Kristiansand. Em relação a essas pessoas eu agia como o filho maduro, eu me sentava e começava a falar para surpreendê-las e impressioná-las, ele é tão maduro, as visitas diziam para a minha mãe na hora de ir embora, e era ridiculamente fácil causar essa impressão.

Eu usava a maior parte do meu tempo longe da escola para escrever as três resenhas semanais, mas como não me pagavam em coroas por esse serviço eu também trabalhava na fábrica de parquê em algumas tardes. Tive cuidado para fazer visitas regulares aos meus avós paternos por volta dessa época, porque eles sabiam o que estava acontecendo com o meu pai e eu precisava mostrar que aquilo não havia me transformado, que eu ainda era a mesma pessoa de antes, e ao mesmo tempo eu também representava o meu pai de certa forma, então tudo que dava certo para mim ajudava a melhorar a impressão causada pela vida do meu pai.

Fiz novos amigos na escola. Bassen tinha conhecido um aluno da outra classe chamado Espen Olsen, um cara arrogante de Hånes que tinha uma autoestima quase insuportável e que conhecia tudo aquilo que valia a pena conhecer. Eu sabia muito bem quem ele era, porque ele era uma dessas pessoas que todo mundo vê e nota, e tinha por exemplo subido no púlpito do colégio quando chegou a época de eleição para falar a uma cantina lotada, e também desempenhado com grande convicção o papel de líder do grêmio estudantil Idun. Uma vez passei um intervalo parado ao lado dele. É você que escreve resenhas de discos para o *Nye Sørlandet*, não?, ele perguntou. Eu mesmo, respondi. Uma vez eu vi você e tive que rir, ele disse. Você estava usando um button do Paul Young ao lado de outro do Echo and the Bunnymen! Como é possível uma coisa dessas? Porra, Paul Young? O Paul Young é subestimado, eu disse. Ele deu uma risada sonora e zombeteira. Mas o R.E.M. é bom, disse. Você já ouviu Green on Red? Claro que eu já tinha ouvido. E por acaso ele tinha ouvido Wall of Voodoo? Você está brincando? O Stan Ridgway é mestre!

Semanas depois ele me convidou totalmente do nada para um encontro na casa dele antes de uma festa. Por que ele estava me convidando?, pensei. Eu não tinha nada a acrescentar, não tinha nada que ele pudesse precisar. Mas assim mesmo aceitei o convite. Ele compraria a cerveja, eu não precisava me preocupar com isso, você pode me pagar quando chegar, e então peguei o ônibus na tarde de sábado, desci na velha parada do Rebel Yell e subi o morro em direção a Hånes, onde ele morava, não muito longe do centro, onde havíamos feito o nosso show catastrófico no ano anterior.

Ele morava em uma casa geminada. Um homem que devia ser o pai dele abriu a porta.

— O Espen está em casa? — perguntei.

— Está — ele disse, dando um passo para o lado. — Entre. Ele está no andar de cima.

Uma mulher, que devia ser a mãe dele, estava um pouco mais além no corredor, meio inclinada para a frente enquanto calçava os sapatos.

— Acho que nunca nos vimos antes — disse o pai.

— Não — eu disse, apertando a mão dele. — Eu sou o Karl Ove.

— Então você é o Karl Ove! — ele disse.

A mãe sorriu para mim e também apertou a minha mão.

— Nós estamos de saída, como você pode ver — ela disse. — Mas divirtam-se!

Os dois sumiram às minhas costas, e eu subi a escada, um pouco hesitante, porque aquela era uma casa estranha para mim.

— Espen? — chamei.

— Aqui! — respondeu a voz dele, e então abri a porta de onde a voz havia saído.

Ele estava numa banheira, com os braços estendidos ao longo das bordas e um sorriso largo no rosto. Assim que o vi pelado na banheira, usei todo o meu poder de concentração para encará-lo nos olhos. Eu não poderia de jeito nenhum baixar o olhar na direção do pau dele, que flutuava na superfície da água, mesmo que o tempo inteiro fosse esse o impulso que eu sentia. Não olhe para o pau dele. Não olhe para o pau dele. E eu consegui manter meu olhar fixo no rosto dele, consegui encará-lo nos olhos, e pensei que até então eu nunca tinha encarado ninguém tão fundo nos olhos.

— Achou fácil? — Espen perguntou, sorrindo. Ele estava totalmente relaxado na banheira, como se o mundo inteiro pertencesse a ele.

— Achei, sem problemas — eu respondi.

— Você está meio estranho — ele disse. — Algum problema?

— Não — eu disse.

Ele riu mais uma vez.

— Mas você está me olhando de um jeito estranho.

— Não — repeti enquanto eu o olhava nos olhos.

— Você nunca viu um pau antes? É isso?

— O resto do pessoal chega às dez? — eu perguntei, sem ceder.

— Na verdade, às oito. Como eu tinha dito para você. Mas claro que você tinha que chegar muito antes.

— Você me disse para vir às sete.

— Oito.

— Sete.

— Ah, então você gosta de bancar o teimoso. Mas jogue a toalha para mim, pode ser?

Peguei a toalha e a joguei para Espen. Antes que ele se levantasse, me virei e saí. Minha testa estava encharcada de suor.

— Posso esperar lá embaixo até que você esteja pronto? — eu disse.

— Claro que pode — ele disse. — Mas por favor não sente em lugar nenhum!

Ah, eu sabia que ele estava brincando, mas assim mesmo não me sentei, simplesmente fiquei andando de um lado para o outro enquanto eu observava a casa.

Será que ele tinha dito sete?

Numa das paredes havia fotos dele ainda menino e adolescente junto com outro menino, que devia ser o irmão.

Quando ele desceu, de calça jeans e camiseta branca, com os pés descalços, foi direto até o aparelho de som e colocou um disco para tocar. Lançou um olhar rápido e astuto na minha direção quando os primeiros acordes soaram no recinto.

— Você sabe o que é isso? — ele perguntou.
— Claro — eu respondi.
— O que é, então? — ele disse.
— Violent Femmes.
Ele acenou a cabeça e se levantou.
— Esse som não é *incrível*? — ele me perguntou.
— É, sim.
— Você quer uma cerveja?
— Quero, é uma boa ideia.

Eu não conhecia os outros convidados, mas sabia quem eles eram da Katedralskole. Trond era alto, magro e loiro, tinha um rosto triangular, uma boca grande e uma capacidade verbal igualmente grande, ele sabia se expressar muito bem e eu nunca o tinha visto se perder com as palavras. Gisle parecia ser o exato oposto, era pequeno e moreno, tinha olhos escuros e astutos, e tudo que dizia era mais direto e menos enfeitado. Havia também os gêmeos, Tore e Erling, e meses se passaram até que eu aprendesse a ver as diferenças entre os dois. Eles eram obcecados por música e estavam sempre alegres, sempre entusiasmados, falavam ao mesmo tempo e olhavam para as pessoas ao redor com os olhos cheios de ternura. Disseram que tinham me visto no trem rumo a Drammen no inverno anterior, a caminho do show do U2. Mas não disseram nada a respeito de eu ter viajado sozinho, de eu ter assistido ao show sozinho e de tudo isso ser um tanto estranho. Bassen eu já conhecia de antes, ele fazia parte da mesma turma, mas havia alguma coisa entre ele e Espen, os dois mal conseguiam suportar um ao outro, embora eu nunca tenha descoberto o motivo desse desentendimento.

Nessa noite Bassen não estava lá, e como eu não conhecia mais ninguém e não tinha falado mais do que umas duas vezes com Espen, fiquei sentado em silêncio.

Espen estava cheio de comentários maldosos, queria uma reação minha, pelo que entendi, mas tudo que conseguiu foi me deixar ciente do meu próprio silêncio, que funcionava como uma zona de baixa pressão atmosférica sobre os meus pensamentos.

Mas eu continuei bebendo, e quanto mais bebia, mais me sentia aliviado. Quando fiquei bêbado eu finalmente senti que estava *lá*, junto com eles, tagarelando sem parar, cantando a plenos pulmões e gemendo, ah, que demais! Essa música é boa pra cacete! A banda é incrível!

Era naquele lugar que eu gostaria de estar, era daquele jeito que eu gostaria que as coisas fossem, eu queria beber e cantar, cambalear até o ponto de ônibus, cambalear para dentro de uma discoteca ou de um bar e beber, conversar e dar risada.

No dia seguinte acordei ao meio-dia. Eu não me lembrava de praticamente nada do que tinha acontecido depois que fomos ao ponto de ônibus perto da casa de Espen, a não ser por breves relances que por sorte eram longos e específicos o bastante para que eu conseguisse localizá-los, se não no tempo, pelo menos no espaço.

Mas como eu tinha voltado para casa?

Tomara que eu não tivesse pegado um táxi! Aquela corrida custava duzentos e cinquenta coroas, e nesse caso eu teria gastado todo o meu dinheiro.

Não, não, eu havia tomado o ônibus noturno, porque lembrava de ter visto os faróis acesos na pequena pista de *slalom* próxima à escola de Ve.

O álcool ainda estava no meu corpo, e desci até a cozinha tomado por aquela sensação que consiste em partes iguais de desconforto e bem-estar que eu já conhecia das outras vezes em que tinha estado muito bêbado. O café da manhã ainda estava na mesa, e a minha mãe preparava uma aula na escrivaninha da sala.

— Você se divertiu ontem? — ela perguntou.

— Sim — eu disse, e então coloquei a água do chá para ferver, fritei umas almôndegas que estavam na geladeira, peguei o jornal do dia anterior e fiquei sentado à mesa por duas horas, lendo e comendo e olhando para o cenário quase totalmente amarelo e laranja do outro lado da janela. Estar de ressaca não era tão bom quanto estar bêbado, mas também não estava muito distante, pensei, uma vez que a sensação de se refazer, de perceber o corpo aos poucos recobrar as forças, que eram poderosas, às vezes tinha momentos quase triunfantes.

O céu acima das árvores decíduas com folhas amarelas e das coníferas com folhas verdes estava cinza e encoberto. O matiz cinzento e o fato de que a visão era interrompida naquele ponto aumentavam a intensidade das cores, o amarelo, o verde e o preto eram por assim dizer jogados para todo lado, mas ao mesmo tempo detidos pelo céu cinzento, e devia ser esse o motivo para que as cores brilhassem com tanta intensidade. Elas tinham força para decolar e desaparecer rumo ao infinito, mas não podiam, e assim toda a força era usada no lugar onde estavam.

O telefone tocou.

Era Espen.

Ele nunca tinha me ligado antes, e fiquei contente.

— Você chegou em casa ontem? — ele perguntou.

— Cheguei. Mas não me pergunte como.

Ele riu.

— Não, puta que pariu, todo mundo estava bêbado.

— Sem dúvida. Como você foi para casa?

— De táxi. Eu não tenho dinheiro para essas coisas, mas assim mesmo valeu a pena.

— Sei.

— O que você está fazendo no campo?

— Nada. Vou escrever uma resenha depois, então preciso ficar em casa.

— Ah, é? Resenha do quê?

— Do Tuxedomoon.

— Ah. Mas o Tuxedomoon não é um desses lixos de bandas europeias que fazem música avant-garde?

— Na verdade a banda é muito boa. Eles criam uma atmosfera e tanto.

— Atmosfera? — ele debochou. — Detone esses caras, porra! A gente se vê na segunda.

Às quatro horas, quando o dia mal havia começado a escurecer na rua, me sentei junto à escrivaninha da sala e fiquei escrevendo a resenha até as oito horas, quando subi e fiquei vendo TV com a minha mãe por umas duas horas. Eu não devia ter feito isso, um dos personagens da série inglesa a que a gente estava assistindo era homossexual e toda vez que esse detalhe era mencionado eu corava. Não porque eu fosse homossexual e não pudesse contar para a minha mãe, mas porque ela talvez pudesse achar que eu era. E era uma situação irônica, porque como eu ficava vermelho toda vez que esse detalhe era mencionado, ela teria motivo para acreditar que eu era homossexual, e esse pensamento me fazia corar ainda mais.

Nos meus piores momentos eu às vezes chegava a pensar que talvez fosse homossexual.

Às vezes, pouco antes de adormecer, eu não sabia ao certo se eu era menino ou menina. Eu não sabia! Minha consciência se esforçava desesperadamente para esclarecer as coisas, mas as muralhas do meu pensamento eram totalmente lisas, eu não sabia, tanto podia ser menina ou menino, até que enfim eu conseguia fincar o pé em terra firme e, com os olhos arregalados e um medo profundo no peito, constatava que eu não era uma menina, mas um menino.

E se isso podia acontecer comigo, se essa dúvida podia surgir, o que mais poderia haver por baixo? O que mais podia estar oculto em mim?

Esse medo era tão grande que às vezes eu por assim dizer me vigiava durante os sonhos, era como se alguma coisa dentro de mim também estivesse presente no sonho para saber com o que eu sonhava, para ver se eu não desejaria um menino em vez de uma menina enquanto dormia. Mas nunca houve menino nenhum, eu sempre sonhava com meninas, tanto dormindo como acordado.

Eu tinha quase certeza de que não era homossexual. A dúvida era muito pequena, não passava de uma mosquinha que zumbia em meio ao enorme panorama da minha consciência, mas essa simples existência bastava. Por isso tudo, minhas provações eram grandes quando se falava sobre homossexualidade na escola. Corar numa hora dessas seria uma catástrofe tão enorme que eu não me atrevia sequer a pensar no assunto. O truque era fazer alguma coisa, qualquer coisa, mesmo que fosse apenas esfregar o olho ou coçar a cabeça. Tudo que pudesse desviar a atenção do meu rosto vermelho ou oferecer uma explicação.

No futebol, "bicha" era uma das palavras que mais se ouvia, você por acaso é bicha, ou então, sua bicha do caramba, mas nada disso representava uma ameaça justamente porque todo mundo se chamava assim o tempo inteiro, então ninguém acharia que alguém realmente era.

E além do mais eu não era.

Quando o programa terminou, minha mãe preparou chá e levou duas canecas para a sala, onde ficamos conversando sobre assuntos variados. Em especial sobre coisas relacionadas à família. Ela tinha falado com todos os irmãos em sequência ao longo do dia, Kjellaug, Ingunn e Kjartan, e estava recapitulando o que cada um havia dito. Sobre o trabalho, o trabalho dos maridos, as crianças. A maior parte do tempo ela falou sobre Kjartan, ele tinha conseguido que quatro poemas fossem aceitos por um periódico literário a ser publicado na primavera, e ele continuava pensando em se mudar para Bergen e estudar filosofia. Mas a minha avó estava mal, meu avô não podia cuidar dela sozinho e Kjellaug morava longe demais para ajudá-lo, a não ser nos fins de semana, e além do mais ela tinha a própria família e a própria casa, além do trabalho.

— Mesmo assim, ele está estudando filosofia por conta própria — minha mãe disse. — Talvez não seja uma má ideia por enquanto. O Kjartan já não tem mais vinte anos, e talvez a vida de universitário não seja tão fácil quanto ele imagina.

— Não — eu disse. — Mas você mesma acabou de passar um ano estudando, não? E você também já não tem mais vinte anos.

— Você tem razão — ela disse, rindo. — Mas eu tenho a minha família, tenho vocês. Não me identifico como uma estudante, se é que você entende o que eu quero dizer. O Kjartan tem grandes expectativas em relação a essa identidade.

— E você leu os poemas dele?

— Li, ele os mandou para mim.

— E você entendeu alguma coisa?

— Um pouco é claro que entendi.

— Ele me mostrou um no verão. Não entendi *nada*. Acho que era sobre alguém que caminhava na borda do céu ou qualquer coisa assim. Mas o que significa um negócio desses?

Ela me olhou e sorriu.

— O que pode significar? — ela me perguntou.

— Não faço a menor ideia — eu disse. — Alguma coisa filosófica?

— Pode ser, mas a filosofia que o Kjartan está estudando diz respeito à vida. E disso todo mundo entende um pouco.

— Mas por que ele não pode escrever as coisas simplesmente como elas são de uma vez?

— Tem quem faça isso — ela disse. — Mas certas coisas não podem ser ditas de uma vez.

— Como o quê, por exemplo?

Minha mãe suspirou e afagou a cabeça do gato, que em seguida a levantou com os olhos fechados para aproveitar melhor.

— Quando eu estava estudando eu li um filósofo dinamarquês chamado Løgstrup. Ele se ocupa desse mesmo filósofo tão importante para o Kjartan. Heidegger.

— É, eu me lembro desse nome — eu disse, rindo.

— Ele usa um conceito discutido pelo Heidegger — minha mãe continuou. — O cuidado com o outro. Na prática da enfermagem essa é uma ideia central. Afinal, a enfermagem consiste justamente no cuidado com o outro. Mas o que é esse cuidado com o outro? E de que forma se manifesta? A ideia por trás desse conceito é a de se apresentar como uma pessoa diante de uma outra pessoa. Mas o que é se apresentar como uma pessoa?

— Acho que depende para quem você perguntar — eu disse.

— Exato — ela disse. — Mas será que existem características compartilhadas por todas as pessoas? Essa é uma questão filosófica. E também uma questão importante para o meu trabalho.

— Eu *entendo* o que você está dizendo — eu disse. — Mas continuo sem entender como alguém poderia andar pela borda do céu.

— Será que esse poema foi escrito para você entender?

— Por que mais eu ia ler se não para entender?

— Talvez seja uma boa ideia você perguntar ao Kjartan na próxima vez em que você o encontrar.

— Perguntar a ele o que o poema significa?

— É, por que não?

— Não, eu não posso falar com o Kjartan. Ele está sempre bravo. Ou melhor, bravo não, mas azedo. Ou de um outro jeito especial.

— Você sabe que o Kjartan é uma pessoa especial. Mas ele não é perigoso, caso você não saiba.

— Não, não — eu disse.

Ficamos em silêncio.

Eu tentei pensar em mais coisas a dizer, porque já era tarde e eu sabia que qualquer intervalo podia dar à minha mãe a ideia de se deitar, mas eu não queria, minha vontade era continuar conversando com ela. Por outro lado eu tinha uma resenha a escrever, e quanto mais tempo eu demorasse para continuar, mais tempo eu teria que trabalhar noite adentro.

— Bem — ela disse. — Já está tarde.

— É — eu disse.

— Você ainda vai trabalhar hoje?

Fiz um gesto afirmativo com a cabeça.

— Não fique acordado até muito tarde.

— Vou precisar do tempo que eu precisar — respondi.

— Claro — ela disse, se levantando. — Então boa noite.

— Boa noite.

Enquanto a minha mãe atravessava a sala, o gato se levantou e se espreguiçou ao lado do sofá. Me encarou.

— Ah, não — eu disse, balançando a cabeça. — Eu tenho que trabalhar, sabia?

Com o disco que eu ia resenhar no toca-discos, me sentei e escrevi versão atrás de versão, amassando as folhas rejeitadas e atirando-as no chão em uma pilha cada vez maior. Quando me dei por satisfeito já eram mais de duas da manhã, e então tirei a folha da máquina, empurrei a cadeira para trás e li o que eu tinha escrito uma última vez.

Tuxedomoon
Holy Wars (Cramboy)

Resenha de Karl Ove Knausgård

O Tuxedomoon surgiu em San Francisco, mas hoje opera a partir de Bruxelas. No inverno a banda virá à Noruega para fazer um show na Norske Opera, em Oslo, no dia 1º de dezembro.

Blaine Reininger, o líder do Tuxedomoon, deixou a banda para se dedicar a uma carreira promissora como artista solo, e *Holy Wars* é o primeiro LP da banda desde a saída de Reininger. O disco não alcança o mesmo nível que *Desires*, mas não chega a ser ruim.

Os membros do Tuxedomoon estudaram música clássica e cresceram com o rock. O resultado é difícil de classificar, mas as palavras-chave aqui são rock avant-garde, futurismo e modernismo.

A banda vai fundo, sempre procurando e descobrindo novos caminhos musicais. *Holy Wars* tem uma beleza e uma atmosfera impressionantes, mas às vezes pode ser pouco acessível. Atmosferas difusas de um tempo passado misturam-se a um tempo futuro, instrumentos sintéticos misturam-se a instrumentos acústicos. Uma das faixas do disco tem como letra a tradução de um poema francês medieval. Essa faixa, "St. John", é uma das mais fortes do disco, e traz uma introdução cativante de órgão e um refrão igualmente cativante.

Junto com "In a Manner of Speaking", compõe o lado mais luminoso do disco. Outras faixas que vale a pena destacar são "Bonjour Tristesse" e a instrumental "The Waltz".

Antes de ir para a cama, escrevi um bilhete para a minha mãe dizendo que eu tinha ido deitar tarde e que não era para ela me acordar. Ela costumava se levantar uma hora antes de mim para tomar café e fumar enquanto escutava rádio. Depois ela me acordava, e nos dias em que dava eu ia de carona com ela até a escola. A escola dela ficava apenas um quilômetro mais além. Não tínhamos por hábito falar muito durante esse trajeto de meia hora, e eu muitas vezes pensava em como aquele silêncio era diferente do silêncio que eu dividia com o meu pai, que ardia como uma febre dentro de mim. Com a minha mãe o silêncio não trazia nenhum tipo de atrito.

Naquela manhã eu acordei meia hora atrasado, percebi que tinha gozado enquanto dormia, tirei minha cueca lambuzada e fui pelado até o guarda-roupa, onde descobri para o meu absoluto horror que eu não tinha mais roupas de baixo limpas.

Por que a minha mãe não tinha lavado as roupas? Que merda, ela tinha tido o fim de semana inteiro!

Quando cheguei ao banheiro, o varal dobrável estava montado e cheio de roupas, mas elas estavam molhadas, e naquele instante percebi que ela havia lavado as roupas na tarde anterior, mas esquecido de pendurá-las, e acabou fazendo isso correndo pela manhã.

Ah, como ela era distraída!

Como resultado eu teria que escolher entre pegar uma cueca usada do cesto de roupa suja ou pegar uma cueca limpa e molhada.

Levei um bom tempo para decidir. Estava bem frio na rua, e não seria nem um pouco divertido caminhar um quilômetro até o ponto de ônibus com uma cueca molhada.

Por outro lado, não dava para saber se eu ia chegar muito perto de outras pessoas ao longo do dia. Não que eu achasse que estivesse fedendo, mas se tivesse qualquer suspeita nesse sentido eu me comportaria de maneira ainda mais rígida e artificial do que de costume.

Minha colega Merethe, por exemplo, que podia começar um flerte a qualquer momento, o que aconteceria se justamente naquele dia ela virasse aqueles olhos azuis para mim e talvez até passasse uma daquelas mãozinhas lindas no meu ombro ou no meu peito?

Não, o jeito seria usar uma cueca molhada.

Tomei banho, preparei o café, vi que eu perderia o ônibus seguinte a não ser que me apressasse e me dei conta de que não faria diferença nenhuma se eu pegasse o que viria depois.

Na rua o céu estava azul, o sol pairava baixo e junto às sombras sob a copa das árvores na margem do rio uma névoa gelada deslizava logo acima das águas plácidas.

Quando o ônibus parou no ponto em frente à escola o terceiro período já estava quase acabando, e como não adiantaria nada chegar àquela hora eu peguei outro ônibus até a cidade e passei na redação do *Nye Sørlandet* com as minhas três resenhas. Steinar estava no escritório.

— Então você está matando aula — ele disse.

Acenei a cabeça.

— Que vergonha — ele disse com um sorriso no rosto. — Você trouxe alguma coisa para mim?

Tirei as folhas da minha mochila.

— Pode deixá-las aqui em cima — ele disse, apontando para a mesa.

— Você não vai dar uma olhada?

Ele sempre costumava dar uma olhada antes que eu saísse.

— Não. Confio em você. Você fez um bom trabalho até agora, então por que não teria feito um bom trabalho dessa vez também? Até a próxima!

— Até a próxima — eu disse enquanto saía. Senti meu âmago brilhar com o que ele havia dito, e para comemorar eu comprei mais dois discos, me sentei no Geheb e comi um pão doce com creme e bebi uma Coca-Cola enquanto examinava as capas. Quando terminei já era tão tarde que seria uma estupidez voltar à escola, então passei um tempo andando pelas ruas e peguei um ônibus de volta para casa um pouco mais cedo que o normal. Parei em frente à caixa postal junto ao cruzamento; além do jornal havia três cartas. Duas para a minha mãe, com envelopes timbrados; contas. E um envelope de correio aéreo para mim!

Reconheci a caligrafia e vi pelo selo que a carta vinha de Israel. Esperei para abri-la até que eu estivesse sentado na minha escrivaninha. Abri a carta, tirei o envelope, me levantei, coloquei um disco para tocar e me sentei outra vez. Comecei a ler.

Tel Aviv, 9/10/1985
Oi, Karl Ove,
Faz um mês que cheguei a Tel Aviv. Tem sido legal, mas também difícil. Em toda a minha vida eu nunca fiz tanta coisa como fiz nesse mês. Aqui está fazendo trinta graus e eu estou deitada na sacada escrevendo esta carta. Já estive no Mediterrâneo duas vezes e aprendi a jogar frisbee e a surfar com uns garotos israelenses. Mas não dá para confiar nos garotos daqui quando você é uma garota de cabelos loiros. Eles acham que você está de férias e pensam, ah, então não vai ser difícil faturar! Mas eu não consigo esquecer você. Nem ao menos entendo o que está acontecendo comigo. Mas acho que é porque você foi/é a pessoa que mais amei em toda a minha vida. Então, Karl Ove, mesmo que várias meninas tenham aparecido na sua vida, não me esqueça e vá para a Dinamarca no ano que vem. E se você puder fazer a gentileza de escrever logo, pelo menos dessa vez, seria très bien.
I'm your fan,
Lisbeth

Me levantei, abri a janela, apoiei meus antebraços no parapeito e me inclinei para fora. O ar estava frio e cortante, eu mal percebia o calor do sol que brilhava bem à minha frente.

Ela não estava brincando. Realmente estava falando sério.

Endireitei as costas e saí de casa com a carta, me sentei no banco debaixo da janela e li tudo mais uma vez. Larguei a carta e acendi um cigarro.

Eu podia ir à Dinamarca no verão. E eu não precisava mais voltar.

Eu não precisava mais voltar.

Eu nunca tinha pensado nisso antes, mas essa possibilidade mudava tudo.

Com a luz fria e clara no rosto, sob o céu cinzento do outono, no meio da floresta à beira do rio, foi como se o futuro se abrisse diante de mim. Não da maneira esperada, como todos faziam, prestar serviço militar no norte da Noruega, depois cursar uma universidade em Bergen ou em Oslo, viver por seis anos numa dessas cidades e passar as férias em casa para então arranjar um emprego, se casar e ter filhos que seriam os netos dos pais.

Mas simplesmente ir embora e desaparecer. Se afastar de todo mundo. Nem ao menos "daqui a uns anos", mas *naquele exato momento*. Dizer para a minha mãe naquele verão: estou indo embora para nunca mais voltar. Ela não podia me impedir. Não podia. Eu era livre. Eu era uma pessoa independente. O futuro se abriu como uma porta.

As faias da Dinamarca. As pequenas casas de alvenaria. Lisbeth.

Ninguém saberia quem eu era, eu seria apenas um recém-chegado, que logo iria embora. Eu não precisava voltar! Ninguém jamais precisaria saber qualquer coisa a meu respeito, eu podia simplesmente desaparecer, me afastar de todo mundo.

Era uma possibilidade *real*.

Um carro fez a curva próxima à nossa casa, e reconheci o ruído do Golf da minha mãe. Apaguei o cigarro, escondi a bituca debaixo de um tufo de grama e me levantei assim que o carro parou no cascalho em frente à casa.

Minha mãe saiu, abriu o porta-malas e pegou duas sacolas cheias de comida.

— Você já recebeu? — perguntei.

— Recebi, hoje foi o meu dia de pagamento — ela respondeu.

— E o que você comprou para o jantar?

— Bolinhos de peixe.

— Que bom! Eu estou com muita fome.

* * *

Aquela história a respeito do Natal tinha sido uma ameaça vazia do meu pai, na verdade ele não queria passar a data com a gente e comprou um pacote para Madeira com Unni sem nem ao menos perguntar o que eu e Yngve tínhamos decidido.

Viajaríamos com a nossa mãe para a casa dos nossos avós maternos em Sørbøvåg. Seria o primeiro Natal sem o meu pai, o que me enchia de alegria; nas três vezes em que tínhamos ficado os três juntos após o divórcio, o clima era sempre descontraído e tranquilo.

No meu último dia de aula, fui até a casa dos meus avós paternos para desejar um feliz Natal; eu e minha mãe pegaríamos um avião para Bergen no dia seguinte, onde encontraríamos Yngve e tomaríamos juntos o barco até Sørbøvåg.

Como sempre, foi minha avó que abriu a porta.

— É você? — ela disse com um sorriso no rosto.

— É, eu estava aqui perto e resolvi passar e desejar um feliz Natal para vocês — eu disse, e então subi a escada com ela, mas não sem antes dar-lhe um abraço.

Meu avô estava sentado na poltrona, e os olhos dele se iluminaram por um instante quando me viu. Pelo menos foi a impressão que eu tive.

— O jantar ainda não está pronto — disse a minha avó. — Mas eu posso aquecer uns pãezinhos para você se você estiver com fome.

— Ah, seria ótimo — eu disse, e então me sentei, tirei a carteira de cigarros do bolso da minha camisa e acendi um.

— Você não começou a tragar, certo? — disse a minha avó.

— Não — eu disse.

— Ainda bem. Tragar é perigoso, sabia?

— Sei — eu disse.

Ela pôs a grelha em cima da chapa do fogão e girou o botão, colocou dois pães em cima e pegou manteiga, queijo e queijo marrom.

— O pai viajou para Madeira hoje cedo — eu disse.

— É, nós ficamos sabendo — disse a minha avó.

— Com certeza eles devem estar bem — eu disse. — Vocês também não andaram por lá uma vez?

— Nós? Não — disse a minha avó. — Não, nunca estivemos em Madeira.

— Talvez você esteja pensando em Las Palmas — disse o meu avô. — Nós estivemos por lá.

— Ah, em Las Palmas sim — disse a minha avó.

— Eu lembro — disse eu. — Vocês trouxeram camisetas para mim e para o Yngve. Umas camisetas azul-claras com uma estampa azul-escura. As camisetas tinham o nome Las Palmas e também uns coqueiros, acho.

— Você lembra tão bem assim? — perguntou a minha avó.

— Lembro — eu disse.

Porque de fato eu lembrava. Certas lembranças daquela época reluziam na minha consciência. Outras coisas eram menos claras. Uma vez eu tive a impressão de lembrar que o meu avô tinha mencionado qualquer coisa sobre um estranho ter aparecido no corredor da casa, talvez um ladrão. Mais tarde comentei essa história e minha avó olhou perplexa para mim e balançou a cabeça. Não, nunca encontramos nenhum estranho no corredor. Mas então de onde eu havia tirado aquilo?, era possível se perguntar. Outras coisas que eu imaginava saber eram desmentidas de maneira similar quando eu as trazia à baila. Um antepassado nosso ou o tio de um antepassado nosso, eu imaginava lembrar, tinha ido aos Estados Unidos e se casado por lá sem formalizar o divórcio com a esposa na Noruega, e assim se tornou bígamo. Falei a respeito disso naquele outono, num domingo em que estávamos todos reunidos na sala de jantar, meus avós, meu pai, Unni e eu. Mas ninguém tinha ouvido falar de qualquer coisa parecida, e minha avó balançou a cabeça com uma expressão que parecia quase irritada. Nessa mesma história eu também tinha a impressão de lembrar que alguém acabava esfaqueado. Mas se essas coisas nunca tinham acontecido e não passavam de impressões equivocadas que eu tinha, de onde poderiam vir? Será que eram histórias que eu conhecia dos meus sonhos? Será que eram histórias que constavam em um dos incontáveis romances que eu tinha lido na época do ginásio e que eu havia transferido para figuras vagas da minha própria família, e assim me transportado ao cerne da história?

Eu não sabia.

Mas não era nem um pouco divertido, porque eu parecia pouco confiável e dava a impressão de estar mentindo e inventando coisas, exatamente como o meu pai. Era irônico, porque se havia uma coisa que eu realmente tentava fazer era não mentir nunca, justamente por causa dele. Claro, às vezes eu contava pequenas mentiras para que outras pessoas, em geral a minha mãe, mas eventualmente também o meu pai, não ficassem sabendo nada a respeito de uma determinada coisa. Mas tudo que eu escondia, eu escondia por eles, não por mim. Enfim, não eram mentiras imorais.

— Vai ser bom tirar umas férias — eu disse.

— Aposto que sim — disse a minha avó.

— O Gunnar e os outros vêm para cá no Natal? — perguntei.

— Não, eles vão ficar em casa. Mas acho que vamos dar uma passada lá.

— Aham — eu disse.

— Muito bem. Estão prontos — disse a minha avó, e então largou os dois pães no prato que havia colocado à minha frente antes de sentar-se.

Ela tinha esquecido a faca e a plaina de queijo.

Me levantei para pegá-las.

— O que houve? — ela perguntou. — Está faltando alguma coisa?

— A faca e a plaina de queijo — eu disse.

— Fique sentado. Eu mesma vou pegar!

Ela abriu a gaveta e largou tudo ao meu lado.

— Pronto — disse. — *Agora* você tem tudo o que precisa!

Ela sorriu. Eu sorri de volta.

A casca dos pães estava tão dura que parecia estourar na minha boca. Comi depressa, não apenas porque era um hábito, mas também porque os meus avós não estavam comendo, apenas me olhando enquanto eu comia, de maneira que cada um dos meus gestos, mesmo que fosse um simples passar de mão sobre a mesa para limpar as migalhas, era por assim dizer sublinhado.

— A mãe também está feliz com as férias — eu disse enquanto passava margarina no segundo pão.

— Ah, com certeza — disse a minha avó.

— Ela não vai a Sørbøvåg desde o verão, e os pais dela estão muito velhos. Em especial a mãe. Ela está bem doente.

— É — disse a minha avó, fazendo um gesto afirmativo com a cabeça. — Está mesmo.

— Ela já não consegue mais caminhar sozinha — eu disse.

— É mesmo? — minha avó perguntou. — Está tão ruim assim?

— Mas ela tem um andador — eu disse, e então engoli e tirei uns farelos dos meus lábios com a mão. — Então ela pelo menos consegue se deslocar pela casa. Mas não pode mais andar na rua.

Eu nunca tinha pensado naquilo. Minha avó materna não caminhava mais, passava o tempo inteiro dentro de casa, naqueles cômodos pequenos.

— Ela tem mal de Parkinson, não? — perguntou o meu avô.

Acenei a cabeça.

— Mas a mãe está bem no trabalho, pelo menos — eu disse. — Já não tem *muitas* novidades.

Minha avó se levantou de repente, abriu a cortina e olhou para a rua.

— Vocês não ouviram um barulho? — ela perguntou.

— É a sua imaginação — disse o meu avô. — Não estamos esperando ninguém.

Ela sentou-se mais uma vez. Passou a mão pelos cabelos, olhou para mim.

— É verdade — ela disse, levantando-se novamente. — Mas não podemos esquecer os presentes de Natal!

Ela desapareceu por um instante e olhou para o meu avô, que olhou de relance para o jornal de apostas, dobrado na mesa logo à frente.

— Aqui está — minha avó disse ainda no corredor, com dois envelopes na mão. — Não é muita coisa, mas acho que pode ajudar um pouco. Um para você e um para o Yngve. Você consegue levar os dois para casa?

Ela sorriu.

— Claro — eu disse. — Muito obrigado!

— Não há de quê — disse a minha avó.

Me levantei.

— Um feliz Natal para vocês também — eu disse.

— E um feliz Natal para você — disse o meu avô.

Minha avó desceu comigo, parou e olhou para cima enquanto eu vestia minha jaqueta preta e enrolava o cachecol preto no pescoço.

— Tudo bem se eu usar uma parte do presente de Natal para tomar o ônibus de volta para casa? — eu perguntei, olhando para ela.

— Não mesmo — ela respondeu. — Esse dinheiro é para você comprar uma coisa bonita. Você não tem dinheiro?

— Não.

— Vou ver se tenho moedas guardadas — ela disse, tirando a pequena carteira do bolso do casaco que estava pendurado no guarda-roupa e me entregando duas moedas de dez.

— Feliz Natal — eu disse.

— Feliz Natal — ela disse, e então sorriu para mim e fechou a porta.

Assim que me afastei o suficiente para que não pudessem me ver da casa eu abri o envelope com o meu nome. Dentro havia uma nota de cem coroas. Perfeito. Assim eu poderia comprar dois discos antes de voltar para casa.

Quando cheguei à loja me ocorreu que na verdade eu poderia comprar quatro, porque afinal Yngve também havia ganhado uma nota de cem. Claro.

Depois eu poderia entregar a ele uma das notas que eu tinha em casa. A cédula não tinha nenhum tipo de identificação.

Chegamos a Sørbøvåg à tarde. Chuva, poucos graus acima de zero, a escuridão densa como uma muralha enquanto carregávamos nossa bagagem até a casa iluminada. O cenário ao nosso redor estava encharcado, por toda parte as coisas pingavam e gotejavam.

Minha mãe parou em frente à porta de madeira trabalhada com uma janela na parte mais alta, largou a mala e a destrancou. O cheiro característico das roupas de trabalho no campo do meu avô, que estavam penduradas no corredor, somado à visão daquela porta e da parede branca no fim do corredor, abriu por um instante toda a minha infância.

Naquela época eles costumavam nos receber no pátio, ou pelo menos sair ao pátio assim que a porta fosse aberta, mas naquele instante não aconteceu nada, simplesmente largamos as malas, tiramos as jaquetas e ficamos ouvindo nossa própria respiração e o farfalhar das roupas.

— Muito bem — disse a minha mãe. — Pronto para entrar?

Meu avô, que estava sentado no sofá, se levantou com um sorriso para nos cumprimentar.

— A população da Noruega está crescendo! — ele disse, olhando para mim e para Yngve.

Nós dois sorrimos.

Sentada na poltrona do canto, minha avó nos olhava. Todo o corpo dela tremia. Ela estava de uma vez por todas nas garras da doença. A boca, os braços, as pernas, os pés, tudo tremia.

Minha mãe sentou-se em um banco ao lado e pegou as mãos dela. Minha avó tentou dizer alguma coisa, mas saiu apenas um sussurro rouco.

— Nós vamos deixar a bagagem no andar de cima — disse Yngve. — Vamos ficar no andar de cima, não?

— Podem ficar onde vocês preferirem — disse o meu avô.

Subimos a escada, que rangeu sob o nosso peso. Yngve ficou com o antigo quarto de Kjartan, eu fiquei com o antigo quarto do bebê. Acendi a luz, larguei a mochila ao lado do antigo berço, abri as cortinas e tentei ver através da escuridão no lado de fora. Aquilo era impenetrável, mas assim mesmo consegui pressentir o cenário, que era por assim dizer aberto pelo vento que soprava. O parapeito estava cheio de moscas mortas. No canto do teto havia uma teia de aranha. O quarto era frio. Tinha cheiro de coisa antiga, de passado.

Apaguei a luz e saí.

Minha mãe estava de pé. Meu avô estava sentado, assistindo TV.

— Vamos preparar o jantar? — minha mãe sugeriu.

— Pode ser — eu disse.

Era o meu avô quem se encarregava das refeições na casa. Ele tinha aprendido a cozinhar quando perdeu a mãe, na época ele tinha doze anos e assumiu essa responsabilidade. Poucos homens da geração dele tinham experiência com esse tipo de coisa, e ele tinha orgulho de saber cozinhar. Já a limpeza de panelas e frigideiras e conchas e essas coisas todas não era o forte dele. A gordura acumulada em uma camada grossa e amarelada no fundo de uma frigideira parecia ter se derretido e tornado a solidificar-se um incontável número de vezes, e as caçarolas guardadas no armário costumavam ter marcas de espuma de peixe na parte de cima, ou pedacinhos de batata cozida grudados no fundo. No mais a casa não era suja, duas vezes por semana a faxineira aparecia para fazer a limpeza, mas estava em condições meio precárias.

Minha mãe e eu fizemos ovos mexidos, preparamos chá e pegamos as coisas de passar no pão, Yngve pôs a mesa. Quando tudo estava pronto saí para chamar Kjartan, que anos atrás tinha construído uma casa junto à antiga casa. Pingos de chuva leves e pequenos caíram no meu rosto quando atravessei os três metros até a porta dele e toquei a campainha. Abri a porta, entrei no corredor e gritei junto ao pé da escada que a comida estava pronta.

— Já estou indo! — ele gritou lá de cima.

Quando voltei, minha mãe estava no meio da sala com a minha avó, apoiando-a pelo braço e conduzindo-a lentamente até a mesa, onde meu avô e Yngve já estavam sentados, meu avô falando sobre as grandes possibilidades oferecidas pela criação de salmões. Se ele fosse mais jovem, sem dúvida investiria nesse ramo. Um dos vizinhos havia começado uma pequena criação no fiorde e aquilo tinha sido como acertar na loteria, de tanto dinheiro que estava ganhando.

Me sentei e me servi de chá. Kjartan apareceu no corredor, bateu a porta, foi direto até a cadeira e sentou-se.

— É ciência política que você está estudando? — ele perguntou a Yngve.

— Oi, Kjartan — disse Yngve. Como Kjartan não respondeu a essa discreta correção, Yngve fez um aceno de cabeça. — Ou política comparada, como dizem em Bergen. Mas dá na mesma.

Kjartan respondeu ao aceno.

— E você está no colegial? — ele me perguntou.

— Estou — respondi.

Me levantei e puxei a cadeira para a minha avó. Ela baixou o corpo devagar, minha mãe empurrou a cadeira para junto da mesa e sentou-se ao lado dela, e Kjartan começou a falar. Ele não olhava para nós. As mãos dele colocaram o pão e os acompanhamentos no prato, passaram manteiga e levaram a fatia à boca, serviram chá e leite e levaram a caneca à boca, como se aquelas ações fossem independentes dele e das coisas que dizia, independentes daquela longa e incontrolável torrente de palavras que saía dele sem parar. Kjartan às vezes se corrigia, às vezes dava uma risada discreta, às vezes levantava o rosto, mas em geral era como se tivesse desaparecido para deixar falar aquilo que falava de dentro dele.

Ele falou sobre Heidegger, fez um monólogo de dez minutos sobre esse grande filósofo alemão e a batalha que estava travando com ele, e então parou de repente e calou-se. Minha mãe repetiu algumas das coisas que ele tinha dito, perguntou se eram daquele jeito mesmo, será que ela tinha entendido direito? Ele olhou para ela, abriu um breve sorriso e deu continuidade ao monólogo. Meu avô, que antes havia dominado a conversa ao redor da mesa, não disse nada enquanto comia, simplesmente ficou olhando para a mesa, de vez em quando ele lançava um olhar ao redor com uma expressão alegre no rosto, como se tivesse pensado em alguma coisa para nos dizer mas achado melhor guardá-la para si, e então baixava o olhar mais uma vez.

— Acho que nem todo mundo ouviu falar de Heidegger — disse Yngve durante uma pausa inesperada. — Será que tem outro assunto que a gente possa discutir além de um filósofo alemão obscuro?

— Claro que tem — respondeu Kjartan. — Podemos falar sobre o tempo. Mas o que vamos dizer? O tempo está como sempre esteve. É através do tempo que a existência se revela para nós. Da mesma forma, nos revelamos através do nosso estado de espírito, através daquilo que sentimos a cada momento. Não é possível conceber um mundo sem tempo, nem uma identidade sem sentimentos. Mas *das Man* automatiza essas duas coisas. *Das Man* fala sobre o tempo como se não houvesse nada de especial, porque simplesmente não o enxerga, nem mesmo o Johannes aqui — disse Kjartan com um breve aceno de cabeça em direção ao meu avô —, que desde sempre passa uma hora por dia escutando a previsão do tempo no rádio e memoriza todos os detalhes, mesmo que não possa ver o tempo, mas apenas o sol ou a chuva, a neblina ou a neve, não o tempo em si mesmo, como um fenômeno único, um fenômeno que se revela para nós, através do qual tudo se revela, nesses momentos que talvez pudéssemos chamar de momentos de graça. Ah, é verdade que Heidegger se aproxima de Deus e do divino, mas nunca ultrapassa essa linha, nunca segue o caminho até o fim, essas coisas permanecem sempre um pouco atrás, talvez até mesmo como uma condição para o pensar. O que você acha, Sissel?

— O que você está dizendo parece quase religioso — ela disse.

Yngve, que tinha revirado os olhos quando Kjartan começou a falar sobre o tempo, espetou um pedaço de salmão com o garfo e o levou ao prato.

— Vamos ter *pinnekjøtt* e costeletas de porco esse ano também? — ele perguntou.

Meu avô olhou para ele.

— Vamos. Já curamos a carne de *pinnekjøtt* no sótão. E ontem o Kjartan comprou as costeletas.

— Eu trouxe aguardente — disse Yngve. — É um acompanhamento indispensável.

Minha mãe levou um copo de leite à boca da mãe. Ela bebeu. Uma listra branca escorreu pelo canto da boca.

* * *

O panorama era como uma banheira repleta de escuridão. Na manhã seguinte o fundo revelou-se aos poucos, à medida que a luz ganhava intensidade e diluía a escuridão, por assim dizer. Aquilo era impossível, pensei, testemunhar aquilo sem pensar nos movimentos envolvidos. Lihesten, com o enorme paredão de rocha vertical e amplo, por acaso não chegava mais perto com a luz? O fiorde cinzento por acaso não dava a impressão de se erguer das profundezas escuras onde havia se ocultado a noite inteira? As grandes bétulas do outro lado da fazenda, onde ficava a cerca do terreno, por acaso não se aproximavam um pouco mais da casa?

As bétulas: cinco ou seis guardas montados que haviam passado a noite inteira vigiando a casa e naquele momento tinham de puxar as rédeas com força para controlar as montarias.

Ao longo da manhã a névoa ficou mais densa. Tudo era cinzento, até mesmo os pinheiros verdejantes que cresciam em cima do morro no outro lado do lago eram cinzentos, e tudo estava saturado de umidade. A vertigem no ar, as gotas que se acumulavam sob os galhos e caíam ao chão com um ruído quase inaudível, a umidade do solo que em outros tempos tinha sido um pântano, a maneira como estremecia sob o peso dos passos, os sapatos que afundavam, o barro que surgia debaixo dos pés.

Às onze horas eu e Yngve fomos até o carro de Kjartan, meu irmão o tinha pedido emprestado para ir a Vågen comprar as últimas coisas que faltavam para a ceia de Natal. Chucrute de repolho verde, chucrute de repolho roxo, algumas cervejas extras, nozes e frutas e um pouco de refrigerante para aplacar a sede que o *pinnekjøtt* sempre provocava. E também jornais, se houvesse, eu queria para passar o tempo até de noite, porque os Natais da minha família tinham raízes tão profundas em mim que eu continuava a esperar a noite cheio de expectativa.

Com os limpa-vidros se movendo depressa de um lado para o outro sobre o para-brisa nós atravessamos o pátio, cruzamos o portão e descemos a estrada que passava em frente à escola, onde fizemos uma curva à direita e pegamos a estradinha de dois quilômetros que ia até Vågen, que na minha infância parecia ficar a uma distância enorme. Praticamente cada metro ao longo do caminho era um lugar próprio, e dentre todos o mais emocionante era a ponte que atravessava o rio, eu era capaz de passar horas admirando a paisagem debruçado na balaustrada.

O trajeto levava três ou quatro minutos de carro. Se eu não tivesse laços com aquele panorama, nada teria chamado a minha atenção. As árvores seriam como árvores quaisquer, as propriedades seriam como propriedades quaisquer, a ponte seria uma ponte qualquer.

— O que o Kjartan fez é inacreditável — disse Yngve. — Ele não tem a menor consideração. Ou por acaso pensa que todo mundo se interessa por aquilo que nem ele?

— Sei lá — respondi. — De qualquer jeito, eu não entendo nada do que ele fala. Você entende?

— Um pouco — Yngve disse. — Mas não é nada tão impressionante quanto parece. É só você ler um pouco.

Ele fez a curva e estacionou, e fomos juntos em direção à cooperativa. Uma mulher com uma longa capa de chuva saiu com uma criança pequena. A mulher nos olhou surpresa.

— Não é possível, Yngve! Você por aqui? — ela disse.

Quem era?

Os dois se abraçaram.

— Esse é o Karl Ove, o meu irmão — disse Yngve.

— Ingegerd — ela disse, estendendo a mão.

Eu sorri. A criança a abraçou.

— Os seus avós moravam aqui perto — ela disse. — Agora eu lembro. Que bom encontrar você aqui!

Me afastei um pouco e olhei em direção a Vågen. A água estava totalmente parada. Alguns barcos estavam amarrados às boias um pouco além da margem. As boias reluziam vermelhas em meio ao cinza. Quando éramos pequenos, o barco que saía e chegava de Bergen parava naquele lugar. Uma vez havíamos feito uma travessia à noite, dormido em um banco duro que cheirava a gasolina e café e maresia, tinha sido uma aventura e tanto. O barco chamava-se *Kommandøren*. Mas naquela altura os barcos expressos já haviam tomado conta. Eles não paravam mais lá.

— Você não vem? — Yngve perguntou às minhas costas. Me virei. A mulher tinha ido embora com a criança e estava caminhando em direção a um carro.

— Quem é essa? — perguntei.
— Uma pessoa que eu conheço de Bergen — ele disse. — Ela é namorada do Helge.

Quando voltamos, a casa estava cheirando a sabão verde. Minha mãe tinha lavado o chão. Naquele instante ela estava ocupada com os parapeitos. Minha avó dormia na poltrona ao lado. Minha mãe torceu o esfregão dentro do balde, endireitou as costas e olhou para nós.
— Vocês podem colocar um pouco de mingau no fogo para mim? — ela disse.
— Eu posso — disse Yngve.
— Será que a gente pode montar o pinheiro em seguida? — eu perguntei.
— Você já pode buscá-lo, se quiser — minha mãe respondeu.
— Onde está?
— Na verdade eu não sei — ela disse. — Pergunte ao Kjartan.
Calcei um par de tamancos de madeira pequenos demais para mim e arrastei os pés até a outra casa. Toquei a campainha, abri a porta, fiz uma saudação em voz alta.
Ninguém respondeu.
Subi a escada com o maior cuidado.
Kjartan estava recostado na poltrona, olhando em direção ao fiorde. Usava fones de ouvido enormes e batia um dos pés no ritmo da música.
Com certeza não tinha percebido a minha chegada. Se eu aparecesse de repente ele levaria um susto. Mas não havia outro jeito. Não adiantaria gritar, a música estava tão alta que eu conseguia ouvir tudo de onde estava.
Saí da casa.
Meu avô estava andando pelo caminho que saía do galpão. Um gato vinha saltitando logo atrás.
— Descobriu alguma coisa? — minha mãe perguntou quando eu voltei.
— O Kjartan estava ocupado — eu disse. — Estava sentado, ouvindo música.
Yngve soltou um suspiro.
— Eu mesmo vou falar com ele — meu irmão disse.
Cinco minutos depois Yngve entrou no corredor com um pinheiro grande, mas todo desajeitado. Nós o parafusamos no suporte de metal enferru-

jado e depois começamos a pendurar os enfeites de uma caixa que nossa mãe havia pegado nesse meio-tempo. Depois que comemos eu saí para dar um passeio ao redor da fazenda e fui até as casinhas antigas e decrépitas dos visons, desci até o lago preto e passei pelo lugar onde antes ficavam as caixas de abelha. Um pouco mais além, junto às fundações da casa que em outros tempos se erguia naquele lugar, fumei um cigarro. Não se escutava barulho nenhum e não se via ninguém. Joguei o cigarro na grama molhada e segui em direção à casa. Meus calçados brilhavam de umidade. No banheiro de baixo, minha mãe ajudava minha avó a tomar banho. Yngve conversava com o meu avô, que estava sentado no sofá com o corpo inclinado para a frente e os antebraços apoiados nos joelhos, falando como de costume.

Me sentei na outra cadeira.

Nosso avô contava histórias sobre a época em que havia trabalhado com o pai em um barco de pesca durante os anos 1920, sobre a bem-aventurança que podia surgir de uma hora para a outra com um lançamento de rede, como de fato tinha acontecido uma vez. As lembranças faziam os olhos dele brilharem. Ele falou sobre o comandante que havia se postado na proa do barco ao entardecer, já perto da costa de Trondheim, como um cachorro que tivesse farejado uma presa, e então riu, emendando que o homem não farejava nada além de mulheres. O comandante havia passado um bom tempo se enfeitando, e depois se postou na proa para sentir melhor aquele cheiro enquanto o barco avançava rumo às luzes da cidade. Depois falou sobre a vez que havia trabalhado como técnico de detonação em um projeto que envolvia a construção de uma estrada, à tarde ele e os colegas resolveram jogar pôquer e ele começou a ganhar uma rodada atrás da outra, mas não podia usar aquele dinheiro, ele tinha que comprar a aliança de casamento da nossa avó mas não queria que esse dinheiro viesse do jogo, então colocou tudo no pote e viu o suor escorrer da testa dos outros. Ao descrever a cena, riu até que as lágrimas começassem a correr, e eu e Yngve rimos também, a risada do nosso avô era contagiante e não havia como se proteger contra ela. Ele contorcia o corpo inteiro, não conseguia mais falar e as lágrimas escorriam-lhe pelo rosto. Mas nosso avô não estava nos entretendo apenas com essas histórias sobre o passado, aquilo não tinha nada a ver com nostalgia, e assim que se recompôs e conseguiu parar de rir ele começou a nos contar sobre uma viagem que tinha feito aos Estados Unidos para visitar o irmão Magnus. Nos contou sobre as noites em que havia ficado sozinho, passando os incontáveis canais de TV que Magnus tinha, aquilo era simplesmente inacreditável, um milagre, e nesse ponto eu sorri, porque o nosso avô não falava inglês e não podia ter entendido nada do que as pessoas estavam dizendo enquanto permanecia hipnotizado em frente à televisão.

Yngve olhou para mim e se levantou.

— Você não quer dar uma volta e tomar um pouco de ar fresco? — ele perguntou.

— Boa ideia — disse o nosso avô, reclinando-se no sofá.

Estava chovendo, então fomos até a parte coberta em frente à casa de Kjartan e acendemos um cigarro cada um.

— Como estão as coisas com a Hanne? — ele me perguntou. — Faz tempo que você não fala nela.

— Não estão — eu disse. — Às vezes a gente se fala por telefone. Mas não tem jeito. Ela não quer namorar comigo.

— Sei — disse Yngve. — Você não acha que podia ser melhor se você tentasse esquecê-la?

— É o que estou tentando fazer.

Yngve cavou um buraco no cascalho molhado com o calcanhar. Depois parou e olhou para o galpão. O galpão estava em péssimas condições, a pintura estava descascando em vários pontos e a rampa de acesso estava coberta de grama, mas assim mesmo o galpão reluzia, porque o fundo, com os prados verdejantes e o fiorde cinzento e o pesado céu cinza-chumbo, parecia realçá-lo, parecia destacá-lo.

Ou simplesmente o galpão tinha sido importante para mim durante a minha infância, um dos lugares mais centrais na minha vida.

— Eu conheci uma garota — disse Yngve.

— Ah, é? — eu disse.

Ele fez um gesto afirmativo com a cabeça.

— Em Bergen?

Ele balançou a cabeça e tragou com tanta força que as bochechas chegaram a ficar ocas.

— Em Arendal, na verdade. No verão. Mas não nos vimos desde então. Mesmo assim, estamos trocando cartas. E vamos nos encontrar no Ano-Novo.

— Você está apaixonado? — perguntei.

Yngve me encarou. O resultado de uma pergunta direta como essa era sempre imprevisível, nem sempre ele queria falar sobre essas coisas. Mas Yngve estava apaixonado, sim, ele sempre ficava radiante de um jeito introvertido quando falava a respeito dela e sem dúvida tinha vontade de falar a respeito dela o tempo inteiro, pelo menos se fosse como eu, como aliás era.

— Estou — ele disse. — É uma resposta que posso dar sem rodeios! Em poucas palavras! Na verdade, em uma só!

— E como ela é? Que idade tem? Onde mora?

— Será que não podemos começar com o nome dela? Seria mais prático.

— Está bem.

— O nome dela é Kristin.

— E?

— Ela é dois anos mais nova do que eu. Mora em Tromøya. Tem olhos azuis. Cabelos loiros e ondulados. Ela é bem pequena... e estudava na mesma escola que você. Estava dois anos à sua frente.

— Kristin? Acho que não lembro do nome.

— Você vai reconhecê-la quando vocês se encontrarem.

— E vocês vão começar a namorar, então?

— O plano é esse. — Yngve me olhou. — Você não quer ir comigo à festa? Em Vindilhytta? Digo, se você já não tiver uma outra festa para ir.

— Não tenho nenhum plano em especial — eu disse. — Pode ser.

— De qualquer jeito, eu vou sair daqui. Vamos juntos!

Acenei a cabeça e desviei o rosto para que ele não visse como eu havia ficado contente.

Quando voltamos para dentro de casa, nosso avô estava dormindo no sofá com o queixo apoiado no peito e os braços cruzados.

O relógio marcou cinco horas, a TV começou a transmitir o recital do Sølvguttene e eu saí do meu quarto já de roupa trocada. Camisa branca, terno preto, sapatos pretos. A casa inteira cheirava a *pinnekjøtt*. Minha avó usava o vestido mais elegante e tinha os cabelos escovados. Meu avô vestia um terno azul. Kjartan usava um terno cinza cortado no estilo dos anos 1970. A mesa estava posta com uma toalha branca, os talheres mais finos e com guardanapos verdes ao lado. No meio da mesa havia quatro garrafas de cerveja a temperatura ambiente, como se costumava beber por lá, e uma garrafa de aguardente. A única coisa que faltava era a comida, que Yngve tinha ido buscar. Nosso avô tinha preparado a refeição.

— Só temos cinco batatas — disse Yngve. — Não dá nem uma para cada um!

— Eu não faço questão de batata — disse a minha mãe. — Fiquem com uma para cada um de vocês.

— Mas assim mesmo — disse Yngve. — Uma batata para a ceia de Natal...

Eu o ajudei a carregar as bandejas de comida. *Pinnekjøtt* fumegante, costeletas de porco cortadas em quadrados com a pele tostada e parte das cerdas ainda intactas, purê de couve-rábano, chucrute de repolho verde, chucrute de repolho roxo e cinco batatas.

O *pinnekjøtt* estava delicioso, o meu avô tinha salgado, dessalgado e cozinhado a carne à perfeição. O único porém naquela refeição, a mais importante do ano, eram as batatas. Não devia faltar nada, muito menos batatas! Mas consegui superar essa decepção, e tive a impressão de que ninguém se importou com esse detalhe. Minha avó estava encolhida junto da mesa, tremendo mas lúcida, os olhos dela brilhavam, ela olhava para nós e se alegrava com a nossa companhia, eu podia sentir. Só aquilo, o fato de que estávamos lá, era e sempre tinha sido o suficiente para ela. Meu avô devorava a carne com o queixo reluzente de gordura. Kjartan mal tocou na comida, estava falando sobre Heidegger e Nietzsche, um poeta chamado Hölderlin e outro chamado Arne Ruste, para quem ele havia mandado poemas e recebido comentários amistosos. Havia diversos nomes naquela torrente de palavras, e todos eram pronunciados em tom de intimidade, como se todos o conhecessem.

Quando a refeição chegou ao fim, eu e Yngve retiramos os pratos e os talheres enquanto nossa mãe batia nata para o arroz-doce. Kjartan permaneceu sentado em silêncio na companhia dos pais.

— Eu sugiro que a gente estabeleça aqui uma zona livre de Heidegger — disse Yngve.

Nossa mãe riu.

— Mas essa conversa pode ser interessante — ela disse.

— Talvez não durante a ceia de Natal — eu disse.
— Não, você tem razão — ela concordou.
— Vocês não preferem dar um tempo antes de comer a sobremesa? — Yngve perguntou. — Estou completamente estufado.
— Eu também — disse eu. — Esse ano o *pinnekjøtt* estava muito bom.
— É — concordou a minha mãe. — Só um pouquinho salgado demais, talvez.
— Não — disse Yngve. — O sal estava na medida exata. Estava perfeito.
— Vamos trocar os presentes, então? — sugeri.
— Pode ser — disse Yngve.
— Você pode fazer a distribuição?
— Posso.

Ganhei um EP de Yngve, *The Dukes of Stratosphear*, um blusão e a biografia de Bjørneboe escrita por Wandrup da minha mãe, uma lanterna de bolso de Kjartan e dos meus avós um grande filé de salmão acompanhado por um cheque de duzentas coroas.

Para a minha mãe eu dei uma fita cassete de Vivaldi, para que ela pudesse ouvir no carro, para Yngve dei o disco solo de Willson-Piper, o guitarrista do The Church, e para Kjartan um romance de Jan Kjærstad. Yngve leu com voz firme e fez a distribuição com mãos firmes, eu amassei o papel e o joguei no fogo da estufa, e de vez em quando bebericava o copo de conhaque que meu avô havia buscado. Yngve entregou a ele um presente de Ingrid, Kjellaug e da filha mais nova de Magne, nascida anos depois dos irmãos, e quando meu avô abriu o pacote e viu o que era, ele gelou. De repente ele estava de pé, a caminho da estufa.

— O que você está fazendo? — perguntou a minha mãe. — Não jogue fora!

Meu avô abriu a portinhola. Minha mãe correu atrás dele.

— Você não pode queimar isso, sabia? — ela disse, tirando o presente dele.

Meu avô parecia ao mesmo tempo confuso e indignado.

— Vamos ver — eu disse. — O que é?

— É uma impressão em gesso da mão dela — respondeu a minha mãe.

A impressão de uma mãozinha em gesso — por que o meu avô queimaria aquilo?

Kjartan riu.

— O Johannes é muito supersticioso — ele disse. — Para ele isso é a morte.

— É mesmo — disse o meu avô. — Não quero ver isso na minha frente.

— Vamos guardar aqui, então — minha mãe disse, guardando o presente. — Ela fez esse trabalho no jardim de infância e mandou para você. Você não pode simplesmente jogar esse presente fora.

Meu avô não respondeu.

Por acaso minha avó não tinha um discreto sorriso nos lábios?

Yngve entregou a Kjartan o presente que ele mesmo havia comprado. Uma garrafa de vinho.

— Você acertou na mosca — disse Kjartan. Ele estava sentado em uma cadeira no canto da sala com o copo de conhaque na mão, e tinha o olhar mais suave e um pouco mais conciliatório.

— Você acha que a gente pode ouvir nossos discos amanhã no seu aparelho de som? — perguntei.

— Podemos, claro — ele disse.

Kjartan estava sentado ao lado do pinheiro, que não estava bem reto, mas se inclinava um pouco para o lado dele, e de repente, enquanto eu o olhava nos olhos, percebi com a minha visão periférica que o pinheiro começou a se mexer. Os olhos de Kjartan se iluminaram de pânico. No instante seguinte a árvore caiu por cima dele.

Meu avô riu. Yngve, minha mãe e eu também. Kjartan se levantou praguejando. Yngve e eu colocamos o pinheiro de pé, tornamos a parafusá-lo no suporte e o apoiamos contra a parede.

— Nem o pinheiro me deixa em paz — disse Kjartan, passando a mão pelos cabelos antes de sentar-se mais uma vez.

— Saúde, então — disse Yngve. — E um feliz Natal!

Entre o Natal e o Ano-Novo pegamos o barco expresso para Bergen e de lá tomamos um avião para Kjevik. O gato estava todo carente quando chegamos e quase deixou minha calça em farrapos de tanto arranhá-la quando enfim pôde se aconchegar no meu colo durante o jantar.

Era bom estar de volta em casa, e era bom estar com Yngve.

No dia seguinte ele queria fazer uma visita aos nossos avós paternos, já que não os via desde o verão, e eu fui junto.

Nossa avó ficou radiante quando nos viu na escada. Nosso avô estava no escritório, ela explicou enquanto subia, e Yngve sentou-se sem a menor cerimônia no lugar dele. Quando eu estava com Yngve a convivência com a nossa avó era bem menos engessada do que quando eu estava sozinho; Yngve saía-se bem melhor do que eu com o tom que predominava em nossa família, falava bobagens e fazia nossa avó rir, brincava com ela de um jeito que eu jamais conseguiria, nem que eu passasse um século treinando.

Mas de repente, totalmente do nada, minha avó se virou para Yngve e perguntou se ele havia comprado algo de bom com o dinheiro do presente.

— Que dinheiro? — ele perguntou.

Senti meu rosto queimar.

— O dinheiro que nós mandamos para você, ora!

— Eu não recebi dinheiro nenhum — disse Yngve.

— Eu esqueci — disse eu. — Me desculpem.

Minha avó olhou para mim como se não acreditasse no que estava ouvindo.

— Você não entregou o dinheiro do seu irmão? — ela me perguntou.

— Eu esqueci. Perdão.

— Você gastou tudo?

— Eu peguei emprestado, depois eu ia dar para ele do dinheiro que eu tenho guardado, mas acabei esquecendo.

Ela se levantou e saiu.

Yngve me lançou um olhar desconfiado.

— Nós ganhamos cem coroas cada um — eu disse. — Eu simplesmente esqueci de entregar a sua parte. Mas depois posso entregar a você.

Minha avó voltou com uma nota de cem coroas e a entregou para Yngve.

— Pronto — ela disse. — Assim não precisamos mais pensar a respeito desse assunto.

Yngve realmente começou a namorar com Kristin naquele Ano-Novo. Eu vi tudo. Primeiro quando se encontraram e ela olhou para ele com a cabeça enviesada e sorriu, e ele disse qualquer coisa e pareceu tímido. Eu sorri por dentro. Meu irmão estava apaixonado! Depois os dois pararam de conversar, mas continuavam trocando olhares de vez em quando.

De repente os dois sentaram-se cada um de um lado da longa mesa de madeira. Yngve estava falando com Trond, Kristin com uma das amigas.

Os dois mal se olhavam.

Continuaram falando.

De repente Yngve se levantou e sumiu por um breve intervalo, tornou a sentar-se e continuou a falar com Trond. Pegou caneta e uma folha de papel, escreveu uma coisa qualquer.

E então entregou a folha para ela!

Ela olhou para ele, olhou para a folha, leu o que ele havia escrito. Olhou mais uma vez para ele e rabiscou no ar com o polegar e o indicador, e então Yngve lhe passou a caneta.

Ela escreveu alguma coisa, empurrou a folha para o outro lado da mesa, Yngve leu. Em seguida se levantou e foi até onde ela estava, e de repente os dois se distraíram numa conversa profunda, era como se os dois estivessem sozinhos naquele lugar, e quando olhei mais uma vez eles estavam se beijando. Ele tinha conseguido!

Depois daquela festa, o mundo de Yngve se resumia a Kristin. Ele foi a Bergen no segundo dia do Ano-Novo e deixou a casa vazia, mas só por um ou dois dias, depois me reacostumei e a vida continuou como sempre, cheia de pequenas expansões numa direção ou outra, repleta das circunstâncias imprevistas que preenchem todas as vidas, algumas das quais levariam apenas a uma porta fechada ou a um cômodo vazio, enquanto outras podiam ter consequências que talvez se revelariam por completo apenas muitos anos mais tarde.

Junto com Espen, comecei a trabalhar em uma rádio local. Nosso programa era transmitido ao vivo uma vez por semana, e nele tocávamos nossas bandas favoritas e falávamos a respeito delas. Pedi a todo mundo que eu conhecia que ouvisse o programa, e muitas dessas pessoas realmente nos ouviam às vezes, não era raro alguém fazer um comentário na escola ou no ônibus a respeito de alguma coisa que a gente houvesse dito ou de algum disco que a gente houvesse tocado. A Rádio 1 era uma estação pequena, em geral não tínhamos muitos ouvintes, e o *Nye Sørlandet* não era um jornal grande, mas juntas essas duas coisas me davam a impressão de que eu estava a caminho de algum lugar.

Por conta desse programa na rádio local eu tinha que ficar na cidade depois das aulas, não era nada fácil voltar para casa, dar meia-volta e depois refazer a viagem, e assim me habituei a passar na casa dos meus avós, os dois eram uma aposta mais garantida do que o meu pai se a questão fosse arranjar o que comer, e assim eu podia evitar a incerteza que rondaria uma eventual visita ao meu pai, eu não tinha como saber se ele me receberia ou não, se seria demais para ele ou não.

Numa dessas longas tardes na cidade, em que primeiro jantava com os meus avós e a seguir encontrava Espen na rádio, sentava com ele para fazer o planejamento e depois a transmissão, embarcava no ônibus e ficava ouvindo música durante todo o longo caminho até em casa, inclusive durante o último quilômetro, no qual eu, fechado em mim mesmo, quase não percebia o mundo nevado por onde eu passava até o momento em que tirava os fones de ouvido, abri a porta, soltei o cadarço das botas, pendurei o casaco no lugar e entrei na cozinha para fazer um lanche noturno.

Minha mãe estava sentada no andar de cima vendo TV. Quando me ouviu chegar ela desligou a TV e desceu.

— Você escutou? — perguntei.

— Escutei — ela disse.

— Foi constrangedor quando a gente teve um ataque de riso ou deu tudo certo?

— Não, não foi constrangedor. Foi simplesmente divertido. Mas escute, a sua avó ligou enquanto você estava na rua.

— Ah, é?

— É. E infelizmente ela não tinha notícias muito boas para me dar. Ela disse... bem, ela disse que não quer mais que você apareça por lá. Disse que você sempre aparece esfomeado e desleixado e que sempre pede dinheiro.

— Como? — eu disse.

— É — minha mãe respondeu. — Ela disse que sou eu quem tem o dever de tomar conta de você, e não eles. Disse que você é minha responsabilidade. E agora eles não querem mais que você apareça por lá.

Comecei a chorar. Não consegui esconder, aquilo me atingiu com uma força enorme. Me virei para que a minha mãe não me visse, meu rosto se contorcia em caretas estúpidas, tapei-o com as mãos e, mesmo que eu não quisesse, comecei a soluçar.

Peguei uma caçarola no armário e a enchi de água.

— Você precisa entender uma coisa — ela disse. — Isso não tem nada a ver com você. Tem a ver comigo. Eles querem me atingir.

Coloquei a caçarola no fogão, eu mal conseguia enxergar em meio às lágrimas, ergui a mão para tapar o rosto mais uma vez e inclinei a cabeça para a frente. Deixei escapar mais um soluço.

Minha mãe estava enganada, eu tinha certeza, aquilo tinha a ver comigo. Eu havia estado lá, tinha percebido o silêncio e o incômodo que eu tinha levado comigo no meu corpo e de certa forma compreendia o lado dos meus avós.

Mas eu não disse nada. Os movimentos convulsivos do meu rosto cessaram, tomei longos fôlegos, enxuguei os olhos com as mangas do blusão. Me sentei na cadeira. Minha mãe continuou de pé.

— Eu estou furiosa — ela disse. — Acho que nunca estive tão furiosa em toda a minha vida. Você é o neto deles. Você está num momento difícil. Eles têm o *dever* de apoiar você! *Independente* de qualquer outra coisa!

— Eu não estou num momento difícil — respondi. — Está tudo bem na minha vida.

— Você não tem quase ninguém ao seu redor. Os seus avós não podem simplesmente lhe virar as costas.

— Está tudo perfeitamente bem — eu disse. — Esqueça o assunto. Eu posso me virar muito bem sem eles.

— Concordo — minha mãe disse. — Mas como eles tiveram a coragem de virar as costas para você? Imagine! Não estranho que o seu pai esteja sofrendo.

— Você acha que ele não tem nada a ver com isso, então? — perguntei.

Minha mãe olhou para mim. Eu nunca a tinha visto tão irritada. Os olhos dela brilhavam.

— Não, acho que não. Claro, a não ser que ele tenha se transformado *radicalmente* nesses últimos seis meses.

— Ele se transformou — eu disse. — É como se fosse outra pessoa.

Minha mãe se sentou.

— E tem mais uma coisa — eu disse. — Que você ainda não sabe. Eu e o Yngve ganhamos cem coroas cada um de presente de Natal. Era para eu ter entregado a parte do Yngve para ele, mas acabei gastando. E depois me esqueci dessa história toda. Quando passamos lá entre o Natal e o Ano-Novo o assunto surgiu.

— Mas, Karl Ove! — disse a minha mãe com um suspiro. — Mesmo que você *tivesse* pegado esse dinheiro, não seria motivo para lhe virarem as costas. O papel dos seus avós não é castigar você.

— Mas você tem que entender — eu disse. — Eles estão indignados. Além do mais, tudo que a vó disse é verdade. Eu como sempre que estou lá e peço dinheiro para o ônibus.

— Você não fez nada de errado. E não tem motivo nenhum para achar que fez.

Mas eu achava, claro. Passei as primeiras horas da noite em claro enquanto o frio tomava conta do cenário lá fora e fazia as paredes de madeira e o gelo do rio mais abaixo estalarem. Foi assim, no escuro, que pude ver tudo com mais frieza e clareza. Se os meus avós não queriam mais me ver, não me veriam mais. Eu não os visitava pensando em mim e não tinha nada a perder se mantivesse distância. E havia certa doçura na decisão de nunca mais vê--los. Nem mesmo quando estivessem no leito de morte. Mesmo quando morressem, mesmo quando estivessem sendo enterrados eu manteria distância. Não como o meu pai, que durante a minha infância tinha boicotado os dois durante certos períodos, cortado relações por um mês ou dois, para depois restabelecer contato como se nada tivesse acontecido. Não, eu seria coerente. Eu nunca mais os veria, nunca mais falaria com eles.

Eles haviam decidido que seria assim, e assim seria. Eu não precisava dos meus avós, pelo contrário, eram eles que precisavam de mim, e se não conseguiam entender isso, bem, o problema era deles.

Certa tarde peguei sozinho o trem para Drammen, o Simple Minds tocaria lá, no mesmo lugar onde o U2 havia tocado no ano anterior. Eu tinha adorado o último disco deles, o som era monumental e as canções eram grandiosas, e eu o ouvi sem parar durante todo o outono. Talvez o disco fosse meio comercial, e as canções talvez não fossem tão intensas como as de *New Gold Dream*, mas eu adorei o disco mesmo assim. Mas fui embora me sentindo um pouco decepcionado, especialmente em relação a Jim Kerr, que estava meio gorducho e tinha chegado a *interromper o show* quando um fã subiu no palco e tirou a boina vermelha dele. Ele se abaixou na borda do palco e disse que a banda não tocaria mais se a boina dele não fosse devolvida. Simplesmente não acreditei nos meus ouvidos, e depois já não importava mais que as músicas fossem excelentes, para mim o Simple Minds tinha acabado.

Meu trem chegou de volta a Kristiansand de madrugada. Não havia mais ônibus, e pegar um táxi de volta para casa seria caro demais, então eu tinha combinado com Unni que eu dormiria no apartamento dela. Ela tinha me emprestado uma chave, eu tinha apenas que abrir a porta. Meia hora após descer do trem, enfiei a chave na fechadura da porta, abri-a com o maior cuidado possível e entrei discretamente no apartamento. Era um apartamento dos anos 1950 ou 60 e tinha dois ambientes, cozinha e banheiro, e as janelas da sala tinham uma boa vista da cidade. Eu já tinha estado lá duas ou três vezes antes para jantar com ela e com o meu pai e gostava do lugar, era um apartamento bonito. Os quadros nas paredes eram bonitos, e mesmo que eu não gostasse do jarro de cerâmica e do estilo à moda do Sosialistisk Venstreparti, cheio de coisas bordadas, o lugar tinha o jeito dela, e era esse detalhe que chamava a minha atenção, a harmonia do ambiente.

Unni tinha deixado um lençol e um edredom no sofá, então peguei um livro na estante, Johan Bojer, *Den siste viking*, e li umas páginas antes de apagar a luz e dormir. Na manhã seguinte acordei com o barulho que ela fazia na cozinha. Me vesti, ela tinha posto a mesa na sala e entrou com uma bandeja onde havia ovos com bacon, chá e pãezinhos quentes.

Passamos a manhã inteira conversando. Principalmente sobre mim, mas também sobre ela, sobre o relacionamento que tinha com o filho, que se chamava Fredrik e tinha sentido dificuldade de aceitar o meu pai na vida dela, e sobre o trabalho dela como professora e a vida dela em Kristiansand antes de conhecer o meu pai. Falei a respeito de Hanne e disse que eu pensava em escrever quando terminasse o colegial. Eu nunca tinha contado aquilo para ninguém porque eu simplesmente nunca tinha pensado aquilo, ou pelo menos não de maneira clara. Mas naquela hora as palavras simplesmente escaparam dos meus lábios. Eu tinha vontade de escrever, tinha vontade de ser escritor.

Quando saí de lá já era tarde demais para ir à escola, então peguei o ônibus para casa. O sol estava frio e pairava baixo no céu, o chão estava úmido e nu. Eu estava feliz, mas não sem certo sentimento de pesar, porque a minha conversa com Unni, a sinceridade que eu havia demonstrado, eram para mim como uma traição. Contra o quê, eu não saberia dizer.

Dois meses depois, no início de abril, minha mãe passou um fim de semana longe de casa, ela tinha ido visitar uma amiga em Oslo e eu fiquei sozinho.
Ao chegar da escola encontrei um bilhete em cima da mesa.

Meu filho querido,
Cuide bem de você — e também do gato.
Um abraço da sua mãe.

Depois de fritar ovos e almôndegas para o jantar, tomar uma caneca de café e fumar um cigarro, me sentei na sala com o meu livro de história e comecei a ler. O cenário na rua ainda não tinha saído daquele curioso interlúdio entre o inverno e a primavera, quando o chão se revela úmido e nu, o céu fica cinzento e as árvores continuam sem folhas, é como se as coisas ainda não fossem nada por si próprias, mas estivessem prenhes daquilo que está para acontecer. Mas ao mesmo tempo podia ser que já estivesse acontecendo numa escuridão imperceptível, pois o ar não estava a cada dia mais quente na floresta? Não estava cada vez mais cheio do canto dos pássaros, após meses de um silêncio que era quebrado apenas de vez em quando pelos gritos roucos de uma gralha ou de uma pega-rabuda? A primavera não havia chegado de mansinho, como alguém que pretende fazer uma surpresa aos amigos, já não estava lá para a qualquer momento explodir em verde e cuspir folhas e insetos por toda parte?
Essa era a sensação que eu tinha, de que a primavera estava próxima. E talvez por isso eu me sentisse tão irrequieto. Depois de ler durante uma hora, me levantei e andei pela casa, abri a porta para o gato, que foi correndo até o pote de comida, pensei em Hanne e, antes que eu pudesse mudar de ideia, peguei o telefone e liguei para ela.
Hanne pareceu feliz ao perceber que era eu.
— Você em casa numa sexta-feira à noite? — ela disse. — Não é muito comum! O que você está fazendo?

Na verdade aquilo era bem comum, mas eu tinha exagerado tantas vezes as histórias sobre minha vida noturna que Hanne as tinha incorporado à ideia que fazia de mim.

— Estudando para a prova. Estou sozinho em casa. Minha mãe só volta amanhã. E então eu... estava meio de saco cheio. E de repente pensei em você. O que você está fazendo?

— Nada de especial. Na verdade também estou meio de saco cheio.

— Sei bem como é — eu disse.

— Mas eu posso aparecer aí — ela disse.

— Aparecer aqui?

— É! Eu tirei minha carta de motorista. Podemos passar a noite bebendo chá e conversando.

— Parece ótimo. Mas você acha que pode?

— Por que eu não poderia?

— Sei lá — eu disse. — Mas então venha! Nos vemos daqui a pouco.

Uma hora e meia depois Hanne fez a curva no velho Fusca verde da irmã. Calcei os sapatos depressa e saí para recebê-la. Enquanto Hanne subia a encosta, me ocorreu que ela parecia totalmente deslocada ao volante, dirigir um automóvel pressupunha uma série de movimentos e ações que pareciam incompatíveis com aquele jeito charmoso e meio estabanado de menina. Ela fazia tudo que era preciso, o problema não era esse, mas havia algo a mais, que injetava um coquetel de alegria efervescente nas minhas veias. Ela estacionou em frente ao portão da garagem e saiu do carro. Estava usando a calça preta de stretch que a deixava incrivelmente sexy, como eu mesmo havia dito a ela. Hanne sorriu e me deu um abraço. Entramos, eu liguei o fogão e preparei chá, conversamos um pouco, ela falou sobre o que estava acontecendo na escola dela, eu falei sobre o que estava acontecendo na minha. Eram anedotas sobre amigos em comum.

Mas não havia jeito.

Olhamos um para o outro e sorrimos.

— Nunca imaginei que o dia fosse acabar assim — eu disse. — Com nós dois aqui sentados ao entardecer.

— Nem eu — ela disse.

Um avião surgiu acima do morro que ficava atrás da propriedade, foi como se a casa toda estremecesse.

— Esse passou baixo — eu disse.

— É — disse Hanne se levantando. — Acho que vou tomar um pouco de ar.

Acendi um cigarro, me reclinei no sofá e fechei os olhos.

Quando Hanne voltou, se deteve em frente à porta que dava para o jardim e olhou para fora. Me levantei e fui até onde ela estava, parei logo atrás e pousei as mãos cuidadosamente na barriga dela. Ela colocou as mãos em cima das minhas.

— É tão bonito aqui — ela disse.

O rio corria preto e reluzente mais abaixo, a água tinha coberto o campo de futebol, apenas as duas traves artesanais estavam visíveis. No vale, o ar estava saturado pela escuridão do crepúsculo. As casas do outro lado tinham as luzes acesas. No vidro à nossa frente escorriam pequenas gotas d'água.

— É verdade — eu disse, voltando para a sala. Hanne tinha namorado e era cristã, e eu era um bom amigo.

Ela sentou na cadeira de palha, tirou os cabelos da testa e levou a caneca de chá morno aos lábios. Os lábios talvez fossem o que ela tinha de mais bonito, o arco era suave e na parte mais alta a pele dava a impressão de se enrugar um pouco, como se não quisessem se render à suavidade geral das feições. Ou talvez fossem os olhos, que às vezes me pareciam amarelos, porque o rosto dela tinha alguma coisa de felino, mesmo que obviamente não pudessem ter essa cor. Os olhos dela eram verde-azulados.

— Está ficando tarde — ela disse.

— Mas você já precisa ir? — perguntei.

— Na verdade não — ela respondeu. — Não tenho nada de especial para fazer amanhã. Você tem?

— Não.

— Quando a sua mamãe volta para casa, mesmo?

"A sua mamãe", só mesmo Hanne para dizer uma coisa dessas, era como se ela ainda mantivesse um resquício da infância, como se ainda não tivesse deixado aquilo para trás.

Eu sorri.

— Minha mamãe? Você faz eu me sentir como se eu tivesse dez anos!

— Está bem! Sua mãe, então — ela disse.

— Ela volta amanhã à tarde. Por quê?

— Achei que talvez eu pudesse dormir por aqui. Não gosto de dirigir no escuro.
— E você pode?
— Posso o quê?
— Dormir aqui?
— Por que eu não poderia?
— Porque você tem namorado, por exemplo.
— Não tenho mais.
— Como? Você está falando sério? Por que não me contou?
— Eu não conto tudo para você, meu amigo — ela disse, rindo.
— Mas você sabe que eu conto tudo para você, não?
— Sei. E como! Mas o fim do nosso namoro não tem nada a ver com você.
— Claro que tem! Tem muita coisa a ver comigo! — protestei.
Ela balançou a cabeça.
— Não? — perguntei.
— Não — ela disse.
Aquilo era uma rejeição, não havia como interpretar de outra maneira. Por outro lado, eu tinha desistido muito tempo atrás. Já fazia vários meses que eu não pensava em Hanne o tempo inteiro.
A cadeira rangeu quando ela se ajeitou para sentar em cima das pernas.
Eu gostava de Hanne. E gostava de estar com ela na minha velha casa. Eu não precisava de mais nada, certo?
Passamos uma hora sentados até que a escuridão na rua fosse total e a única coisa visível na janela fosse o reflexo da sala.
— Está ficando tarde — eu disse. — Onde você quer dormir?
— Não sei! — Hanne disse. — No seu quarto?
Ela sorriu.
— Não quero ficar sozinha numa casa que eu nem conheço — ela disse.
— Muito menos aqui. Estamos praticamente no meio da floresta!
— Não tem problema — eu disse. — Vou buscar um colchão.
Peguei o colchão de Yngve e o coloquei no chão do quarto, ao lado da minha cama. Peguei o edredom, o travesseiro, a capa do colchão e a capa do edredom e arrumei tudo enquanto Hanne escovava os dentes no banheiro.
Ela entrou no quarto de camiseta e calcinha.

Senti um nó na garganta.

Os peitos dela se desenhavam de forma tão nítida por baixo da camiseta que eu não sabia para onde mais devia olhar.

— Muito bem — ela disse. — Estou pronta! Você não vai escovar os dentes?

— Claro que vou — eu disse, tentando manter o olhar fixo nos olhos dela. — Vou agora mesmo.

Quando voltei, Hanne estava sentada na cadeira da escrivaninha olhando umas fotografias que Yngve tinha mandado para mim. Eram um tanto dramáticas, em preto e branco, e em algumas delas eu aparecia em poses bastante marcadas.

— Como você está bonito! — ela disse, mostrando uma das fotografias para mim.

Suspirei.

— Vamos nos deitar? — eu disse.

Senti um arrepio quando ela se levantou.

As coxas nuas.

Os pezinhos descalços.

Os peitos perfeitos por baixo da camiseta.

Hanne se deitou no colchão, e eu na cama ao lado. Ela puxou o edredom até o queixo e sorriu para mim. Eu devolvi o sorriso. Conversamos um pouco, ela se sentou e empurrou o colchão na minha direção.

Pensei que eu podia baixar meu corpo até onde ela estava. Aconchegar meu corpo no dela. Acariciar os peitos, acariciar as coxas, acariciar as nádegas.

Mas Hanne era cristã. E também era muito inocente, nem ao menos sabia direito quem era, ou como funcionava, às vezes fazia perguntas sobre as coisas mais esquisitas, e esse lado que eu tanto gostava nela era também o que me impedia de tomar qualquer atitude.

— Boa noite — eu disse.

— Boa noite — ela disse.

Ficamos parados, ouvindo o barulho da nossa respiração.

— Você está dormindo? — ela perguntou após um breve intervalo.

— Não — respondi.

— Você pode fazer carinho nas minhas costas? É tão bom...

— Claro — eu disse.

Ela afastou o edredom e levantou a camiseta, revelando as costas. Engoli em seco e passei a mão para cima e para baixo, para cima e para baixo pelas costas dela.

— Ah, como é bom! — ela disse.

Não sei por quanto tempo eu fiz aquilo, talvez por dois minutos, e então fui obrigado a parar para não enlouquecer.

— Você acha que agora já consegue dormir? — eu disse, afastando a mão.

— Acho que sim — ela disse, baixando a camiseta. — Boa noite mais uma vez!

— Boa noite — eu disse.

Hanne foi embora na manhã seguinte, eu passei o dia lendo deitado no sofá e à tarde comi pizza e assisti TV com a minha mãe. Ela ficou sentada com o gato no colo e uma caneca de café em cima da mesa. Eu tinha comido praticamente a pizza inteira sozinho, estava sentado com os pés em cima da mesa e um copo de Coca-Cola na mão, assistindo a *Albert og Herbert*, aquilo não fazia nenhum sentido, provavelmente para a minha mãe tampouco, mas como a situação era aquela seria necessário gastar energia para sair dela.

Hanne tinha me enchido como se eu fosse uma banheira. Passei o dia inteiro pensando nela. Fazia tempo que eu a tinha deixado de lado, ela não queria namorar comigo, mas de repente aquele parque de diversões antigo e enferrujado voltou cheio de brilho e esplendor.

O que teria acontecido se eu houvesse me deitado ao lado dela?

De repente tudo se revelou sob uma outra luz. De repente eu percebi o que realmente tinha acontecido.

Meu Deus.

Era o que ela queria o tempo inteiro.

Ah, claro.

Meu Deus. Meu Deus.

Mas será mesmo? Ou será que não passava de uma impressão minha?

Levantei um pouco o corpo, eu precisava ligar para ela, e depois afundei mais uma vez no sofá.

— O que houve? — minha mãe perguntou.

— Nada — respondi. — Eu só estava pensando numa coisa.

* * *

Na casa do meu pai não havia mais jantares aos fins de semana, ele passava o tempo inteiro bebendo sozinho, a não ser por uma ou outra tarde quando recebia visitas de parentes e se mantinha sóbrio. Eu tinha comentado com ele que a minha avó tinha ligado, sim, disse o meu pai, eu sei, e eles têm razão, a sua mãe tem que cuidar melhor de você. Eu pago um valor considerável em pensão, como você sabe. Claro, eu sabia. Mas ele não devia ter notado que aquilo me afetava a ponto de eu não poder mais ir até lá, ou então devia ter notado perfeitamente, porque no aniversário de quarenta e dois anos dele, quando eu disse que daria uma passada na casa, os meus avós estavam lá. Senti o cheiro da minha avó no corredor, mas naquele ponto já era tarde demais, eu não poderia mais ir embora, então abri a porta que dava para a sala, onde, além da minha avó e do meu avô, Gunnar, Tove e as crianças, estavam sentados o meu tio Alf e Sølvi, a esposa dele. Não olhei para a minha avó quando a cumprimentei nem quando me sentei à mesa. Fiquei olhando para a mesa enquanto eu comia um pedaço de bolo e bebia uma caneca de café. Logo os convidados se dispersaram, uns sentaram-se no sofá e outros começaram a recolher os pratos enquanto conversavam sobre assuntos do dia a dia. Claro que não tinham servido nenhuma bebida alcoólica. Me levantei para ir ao banheiro, e quando voltei a minha avó estava na cozinha.

— Karl Ove, não foi nada disso o que a gente quis dizer — ela se explicou. — Nada disso.

— Claro que não — eu disse, e então deixei-a para trás.

De repente ela não tinha dito nada, então?

Será que também não tinha nem telefonado?

De repente me ocorreu que todos sabiam o que tinha acontecido. Que talvez houvessem discutido o assunto. Eu e o meu comportamento. O que seria o melhor a fazer comigo.

Enquanto o meu pai, que bebia até cair várias vezes na semana, podia convidá-los e agir como se nada tivesse acontecido, como se tudo estivesse em ordem.

Porra, por que Yngve não estava comigo naquela hora?

Como eu ia me virar sozinho com tudo aquilo?

* * *

Continuei a oferecer resistência à minha avó e ao meu avô por mais umas semanas, mas depois, numa tarde em que eu estava na casa do meu pai, ele me chamou, disse que eu não podia mais ser tão infantil, logo eu seria um homem crescido e claro que eu devia visitar os meus avós.

Foi o que fiz, e tudo voltou a ser como antes.

Meu pai com o jeito formal, meu avô com o jeito formal, era a minha avó quem mantinha tudo aquilo funcionando, era a minha avó quem piscava o olho com um jeito travesso, que servia comida e depois levava o meu pai ao jardim. O fato de que o meu pai tinha se dividido em duas personalidades diferentes, a pessoa que era quando bebia e a pessoa que era quando não bebia, ou seja, a pessoa que eu conhecia e com a qual estava acostumado, não me afetava de nenhuma forma, as coisas simplesmente eram daquele jeito, eu não pensava a respeito.

O ano inteiro, desde que tinha saído de casa, no meio de todas as conversas de bêbado, todas as brigas e reconciliações, no meio de todas as cenas de ciúme e todas as bobagens e baboseiras que fazia, meu pai falava regularmente sobre o dia em que a separação da minha mãe passaria a ser um divórcio e ele finalmente estaria livre para fazer o que bem entendesse. Assim que o divórcio saísse, ele se casaria com Unni. Eu me sinto tão bem com a Unni, ele dizia, me sinto tão feliz quando acordo ao lado dela, é isso que eu quero fazer pelo resto da minha vida, então nós vamos nos casar, Karl Ove, e você pode ir se preparando desde já. Se não fosse a maldita lei, já estaríamos casados há um ano. É muito importante para mim.

Que bom, eu disse, mesmo que não estivesse bêbado, e abri um sorriso idiota, talvez com lágrimas nos olhos, porque esse tipo de coisa também acontecia comigo, eu era tão sentimental quanto o meu pai, e então ficamos sentados cada um numa cadeira com os olhos úmidos.

Quando o dia chegou ele manteve a palavra. Era julho, e eu, Yngve e Kristin tomamos ainda de manhã o ônibus que ia até o apartamento do meu pai, onde eles andavam sem parar de um lado para o outro, meu pai com uma camisa branca e chamativa, Unni com um vestido branco de material rústico. Ainda não estavam prontos; Unni perguntou se queríamos beber alguma coisa enquanto esperávamos. Olhei para o meu pai. Ele tinha uma cerveja na mão. Peguem uma bebida na geladeira, ela disse. Deixe que eu busco, eu disse. Entrei na cozinha e voltei com três cervejas. Meu pai olhou para mim. Acho que vocês podem deixar isso para mais tarde, ele disse. Ainda é cedo, e o dia vai ser longo. Mas você está aí com uma garrafa na mão!, disse Unni, e meu pai deu um leve sorriso, está bem, está bem, não é tão grave assim.

Os dois levaram mais tempo do que tinham calculado, eu consegui tomar duas *pilsens* antes que saíssemos para esperar o táxi que nos levaria ao Fórum. Eu mal sentia o álcool, que mais parecia uma fina membrana sobre os meus pensamentos, um céu de alegrias pela metade. Yngve e Kristin estavam abraçados. Eu sorri ao vê-los, acendi um cigarro e fiquei olhando para o rio, que também parecia carregado com a baixa pressão atmosférica, mas assim que dei a primeira tragada o táxi chegou. Ninguém havia pensado nisso antes, mas faltava lugar para uma pessoa. Meu pai disse que podia ir caminhando, afinal não era longe. Não, disse Unni, não no dia do seu casamento!

— A gente pode ir andando — disse Kristin. — Não é mesmo, Yngve?

— Claro — Yngve respondeu.

E assim ficou resolvido. Eu fui de táxi com o meu pai e Unni até o Fórum, onde os padrinhos esperavam. Eu tinha uma vaga lembrança deles em uma festa no verão anterior. Um homem pequeno e careca, uma mulher grande e exuberante com cabelos volumosos. Apertei a mão deles, eles sorriram e ficamos aguardando de pé em uma sala, meu pai olhava impaciente para o relógio, logo seria a vez deles, e Yngve e Kristin ainda levariam uns bons minutos para chegar.

De repente os dois chegaram depressa pelo corredor, com os rostos corados, como se tivessem vivido uma aventura. Meu pai os encarou sem nenhuma expressão no rosto, entramos, os dois se postaram à frente do homem que oficiava a união, com um padrinho de cada lado, disseram sim, trocaram as alianças e o meu pai voltou a ser um homem casado. Os dois passaram a usar um nome novo, ou melhor, dois nomes, que sozinhos eram bonitos e elegantes, mas juntos eram ridiculamente pomposos e pretensiosos.

A caminho do Sjøhuset, onde almoçaríamos juntos, meu pai disse que um dos nomes, originalmente escocês, tinha uma ligação com a nossa família, vinda da Escócia muito tempo atrás. Unni disse que o nome existia na família dela. Acreditei nela, mas eu sabia que o que o meu pai tinha dito era invenção.

Yngve pensou a mesma coisa, porque os nossos olhares se encontraram quando nosso pai disse aquilo.

Acomodamo-nos em uma mesa nos fundos do restaurante, que tinha uma decoração naval, e pedimos camarões e cerveja. Meu pai e Unni sorriram e fizeram um brinde, afinal era o dia deles.

Bebi cinco cervejas naquele lugar. Meu pai notou, pediu que eu fosse com calma, mas de um jeito amigável, e eu disse que poderia fazer como ele havia pedido, mas assim mesmo estava tudo sob controle. Yngve estava gripado, e por isso bebia um pouco mais devagar. Além do mais, Kristin estava lá, ele não parava de olhar para ela, os dois passavam o tempo inteiro rindo e falando sobre uma coisa ou outra.

Eu estava ora nas alturas, provavelmente em função do álcool, nesses instantes eu tomava a palavra e falava com quem quer que fosse sem nenhum problema, e ainda por cima com uma desenvoltura incrível que às vezes, embora não com muita frequência, surgia em mim, ora totalmente isolado, e nesses momentos todos ao redor da mesa, incluindo Yngve, me pareciam estranhos, e não apenas estranhos, mas também indesejáveis ao extremo.

Kristin devia ter percebido, porque muitas vezes interrompia a companhia exclusiva de Yngve e dizia alguma coisa para que eu também participasse da conversa. Ela fazia isso desde que os dois haviam começado a namorar, tinha virado uma espécie de irmã mais velha, uma menina com quem eu podia falar sobre qualquer coisa e que me entendia. Por outro lado ela não era muito mais velha do que eu, então essa impressão de irmã mais velha podia sumir de repente, e nessas horas nos relacionávamos como duas pessoas da mesma idade, praticamente como semelhantes.

Passado um tempo, saímos do Sjøhuset e fomos à casa do meu pai. Os padrinhos não foram com a gente, apareceriam somente no jantar, que aconteceria no restaurante Fregatten, na Dronningens Gate. Continuei a beber na casa do meu pai e fiquei um tanto bêbado, era um sentimento maravilhoso, e também um pouco estranho, já que ainda estava claro na rua e todas as pessoas que eu via estavam ocupadas com os afazeres do dia a dia. Continuei sentado, com os olhos mais e mais velados sem que ninguém percebesse, eu mesmo não compreendia direito, porque a única coisa que eu percebia era que as palavras saíam com mais facilidade. Como sempre, o álcool me deu uma forte sensação de liberdade e felicidade, aquilo vinha em uma onda, tudo parecia estar bem, e para que não acabasse, o que era meu único temor verdadeiro, eu tinha que continuar bebendo o tempo inteiro. Quando a hora chegou, meu pai chamou um táxi e eu desci a escada e cambaleei até o carro que nos levaria quinhentos metros adiante até o Fregatten, e dessa vez não houve conversa sobre não haver lugar no carro. Ao chegar fomos acompanhados a uma mesa junto à janela do grande restaurante, que a não ser por nós estava completamente vazio. Eu vinha bebendo desde as dez horas da manhã, já eram seis da tarde, e por pouco não caí de cara na janela ao puxar a cadeira para me sentar. Eu praticamente não percebia a presença das outras pessoas, não ouvia mais o que diziam, eram apenas rostos vagos, e as vozes não passavam de um sussurro, como se eu estivesse rodeado por árvores e arbustos levemente antropomórficos em uma floresta num lugar qualquer, e não sentado em um restaurante em Kristiansand no casamento do meu pai.

O garçom se aproximou, o cardápio já estava decidido, mas naquele momento ele queria perguntar o que gostaríamos de beber. Meu pai pediu duas garrafas de vinho tinto, eu acendi um cigarro e olhei para ele com os olhos turvos.

— O que você me diz, Karl Ove? Está se divertindo? — ele perguntou.

— Estou — respondi. — E, pai, eu gostaria de dar os meus parabéns a você. Você arranjou uma esposa muito legal, não tenho como deixar de dizer. Eu gosto muito da Unni.

— Que bom — ele disse.

Unni sorriu para mim.

— Mas como eu devo chamá-la? — perguntei. — Afinal, ela é como uma madrasta para mim, não?

— Ora, você deve chamar a Unni de Unni — disse o meu pai.

— Como você chama a Sissel? — Unni perguntou.

Meu pai olhou para ela.

— De mãe — respondi.

— E o que você acha de me chamar de mãe? — Unni perguntou.

— Tudo bem — respondi. — Mãe.

— Que *besteira*! — retrucou meu pai.

— Mãe, o vinho está bom? — perguntei, olhando para Unni.

— Está — ela disse.

Meu pai fixou os olhos em mim.

— Karl Ove, já chega — ele disse.

— Está bem — eu disse.

— Quando vai ser a viagem de lua de mel? — Yngve perguntou. — Acho que vocês não comentaram nada.

— Não vamos fazer viagem de lua de mel — disse Unni. — Mas vamos passar a noite no hotel.

O garçom veio e mostrou a garrafa para o meu pai.

Meu pai acenou a cabeça sem demonstrar interesse.

O garçom serviu um gole na taça dele.

Meu pai bebericou, estalou discretamente os lábios.

— Excelente — disse.

— Que bom — respondeu o garçom, e então serviu todas as taças.

Ah, como aquele sabor aconchegante e aveludado caía bem depois das cervejas frias de gosto amargo e marcante!

Dei quatro longos goles. Yngve estava com a cabeça apoiada numa das mãos, olhando para a rua. A outra mão devia estar na coxa de Kristin, a dizer pelo ângulo do braço. Os padrinhos estavam sentados ao lado do meu pai e de Unni sem dizer nada.

— Pedimos que servissem o jantar às seis e meia — disse o meu pai. Ele olhou para Unni. — O que você acha de dar uma olhada no quarto?

Unni sorriu e meneou a cabeça.

— Já voltamos — disse o meu pai enquanto se levantava. — Aproveitem.

Os dois se beijaram e saíram do restaurante de mãos dadas.

Olhei para Yngve e nossos olhares se encontraram por um breve instante antes que ele desviasse o rosto. Os padrinhos continuavam em silêncio. Em geral eu me sentiria responsável por eles e teria perguntado qualquer coisa sem nenhuma importância para despertar o interesse deles, e talvez até o meu, mas naquele instante eu não me importei com nada disso. Se quisessem ficar mudos, por mim tudo bem.

Enchi a minha taça de vinho tinto até a borda, bebi a metade de um gole só e saí para mijar. Fui parar em um longo corredor, que segui até o fim sem encontrar o banheiro em lugar nenhum. Voltei e desci a escada. Dessa vez fui parar em uma despensa ou coisa parecida, era uma sala totalmente branca com uma luz forte e sacos colocados próximos às paredes. Voltei a subir. Será que era lá em cima? Descobri um corredor de aspecto novo recoberto por carpete. Não. Saí na recepção. O banheiro?, eu disse. O que você disse?, perguntou o recepcionista. Me desculpe, eu disse. Mas você sabe onde fica o banheiro? Ele apontou para uma porta do outro lado sem olhar para mim. Fui naquela direção, embora antes tenha precisado dar um passo para recuperar o equilíbrio, abri a porta, me apoiei contra a parede, devia ser aquele lugar. Entrei numa das cabines e tranquei a porta, me arrependi e destranquei-a, afinal o banheiro estava vazio, não? Estava, não havia mais ninguém. Fui até a pia, abri o zíper, tirei o pinto para fora e mijei na cuba. O mijo amarelo logo encheu a louça branca antes de descer pelo ralo. Quando terminei, entrei mais uma vez na cabine, tranquei a porta, me sentei no vaso, apoiei a cabeça nas mãos e fechei os olhos. No instante seguinte foi como se eu não estivesse mais lá.

 Tive a impressão de ouvir uma voz chamar o meu nome, Karl Ove, Karl Ove, como se eu estivesse em um lugar a céu aberto, pensei, e alguém estivesse me procurando em meio à neblina. Karl Ove, Karl Ove. Então desapareci mais uma vez.

 Quando voltei a mim, foi com um sobressalto. Minha cabeça tinha batido contra a parede da cabine. Tudo estava em silêncio.

 O que tinha acontecido? Onde eu estava?

 Essa não. Era o casamento do meu pai! Será que eu tinha dormido? Ah, eu tinha dormido!

 Saí correndo, lavei o rosto com água fria, atravessei a recepção e entrei no restaurante.

 Todos ainda estavam sentados à mesa. Todos me olharam.

 — Karl Ove, por onde você andava? — perguntou meu pai.

 — Acho que cochilei um pouco — eu disse enquanto me sentava. — Vocês já comeram?

 — Já — disse Unni. — Terminamos agora mesmo. Você ainda quer comer? Estamos esperando a sobremesa.

 — Para mim a sobremesa está bom — eu disse. — Não estou com muita fome.

 — Depois temos café e conhaque — disse o meu pai. — Deve ajudar você a melhorar um pouco.

 Bebi o vinho na minha taça e a enchi mais uma vez. Minha cabeça doía um pouco, não muito, era como se houvesse uma fresta na porta por onde a dor passava, e eu percebi o bem que o vinho me fez, era como se tornasse a fechá-la.

Quando fomos embora ainda não eram nove e meia. Eu estava bêbado, mas não tanto quanto ao chegar, o sono havia diminuído um pouco, e o vinho e o conhaque não tinham conseguido aumentá-lo outra vez. Mas no meu pai a escalada da embriaguez era evidente, ele ficou abraçado a Unni enquanto esperava o táxi, a ideia de caminhar aqueles quinhentos metros nem passou pela cabeça dele, e foi apenas com muita dificuldade que ele conseguiu se acomodar no banco de couro.

Meu pai buscou mais cerveja na geladeira quando chegamos em casa. Unni serviu amendoins em uma tigela. Yngve havia piorado um pouco, ele estava com febre e se deitou no sofá. Kristin sentou na cadeira ao meu lado.

Unni pegou uma coberta de lã e cobriu Yngve. Meu pai ficou um tempo de pé, olhando para os dois.

— Por que você pôs essa coberta em cima dele? — ele perguntou. — Ele não é grande o bastante para se cuidar sozinho? Você nunca colocou uma coberta em cima de mim quando eu fiquei doente!

— Claro que coloquei — disse Unni.

— Não, não colocou! — meu pai respondeu quase aos gritos.

— Acalme-se — Unni pediu.

— Eu quero saber — disse o meu pai enquanto entrava na outra sala e sentava-se numa cadeira de costas para nós.

Unni riu um pouco. Depois foi tentar consolá-lo. Eu bebi meia cerveja de um só gole, comecei a arrotar espuma quando de repente me dei conta de que Kristin estava lá, e assim engoli por duas ou três vezes com a mão em frente à boca.

— Me desculpe — eu disse.

Ela riu.

— Com certeza não foi a pior coisa que aconteceu hoje à noite! — ela disse, com uma voz tão baixa que mal dava para ouvir, soltando em seguida uma risada igualmente discreta.

Yngve sorriu. Eu fui buscar mais uma cerveja na geladeira. Assim que passei pelos recém-casados, meu pai se levantou e voltou para a sala.

— Vou ligar para a sua vó — ele disse. — Eles não mandaram uma única flor!

Abri a porta da geladeira e peguei uma cerveja, voltei para a sala e me estiquei para alcançar o abridor que estava em cima da mesa.

Yngve e Kristin olhavam um pouco constrangidos. Meu pai estava falando alto lá dentro.

— Eu me casei hoje — eu disse. — Vocês entenderam? Foi um grande dia na minha vida!

Joguei a tampa em cima da mesa, tomei um gole e me sentei.

— Mas vocês podiam ter mandado flores! Podiam ter mostrado que se importam comigo!

Fez-se uma pausa.

— Mãe! Claro, mas, mãe! — gritava o meu pai.

Eu me virei.

Ele estava chorando. As lágrimas escorriam pelo rosto. Enquanto ele falava, o rosto se contorcia em enormes caretas.

— Eu me casei hoje! E vocês não quiseram vir! Vocês não mandaram uma única flor! No dia do casamento do filho de vocês!

Em seguida ele bateu o telefone no gancho e passou um tempo olhando para a frente. As lágrimas continuavam a escorrer pelo rosto.

Por fim ele se levantou e saiu.

Eu arrotei e olhei para Unni. Ela se levantou e foi correndo atrás dele. Da cozinha vinha o som de choro, soluços e vozes exaltadas.

— O que você acha? — eu perguntei a Yngve depois de um tempo. — Vamos passear na cidade?

Ele se levantou.

— Eu não estou me sentindo bem — disse. — Estou com febre. Acho melhor ir para casa. Vamos chamar um táxi?

— Sem pedir para o pai? — eu perguntei.

— Sem pedir o que para o pai? — perguntou nosso pai, de pé na passagem que separava as duas salas.

— A gente acha que está na hora de ir para casa — disse Yngve.

— Não, fiquem um pouco mais — disse o nosso pai. — Não é todo dia que o pai de vocês se casa. Ora, vamos, ainda temos cerveja! Podemos aproveitar mais um pouco.

— Você sabe que eu estou doente — disse Yngve. — Preciso ir.

— E você, Karl Ove? — ele perguntou, me olhando com aqueles olhos velados e praticamente vazios.

— A gente vai dividir o táxi — eu disse. — Se o Yngve e a Kristin estão indo, eu também preciso ir.

— Muito bem — disse o nosso pai enquanto se levantava. — Então vou me deitar. Boa noite e obrigado por terem vindo.

Logo depois ouvimos os passos dele na escada. Unni veio falar conosco.

— Às vezes ele fica assim — ela disse. — Vocês sabem, o pai de vocês é muito sensível. Mas se vocês estão indo, tchau e até a próxima. Obrigada por terem vindo!

Eu me levantei. Unni me abraçou, depois abraçou Yngve e Kristin.

Já na rua, precisei me sentar no meio-fio, cansado demais para me aguentar de pé durante os minutos que o táxi levaria para chegar.

Quando acordei na minha cama no dia seguinte, tudo que tinha acontecido parecia ter um ar onírico, eu não tinha certeza de nada, a não ser de que no dia anterior eu tinha estado bêbado como nunca. E de que o meu pai também estava bêbado. Eu sabia como os bêbados pareciam aos olhos dos sóbrios e fiquei horrorizado, todo mundo tinha visto que eu estava bêbado no casamento do meu pai. E o fato de que o meu pai também estava bêbado não ajudava em nada, porque ele só tinha começado a dar sinais perto do fim, quando já estávamos de volta ao apartamento e os sentimentos corriam soltos.

Eu os havia envergonhado.

Era o que eu tinha feito.

De que adiantava eu gostar deles?

Passei as últimas semanas do verão em Arendal. Rune, o redator da rádio local, tinha uma espécie de representação comercial, ele vendia fitas cassete para postos de gasolina na região, e quando numa tarde eu reclamei que não tinha arranjado um trabalho de verão ele sugeriu que eu vendesse as fitas dele na rua. Eu as comprava por um certo valor, ele não tinha como lucrar muito com aquilo, e depois eu podia revendê-las por quanto eu quisesse. As cidades de Sørlandet se enchiam de turistas no verão, era dinheiro correndo para todo lado, e se eu tivesse os álbuns de sucesso sem dúvida conseguiria vendê-los.

— Boa ideia — eu disse. — O meu irmão passa o verão em Arendal, será que posso fazer isso por lá?

— Ótimo!

E assim, numa manhã de verão, coloquei uma bolsa cheia de roupas, uma cadeira e uma mesa de acampamento, um *microsystem* e uma caixa cheia de fitas cassete no carro da minha mãe, que Yngve usava durante todo o verão, me acomodei no assento do passageiro, pus meus novos óculos de sol Ray-Ban e me reclinei no banco enquanto Yngve ligava o carro e começava a descer o morro.

O sol brilhava como havia brilhado durante todo o mês de julho, o tráfego naquele lado do rio era pouco intenso, abri a janela do meu lado, apoiei o cotovelo na janela e comecei a cantar uma música de Bowie enquanto atravessávamos a floresta de esprucces, com o rio cintilante que ora se revelava e ora desaparecia, por vezes acompanhado de longos bancos de areia onde as crianças se banhavam e gritavam.

Conversamos um pouco sobre os nossos avós, que havíamos visitado no dia anterior, e sobre como o tempo naquele lugar dava a impressão de ter parado em comparação a Sørbøvåg, onde nos dois últimos anos parecia ter se acelerado e feito com que tudo decaísse.

Atravessamos o pequeno centro de Birkeland, saímos em Lillesand e de lá pegamos a E18, um trecho que eu conhecia de cor graças às inúmeras viagens de ida e volta na minha infância.

Coloquei para tocar uma fita do Psychedelic Furs, o álbum mais comercial da banda, que eu adorava.

— Eu já contei para você a respeito da menina que veio falar comigo em Londres? — Yngve me perguntou.

— Não — eu disse.

— Você é igual ao vocalista do Psychedelic Furs, ela disse, e depois queria que alguém tirasse uma foto nossa.

Yngve olhou para mim e deu uma risada.

— Achei que você era parecido com o Audun Automat do Tramteatret — eu disse.

— Claro, mas isso não me deixa tão lisonjeado — ele disse.

Passamos por Nørholm, a casa de Knut Hamsun, e eu me inclinei para ver melhor a propriedade, já tinha estado lá uma vez durante uma excursão do nono ano, o filho de Hamsun nos mostrou a casa, depois a minúscula cabana onde ele escrevia e também uns móveis que havia construído.

Naquele momento o lugar estava vazio e parecia abandonado.

— Você lembra que o pai disse que uma vez tinha visto o Hamsun no ônibus para Grimstad?

— Não — Yngve respondeu. — Ele disse isso?

— Disse. Um senhor de barba branca e bengala.

Yngve balançou a cabeça.

— Imagine a quantidade de mentiras que ele contou para a gente durante todo esse tempo. E com certeza ainda tem um monte em que a gente acredita sem nem suspeitar!

— É — eu disse. — Não posso dizer que estou muito triste com essa mudança dele.

— Não — disse Yngve. — Eu também não.

Meu pai e Unni tinham arranjado empregos no norte da Noruega, os dois trabalhariam juntos no mesmo colegial e tinham passado as últimas semanas encaixotando e guardando tudo que tinham para despachar no caminhão de mudança. Em poucos dias os dois pegariam o carro e fariam a mesma viagem.

— Como a Kristin ficou depois do casamento? — eu perguntei. — Imagino que deve ter sido meio chocante para ela.

— Foi mesmo um pouco especial — disse Yngve.

Descemos por Grimstad, passamos pelo Oddensenteret, pelo velho Hotell Norge, onde Hamsun tinha escrito, subimos a encosta e saímos na longa planície.

— E a história do quarto no hotel? — perguntei. — Eles tinham um quarto no hotel onde jantamos e chegaram até a visitá-lo. Mas no fim o que aconteceu?

Yngve deu de ombros.

— Pode ser que tivessem planos de voltar depois que a gente fosse embora.

— Não era o que parecia.

— Não, mas por outro lado na vida deles acontece muita coisa que não é planejada. Eles tinham nos dito que não fariam viagem de lua de mel, por exemplo. Mas no dia seguinte pegaram o barco para a Dinamarca e se hospedaram em um hotel em Skagen.

— É verdade — eu disse.

Passamos em frente ao Kokkeplassen, o antigo local de trabalho da minha mãe, onde eu havia frequentado o jardim de infância durante um ano, e estiquei o pescoço, havia um precipício naquele lugar, e lembrei que todos os dias nós subíamos numa árvore que ficava acima do precipício. Mas na verdade não era um precipício, era apenas uma encosta de montanha. E a árvore devia ter sido derrubada. Por fim descemos a encosta, com Arendal logo abaixo de nós, e mais além Tromøya, em todo o esplendor nostálgico, banhada pela luz do sol.

— E agora? — Yngve me perguntou. — Você já quer procurar um lugar?

— Talvez seja o melhor a fazer.

Nada tinha sido combinado de antemão; Rune disse que bastaria perguntar ao pessoal de uma loja se teria problema eu ficar na calçada em frente e talvez pedir para usar a eletricidade do estabelecimento, na esperança de que não fossem me pedir comissão nenhuma. E se hesitarem, ofereça umas notas de cem, tinha sido o conselho dele. Yngve estacionou o carro, caminhamos até a rua de passeio, entrei numa loja de roupas qualquer e perguntei se eu poderia vender fitas cassete na calçada e se poderia usar a eletricidade da loja. A música poderia atrair mais clientes.

Sem problemas.

Quando tudo estava arranjado, fomos até o estúdio de Yngve. Ele tinha prestado o exame preliminar de filosofia na primavera depois de haver terminado o primeiro ano de política comparada antes do Natal e estava trabalhando no Central Hotel para juntar dinheiro para a viagem que ele e Kristin queriam fazer para a China mais tarde naquele ano.

O estúdio que ele alugava ficava em Langsæ, nos arredores da cidade, onde eu passaria três semanas em um colchão inflável no assoalho.

Não passávamos tanto tempo juntos desde a nossa infância.

No dia seguinte ele me levou ao centro com todas as minhas coisas. Era um sentimento incrível estar nas ruas tranquilas pela manhã, com o mar azul, pesado e plácido mais adiante, e abrir a velha mesa de camping amarela dos anos 1970, expor as fitas do Genesis, do Falco, do Eurythmics, da Madonna e de tudo mais que estivesse vendendo bem naquela época, puxar o fio de dentro da loja, plugá-lo no toca-fitas, me sentar na cadeira, pôr os óculos de sol e apertar play.

Eu me sentia como o rei de Arendal.

Próximo à mesa havia um quiosque de sorvete, e pouco depois que cheguei uma garota começou a trabalhar lá. Ela ajeitou a calçada, levou umas caixas para dentro, saiu com um pano na mão para limpar o lado de fora da janela, entrou e desapareceu.

Ela era bonita. Cabelo avermelhado, sardas, curvas generosas. Quando a vi pela segunda vez, meia hora mais tarde, ela usava um avental branco.

Incrível!

Mas ela não olhou para onde eu estava nenhuma vez.

Mesmo assim, isso logo estaria resolvido.

Logo as pessoas começaram a aparecer, subiam e desciam a estreita rua de passeio e em frente à minha mesa, eu as acompanhava com o olhar e reconhecia rostos e corpos. Algumas paravam e examinavam a minha seleção e, caso apontassem para uma fita, eu me punha de pé em um salto, pegava outra unidade na caixa que ficava ao lado da mesa, guardava o dinheiro no bolso, agradecia ao cliente, fazia um risco na folha que eu tinha e me sentava outra vez.

Que trabalho incrível!

Às onze horas as vendas aceleraram de verdade. Até a uma vendi umas quantas fitas, mas depois o movimento começou a cair outra vez e encerrei o expediente poucos minutos antes das quatro, quando Yngve apareceu para me buscar.

Quando chegamos à casa dele, guardei o dinheiro de Rune em um saco plástico. O restante eu gastei quando saímos no final da tarde. Comprei garrafas de vinho branco em baldes com gelo, dancei e conversei com todo mundo que foi até a mesa onde Yngve estava. O vinho branco tinha sido a grande descoberta do verão para mim, aquilo descia como se fosse água, e a embriaguez que vinha depois fazia com que eu me sentisse leve e feliz.

No dia seguinte a garota do quiosque de sorvete sorriu para mim. Um sorriso discreto, claro, mas não havia dúvidas.

Bati na janela do quiosque às onze horas e perguntei se ela podia me conseguir um copo d'água.

Ela me ofereceu um copo.

— Nós dois somos colegas por aqui — eu disse. — Qual é o seu nome?
— Sigrid — ela respondeu.

O sotaque dela era estranho. Os erres eram bem marcados. Ela os pronunciava com bastante ênfase.

— De onde você é?
— Da Islândia — ela respondeu, abrindo um sorriso largo.

Ficou por isso mesmo, ela não fez questão de trocar mais palavras, apenas se contentou com aquele sorriso e um pequeno aceno de cabeça: o dia havia começado.

Por volta de duas semanas mais tarde ela apareceu na minha frente em uma discoteca. Eu estava tão bêbado que tudo além daquele rosto parecia borrado. Quando acordei na cama dela na manhã seguinte eu não tinha a menor ideia de como havia parado lá, não me lembrava do que eu tinha feito, eu tinha esquecido tudo, a não ser por cenas desconexas já no quarto dela, Sigrid só de calcinha e eu por cima dela, damos uns amassos, eu beijo aqueles peitos maravilhosos, ponho a mão no meio das pernas dela, não, ela diz, não mesmo, e eu me levanto e tiro a cueca e me revelo em todo o meu esplendor, que não pode tê-la impressionado tanto quanto eu provavelmente havia imaginado, porque ela riu e disse mais uma vez que não.

Escondi o rosto nas mãos de tanta vergonha. Eu já havia registrado que ela não estava mais no quarto naquele instante, mas só me perguntei onde ela estaria momentos depois, quando me sentei e disse olá para um quarto vazio.

Não houve resposta. Será que ela tinha ido ao banheiro?

Me levantei.

Essa não, eu *ainda* estava pelado!

Em cima da mesa que ficava no meio do quarto havia um bilhete.

Olá, Rei de Arendal!
Saí para vender sorvete.
Talvez a gente se veja outra hora.
S.

(*Bata a porta quando você sair*)

Por que raios ela tinha sublinhado "talvez"?

Me vesti, guardei o bilhete no bolso de trás da calça, bati a porta como ela havia pedido e desci a longa escada com cheiro de mofo em meio à penumbra. Eu não tinha a menor ideia de onde estava. Podia muito bem estar fora da cidade.

A luz do sol acertou meus olhos em cheio quando saí do prédio.

Uma rua, do outro lado a parede de uma casa.

Onde estava a cidade?

Segui o caminho que descia, dobrei uma esquina e de repente vi onde eu estava. Em algum lugar próximo à pista de tiro!

Fui arrastando os pés até o centro, evitei passar em frente ao quiosque de sorvete e me sentei em Pollen para tomar uma Coca-Cola e comer uns bolinhos. O simples cheiro de maresia já me deixou de bom humor.

Depois de passar um tempo vendo os barcos que chegavam e partiam e as gaivotas que voavam em círculos e os carros que seguiam ao longo da Langbrygga do outro lado, tudo sob um céu profundamente azul e imóvel, fui até o trabalho de Yngve no hotel. Ele estava atendendo uns hóspedes, então me sentei no sofá e fiquei olhando para ele, vendo como sorria e fazia gestos corteses enquanto dizia alguma coisa em inglês, vestido com o uniforme não exatamente impecável do hotel.

Quando os hóspedes foram embora ele se aproximou de mim.

— Onde foi que você se meteu?

— Passei a noite na casa da garota que trabalha no quiosque de sorvete — eu disse, e na mesma hora percebi que aquela era uma frase incrível de dizer.

— E como foi? Vocês estão namorando?

— Acho que não. Ela não estava mais em casa quando eu acordei. Mas tinha escrito um bilhete, com um "talvez" sublinhado. Talvez a gente se veja outra hora. O que você acha que isso quer dizer?

Yngve deu de ombros e de repente pareceu desinteressado.

— Aliás, a Kristin vai passar a noite comigo.

— E onde eu vou dormir?

— No banheiro.

— Você está falando sério?

— Claro. Você pode dormir no banheiro, não?

— Claro que posso. Eu estava pensando em vocês.

— Não, não tem problema. Eu já avisei para ela. E de qualquer jeito eu passei a noite passada na casa dela.

Deu certo, mas era meio estranho ficar deitado no colchão dentro do pequeno banheiro ouvindo Yngve e Kristin deitados, rindo e conversando aos sussurros do outro lado da porta.

Quando cheguei à rua de passeio na manhã seguinte eu estava tenso. Tomei o cuidado de chegar o mais cedo possível, antes dela, porque a mim isso parecia uma vantagem. Ela chegou, abriu um sorrisinho discreto e entrou no quiosque. Continuei sentado, vendi um monte de fitas e, quando enfim a procurei, foi para pedir um copo d'água.

Ganhei o copo d'água.

— Obrigado pela companhia ontem.

— Não tem de quê — ela disse.

— Pensei em sair hoje. Você não quer vir comigo?

Ela balançou a cabeça.

— E amanhã?

Ela balançou a cabeça uma vez mais.

— Você não é para mim — ela disse com um sorriso. — Mas talvez a gente possa se ver mesmo assim.

— Quando?

Ela deu de ombros e sorriu mais uma vez.

Voltei para o meu lugar, e assim os dias passaram. Ela cuidava das coisas dela no quiosque, eu cuidava das minhas, de vez em quando os nossos olhares se encontravam e então sorríamos.

Nada mais.

Comprei um pincel atômico e papelão na livraria, pendurei um cartaz na árvore ao lado da mesa. Fitas cassete orijinais, dizia o cartaz, e embaixo estava o preço e o nome dos artistas mais conhecidos. Não levou muito tempo até que um homem de uns quarenta anos parasse e dissesse que o certo não era "orijinal", mas "original". Eu sabia escrever bem, minha ortografia era perfeita, então eu disse não, você está errado, o certo é assim. "Orijinal" é com "j". Não cedi, o homem também não, e no fim ele foi embora balançando a cabeça.

Eu ganhava dinheiro como se desse em árvore. As pessoas estavam enlouquecidas atrás das minhas fitas, compravam quatro ou cinco de uma vez só, e quando chegava o fim da tarde e eu ia embora com Yngve, eu não economizava em nada. Bebia como nunca havia bebido antes. Se eu acabasse quebrado, bastava vender mais fitas no dia seguinte. Uma vez por semana Rune aparecia no carro vermelho para encher o meu estoque. E de vez em quando aparecia alguém que eu conhecia dos velhos tempos. Dag Lothar, por exemplo, que tinha arranjado um emprego de verão em um banco e não havia mudado em nada. Geir Prestbakmo, que estudava em uma escola técnica e dirigia um *moped* novinho em folha, também não havia mudado em nada. E também John, o durão da nossa classe, que segundo me disse não fazia nada da vida.

Um dia eu e Yngve saímos em direção ao litoral da ilha, rumo a uma praia onde o nosso pai costumava nos levar. Ele estacionou o carro na pista de tiro, passamos por arbustos densos e cheios de espinhos, fiquei aproveitando o cheiro imbatível de urze, agulhas de pinheiro e água salgada, e um pouco mais além estava o mar, aquela enorme cordilheira cinzenta que existia havia milhões de anos. O ar estava carregado de insetos. Eu fincava os pés com força a cada passo, aquele lugar era cheio de víboras, ou pelo menos costumava ser na minha infância.

Um dia o meu pai tinha encontrado uma a poucas centenas de metros de onde eu estava naquele instante, era primavera e a víbora estava tomando sol estendida em um buraco nas pedras. Eu devia ter uns dez anos. Meu pai ficou desesperado, começou a jogar pedras na víbora, elas davam a impressão de afundar naquele corpo quando acertavam o alvo, a cobra tentava escapar, mas as pedras não paravam de atingi-la, e no fim ela acabou imóvel sob a pilha que havia se formado. Mas quando resolvemos seguir pelo caminho aquela desgraçada começou a se arrastar de novo. Meu pai se aproximou e continuou a jogar pedras, pediu a minha ajuda, eu estava quase vomitando, a cobra quase não se mexia mais e o meu pai chegou bem perto e esmagou a cabeça dela com a grande pedra que tinha na mão.

Me virei. Yngve vinha logo atrás. Caminhamos pela longa fileira de escolhos e encontramos um lugar agradável próximo à margem. Eu desci e olhei para o grande buraco na rocha, que já não parecia tão grande, mergulhei na água murmurante, nadei até a pequena ilha comprida a cerca de cem metros de distância e voltei. Me deitei de costas para secar o corpo ao sol, comi biscoitos e tomei suco, fumei um cigarro e tomei café. Yngve sugeriu que mais tarde eu fosse com ele à casa de Kristin, porque assim não precisaria me levar de volta até a cidade. Não tem problema?, eu perguntei, claro que não, ele disse, a família dela é muito hospitaleira. E além do mais estão todos de férias, ela está sozinha em casa.

Poucas horas depois Yngve estacionou o carro em frente à casa da família de Kristin. Assistimos a um filme no videocassete e comemos pizza. Yngve tinha passado bastante tempo naquela casa durante os últimos seis meses, ele gostava dos pais de Kristin, dos irmãos dela, e todo mundo gostava dele. Até onde eu entendia, Yngve era como mais um filho na casa.

A irmã se chamava Cecilie e era um ano mais nova que eu, eu vi fotos dela e achei-a bonita. O irmão era bem mais novo e ainda frequentava a escola primária.

Passei a noite na cama de Cecilie. Combinamos de sair juntos na noite seguinte, Kristin levaria umas amigas, mas primeiro jantaríamos em um restaurante só nós três.

Bebi duas garrafas de vinho branco com a refeição, e quando fomos à discoteca bebi outras três garrafas de vinho branco.

E quem apareceu na minha frente, se não a garota do quiosque de sorvete?

Pegamos um táxi para Tromøya com Kristin e Yngve. Eu estava no banco da frente. Ficamos abraçados nos amassando enquanto esperávamos que o táxi chegasse, e já dentro do carro eu estendi a mão para trás. Ela a pegou e me fez carinho. Achei que as mãos dela eram muito ásperas.

— Ah, Karl Ove — disse Yngve no banco de trás.

Todos riram.

Puxei a mão de volta, furioso.

— Quanto você bebeu, afinal? — Yngve me perguntou.

— Cinco garrafas de vinho — eu disse.

— Cinco *garrafas*? — disse Yngve. — Você está brincando?

— Não — eu disse.

— Por isso que você está tão estranho. Eu já estaria deitado na calçada falando sozinho.

— Sei — eu disse.

O táxi parou, eu paguei, nós entramos.

A mesma coisa aconteceu de novo, com a diferença de que dessa vez ela ficou totalmente nua. Mas não, ela não queria. Ficou deitada com aquele corpo branco e exuberante e delicioso dizendo não, não.

Quando acordei na manhã seguinte ela tinha ido embora.

Ainda bêbado, subi a escada e entrei na cozinha, onde Yngve e Kristin estavam tomando o café da manhã.

— A sua amiga pegou o ônibus agora há pouco — disse Kristin. — Deixou um abraço para você e agradeceu pela companhia de ontem.

Para variar um pouco, o tempo estava encoberto. Decidi pular aquele dia, fiquei lendo no sofá até que Yngve pegasse o carro para trabalhar no turno da noite. No dia seguinte ela não estava lá. Do outro lado da janelinha estava uma garota de vinte anos. Perguntei onde Sigrid estava, a garota me disse que ela tinha pedido demissão e que o dia anterior tinha sido o último dia dela no serviço. E por acaso ela sabia me dizer onde a Sigrid estava? Não, não sabia.

Fui à casa de Kristin mais duas vezes, e na última tarde a família inteira tinha voltado das férias. Cumprimentei todo mundo, as pessoas eram realmente simpáticas como Yngve tinha dito, alugamos *Apocalipse Now* para assistir no videocassete, e enquanto Kristin se acomodava junto de Yngve, eu estava ao lado de Cecilie, às vezes trocávamos um olhar e sorríamos, nossa condição de irmãos caçulas era bem óbvia, era como se estivéssemos um degrau abaixo em relação aos nossos irmãos mais velhos, que não surpreenderiam ninguém se resolvessem casar.

Havia uma tensão no ar, eu a senti durante a noite inteira, mas que tensão seria aquela?

Nós estávamos um pouco encabulados um com o outro, seria esse o motivo?

Eu via que Cecilie tentava aproveitar as oportunidades de tomar a iniciativa, como se quisesse mostrar não apenas que estava no mesmo nível da irmã, mas também que era totalmente independente dela.

Gostei de ver. A vontade dela, que vinha em primeiro lugar e a inspirava a agir.

Cecilie dançava balé, e Kristin disse que a irmã era uma ótima bailarina; quando terminasse a escola ela faria a prova da Balletthøyskolen.

A maneira como ela se atirava no sofá. A maneira como o rosto de repente se abria e se revelava quando ela sorria.

Mas não dava mais. Eu não podia continuar pensando naquilo.

Mesmo assim continuei pensando.

Meu trabalho de verão duraria apenas mais uma semana e eu ia com Yngve quando ele pegava o carro para visitar Kristin, eu me sentia bem naquela casa, havia uma atmosfera muito agradável, era uma família de pessoas boas e isso se refletia em tudo.

Eu vi a forma como Yngve era recebido e o quanto estava feliz.

Pensei, cacete, você é um idiota mesmo, o seu irmão precisa dessas coisas só para ele.

Mas eu também pensava em Cecilie, porque quando ela estava com a gente eu sentia a presença dela com todo o meu ser.

E eu sabia que ela sentia a mesma coisa.

Primeiro os pais das garotas foram se deitar. Depois Yngve e Kristin foram se deitar.

Nós dois ficamos sozinhos na sala enorme, cada um de um lado da mesa. Ficamos conversando sobre amenidades, porque nada do que sentíamos, ou do que eu sentia e também acreditava que ela sentia, nada disso podia ser discutido ou mostrado.

— Eu estava junto quando o meu irmão e a sua irmã começaram a namorar — eu disse. — Em Vindilhytta. Você tinha que ver! Foi muito fofo.

— É, os dois são uns fofos — ela disse.

— É — eu disse.

Que tipo de situação era aquela em que eu de repente me encontrava? Em uma casa em Tromøya, sozinho com a irmã da namorada de Yngve?

Não havia nada de errado com a situação. Apenas com os meus sentimentos.

— Muito bem — ela disse com um bocejo. — Hora de ir para a cama.

— Eu vou ficar por aqui mais um pouco — eu disse.

— Nos vemos amanhã no café, então.

— Claro, boa noite.

— Boa noite.

E então ela desapareceu escada abaixo, com aquele jeito elegante e seguro de se mexer. Por sorte eu não demoraria a voltar para casa e deixar tudo aquilo para trás.

Na tarde seguinte, que era a última, eu fui até o trabalho de Yngve, ele estava no turno da noite e me deu uma pizza enorme que eu comi na mesa do lobby enquanto ele trabalhava e às vezes ia falar comigo. Yngve disse que Cecilie e Kristin tinham saído. Kristin logo apareceria no hotel. Mas ele não sabia o que Cecilie ia fazer. No fim ela também apareceu, eu voltei com os três, era nossa última noite juntos, em poucas horas eu estaria em casa mais uma vez. Mesmo assim, por mais que eu soubesse que era uma burrice, me aproximei de Cecilie, ficamos andando um do lado do outro, não tínhamos nada para dizer, simplesmente ficamos andando e ouvindo nossa respiração profunda e arquejante, e de repente nos abraçamos e começamos a nos beijar várias e várias vezes.

— O que estamos fazendo? — eu perguntei. — A gente pode fazer isso?

— Eu penso nisso desde o primeiro momento em que nos vimos — disse ela, segurando a minha cabeça entre as mãos.

— Eu também — disse.

Passamos um longo tempo abraçados.

— Foi por pouco — disse Cecilie.

— É — eu disse.

— Mas você não pode se arrepender — ela disse. — Ou melhor, pode. Mas me conte se você se arrepender. Promete?

— Eu não vou me arrepender — respondi. — Prometo. Você vai estar em casa no fim de semana que vem?

Ela acenou a cabeça.

— Posso fazer uma visita?

Ela fez que sim novamente, nos beijamos pela última vez e depois fui embora, me virei, ela acenou, eu acenei.

Yngve estava atrás na recepção lendo um papel quando entrei no hotel para buscar as chaves. Não contei nada sobre o que tinha acontecido. Será que a gente estava namorando?, pensei enquanto andava pelas encostas íngremes de Arendal na escuridão daquela noite no fim do verão. Se fosse assim, não seria meio estranho que eu e Yngve estivéssemos namorando duas irmãs? Não havia um elemento quase circense naquilo, venham todos ver os dois irmãos e as duas irmãs que formaram dois casais? Mas por que eu haveria de me preocupar com isso? O meu irmão morava em Bergen e eu em Kristiansand, e logo ele e Kristin estariam indo para a China.

Tudo aquilo tinha me pegado totalmente de surpresa.

E Cecilie também estava a caminho de casa, também estava surpresa.

Yngve me levou até o ônibus na manhã seguinte. Continuei sem dizer nada. Quando me acomodei no assento da janela e olhei para fora, ele já estava se afastando.

Fechei os olhos e senti que estava exausto. Quando o ônibus entrou no centro de Grimstad eu dormi e acordei somente quando já estávamos passando em frente ao Dyreparken. Desci no Timeneskrysset e peguei um outro ônibus para fazer o último trecho em direção a Boen. Por força do hábito, olhei para ver se Jan Vidar não estava na janela de casa quando o ônibus passou por Solsletta, mas ele não estava, e o carro também não estava no pátio.

Peguei um cigarro e olhei para a cachoeira, o último quilômetro até chegar em casa era cansativo, mas enfim consegui encontrar motivação e comecei a me arrastar com a bolsa nas costas.

Quando terminei de subir o último trecho, minha mãe estava em frente ao tonel que usávamos para queimar papéis. Uma chama fina, quase transparente dançava de um lado para o outro. Ela me olhou e desceu em minha direção.

— Olá! — ela disse com um sorriso. — Como você está?

— Bem — eu disse. — Você também?

Minha mãe acenou a cabeça.

— Muito bem — ela disse.

— Que bom — eu disse. — Mas agora acho que vou tomar um banho e trocar de roupa.

— Tudo bem — ela respondeu. — O jantar está pronto. É só esquentar. Você está com fome?

— Sim, muita fome.

No entardecer me sentei junto à escrivaninha e tentei ler, mas não conseguia encontrar paz, meus pensamentos corriam de um lado para o outro, e todos os lugares aonde chegavam me deixavam confuso, nenhum deles parecia ser como era antes. De vez em quando eu olhava para a rua, para o modo quase imperceptível como o pátio dava lugar à floresta atrás do pequeno canteiro de batatas, para a sensação de que a floresta estava próxima de nós, espreitando ou escutando que a escuridão sempre trazia, e que as rajadas de vento reforçavam quando as folhas farfalhavam de repente e os galhos balançavam. Uma semana atrás eu nunca a tinha visto, mal sabia quem era. E naquele momento eu e Cecilie estávamos namorando.

E quanto a Hanne?

E quanto à garota do quiosque, o que tinha acontecido entre nós dois?

Era como se eu estivesse diante de um quebra-cabeça em que cada peça vinha de um quebra-cabeça diferente. Nada se encaixava, nada fazia sentido.

Fui para a sala, onde a minha mãe estava.

— Tem certeza de que você ficou bem enquanto eu estava fora? — perguntei.

Ela largou o livro em cima da mesa.

— Claro — ela respondeu. — Fiquei muito bem.

— Você não se sentiu sozinha, então? — eu disse.

Minha mãe sorriu.

— Não. Eu estava trabalhando. Tive muito serviço a fazer. E é muito bom voltar para casa no fim do expediente.

Provavelmente despertado pela nossa conversa, o gato atravessou a sala com uma cara sonolenta. Pulou direto no meu colo e largou a cabeça em cima da minha perna.

— E você, como passou?

Dei de ombros.

— Estava bom — eu disse. — Gostei de ser vendedor. Eu vivia um dia de cada vez. Ganhava o dinheiro pela manhã e pela tarde e gastava tudo à noite.

— É mesmo? — disse a minha mãe. — E no que você gastou esse dinheiro?

— Ah, em várias coisas — eu disse. — A gente saiu umas quantas vezes para jantar fora, por exemplo. E isso custa dinheiro. Às vezes eu tomava umas cervejas com o Yngve. Mas também guardei um pouco. Eu trouxe um saco cheio de dinheiro para casa. Quase três mil coroas.

Eu não tinha contado o dinheiro, na verdade eu tinha esquecido que o dinheiro existia, então me levantei e fui até o corredor para guardar tudo em um lugar mais adequado que um saco plástico.

Mas o saco plástico não estava lá.

Eu o tinha deixado no chão, em frente à porta, não?

Claro. Em cima dos sapatos. Um saco plástico branco da Beisland. Cheio de cédulas amassadas.

Será que a minha mãe tinha pegado?

Voltei à sala.

— Aquele saco que estava no corredor... — eu disse. — Você pegou?

Minha mãe olhou para mim com o indicador marcando a página do livro.

— Um saco plástico que estava no corredor? — ela perguntou. — Eu joguei no lixo.

— No lixo? Você está louca? Tinha milhares de coroas naquele saco!

E o dinheiro não era nem meu, era do Rune! Na verdade eu devia um pouco mais de dinheiro para Rune, porque tinha usado um pouco da parte dele nos últimos dias.

— Tinha dinheiro naquele saco? — perguntou minha mãe. — E você o deixou jogado no chão? Como é que eu ia adivinhar?

— Onde você o jogou?

— No tonel. No tonel dos papéis.

— Você queimou o saco? Como pôde? Você queimou dinheiro?

Ergui as mãos e as balancei no ar. Depois fui correndo até o corredor, calcei um par de calçados às pressas e subi a encosta correndo.

Lá estava o saco.

Mas será que o dinheiro estava lá dentro?

Rasguei o saco e olhei para dentro.

Ah, graças a Deus! Tudo estava lá.

Levei o saco de volta para casa, despejei o dinheiro no chão do meu quarto, contei tudo, havia pouco mais de três mil e duzentas coroas, guardei tudo em uma gaveta e desci à sala.

— Achou? — perguntou minha mãe.

Acenei a cabeça. Coloquei um disco para tocar, passei um tempo examinando a estante de livros, peguei o exemplar de *Pan* de Knut Hamsun, me sentei no sofá e comecei a ler.

Ainda faltava uma semana para o reinício das aulas, e eu tinha pensado em usar o meu tempo para escrever umas resenhas, fui à cidade, passei na casa de Steinar Vindsland, que se alegrou com a minha visita, ele havia tentado entrar em contato mas não tinha conseguido.

— A questão é que estou parando. Consegui um novo emprego, na redação do *Fædrelandsvennen*. Você com certeza pode continuar trabalhando por aqui, mas não tenho como garantir nada, afinal eu era o responsável por você.

— Que pena — eu disse.

— Nah — ele disse. — De qualquer forma eu pensei em fazer uma oferta a você. Eu vou ser o responsável pela seção juvenil e pela seção musical. Você gostaria de escrever para o *Fædrelandsvennen*? Não resenhas, que são escritas pelo Sigbjørn Nedland, como você deve saber. Mas reportagens para o público jovem, e de repente resenhas de shows e entrevistas com bandas.

— Claro que eu gostaria — respondi.

— Que bom — ele disse. — Então até mais!

O *Nye Sørlandet* era um barco prestes a naufragar e todo mundo sabia disso, então aquela era uma boa notícia. O *Fædrelandsvennen* era um jornal que todo mundo lia. Se eu escrevesse para eles, todo mundo ia ler.

Fui até a Platebørsen e comprei cinco LPs para comemorar a ocasião, que para mim era vista como um progresso. Eu tinha pegado o dinheiro do saco, duzentas ou trezentas coroas não fariam a menor diferença, de um jeito ou de outro eu teria que repor o dinheiro de Rune.

Quando voltei para casa Yngve telefonou, ele queria saber o que tinha acontecido na última noite. Cecilie tinha agido de maneira estranha e misteriosa e tinha escrito uma carta para mim.

Contei o que tinha acontecido.

— Então você e a Cecilie estão namorando?

— Estamos. Sim.

— Não vai ser meio estranho?

— Vai. Mas você se importa?

— Não...? Claro que não...

— Que bom!

Mas eu não conseguia entender o que tinha acontecido. Dois dias mais tarde eu recebi a carta, Cecilie estava confusa, tinha escrito que para ela tudo havia sido como um sonho, e ela não tinha coragem de contar, mas quando se despediu de mim naquela tarde as lágrimas haviam escorrido pelo rosto dela. Na sexta-feira eu fui visitá-la, estávamos sozinhos e precisamos tocar no assunto. Conversamos sobre o que tinha acontecido. Ela disse que estava muito curiosa a meu respeito depois de tudo que Kristin havia contado, e também pelas fotos que tinha visto. Ela tinha achado que podia acontecer alguma coisa, e quando me viu sentiu vontade de que acontecesse, mas não havia como acontecer nada, éramos apenas os irmãos mais novos. Eu respondi que tinha pensado a mesma coisa. Ela disse que Yngve tinha nos olhado naquela tarde, primeiro ela, depois eu, depois ela mais uma vez. Estava no ar. É verdade, eu disse, e senti uma pontada no peito. Não nos conhecíamos, não sabíamos o que era aquilo, mas assim mesmo aconteceu outra vez, de repente nos abraçamos, nos beijamos e em seguida nos deitamos na cama...

Mas não transamos. Pensei que Cecilie era nova demais, que não nos conhecíamos e que eu precisava ter cuidado...

Não, não foi bem isso.

Na verdade eu gozei antes que qualquer coisa tivesse acontecido.

Senti tanta vergonha que fiquei parado, completamente imóvel para não me revelar.

E não foi apenas nessa vez, a mesma coisa aconteceu todas as vezes que nos vimos nas semanas seguintes.

Na minha primeira reunião com o pessoal do *Fædrelandsvennen* eu sugeri escrever um artigo sobre o fenômeno Sissel Kyrkjebø. Ela tinha sido elogiada por todos os jornais, tinha vendido uma quantidade incontável de discos, mas por quê, afinal de contas?, eu perguntei.

Boa ideia. Pode escrever esse artigo, disse Steinar.

"Por que Sissel vende" foi o nome que dei para o artigo. "Preste atenção a esse nome", eu escrevi. "Sissel Kyrkjebø..." E então comecei a ridicularizar as possíveis associações desse nome com a cristandade, a vida no campo e o nacionalismo, afinal, ela não estava vestida com um *bunad* tradicional na capa do disco? Sissel Kyrkjebø representava tudo o que me desagradava, aquilo era falso, manipulador, cheio de clichês, um cartão-postal do mundo, porra, quem aguentava o belo, ainda mais sob aquela forma?

Nos dias seguintes recebemos muitas correspondências para a seção de cartas do jornal. Um leitor tinha começado, "Karl Ove Knausgård. Preste atenção a esse nome", para então se banquetear com as possíveis associações ao ouro do *knaus* e à esterilidade do *gård*. O *Fædrelandsvennen* era um jornal popular que privilegiava os leitores, e a inovação, o vanguardismo e a provocação que eu representava não eram nada para eles, então logo foram publicados vários artigos elogiosos a respeito de Sissel Kyrkjebø.

Eu estava adorando tudo aquilo, finalmente o meu nome tinha saído do anonimato, não muito, mas também não pouco.

No fim de semana depois que o meu artigo foi publicado Yngve nos fez uma visita e como de costume fomos à casa dos nossos avós. Dessa vez Gunnar estava lá. Ele se levantou e me encarou quando entramos na cozinha.

— Ora, se não é o dono do mundo! — ele disse.

Abri um sorriso estúpido.

— Quem você pensa que é? — ele me perguntou. — Você tem noção de que está fazendo papel de idiota? Não, claro que não. Você pensa que é alguém.

— O que você está dizendo? — eu balbuciei, mesmo sabendo muito bem do que se tratava.

— O que faz você pensar que justo você está certo e todos os outros estão errados? Você, um colegial de dezessete anos! Você não sabe nada. E mesmo assim quer fazer o papel de juiz. Ah, quanta estupidez!

Eu não disse nada, simplesmente baixei o rosto. Yngve também olhou para baixo.

— A Sissel Kyrkjebø é uma artista popular e querida pela maioria das pessoas. Ela foi bem recebida pela crítica e todo mundo gosta dela. E aí você aparece e diz que todo mundo está errado! Você! Era o que faltava — ele disse, balançando a cabeça. — Era só o que faltava.

Eu nunca o tinha visto bravo nem irritado antes, e fiquei um tanto abalado.

— Bem, eu estava de saída — ele disse. — Yngve, foi bom ver você. Continua morando em Bergen?

— Por mais um tempo — Yngve respondeu. — Mas no outono eu vou para a China.

— Imagine só! — disse Gunnar. — Você, ganhando o mundo!

Depois ele foi embora e nos viramos em direção aos nossos avós, que estavam sentados junto à mesa da cozinha e fizeram de conta que nada tinha acontecido naquele breve interlúdio.

— Eu pelo menos concordo — disse Yngve quando estávamos no carro a caminho de casa. — Acho que tudo que você escreveu foi muito bem colocado.

— É, foi mesmo — eu disse rindo em seguida, porque a atmosfera em que nos encontrávamos parecia inebriante.

Eu e Cecilie passávamos horas falando no telefone. Ela treinava muito, tinha uma disciplina e uma força de vontade enormes e levava as coisas de maneira leve, estava aberta para a vida. Mas também havia nela um elemento fechado, ou então silencioso, que eu não sabia direito o que era, mas assim mesmo percebia. Nos fins de semana eu pegava carona na estrada para ir à casa dela, ou então ela ia para a nossa casa. Eu preferia ir para a casa dela, porque lá também me tratavam como um filho, embora não um filho tão essencial quanto Yngve, era esse o sentimento que eu tinha, éramos mais jovens e irmãos dos outros, e por esse motivo não nos levavam totalmente a sério, era essa a impressão que eu tinha, como se estivéssemos fazendo uma imitação, como se não fôssemos nós mesmos, nem qualquer outra coisa independente.

Quando estávamos sozinhos, claro que éramos. O outono crescia ao nosso redor, caminhávamos por aquela escuridão de mãos dadas ou então abraçados, Cecilie ao mesmo tempo graciosa e forte, aberta e fechada, cheia de gírias e profundamente ela mesma.

Uma noite fomos até a escola primária que eu havia frequentado, não ficava muito longe da casa das meninas. Eu tinha doze anos quando parei de frequentar aquela escola, e no momento do passeio tinha dezessete. Aqueles cinco anos pareciam uma eternidade, não havia quase nada que me ligasse ao menino que eu tinha sido, e quanto às coisas que eu tinha feito eu não me lembrava de praticamente nada.

Mas quando vi a escola na nossa frente, como que flutuando em meio à névoa e à escuridão, as lembranças explodiram dentro de mim. Larguei a mão de Cecilie, fui até o prédio e apertei a mão contra as tábuas escurecidas. A escola existia de verdade, não era apenas um lugar na minha imaginação.

Meus olhos ficaram úmidos por causa dos sentimentos, era como se todo o rico mundo da infância tivesse ressurgido por um instante.

E havia também a névoa. Eu adorava a névoa, adorava o que ela fazia com o mundo.

Me lembrei de como eu e Geir tínhamos corrido com Anne Lisbet e Solveig em meio à névoa, e essa lembrança veio com tanta força que chegou a doer. Aquilo me despedaçou. O cascalho molhado, as árvores que reluziam com a umidade, as luzes que brilhavam e brilhavam.

— É estranho pensar que você estudou nesta escola — disse Cecilie. — Não consigo ver nenhuma relação entre você e Sandnes.

— Nem eu — concordei, e então peguei a mão dela uma vez mais. Chegamos mais perto da escola, do anexo, que na minha lembrança ainda era novinho em folha.

Durante todo o trajeto eu estiquei o pescoço e deixei meu olhar correr por toda parte, absorver tudo aquilo.

— A gente deve ter estudado aqui na mesma época, não? — perguntei enquanto descíamos a encosta "íngreme" que levava ao campo de futebol.

— Deve — ela disse. — Quando você estava na sétima série, eu estava na quinta.

— E a Kristin estava no oitavo ano e o Yngve no primeiro ano do colegial — eu completei.

— E agora eu estou no segundo ano do colegial — disse Cecilie.

— É, o mundo é pequeno — eu disse.

Rimos juntos e atravessamos o campo de futebol vazio para seguir a estradinha de cascalho que atravessava a floresta e seguia em direção a Kongshavn. Poucas centenas de metros adiante a sensação de reconhecimento e retorno ao lar desapareceu, entramos na zona mais periférica da infância, onde eu tinha estado apenas umas poucas vezes, e a paisagem ganhou uma qualidade onírica, um detalhe que a um só tempo eu descobri e reconheci.

Tudo parecia muito estranho. Era estranho estar lá, e era estranho estar lá com Cecilie, a irmã da namorada de Yngve. Também foi estranho voltar para a casa da minha mãe e para a vida ao lado dela, tão diferente da vida que eu vivia na rua.

Eu tinha começado a trabalhar em uma nova rádio local, era uma rádio maior, todo o equipamento era novo, o lugar era incrível, me perguntaram se eu queria trabalhar para eles e eu respondi que queria. Eu continuava a jogar futebol, continuava a escrever para o jornal e saía cada vez mais. Quando não estava com Hilde, Eirik e Lars, eu estava bebendo com Espen e os amigos dele, ou então com o pessoal da estação de rádio se eu não estivesse com Jan Vidar. Seria difícil levar Cecilie para esse mundo. Para mim ela representava outra coisa. Quando eu me sentava no Kjelleren para beber, ela parecia infinitamente distante; quando eu me sentava ao lado dela, parecia infinitamente próxima.

Um dos problemas era que ela era muito dada, isso me conferia um vantagem que eu não queria ter. Ao mesmo tempo eu estava abaixo dela, sim, tão baixo quanto se podia chegar, era nesse lugar que eu estava durante aquelas semanas que se transformaram em meses, porque o que aos poucos se tornou claro para mim, a terrível verdade revelada pelo meu relacionamento com Cecilie, era que eu não podia ir para a cama com ninguém. Eu não conseguia. Um peito nu ou uma carícia na parte interna da coxa era o bastante, eu gozava muito antes que qualquer outra coisa pudesse começar.

Sempre!

Ah, e nessas horas eu ficava ao lado dela, sempre tão graciosa, e apertava a virilha contra o colchão para não revelar esse humilhante segredo.

Cecilie era nova, e eu tinha a esperança de que não entendesse nada. Claro que ela entendia, mas dificilmente poderia imaginar que aquela era uma condição permanente.

Uma tarde ela mencionou que a mãe havia perguntado se ela já tinha pensado em conseguir uma receita para comprar pílulas anticoncepcionais.

Ela me contou a história com um sorriso, mas havia certa expectativa na voz, e eu, que tentava reprimir tudo aquilo, ou me convencer de que na verdade nada estava acontecendo, comecei a procurar uma via de escape. Não por nada, não, eu também queria, mas havia outros problemas maiores, cada um de nós morava em uma cidade, por exemplo, e não haveria como passar *todos* os meus fins de semana com ela. Era nisso que eu pensava, ao mesmo tempo que pensava naquela entrega dela, era uma entrega profunda, ela faria tudo por mim, eu tinha certeza, como aliás podiam confirmar as cartas dela, repletas de desejo, mesmo que tivessem sido escritas poucas horas após nossa despedida.

Não, eu precisava sair daquela situação.

Cecilie foi me visitar no início de dezembro, era uma tarde de sábado e ela ficaria até o dia seguinte, quando os pais iriam buscá-la, eles queriam dar um alô para a minha mãe, porque afinal ela seria a futura sogra das duas filhas deles. Seria como uma confirmação do nosso relacionamento, e eu talvez não quisesse aquilo. Saímos para dar uma volta, a paisagem estava coberta de geada, os cristais de gelo no gramado um pouco abaixo da casa refletiam as luzes da iluminação pública, depois jantamos com a minha mãe e pegamos o ônibus até o Caledonien, ela estava usando um vestido vermelho, dançamos ao som de Chris de Burgh, "The Lady in Red", e eu pensei, não, eu não posso terminar com ela, não quero.

Voltamos para casa com o ônibus noturno, percorremos a última parte do trajeto de mãos dadas, estava frio e Cecilie se aconchegou no meu corpo. Entramos na casa, tiramos os nossos casacos e as roupas mais grossas e pensei: chegou a hora. Subimos a escada, Cecilie na frente, e ela abriu a porta do meu quarto.

— Aonde você está indo? — perguntei.

Ela se virou e olhou surpresa para mim.

— Me deitar, não?

— Você vai dormir ali — eu disse, apontando para o quarto de Yngve, que ficava ao lado do meu.

— Por quê? — ela perguntou, me olhando com aqueles olhos grandes.

— Porque *terminou* — eu disse. — Estou terminando o namoro com você. Me desculpe, mas não dá mais.

— O que você está dizendo?

— O nosso namoro terminou — eu disse. — Você tem que dormir ali.

Ela fez como eu havia dito, sempre com movimentos vagarosos. Tirei a roupa e me deitei. Cecilie chorava no quarto ao lado, eu ouvia bem porque a parede era fina. Enfiei os dedos nos ouvidos e dormi.

O dia seguinte foi completamente impossível.

Cecilie estava chorando, minha mãe queria saber o que tinha acontecido, eu percebi, mas ela não perguntou nada, e nenhum de nós dois queria dizer. Um tempo depois os pais dela chegaram de carro. Minha mãe tinha preparado um grande brunch, e naquele momento as duas famílias sentariam juntas à mesa para dividir um momento agradável. Mas Cecilie ficou quieta, dava para ver que havia chorado. Os nossos pais começaram a conversar, de vez em quando eu fazia um comentário. Claro que todos entenderam que havia alguma coisa errada, mas não sabiam o que era, talvez achassem simplesmente que tínhamos brigado.

Mas jamais tínhamos brigado. Tínhamos dado risada, brincado, conversado, trocado beijos, dado passeios juntos, bebido vinho juntos, nos deitado juntos sem roupa.

Ela não chorou enquanto os pais estavam lá, ficou sentada e comeu com movimentos cautelosos, e pressenti que os pais dela tinham um cuidado enorme, era como se estivessem realmente envolvidos com aquilo que faziam e aquilo que eram.

Por fim eles foram embora.

Graças a Deus estavam indo para Arendal. O lugar era longe, e a ponte que Yngve havia construído entre as duas famílias estava ainda mais longe.

Entre o Natal e o Ano-Novo meu pai telefonou. Estava bêbado, conforme eu percebi pela voz pouco clara. Ele não a controlava totalmente, eu tinha a impressão de que havia mais alguma coisa flutuando nela, sem que no entanto a voz parecesse mais complexa.

— Olá — eu disse. — Feliz Natal. Vocês já estão nas Ilhas Canárias?

— Já — ele disse. — Vamos passar mais uns dias por aqui. É muito bom sair da escuridão, sabe?

— Sei — eu disse.

— Nós vamos ter um filho — disse o meu pai. — A Unni está grávida.

— É mesmo? — eu perguntei. — Para quando é o bebê?

— Logo depois que o verão acabar.

— Que boa notícia — eu disse.

— É — ele disse. — Logo você vai ter mais um irmão.

— Vai ser meio estranho — eu disse.

— Não vai ter nada de estranho — ele disse.

— Não foi isso que eu quis dizer — eu disse. — É só que a diferença de idade vai ser bem grande entre nós. E também não vamos morar juntos.

— Não, não vão mesmo. Mas vocês vão ser irmãos de qualquer maneira. Não há como duas pessoas serem mais próximas.

— É — eu disse.

Na cozinha, minha mãe estava pondo a mesa. A cafeteira fazia pequenos estalos e pequenas nuvens de vapor saíam dela. Esfreguei a mão no braço depressa algumas vezes.

— Está bom por aí, então? — perguntei. — Dá para tomar banho?

— Claro — ele disse. — Passamos o dia inteiro à beira da piscina. Achamos muito bom fugir da escuridão do norte.

Fez-se uma pausa.

— A sua mãe está aí? — perguntou meu pai.

— Está — eu disse. — Você quer falar com ela?

— Não, sobre o que eu ia falar com ela?

— Sei lá — eu disse.

— Então não faça perguntas idiotas.

— Está bem.

— Vocês passaram o Natal em Sørbøvåg?

— Passamos. Acabamos de voltar. Chegamos meia hora atrás, na verdade.

— E os seus avós continuam vivos?

— Continuam.

— E a sua avó estava doente?

— Estava.

— Você sabe que a doença que ela tem é hereditária? Mal de Parkinson?

— É mesmo? — eu perguntei.

— É. Você também corre risco. Também pode ter a doença. E nesse caso você já sabe de onde veio.

— Cada coisa a seu tempo — eu respondi. — Mas agora a comida está pronta por aqui. Tenho que desligar. Mande um alô e um abraço para a Unni!

— Ligue depois que voltarmos, Karl Ove. Você não liga praticamente nunca.

— Ligo sim. Até mais.

— Até mais.

Desliguei e entrei na cozinha. O gato havia se deitado no assento da cadeira que estava debaixo da mesa, eu vi a cauda felpuda saindo pelo lado. Minha mãe abriu a porta do forno e largou uns pães congelados em cima da grelha.

— Não tínhamos muita comida em casa — ela disse. — Mas encontrei uns pães no freezer. Quantos você quer?

Dei de ombros.

— Quatro, acho.

Ela colocou mais um no forno e fechou a porta.

— Quem foi que ligou?

— O pai.

Puxei a cadeira ao lado do gato e me sentei.

— Ele está no sul, não? — minha mãe perguntou enquanto ia até a geladeira.

— Está — eu disse.

Ela pegou queijo amarelo e queijo marrom, buscou uma tábua de corte no balcão da cozinha, colocou-a na mesa e largou os queijos em cima.

— E o que ele contou? Eles estão bem?

— Ele não disse nada de especial. Só queria conversar. Acho que estava meio bêbado.

Minha mãe largou a plaina de queijo em cima do queijo amarelo. Tirou o bule da cafeteira, encheu a caneca que estava no outro lado da mesa.

— Você também quer? — ela perguntou.

— Quero — eu disse, levantando minha caneca. — Mas o pai disse uma coisa meio estranha. Ele disse que o mal de Parkinson é uma doença hereditária. E que eu corro perigo.

— É mesmo? — perguntou minha mãe, encontrando o meu olhar.

— É, foi exatamente o que ele disse.

Cortei as bordas do queijo marrom, coloquei as fatias no meu prato, mudei de ideia, me levantei e joguei-as no lixo que ficava embaixo do balcão da pia.

— Não se sabe muito a respeito dessa doença — disse a minha mãe.

— Relaxe — eu disse. — Você acha que estou preocupado?

Ela sentou-se. Abri a geladeira e peguei o suco que estava na porta, olhei para a data de validade. 31 de dezembro. Sacudi a caixa. Ainda tinha um restinho.

— O seu pai realmente disse isso? — minha mãe perguntou.

— Disse — eu respondi. — Mas não fique pensando nesse assunto. Como eu disse, ele estava bêbado.

— Eu já contei sobre o dia em que o seu pai conheceu os seus avós maternos? — ela perguntou.

Balancei a cabeça. Abri a geladeira e peguei um copo.

— Eles causaram uma impressão muito profunda no seu pai, os dois. Mas especialmente a sua vó. Ele disse que ela parecia uma pessoa da nobreza.

— Da nobreza? — eu disse enquanto tornava a me sentar e me servia de suco.

— É. Ele viu alguma coisa de muito especial nela. Disse que era grandeza. E, como você sabe, a casa deles era muito humilde e muito diferente dos lugares a que o seu pai estava acostumado. Não chegávamos a ser pobres, sempre tivemos o que comer e o que vestir, mas praticamente nada além disso. Pelo menos quando comparado à casa onde o seu pai cresceu. Não sei o que ele esperava encontrar. Mas ele ficou bastante surpreso. Talvez porque os meus pais o tenham recebido de uma forma à qual não estava acostumado. Eles o levaram a sério. Era assim que tratavam as pessoas. Pode não ter sido nada além disso.

— Que idade ele tinha na época?

Minha mãe sorriu.

— Dezenove anos, nós dois.

— Você quer um pouco de suco? — eu perguntei. — Ainda tem um restinho.

— Não, pode beber tudo — ela disse.

Esvaziei a caixa e a joguei no tanque. Foi um lançamento perfeito. O ruído súbito fez com que o gato se agitasse.

— Ele falou sobre os olhos dela — disse a minha mãe. — Eu me lembro disso. Disse que eram olhos fortes e ao mesmo tempo bondosos.

— É verdade — eu disse.

— O seu pai sempre foi bom em olhar para as outras pessoas — ela disse.

— Difícil acreditar nisso hoje, da maneira como ele anda — eu disse enquanto tomava um gole de suco.

Meus olhos se fecharam um pouco em função do gosto azedo.

— É em parte por isso que estou contando essa história — ela disse. — Para que você entenda que ele é mais do que tem demonstrado.

— Eu sei — respondi.

Um pouco de vapor saiu da rachadura bem no alto da porta do forno, e também da válvula do fogão. Quanto tempo os pães tinham passado lá dentro? Seis minutos? Sete?

— O seu pai era uma pessoa muito rica. Ele tinha muita coisa a oferecer. Pelo menos bem mais do que os outros homens com quem eu convivia na época em que o conheci. O problema foi que ele nunca encontrou outra pessoa assim quando era mais jovem. Você entende?

— Claro que entendo.

— Pois é.

— Mas se ele era tão rico como você diz, por que nos tratava daquele jeito quando éramos mais novos? Eu tinha pavor dele. O tempo inteiro.

— Não sei — ela disse. — Talvez estivesse confuso. Talvez a vida dele estivesse sendo conduzida por fatores externos que não correspondiam ao que ele sentia por dentro. O seu pai cresceu num ambiente cheio de exigências, cheio de regras e ordens, e quando me encontrou eu trouxe mais exigências que não eram necessariamente do feitio dele. Aliás, provavelmente não tinham nada a ver com o feitio dele.

— É, ele falou qualquer coisa a respeito — eu disse.

— É mesmo?

— É.

— Então vocês falam sobre essas coisas?

Eu abri um sorriso.

— Eu não diria bem isso. Ele simplesmente começa a se queixar de repente. Mas acho que os nossos pães já estão prontos!

Me levantei, dei a volta na mesa, abri a porta do forno, tirei os pães quentes um depois do outro o mais rápido que eu podia e larguei-os na cesta de pães, levei tudo para a mesa.

— Então o seu diagnóstico é um excesso de regras externas e um grande caos interior? — perguntei.

Minha mãe sorriu.

— Dá para dizer que sim — ela disse.

Cortei um dos pães com a faca e passei para ela. A manteiga derretia assim que entrava em contato com a superfície branco-acinzentada da massa, que por causa do calor ainda estava um pouco mole em certos pontos. Cortei duas fatias de queijo marrom e as coloquei no pão. O queijo também derreteu.

— Por que você simplesmente não o deixou? — perguntei.

— O seu pai?

Com a boca cheia, acenei a cabeça.

— Eu também me fiz essa mesma pergunta muitas vezes — ela disse. — Não sei.

Passamos um tempo comendo sem dizer mais nada. Era estranho pensar que naquela manhã ainda estávamos em Sørbøvåg. Parecia fazer muito tempo. Tudo havia se passado em um outro mundo.

— Eu não tenho uma resposta boa para dar — minha mãe disse por fim. — Foram muitas coisas ao mesmo tempo. Um divórcio seria uma derrota. Além do mais, tínhamos passado toda a nossa vida adulta juntos. Claro que isso cria muitos laços. E a verdade é que eu também gostava dele.

— Não consigo entender direito — eu disse. — Mas acredito no que você está dizendo.

— Você pode fazer muitas críticas ao seu pai — ela disse. — Mas ele não era uma companhia aborrecida.

— É — eu disse, e então me levantei e peguei o pacote de tabaco, que estava no bolso da minha jaqueta, no corredor.

— E o Kjartan? — perguntei ao voltar. — Ele também vive com um caos interno considerável, não?

— Você acha? — minha mãe perguntou.

— Você não acha? — eu perguntei de volta enquanto abria o pacote, pegava o papel de seda e o enchia de tabaco ao mesmo tempo que dava pequenas batidinhas para que o cigarro não ficasse compacto demais.

— Pode ser — ela disse. — O certo é que ele está em busca de alguma coisa. Acho que tem passado a vida inteira nessa busca. E quando encontra o que estava procurando ele se mantém fiel à descoberta.

— Você está pensando no comunismo?

— Por exemplo.

— Mas e você? — eu perguntei, enrolando o papel de seda de um lado para o outro ao redor do tabaco. — Você também está em busca de alguma coisa?

Minha mãe riu.

— Não, eu não! Eu tento apenas sobreviver. É o que sei fazer.

Lambi a cola na borda do papel, fechei o rolo e acendi o cigarro.

Na tarde seguinte eu saí, primeiro fui com uma turma à casa de um colega do colegial para beber, depois roubamos umas cervejas do porão e fomos expulsos, saímos correndo em direção à cidade, tudo estava coberto de neve, o chão fazia ruídos e estalos sob os nossos pés e o frio estava ao nosso redor, andávamos de cabeça baixa para atravessá-lo melhor, mas aquilo não acabava nunca. No posto Shell da Elvegaten cercamos um homenzinho que tinha falado com uma das garotas e começamos a rir dele, cantamos *Her kommer tøffetøffetøffetøff* e depois *Her kommer dummedummedummedum*. Dei um chute no rabo dele quando ele se virou, e todo mundo riu. Quando pagamos e saímos, o homem estava nos esperando com mais um amigo. O amigo era bem maior do que ele. Quem poderia ter imaginado? *É ele*, disse o homenzinho, apontando para mim quando eu estava ao lado das bombas de combustível. O amigo grande parou um pouco à minha frente, sem dizer nada, me encarando fundo nos olhos. Passou-se um segundo, talvez dois, e então ele deu uma cabeçada no meu rosto. Desabei no chão. Sangue quente escorria do meu nariz pelo chão de cimento. O que foi que aconteceu?, pensei. Ele me deu uma cabeçada? Não doeu.

Às minhas costas, ouvi a voz de Hauk. Eu só tenho dezesseis anos!, ele gritava. Eu só tenho dezesseis anos! Eu só tenho dezesseis anos! Me levantei. Eles estavam correndo. Hauk e dois outros na frente, e o amigo grande atrás. Ele tinha uma faca na mão. Me levantei e fui até as garotas, que não tinham recebido nenhuma ameaça. Marianne entrou correndo na loja de conveniências e saiu com um pedaço de papel higiênico, que usei para limpar o sangue. Pouco depois Hauk e os outros voltaram pelo outro lado, e como ainda estavam com medo também entraram e pediram ao atendente que chamasse a polícia. Aquilo estragou nossa noite, o pessoal começou a se dispersar e de repente não havia ninguém além de mim disposto a continuar, e no fim tive que pegar um táxi de volta para casa, fiquei sentado no banco de trás olhando para a rua enquanto sentia o nariz e a cabeça pulsando e latejando.

Assim que abri a porta eu tive certeza de que Yngve estava em casa. Várias malas no chão, a jaqueta dele pendurada no cabide, as botas pesadas. Resolvi fazer uma surpresa para ele. A alegria que essa ideia me trouxe fez meu peito eferverscer, e quando abri a porta, acendi a luz e gritei "tcharam!" e ele subiu na cama, totalmente desorientado, comecei a rir. Perdi totalmente o controle, eu não conseguia fazer nada além de rir e rir, e Yngve olhou para mim, o que está acontecendo?, ele perguntou, o que houve com o seu nariz?, e eu ria tanto que não conseguia responder, e no fim ele disse, Karl Ove, acho que o melhor é você se deitar, conversamos amanhã.

— Você chegou da China? — perguntei, ainda rindo, e então fechei a porta ao sair e entrei no meu quarto, onde tirei a roupa ainda tentando conter as risadas e me deitei. Era como se a minha cabeça fosse uma caixa repleta de coisas que balançavam de um lado para o outro toda vez que eu me mexia. De repente notei que essas coisas passaram a balançar mesmo quando a minha cabeça estava totalmente imóvel, mas em seguida adormeci.

Fui acordado pela dor no meu rosto. Me lembrei do que tinha acontecido e me levantei, ainda um pouco assustado.

Mas então lembrei que Yngve estava em casa.

Que bom!

Senti um cheiro leve de fumaça; tinham acendido a lareira. Eu ouvia as vozes de Yngve e da minha mãe no andar de baixo, deviam estar na cozinha tomando o café da manhã.

Vesti uma camiseta e um par de calças, desci a escada.

Os dois olharam para mim. Yngve sorriu.

— Vou lavar o rosto — eu disse, e então fui até o banheiro.

Epa, epa, epa.

Meu nariz estava um pouco torto na cartilagem de baixo. Além disso, também estava inchado e minhas narinas estavam cheias de sangue ressequido. Me lavei com todo o cuidado e voltei à cozinha.

— O que você fez ontem à noite, afinal de contas? — perguntou Yngve.

— Eu levei uma cabeçada — respondi enquanto eu me sentava e colocava um pão em cima do prato. — Totalmente de graça. Um sujeito no posto de gasolina apareceu e deu uma cabeçada no meu rosto. Depois correu atrás dos outros com uma faca. Violência gratuita.

Minha mãe suspirou, mas não disse nada, e no instante seguinte Yngve continuou a falar sobre a China, e imaginei que já estivesse falando sobre esse assunto por um bom tempo. Ele não cabia em si. Falava sem parar, e comecei a imaginar as enormes multidões se reunindo em volta de Kristin quando eles chegaram, olhando para os cabelos loiros dela, a aventura que devia ter sido percorrer a ferrovia transiberiana, ver a paisagem natural do Tibete e as cores exóticas do lugar. Grandes córregos amarelos e rochedos cobertos de árvores, grandes cidades pitorescas e hotéis baratos, a Muralha da China, os *ferries* e os trens, por toda parte uma multidão de pessoas, cachorros, galinhas, tudo muito distante da paisagem nevada, vazia e gelada do outro lado da nossa janela.

Dois dias mais tarde, na véspera do Ano-Novo, Yngve foi ao Vindilhytta, enquanto eu fui ao Bassen, com sapatos de verniz novos e um smoking que eu tinha pegado emprestado. Hanne estava lá. Bebi vodca e suco e quis dançar com ela, dançamos juntos, bebemos mais, eu disse que devíamos começar um namoro, mesmo que fizesse bastante tempo desde a última vez que tínhamos nos visto, aquilo saiu quase como uma obsessão, ela simplesmente riu, eu me ofendi, fui dançar com outras garotas, cada vez mais bêbado, e à meia-noite, quando todos estavam reunidos na rua, inclusive os moradores das casas nos arredores, a coisa degringolou, as pessoas começaram a acender foguetes e segurá-los até o último segundo, quando então voavam em meio a todos os que estavam lá, as pessoas gritavam e berravam, os foguetes explodiam e estalavam, e eu olhei para Hanne, que tremia de frio, ela estava tão linda, tão linda, por que eu não podia ser o namorado dela e abraçá-la?, pensei, e nesse instante um foguete parou bem aos pés dela.

As pessoas começaram a gritar e a correr.

Mas aquela era a minha chance, então dei um salto à frente e chutei o foguete para longe, e assim que o chutei ele explodiu. Foi uma sensação estranha, minha perna ficou quente, e quando olhei para baixo a minha calça estava em frangalhos. O sangue escorria pelas minhas pernas. Havia até um grande buraco no meu sapato! Me neguei a ir para o pronto-socorro, mas alguém limpou meu sangue com um pedaço de pano e fez um curativo com bandagem, gritei que eu era o tenente Glahn, que eu tinha atirado no meu pé para que Hanne pudesse entender como eu a amava, fiquei mancando por lá com a calça em pandarecos e os curativos úmidos de sangue, eu sou o tenente Glahn, eu gritava, e tenho uma lembrança confusa de ter sentado em uma cadeira que estava no canto e chorado, mas não tenho muita certeza. O fato é que cheguei de volta em casa às cinco da manhã, me lembro vagamente de ter pedido ao taxista que parasse junto à caixa postal, como eu sempre fazia, para que o ronco do motor não acordasse a minha mãe, e de ter socado a calça e os sapatos no fundo do guarda-roupa antes de dormir. No dia seguinte tirei o curativo, joguei-o num saco plástico e enfiei tudo no fundo da lixeira, lavei a ferida, que era bastante profunda, fiz um curativo novo e fui à cozinha tomar um café da manhã reforçado.

Não vivemos nossa vida sozinhos, mas isso não quer dizer que vejamos as pessoas com quem vivemos. Quando meu pai se mudou para o norte da Noruega e deixou de ser para mim uma presença física, com um corpo e uma voz, um temperamento e um olhar, de certo modo ele sumiu da minha vida, no sentido de que foi reduzido a uma espécie de desconforto com o qual eu por vezes me defrontava, por exemplo quando ele me ligava ou alguma coisa me fazia pensar nele, uma espécie de campo em mim que podia ser ativado, e nesse campo estavam todos os sentimentos que eu tinha em relação a ele, mas não ele próprio.

Tempos depois eu li nos cadernos de anotações dele a respeito do Natal em que ele havia ligado das Ilhas Canárias e das semanas que se seguiram. Nesses cadernos o meu pai aparece como ele próprio, no meio da própria vida, e talvez por isso essa leitura seja tão dolorosa para mim, porque ele não apenas é muito mais do que os sentimentos que eu tinha em relação a ele, mas infinitamente mais, uma pessoa viva e completa no meio da vida.

Foi Yngve quem descobriu os cadernos de anotações. Semanas após o enterro ele alugou um carro espaçoso, voltou a Kristiansand e pegou as coisas do nosso pai que haviam ficado na garagem, depois viajou até a cidadezinha em Østlandet onde o nosso pai tinha passado os últimos anos da vida e juntou as poucas coisas que haviam ficado por lá e levou tudo para Stavanger, onde guardou as caixas no sótão à espera de um dia em que eu aparecesse e juntos pudéssemos resolver o que fazer com aquilo.

Quando me ligou naquela tarde, no outono de 1998, Yngve disse que por um instante teve a certeza de que o nosso pai ainda estava vivo e de que estava dirigindo logo atrás dele na estrada.

— Eu estava com o carro cheio de coisas dele — Yngve me contou. — Você consegue imaginar a fúria dele se tivesse descoberto? Sei que parece totalmente absurdo, mas eu tive *certeza* de que ele estava dirigindo o carro atrás de mim.

— Comigo acontece a mesma coisa — eu disse. — Toda vez que o telefone toca ou alguém aperta a campainha, tenho a impressão de que é ele.

— Enfim — disse Yngve. — Eu encontrei uns diários dele. Ou melhor, na verdade são cadernos de anotações. Ele escrevia um pouquinho a cada dia. Os cadernos são de 1986, 1987, 1988. Você tem que ler.

— Ele escreveu diários? — perguntei.

— Não exatamente. São apenas uma coleção de anotações soltas.

— Mas que tipo de anotações?

— Você mesmo tem que ler.

Quando fui visitá-lo dias mais tarde, jogamos fora quase tudo que o nosso pai havia deixado. Fiquei com as botas de borracha dele, que continuo usando dez anos mais tarde, um binóculo, que está em cima da minha mesa enquanto escrevo, e um aparelho de jantar, além de uns livros. E também com os cadernos de anotações.

Quarta-feira 7 de janeiro
Me levantei cedo, às 5h30. Pjall.
Banho meio frio.
Ônibus às 6h30 de Porto Rico. Tomei mais uns goles.
No aeroporto também. Comprei um walkman. Partida do avião às 9h30.
Pequeno atraso — Kristiansand 16h40. Voo para Oslo às 17h05. Complicado.
A mesma coisa em Alta. Encontrei o Haraldsen lá. Escala em Lakselv (−31).
Para casa de táxi. Casa fria. Me aqueci com as bebidas que eu havia trazido. Dia cansativo.

Quinta-feira 8 de janeiro
Tentei me levantar e ir para o trabalho. Mas tive que ligar para o Haraldsen e jogar a toalha. Abstinência terrível — passei o dia inteiro na cama...

Tentei ler a Newsweek. *Também consegui acompanhar uns programas na TV. Trabalho amanhã?*

Sexta-feira 9 de janeiro
Me levantei às 7h00. Dor enquanto tomava o café da manhã.
Fui trabalhar. Mal aguentei as três primeiras horas. Tive uma diarreia forte durante o recreio e precisei abandonar o Q.G. Fui para casa me recuperar — com rum e Coca-Cola. Incrível como ajuda. Tarde e noite tranquilas. Dormi antes do Dagsrevyen.

Sábado 10 de janeiro
Dormi até tarde. Quebrei uma garrafa de xerez na cozinha. Passei a tarde na companhia de uma Smirnoff azul!

Domingo 11 de janeiro
Quando acordei senti que o dia seria mais uma vez doloroso. E eu tinha razão!

Segunda-feira 12 de janeiro
Dormi mal na noite de domingo para segunda. Fiquei me revirando na cama, ouvindo "vozes". Fui trabalhar. Comecei com uma aula de inglês. É difícil quando estou fora de forma. E ainda mais estressante com as aulas ao entardecer!

Terça-feira 13 de janeiro
Mais uma noite em claro. Parece que o corpo não aceita ficar sem álcool. Fui trabalhar.

Terça-feira 20 de janeiro
Mais uma noite maldormida. É sempre assim quando não tomo "comprimidos para dormir". Depois de uma hora e meia estou sempre cansado demais

para fazer um bom trabalho. Jantei lutefisk — *meu prato favorito. Em seguida dormi — o cochilo foi longo — acordei às 22h. Trabalhei até as 3h. Esses trabalhos noturnos estão cada vez mais frequentes!*

E assim as anotações continuam. Ele bebe todos os fins de semana, mas com uma frequência cada vez maior também durante os dias de semana, e depois tenta parar, passar dias ou semanas a seco, mas não funciona, ele perde o sono, perde a tranquilidade, começa a ouvir vozes, sente-se tão exausto que é quase um alívio quando enfim vai ao Vinmonopolet ou a uma loja de cervejas, volta para casa com uma sacola de bebidas e todo aquele conflito interno se aplaca.

Na quarta-feira 4 de março constam apenas os nomes *Yngve, Karl Ove e Kristin* no almanaque. Tínhamos aproveitado nossas férias de inverno para fazer uma visita. Nosso pai tinha pagado a viagem para nós três. Unni também havia convidado Fredrik, o filho dela, que já estava lá quando chegamos. Voei de Kristiansand a Bergen com Kristin, eu estava meio nervoso, claro, por conta do que tinha acontecido comigo e com Cecilie, mas Kristin nem tocou no assunto e agiu como sempre agia quando estava comigo. Em Bergen Yngve se juntou a nós, e então voamos até Tromsø, onde pegamos um pequeno avião a hélice com o qual faríamos a última parte do trajeto.

O cenário ao nosso redor era primitivo e desolado, mal se viam casas ou estradas, e quando chegamos ao aeroporto nem se cogitou a ideia de uma aproximação gradual, não, o avião praticamente mergulhou, como uma ave de rapina que tivesse avistado a presa, eu pensei, e no mesmo instante em que o trem de pouso tocou no chão o piloto freou bruscamente e fomos jogados contra a poltrona da frente.

Já fora do avião e a caminho do minúsculo terminal de passageiros, as pessoas andavam como uma fileira de gansos. O dia estava frio e nebuloso e o panorama era branco com áreas pretas nos pontos onde a inclinação era forte demais para que a neve pudesse se acumular.

Meu pai estava no saguão à nossa espera. A maneira como se comportava parecia formal e tensa. Perguntou como tinha sido a viagem, mas não se preocupou em ouvir a resposta. As mãos dele tremiam quando pôs a chave na ignição e soltou o freio de mão. Ele atravessou em silêncio todo aquele cenário nebuloso, desolado e imponente que levava à cidade. Fiquei olhando para a mão que ficava na alavanca de mudança, quando ele a levantava ela começava a tremer.

A casa onde ele parou o carro não ficava longe do centro, era uma casa que dava para o mar construída em um loteamento dos anos 1970, a dizer pelo estilo das casas. Eles alugavam todo o andar de cima e tinham uma grande varanda em frente à sala. As janelas pareciam ser de vidro martelado, aquilo devia ser efeito da espuma do mar, pensei, mesmo que o mar estivesse a centenas de metros. Unni foi até a porta nos receber, sorriu e abraçou todo mundo. Um garoto que devia ser Fredrik e que estava sentado na sala assistindo a TV se levantou quando chegamos e nos cumprimentou.

Ele sorriu, nós sorrimos.

Ele era alto, tinha cabelos escuros, uma presença marcante. Quando tornou a se sentar eu fui até o corredor pegar minha mochila e tive um vislumbre do meu pai quando passei em frente à porta que dava para a cozinha. Ele estava em frente à geladeira, bebendo cerveja de gute-gute.

Unni nos mostrou os nossos quartos e eu larguei as minhas coisas no meu. Quando voltei, a primeira garrafa já estava em cima da mesa, enquanto o meu pai virava a segunda. Ele soltou um leve arroto e largou a garrafa ao lado da primeira, limpou a espuma da barba e se virou na minha direção.

Toda a tensão havia desaparecido.

— Você está com fome, Karl Ove? — ele me perguntou.

— Claro — eu disse. — Mas não precisa se apressar. Podemos comer quando for melhor para vocês.

— Hoje eu comprei bifes e vinho tinto, podemos jantar isso. Ou então camarões. Aqui no norte os camarões são grandes e muito saborosos.

— Qualquer um dos dois está bom — eu disse.

Meu pai tirou mais uma garrafa de cerveja da geladeira.

— É bom tomar umas cervejas nas férias — ele disse.

— É — concordei.

— Você pode tomar uma mais tarde, com a refeição — ele disse.

— Legal — eu disse.

Yngve e Kristin tinham sentado no sofá. Os dois olhavam em volta como as pessoas costumam fazer em um lugar estranho, tentando absorver discretamente os arredores, e ao mesmo tempo mantinham a atenção o tempo inteiro fixa um no outro, não necessariamente com o olhar, mas daquela maneira total como dois namorados se comportam quando estão juntos em tudo. Kristin era um prodígio de alegria e naturalidade, o que fez bem para Yngve, ele parecia totalmente aberto a tudo e tinha aquela aura quase infantil que ganhava apenas quando estava perto dela.

Fredrik continuou sentado na cadeira do outro lado da mesa e respondia de maneira reservada às perguntas que Yngve e Kristin faziam. Ele era um ano mais novo que eu, morava em Østlandet com o pai, jogava futebol, tinha um interesse acima do normal por pesca e gostava de U2 e The Cure.

Me sentei na cadeira ao lado dele. Acima do sofá estava pendurado o quadro de Sigvaldsen que tinha ficado com o meu pai depois do divórcio, e nas duas paredes mais longas estavam outros quadros que tínhamos na nossa casa. O conjunto de sofás no outro canto era o mesmo que o meu pai tinha no escritório dele, e um dos tapetes no chão da sala também. Os outros móveis eu reconheci do apartamento de Unni.

Meu pai sentou-se no sofá. Enlaçou Unni com um dos braços. Na outra mão, tinha uma garrafa de cerveja. Pensei que eu estava feliz por Yngve e Kristin estarem lá.

Meu pai fez perguntas a Yngve, que deu respostas curtas, mas amistosas. Em seguida Kristin tentou assumir o controle da situação, fazendo perguntas a respeito da cidade e da escola onde o meu pai e Unni trabalhavam. Foi Unni quem as respondeu.

Passado um tempo o meu pai se virou para Fredrik. O tom de voz era leve e bem-humorado. Fredrik tentava evitá-lo com todo o corpo, parecia evidente que não gostava do meu pai, o que eu entendia muito bem. Era preciso ser um idiota para não perceber a nota de falsidade naquela voz, como se estivesse se dirigindo a uma criança, ou então para não perceber que estava fazendo aquilo por causa de Unni.

Fredrik deu uma resposta meio atravessada, meu pai olhou para o nada por uns instantes e Unni fez um comentário gentil para repreender o filho, que se retorceu no assento.

Meu pai continuou bebendo em silêncio por mais um tempo. Depois se levantou, ajeitou a calça e foi para a cozinha, onde começou a preparar o jantar. Ficamos na sala conversando com Unni. Quando o jantar foi servido às oito horas, meu pai estava bêbado, queria agradar todo mundo, porém as tentativas eram muito desastradas para ser qualquer outra coisa além de estúpidas. Fredrik sofreu bastante com aquilo. Todos os outros estavam acostumados com o meu pai, mas Fredrik tinha perdido a mãe para aquele imbecil.

    Meu pai ficou sentado com uma expressão idiota e contrariada no rosto. De repente se levantou e foi ao quarto. Unni foi atrás, ouvimos as vozes deles, os dois voltaram como se nada tivesse acontecido, falaram sobre as férias que haviam tirado e o processo que estavam movendo contra a agência de viagens. Meu pai tinha sofrido uma queda no quarto durante as férias e precisaram levá-lo de ambulância para o hospital. Disseram que ele tinha insuficiência cardíaca. A questão é que ele tinha processado a agência de turismo, porque tinham sido vários episódios, brigas com agentes, brigas com outros turistas no hotel, e os dois acreditavam que todos estavam contra eles, que haviam tentado intimidá-los, e que essa tinha sido a causa da insuficiência cardíaca do meu pai. Ele havia passado dois dias no hospital. Algumas das fotografias que nos mostrou eram bem desagradáveis: havia uma série que mostrava um casal numa sacada e as fotos chegavam cada vez mais perto, até que o casal se levantava, brandia os punhos e avançava em direção à câmera. O que estavam fazendo? Eles estavam muito azedos, disse o meu pai. Que bando de estraga-prazeres! Estão quase na mesma categoria que o Gunnar. O que tem o Gunnar?, perguntou Yngve. O Gunnar?, repetiu o meu pai. Vou contar para você. O Gunnar passou um verão inteiro bisbilhotando ao redor do meu apartamento na Elvegaten. Ele queria tomar conta de mim, sabe, para garantir que eu não ficaria em casa bebendo. É uma pessoa magnífica, o meu irmão! E você acredita que ele também me disse que eu talvez devesse moderar um pouco? Por acaso é responsabilidade dele tomar conta do próprio irmão? Eu já era um homem feito e ele ainda não passava de um pirralho. Será que não se pode tomar uma cerveja no pátio da própria casa? O Gunnar realmente passou dos limites. E você nem imagina as coisas que ele faz para agradar os seus avós! Tudo para ficar com a cabana deles. Foi o que ele sempre quis. E no fim vai conseguir. Ele também espalhou veneno por lá.

    Eu não disse nada. Encontrei os olhos de Yngve.

    Como era possível se rebaixar àquele ponto? Os dois eram irmãos, Gunnar era o irmão caçula do meu pai e não apenas sabia conduzir bem a própria vida, mas os filhos também eram muito próximos dele, cheios de confiança, era o que eu percebia toda vez que os encontrava, não havia sequer um resquício de medo naqueles olhos, pelo contrário, eles gostavam do pai. Se tinha dito ao meu pai que ele estava bebendo demais, foi porque era a pessoa certa para fazer isso, pois quem mais diria uma coisa dessas? Eu? Ha ha, não me faça rir! E quanto à cabana? Gunnar era o único dos irmãos que sempre a usava, porque adorava a vida ao ar livre, ao contrário do meu pai. Se meu pai pusesse as mãos na cabana, com certeza ia vendê-la.

Olhei para ele, ele tinha o olhar ausente e aquele sorrisinho idiota nos lábios que sempre aparecia quando estava bêbado.

— Talvez seja melhor a gente deixar os slides para amanhã — disse Yngve. — Já está tarde.

— Que slides? — perguntou o meu pai.

— Da China — respondeu Yngve.

— Ah, é verdade, claro — disse o meu pai.

Unni se espreguiçou.

— É — ela disse. — Agora eu *tenho* que ir para a cama.

— Eu também — disse o meu pai. — Mas antes vou conversar um pouco com os meus filhos, que fizeram uma longa viagem para ver o pai.

Unni remexeu os cabelos dele e foi para o quarto. Assim que fechou a porta, Fredrik se levantou.

— Boa noite — ele disse.

— Você já está indo também? — perguntou meu pai. — Espero que não esteja grávido!

Ele riu, e eu olhei para Fredrik e ergui as sobrancelhas para dar a entender que ele não estava sozinho no julgamento que fazia a respeito do meu pai.

— Eu também estou cansada — disse Kristin. — Ou foi a viagem, ou então foi a maresia. Mas de um jeito ou de outro, boa noite para vocês!

Quando ela saiu, nós três ficamos sentados sem dizer nada. Nosso pai olhou para o vazio, terminou de beber a cerveja e se levantou para buscar outra. Eu não estava bêbado, mas conhecia aquilo.

— Aqui estamos nós, então — disse o nosso pai.

— É — eu disse.

— Como nos velhos tempos. Vocês se lembram? Da época de Tybakken? Yngve e Karl Ove. Tomando café da manhã na cozinha.

— Por que a gente teria esquecido? — perguntou Yngve.

— Claro que vocês não esqueceram — disse o nosso pai. — Mas não foi um período fácil para mim. Eu não gostaria que vocês se esquecessem disso.

— Muita gente tem períodos difíceis — disse Yngve. — Mas nem todo mundo deixa isso afetar os filhos.

— É verdade — disse o nosso pai.

E então começou a chorar.

— Estou tão feliz de ter vocês aqui! — ele disse.

— Não precisa ficar tão sentimental — disse Yngve. — Será que não podemos conversar de um modo mais amigável?

— Agora a Unni traz uma vida nova na barriga. Vai ser mais um irmão ou uma irmã para vocês. Pensem nisso.

Ele sorriu em meio às lágrimas, enxugou o rosto, esvaziou a garrafa, enrolou um cigarro.

Encontrei o olhar de Yngve. Não havia como aquilo dar certo, aquelas palavras eram todas vazias.

— Vou me deitar — disse Yngve.

Nosso pai não disse nada quando ele saiu. Eu não queria deixá-lo sozinho e fiquei mais um pouco, mas como ele não fez menção de ir embora nem de continuar falando, simplesmente continuou sentado, eu também me levantei e fui para a cama.

Depois do café da manhã no dia seguinte, eu, Yngve, Kristin e Fredrik fomos à cidade passear pelas ruas escuras, nevadas e açoitadas pelo vento. Enquanto Yngve e Kristin olhavam uma loja de roupas, eu e Fredrik ficamos conversando em um café. Trocamos ideias sobre algumas bandas, estabelecemos assim uma espécie de plataforma comum e depois começamos a falar sobre o que se poderia fazer naquela cidade abandonada à própria sorte. Não podíamos ficar sentados em casa sem fazer nada. Fredrik disse que havia uma piscina não muito longe, será que não podíamos dar uma passada lá um pouco mais tarde? Unni disse que era uma boa ideia quando voltamos para casa. É, é mesmo, disse o meu pai da sala. Faz anos que não vou nadar em uma piscina. Você vai junto?, perguntou Unni. Vou, você não percebeu?, ele disse. Notei que Fredrik não gostou daquilo, mas achei que podia dar certo, ainda faltava um bom tempo para que saíssemos. Unni nos levou de carro, porque apesar de tudo o meu pai havia tomado duas cervejas. Entramos no vestiário com as nossas coisas e nos sentamos no banco.

Meu pai começou a tirar a roupa.

Me virei para o lado oposto. Eu nunca o tinha visto tirar a roupa antes, nunca tinha estado no mesmo recinto enquanto ele fazia uma coisa tão íntima. Ele dobrou a calça, fez uma bola com as meias e largou em cima, desabotoou a camisa ainda sentado.

Senti meu rosto corar porque eu não sabia para onde olhar nem onde me enfiar, porque naquele instante ele estava tirando a cueca, e em poucos instantes estava totalmente nu.

Eu nunca o tinha visto nu, e estremeci por dentro quando permiti que meu olhar roçasse o corpo do meu pai.

Ele olhou para mim e sorriu de leve.

Era como se tudo mais houvesse desaparecido, houve somente aquele sorriso para mim antes que ele se virasse e vestisse o calção de banho.

Também vesti o meu e saímos juntos rumo à piscina.

Quando voltamos para casa, Unni estava nos esperando com o jantar pronto, era uma panelada de fondue, meu pai bebeu uma garrafa de vinho tinto sozinho, e depois Yngve e Kristin nos mostraram os slides da viagem à China. Unni tinha pegado um projetor emprestado da escola. Os dois falavam e explicavam, meu pai olhava para tudo aquilo desinteressado, notei que Yngve começou a se irritar e pensei que ele não devia se preocupar com aquilo, mas simplesmente desistir do nosso pai.

Fredrik deu uma resposta irônica ao meu pai, ele se irritou e repreendeu-o, o que deixou Unni furiosa, ela disparou para o quarto, meu pai se levantou para ir atrás e os dois começaram a gritar um com o outro lá dentro enquanto nós três continuávamos sentados na sala, fazendo de conta que nada tinha acontecido. Ouvimos uma batida contra a parede, uma voz se transformou em um grito e de repente tudo ficou em silêncio. Meu pai reapareceu sem dizer nada, bebeu mais um pouco e então olhou para nós e sorriu aquele sorriso idiota dele, olhou para Fredrik e disse que os dois podiam sair e pescar juntos no dia seguinte se ele quisesse. Já que os filhos dele não gostavam muito de pescar.

* * *

Dentre todos os dias sobre os quais meu pai escreveu nos almanaques, esse é o único que me traz uma lembrança exata, provavelmente porque foi quando eu o vi nu pela primeira e única vez durante toda a vida dele.

No almanaque está escrito:

Sexta-feira 6 de março
Fui nadar com K. O. e Fredrik na piscina.
Foi estranho nadar outra vez. Em casa, fondue e slides da China. Depois conversa. Bebida demais. Escândalo. Unni triste — quebrou o relógio.
Muito triste.

Na última noite fiquei sozinho na sala depois que os outros tinham se deitado. Fumei, preparei chá, li um pouco de um livro que eu tinha encontrado, peguei o álbum de fotos do meu pai e de Unni, eu queria ver aquelas fotos perturbadoras uma vez mais, e na parte de trás do álbum encontrei papéis que revelavam que a agência de viagens tinha pedido esclarecimentos ao hospital onde o meu pai tinha sido internado, e segundo o hospital o colapso sofrido estava associado ao uso excessivo de medicamentos e de álcool.

Li esse papel com uma sensação gelada por todo o meu corpo.

Medicamentos?

Que tipo de medicamentos?

Havia mais documentos, comecei a folheá-los, uns diziam respeito a um processo no qual ele tinha se envolvido durante aquela primavera. Tudo havia começado com um episódio envolvendo um vigilante da Securitas na rodoviária de Kristiansand, e quando li essa história lembrei que o meu pai tinha feito comentários a respeito, dito que o vigilante havia tentado intimidá-lo, mas eu não imaginava que ele realmente tinha entrado com um processo na justiça. De um jeito ou de outro, ele perdeu feio e foi condenado a pagar as custas judiciais.

O que o meu pai estaria fazendo?

Guardei o álbum de fotos de volta no lugar, escovei os dentes e fui para o quartinho onde eu estava acomodado, tirei minha roupa, me deitei, apaguei a luz e repousei a cabeça no travesseiro.

Mas não consegui pegar no sono. Depois de um tempo me levantei, sentei na ponta do sofá perto da mesinha do telefone, tirei o aparelho do gancho e disquei o número de Hanne.

Eu fazia aquilo de vez em quando, ligava para ela à noite. Se o pai dela atendesse eu teria que desligar, mas isso não acontecia nunca, ela tinha uma extensão em frente ao quarto e sempre atendia primeiro. Dessa vez também foi assim.

Conversamos por uma hora. Falei um pouco sobre tudo o que tinha acontecido, eu disse que ganharia mais um irmão ou uma irmã no fim do verão e que estava tentando imaginar como seria. Falei sobre o meu pai, sobre Yngve e sobre Kristin. Hanne me ouvia e ria quando eu falava coisas engraçadas, e assim o peso que eu sentia aos poucos foi desaparecendo e começamos a falar sobre outros assuntos, sobre as provas que nos aguardavam, sobre as aulas que eu andava matando, sobre o coral dela, sobre o que a gente faria quando terminasse a escola.

De repente a porta se abriu e o meu pai entrou depressa.

— Tenho que desligar — eu disse, e então desliguei.

— O que você está fazendo, garoto? — ele perguntou. — Você sabe que horas são?

— Me desculpe — eu disse. — Eu estava tentando falar baixo.

— E quem deixou você usar o telefone? Por quanto tempo você falou?

— Uma hora.

— Uma hora! Você tem ideia de quanto isso vai custar? Eu paguei a sua viagem de avião até aqui! É assim que você me agradece? Trate de se deitar agora mesmo.

Baixei a cabeça para que ele não visse as minhas lágrimas, me levantei e voltei ao meu quarto com o rosto virado para longe. Meu coração batia forte, o medo tinha se espalhado por todo o meu corpo, notei que eu estava tremendo quando levantei um dos pés para tirar a calça.

Esperei até ter certeza de que o meu pai tinha voltado a dormir e me esgueirei mais uma vez para fora do quarto, encontrei uma caneta, um papel e um envelope e escrevi um bilhete irônico no qual eu me desculpava pelo uso do precioso telefone dele, mas também devolvia o dinheiro gasto com a ligação. Coloquei uma nota de cem coroas no envelope, fechei-o, escrevi o nome do meu pai na parte de fora e o deixei na estante de livros, onde ele provavelmente o encontraria depois que eu tivesse voltado para casa.

Em casa eu raramente pensava no meu pai, a não ser quando ele telefonava ou se fazia presente de outra forma. Mas assim mesmo não deixava de ser problemático. Eu vivia cada vez mais uma vida dupla. Eu gostava de estar à noite em casa com a minha mãe, quando bebíamos chá e conversávamos, ou então ouvíamos música, depois assistíamos a TV ou nos ocupávamos com as nossas coisas, mas também gostava de passar a noite bebendo na rua. Eu não tinha carta de motorista e os horários dos ônibus eram muito espaçados, mas a minha mãe sempre dizia que podia me buscar, que não era problema nenhum para ela, bastava telefonar, mesmo que fosse de madrugada. Eu telefonava, ela atendia o telefone e uma hora depois eu estava sentado no carro. Ela não tinha nada contra eu beber um pouco, mas não gostava muito de bebedeiras, para dizer o mínimo, então eu precisava ter cautela. Passei a resolver esse problema dormindo na casa dos outros, ou então dizendo que ela não precisava me buscar porque havia outras pessoas com carteira de motorista, e às vezes havia mesmo e eu conseguia uma carona de volta, às vezes eu pegava um táxi, às vezes pegava o ônibus noturno. Ela não me esperava acordada, simplesmente confiava em mim, e a dizer pela maneira como eu me comportava em casa ela tinha bons motivos para confiar. Eu era verdadeiro quando estava com ela. E eu era verdadeiro quando estava com Hilde. E eu era verdadeiro quando enchia a cara com Espen ou um dos outros garotos na Katedralskole. Eu era verdadeiro, mas essas verdades eram distintas.

E havia certas coisas que eu escondia da minha mãe. Como por exemplo o meu hábito de matar aula. Comecei a matar aula com uma frequência cada vez maior, a ponto de passar mais tempo fora da escola do que dentro. Um dia ela me descobriu, eu não tinha ido para a escola, tinha ficado em casa vagabundeando, e então ela voltou do trabalho mais cedo do que o normal e tivemos uma briga. Ela disse que eu tinha que ir para a escola, que aquilo era importante, que eu tinha que me concentrar nas coisas importantes. Disse que a minha criação tinha sido rígida, muito rígida, e que ela estava tentando me dar um pouco de liberdade, mas que eu não estava sabendo aproveitá-la.

Tudo estava sujeito a normas, e essas normas tinham que vir de mim. Eu disse que a escola não era a coisa mais importante na vida, ela disse que tudo bem, mas que naquele momento eu tinha que frequentar a escola, que era a hora de fazer aquilo, e de fazer até o fim. Será que eu podia prometer que me comportaria assim? Prometi. Não cumpri a promessa, mas passei a esconder minhas desobediências com mais cuidado. Nosso conselheiro de classe era mais do que compreensivo, ele tinha entendido que eu estava passando por um momento difícil, uma vez durante uma excursão ele sentou-se ao meu lado e disse, Karl Ove, eu sei que você está passando por um momento difícil, pode contar comigo se eu puder ajudar de alguma forma ou se você quiser falar comigo a respeito de qualquer coisa. Eu sorri e agradeci o apoio, e poucos segundos depois senti a proximidade das lágrimas, aquele cuidado tinha vindo de maneira súbita, mas no instante seguinte o sentimento passou. Mas não era por estar passando por um momento difícil que eu matava aulas, pelo contrário, era porque eu gostava muito de passear, encontrar as pessoas em um café, passar na estação de rádio, comprar discos ou simplesmente ficar em casa lendo na cama. Fazia tempo que eu havia decidido que não levaria os estudos adiante, tudo que a gente aprendia era idiota, no fundo a única coisa que valia a pena era viver, e viver como desse vontade, ou seja, aproveitando a vida. Uns aproveitavam a vida da melhor forma possível trabalhando, outros aproveitavam a vida da melhor forma possível não trabalhando. Tudo bem, eu entendia que era preciso ter dinheiro, o que significava que eu também precisaria trabalhar, mas não em tempo integral, e não em um trabalho que consumisse todas as minhas forças e devorasse a minha alma e me fizesse acabar como um desses imbecis de meia-idade que ficam vigiando a cerca e olhando para o pátio do vizinho para ver se ele tem símbolos de status tão bonitos quanto os deles próprios.

Não era o que eu queria para mim.

Mas o dinheiro era um problema.

Minha mãe tinha arranjado um segundo emprego para conseguir pagar nossas contas. Além do trabalho como professora na escola de enfermagem ela começou a fazer plantões adicionais no Hospital Psiquiátrico Eg nos fins de semana e durante as férias. Tudo em função da casa. Ela tinha comprado a parte do meu pai e tinha um grande empréstimo a pagar. Eu não percebia nada disso, afinal eu tinha o dinheiro que eu ganhava no jornal e a pensão do meu pai, e se eu gastasse tudo ainda era possível conseguir um pouco mais com a minha mãe, de maneira que não havia problemas. Às vezes ela criticava as minhas prioridades, quando por exemplo eu comprava três discos novos em uma tarde de sexta-feira enquanto meus sapatos estavam com a sola descolando. Mas um sapato é uma coisa material, eu explicava, é apenas uma coisa, enquanto a música é totalmente diferente. A música tem alma, porra! E na verdade, e estou falando sério, na verdade é disso que a gente precisa, e é importante priorizar esse aspecto. Mas as pessoas em geral priorizam as coisas! Todo mundo quer uma jaqueta nova e sapatos novos e carros novos e casas novas e trailers novos e cabanas novas e barcos novos. Eu não. Eu compro livros e discos porque com eles eu aprendo como o mundo funciona, aprendo o que é ser uma pessoa. Você entende?

— Entendo, entendo, e acho que você tem razão, de certa maneira. Mas não é meio desconfortável andar por aí com a sola do sapato caindo? Além do mais, não fica muito bonito.

— O que você quer que eu faça? Eu não tenho dinheiro. Dessa vez, priorizei a música.

— Sobrou um pouco do meu dinheiro esse mês. Posso dar para você comprar um par de sapatos novos. Mas você tem que me prometer que não vai usar o dinheiro em mais nada.

— Eu prometo. Obrigado.

Então saí da sala dela na escola de enfermagem e fui à cidade comprar um par de tênis e um LP.

Na Páscoa o nosso time de futebol participaria de um acampamento de treino na Suíça, eu queria muito ir junto, mas a viagem era bastante cara e minha mãe disse que não, infelizmente, eu gostaria que não fosse assim, mas a verdade é essa, não temos dinheiro suficiente.

Na semana antes da viagem ela largou o dinheiro em cima da mesa, na minha frente.

— Espero que não seja tarde demais — ela disse.

Liguei para o organizador e ele disse que não tinha problema, eu podia ir junto.

— Fico tão feliz! — disse a minha mãe.

Dias antes da viagem eu terminei de escrever um artigo sobre Prince, a respeito do qual eu havia pensado por um bom tempo, o último disco dele, *Sign o' The Times*, era absolutamente incrível, e eu queria que todo mundo soubesse disso.

E então viajamos. Atravessamos a Dinamarca e a Alemanha de ônibus, o clima estava bom, tínhamos cerveja duty-free para beber no caminho e, quando chegamos ao hotel, eu, Bjørn, Jøgge e Ekse descemos enquanto o ônibus seguia viagem até a fronteira com a Itália, onde aconteceria um jogo da série A que fazia parte do programa. Mas nós preferimos ficar bebendo num bar. Quando os outros voltaram às dez horas nosso humor estava incrível, mas eles estavam cansados da viagem e queriam ir cedo para a cama. Eu dividi a acomodação com Bjørn, nosso quarto ficava no quinto andar e era mais luxuoso do que qualquer outro quarto onde eu tivesse estado, a decoração era composta por móveis pequenos e elegantes, espelho e tapete. Deitamos nas nossas camas de solteiro, cada um com uma cerveja na mão. Ainda não eram nem onze horas. E se a gente saísse para dar uma volta na cidade? O horário de silêncio começava às dez e havíamos combinado que todos estariam na cama às onze, mas não havia fiscais ou coisa parecida. Esperamos mais um pouco, afinal não queríamos arriscar um encontro inesperado nos corredores, depois saímos, atacamos um táxi, pedimos que nos deixasse no centro, nos reclinamos no assento e andamos por aquelas ruas desconhecidas enquanto a luz dos postes de iluminação pública deslizava lentamente por cima de nós. O taxista parou junto a uma praça, nós pagamos, saímos do carro e nos pusemos a caminhar. Logo topamos com uma grande construção, dava para ouvir música lá dentro, havia seguranças na porta e resolvemos entrar. Lá dentro havia bares, discotecas, um cassino enorme e um palco onde mulheres lindas faziam striptease e outras mulheres com pouca roupa e igualmente lindas andavam no meio do público.

Eu e Bjørn nos olhamos. Que lugar incrível seria aquele?

Demos uma volta bebendo, paramos um pouco em frente ao palco para assistir a um striptease e descobrimos para nossa grande surpresa que as garotas com pouca roupa que andavam entre as mesas eram as mesmas que dançavam no palco, porque assim que um dos números terminou a garota que estávamos observando desceu do palco e passou por nós. Entramos na discoteca, demos uma volta por diversos bares, entramos na sala das roletas, onde os homens vestiam ternos e todas as mulheres usavam vestidos de festa, descobrimos uma enorme porta dupla no fundo e vimos um outro salão onde grupos de pessoas conversavam enquanto garçons com roupas formais carregavam bandejas com taças de vinho e petiscos de um lado para o outro. Não conversamos com mais ninguém, bebemos um bocado, fomos embora às três e meia da madrugada e corremos como loucos no primeiro treino seis horas mais tarde. Dormimos cerca de duas horas antes da sessão seguinte, jantamos, bebemos umas cervejas no bar e depois saímos mais uma vez em busca de um táxi que nos levasse àquele lugar palaciano, onde ficamos como que flutuando em um sonho até a manhã seguinte. O passeio aos Alpes para esquiar também se revestiu de uma atmosfera onírica, porque o céu estava totalmente azul e o sol reluzia; para onde quer que olhássemos, víamos montanhas nevadas se erguendo a prumo e minutos depois, já no teleférico e com os esquis balançando na ponta dos pés, tudo ficou de repente em silêncio. Foi como se tivéssemos entrado em uma outra situação. A única coisa que se ouvia eram os ruídos do teleférico ao lado, porque todo o restante estava no mais absoluto silêncio. Fui invadido por um sentimento de júbilo, porque aquele silêncio era imenso como a imensidão do mar, e ao mesmo tempo havia naquilo tudo um elemento doloroso que se encontra em toda felicidade. O silêncio naquelas alturas e a sensação de estar repleto de tanta beleza fizeram com que eu me percebesse, ou me tornasse eu mesmo, não em relação à minha psicologia ou à minha moral, isso não tinha nada a ver com as minhas qualidades, mas era o fato de estar lá, de ser o corpo que se movimentava lá no alto, eu estava lá naquele instante, vivendo aquilo, e mais tarde eu iria morrer.

Dormi no ônibus de volta para o hotel, acordei com dor de cabeça, tomei umas cervejas no bar, jantei e tomei mais umas cervejas, porque naquela noite sairíamos todos juntos, fomos a uma discoteca na mesma região do hotel e ficamos lá até a uma da madrugada. Eu bebi e dancei e troquei palavras gentis com todas as pessoas que vi. No caminho de volta eu e Bjørn subimos num telhado. E não era um telhado qualquer, era um telhado suíço, vimos torre se erguendo atrás de torre, subimos e escalamos e suamos e por fim chegamos ao topo, a uns trinta metros do estacionamento onde uma pequena multidão havia se reunido. Nos levantamos com o corpo tremendo e gritamos para a noite, depois tornamos a nos encolher e começamos a descida. Quando faltavam apenas uns poucos metros para chegarmos ao chão, dois homens com lanternas vieram correndo ao nosso encontro. Os fachos luminosos cortavam a penumbra. *Polizei*, eles disseram, e então pararam logo abaixo de nós. Um deles mostrou um distintivo e o iluminou com o facho da lanterna. É o Stephan Derrick, eu disse, segurando o riso. Descemos com um salto. O organizador da nossa viagem apareceu, ele falava um pouco de alemão e explicou a situação para os dois policiais, que, mesmo tendo nos encarado com um olhar cético, em seguida nos liberaram. Na encosta que seguia até o hotel um dos jogadores do time sênior estava ao nosso lado. Ele disse que nos achava muito ousados, muito durões por sairmos e bebermos toda noite e por escalarmos os telhados daquele jeito, disse que realmente nos respeitava e que tinha vontade de fazer coisas como aquelas, mas não tinha coragem, não era tão durão quanto nós, e por isso, ele disse, eu admiro vocês.

Foi essa a palavra que ele usou. Admiro.

Não acredito, eu disse para Bjørn assim que o jogador voltou à turma que estava mais atrás. É, disse Bjørn. Nada mau. Saber que ele nos admira. Bjørn me encarou. Porra, eu disse, quando os policiais chegaram e mostraram os distintivos... *Polizei! Polizei!* Nós dois começamos a rir. Mas de repente me dei conta de que aquele jogador tinha notado que saíamos para beber à noite. Será que todos sabiam? Bem, na verdade não importava, o pior que podia acontecer era que nos impedissem de participar dos jogos, e estávamos falando de um time da quinta divisão, prestes a terminar os estudos, então nada disso tinha muita importância.

Quando voltamos, todo mundo se reuniu no nosso quarto. Alguns jogadores do time sênior tinham levado as namoradas para a viagem, eram duas, e eu vi quando Bjørn começou a falar com uma delas, Amanda, a namorada de Jøran. Ela devia ter uns vinte e cinco anos. Será que ele estava realmente dando em cima dela? No hotel?

Sim, era isso mesmo. Quando as pessoas começaram a ir embora, Bjørn também saiu e eu fiquei sozinho mais uma vez, dormi sem nem ao menos tirar as roupas e acordei uma hora mais tarde com Bjørn me sacudindo.

— A Amanda está vindo aqui para o quarto — ele disse. — Você pode sair daqui? Por meia hora?

Me levantei, ainda um pouco grogue.

— Claro, claro — eu disse, abrindo a janela.

— Você vai sair por aí? Estamos no quinto andar, lembra?

— Não — eu disse. — Tudo bem.

Abaixo da janela, ao longo de toda a fachada do hotel, havia uma borda de alvenaria que tinha quase a mesma largura que os meus pés. Dois metros acima havia outra, idêntica. Me apoiei na borda de baixo, me segurei na borda de cima e fui deslocando os pés com passos curtos, bem curtos. Bjørn enfiou a cabeça para fora da janela e ficou me olhando.

— Não faça isso — ele disse. — Volte.

— Agora você tem um tempo para ficar com a Amanda. Volto em meia hora.

Bjørn ficou me olhando por uns instantes. Em seguida fechou a janela. Eu olhei para baixo. Em frente à entrada havia grandes chafarizes, ao redor havia uma praça e no fim de uma delas havia carros estacionados. Um grande muro de concreto separava a área do hotel da estrada logo além. Não havia ninguém à vista, o que não era nem um pouco estranho, já que deviam ser no mínimo três horas da madrugada.

Devagar, me desloquei até a janela do quarto ao lado do nosso. As cortinas estavam fechadas, não dava para ver nada. Me desloquei de volta à nossa janela, parei, aproximei a cabeça do vidro e olhei para dentro. Os dois estavam dando uns amassos na cama de Bjørn com as pernas entrelaçadas, as mãos de Bjørn deslizavam para cima e para baixo sob o vestido de Amanda. Endireitei as costas, dei uns passos para o lado e olhei para baixo mais uma vez. Estava vazio. Há quanto tempo eu devia estar naquele lugar? Dez minutos? Tirei uma das mãos da borda superior, peguei minha carteira de cigarros e o meu isqueiro e consegui tirar um cigarro, levá-lo à boca e acendê-lo sem perder o equilíbrio em nenhum instante. Quando o cigarro acabou e ficou caído como um pequeno olho brilhante no asfalto lá embaixo, me desloquei de lado em direção à janela e bati no vidro. Bjørn levou um susto. Amanda se levantou. Bjørn foi até a janela, Amanda saiu do quarto, Bjørn se virou e fez menção de correr atrás dela, ou pelo menos foi o que me pareceu, mas no fim tomou juízo e abriu a janela para mim.

— Cinco minutos! — ele disse. — Você não podia ter me dado mais cinco minutos?

— Eu não tinha como saber — respondi. — De qualquer jeito, pelo que vi imagino que não ia dar em nada.

— Você ficou olhando?

— Claro que não — eu disse. — Foi só uma brincadeira. Mas agora eu preciso dormir. E acho que você devia fazer a mesma coisa. Você tem pela frente um dia bem difícil com o Jøran.

Bjørn fez pouco caso do meu comentário.

— Ele é ingênuo demais para achar que ela estaria a fim de outro cara.

— Eu acho que o Jøran é um cara legal — eu disse.

— Eu também — disse Bjørn. — Mas a Amanda é mais do que legal.

Ele riu. Me deitei na cama e dormi quase de imediato, sem encontrar uma resposta para a pergunta enigmática e um tanto persistente: por que Amanda desejava Bjørn? O que ele tinha feito para conseguir aquilo?

Na última noite em Lucerna o ônibus estava nos esperando com o motor ligado em frente ao hotel quando terminamos o jantar. Todos iriam juntos para a cidade. O nosso destino era mantido em segredo. Mas claro que acabou sendo o cassino que já havíamos descoberto. Enquanto os juniores andavam de um lado para o outro boquiabertos, eu e Bjørn nos sentamos próximos ao palco dos stripteases com um jeito blasé e começamos a beber vinho branco.

— Hoje eu peguei o telefone da Amanda — disse Bjørn. — Vou ligar para ela quando a gente voltar para casa.

— Mas por que ela faria uma coisa dessas? — eu perguntei. — Ela por acaso terminou o namoro com o Jøran?

Bjørn balançou a cabeça.

— Não mesmo. Eles continuam juntos. Mas você não fica contente por mim?

— A Amanda é bonita.

— Bonita? Ela é linda. Incrivelmente linda. E além de tudo tem vinte e cinco anos!

Terminamos de beber o vinho e saímos para dar uma volta. Bjørn sumiu logo em seguida, então fiquei andando e vagabundeando sozinho. Quando cheguei à porta que dava para o grande salão eu resolvi entrar. *What is going on here?*, perguntei a um homenzinho careca de óculos. *It's a conference*, ele disse. *For who?*, perguntei. *Biologists*, ele respondeu *Okay*, eu disse. *Interes-*

ting! O homem se afastou, eu olhei ao redor, havia pessoas reunidas ao redor das mesas, porém em número bastante reduzido em relação ao que tínhamos visto dias antes. Em uma das mesas havia um pequeno cartão verde e branco. Fui até lá e o examinei. Era um crachá. Prendi-o no bolso e fui até a grande porta. Dentro havia um enorme salão de conferências, com fileiras de cadeiras dispostas em semicírculo ao redor de uma tribuna. Um homem estava dando uma palestra lá dentro. Ele estava mostrando fotos em uma tela de projeção. Um pouco mais da metade dos lugares estavam ocupados. Avancei mais algumas fileiras e resolvi entrar em uma delas, as pessoas se levantaram como se estivessem no cinema, e então me sentei, cruzei as pernas e fiquei olhando para o palestrante. E então?, eu disse a meia-voz para mim mesmo. O que você acha disso? *How very interesting!* Depois de vinte minutos, durante os quais olhei tanto para o público quanto para o palestrante, cuja voz rouca preenchia todo o auditório e pairava o tempo inteiro ao fundo, como um pensamento obsessivo, me levantei e voltei à discoteca. Descobri que a maioria dos juniores estava assistindo ao show de striptease. Fui até lá, e assim que me viu, Jøgge veio correndo na minha direção.

— Você tem dinheiro para me emprestar?

— De quanto você precisa? Eu tenho um pouco, mas talvez não o suficiente.

— Umas mil coroas, mais ou menos?

— O que você quer fazer com mil coroas?

— Na verdade eu preciso de duas mil. É o preço de uma garrafa de champanhe.

— Duas mil coroas por uma garrafa de champanhe? Você enlouqueceu?

— Se você paga uma bebida para uma das garotas, pode falar com ela. E se você paga uma champanhe, pode ir para a cama com ela.

— E é isso que você pretende fazer?

— Se eu conseguir o dinheiro, porra! Você tem ou não tem?

Jøgge olhou ao redor.

— Vamos. Por favor. Eu preciso de duas mil coroas. Eu nunca transei com ninguém. Tenho dezoito anos e ainda não fiz sexo. Vocês já fizeram. Mas eu não. E custa duas mil coroas. Vamos, *please, please!*

Jøgge se ajoelhou na minha frente. Implorou com as mãos postas.

O pior de tudo era que fazia tudo aquilo a sério.

— Eu quero transar com uma mulher. É a única coisa que eu quero na vida. E aqui é o lugar onde eu posso fazer isso. Estou me lixando se elas são putas! São lindas, todas elas. Vamos... Mostrem um pouco de compaixão. Harald! Ekse! Bjørn! Karl Ove!

— Eu não tenho todo esse dinheiro — eu disse. — Talvez tenha o suficiente para você bater um papo...

— É sério! — disse Jøgge, que já estava de pé outra vez. — Essa é a minha chance. Não existem lugares como esse em Kristiansand.

— Desculpe, Jøgge. Eu gostaria de poder ajudar — disse Bjørn.

— Eu também — disse Harald.

— Então me ferrei — disse Jøgge.

— Você pode tentar o método antigo — disse Bjørn. — Tente dar em cima de alguém. Esse lugar está cheio de garotas bêbadas.

— Para você é fácil falar — disse Jøgge.

— Pare com isso. Venha comigo e vamos descobrir o que acontece — disse Bjørn, puxando Jøgge.

Eu nunca tinha sentido a euforia que senti naquela noite. Era como se um rio de águas verdes e frias corresse pelas minhas veias. Tudo era possível. Enquanto bebíamos junto ao bar, percebi uma garota na pista de dança, ela devia ser um ou dois anos mais nova do que eu, tinha cabelos loiros e um rosto lindo, inacreditavelmente lindo. Quando nossos olhares se cruzaram pela segunda vez eu deixei a hesitação de lado e desci os degraus que levavam à pista. No mesmo instante a música que ela estava dançando acabou, e ela se afastou na companhia de outras três garotas. Fui atrás. Parei na frente dela, disse que eu a tinha visto na pista de dança e que ela tinha um visual incrível. *You looked amazing*, eu disse. Ela sorriu e agradeceu e me olhou com o rosto meio de lado. Perguntei se ela era americana. Sim, era. E morava na Suíça? Não, ela morava no Maine. Todas as quatro eram do Maine. E de onde eu era? *A small barbaric country up north*, eu disse. *We are in fact the first generation who knows how to eat with fork and knife*. Me virei para trás e fiz um gesto com a cabeça em direção ao pessoal do time, que acompanhava tudo do bar. *I'm with them*, eu disse. *We are football players, on a training camp here. Do you want to dance?*

A garota fez um gesto afirmativo com a cabeça.

Ela quis!

Voltamos à pista de dança. Abracei a garota. Sentir o corpo dela contra o meu desencadeou uma tempestade elétrica na minha cabeça. Deslizamos de um lado para o outro, às vezes eu a segurava bem perto de mim, às vezes eu a soltava um pouco e olhava fundo nos olhos dela. *What's your name*, sussurrei, Melody, ela sussurrou de volta, Melody?, eu repeti, não, Melanie!, ela disse com um sorriso.

Quando a música terminou eu agradeci pela dança e me juntei mais uma vez aos meus colegas de time, que ainda estavam no bar.

— Como você fez isso? — perguntou Bjørn.

— Eu simplesmente fiz um convite. Não tinha a menor ideia de que era tão simples. Que loucura!

— Você tem que ir falar com ela mais uma vez. Você não pode ficar aqui!

— É verdade. Só quero beber mais um pouco. Mas que merda que essa é nossa última noite.

Às três horas o ônibus estaria nos esperando na rua. Eram duas e meia. Não havia tempo a perder. Mesmo assim eu não queria apressar as coisas, porque eu ainda sentia a presença dela como o fantasma de uma alegria, os peitos dela, ah, aqueles peitos tocando o meu corpo, a pressão leve e excitante que faziam, essas coisas ainda estavam dentro de mim, e se eu voltasse à pista de dança tudo desapareceria em uma nova situação que talvez não tivesse um desfecho tão bom. Bebi duas taças de vinho às pressas e fui mais uma vez em direção às garotas. Melanie ficou radiante ao me ver. Ela queria dançar. Dançamos. Depois ficamos conversando em um canto, os outros começaram a se encaminhar para a saída, eu vi que estava na hora de ir, ela quis me acompanhar, peguei a mão dela, ficamos esperando na rua perto do ônibus, que já esperava com o motor ligado. Onde você mora?, eu perguntei. Ela me deu o nome de um hotel. Não, eu quis dizer no Maine. Quero escrever para você. Posso? Pode, ela disse. E então me disse o endereço. Eu não tinha papel nem caneta para anotar. Por acaso ela tinha? Não. Muito bem, uma voz gritou do ônibus, está na nossa hora. Eu vou memorizar o endereço, eu disse. Diga mais uma vez. Ela disse, eu repeti duas vezes. Pode esperar a minha carta, eu disse. Melanie acenou a cabeça e olhou para mim. Me aproximei dela e a beijei. Abracei-a e apertei o corpo dela contra o meu. Agora eu tenho que ir, eu disse. Se divirta no seu país bárbaro, ela disse com um sorriso. Parei em frente à porta do ônibus e fiz um aceno, e então entrei.

Todos os que estavam sentados me aplaudiram. Fiz mesuras à esquerda e à direita e me sentei ao lado de Bjørn. Bêbado, feliz e confuso, acenei para Melanie quando o ônibus partiu.

— Que merda que isso não aconteceu na primeira noite — eu disse.
— Você pegou o endereço dela?
— Peguei. Está guardado na minha cabeça. Ela mora em...

Eu tinha esquecido. Não conseguiria lembrar nem que a minha vida dependesse daquilo.

— Você não anotou? — Bjørn me perguntou.
— Não. Eu estava confiando na memória.

Bjørn riu.

— Seu burro! — ele disse.

A festa continuou no quarto do hotel. Bjørn estragou um abajur sem querer, ele se virou com uma garrafa na mão e acertou a cúpula de vidro, que se quebrou. Uma outra pessoa, que não vi quem era, quebrou o outro abajur só pela farra. Então eu peguei o grande quadro que estava pendurado na parede e que tinha me irritado ao longo da semana inteira e o joguei pela janela. O quadro se despedaçou com um baque cinco andares abaixo. As luzes se acenderam nos quartos abaixo do nosso. Porra, o que foi isso?, perguntou Bjørn, não tem problema nenhum, eu disse, é só a gente pegar um dos quadros do corredor e pendurar aqui, ninguém vai descobrir nada. Mas e o quadro lá embaixo? Eu dou um jeito, eu disse, e então cumpri o prometido. Desci de elevador, passei pela recepção vazia e saí para a praça, onde juntei todos os pedaços que pude encontrar e joguei tudo no chafariz, junto da mureta mais próxima, de maneira que só era possível ver aquilo muito de perto. Voltando pelo corredor eu peguei um dos quadros que estavam pendurados e o levei comigo. O episódio devia ter deixado o pessoal um pouco mais sóbrio, porque quando voltei o quarto estava vazio, a não ser por Bjørn, que estava deitado de costas com a boca aberta e os olhos fechados. Me deitei e apaguei a luz.

Acordaríamos no dia seguinte para fazer as malas, tomar café da manhã e partir. Quando estávamos colocando as nossas bagagens no ônibus o gerente do hotel apareceu e quis saber quem havia se hospedado no quarto 504, claro que éramos eu e Bjørn, nos aproximamos para falar com ele e aquele homenzinho estava tão furioso que chegava a dar pulos de raiva. *People like you should not be allowed to live in a hotel!*, ele gritou. *You have to pay for this!* Tudo foi muito desagradável. Pedimos desculpas, falamos que tinha sido uma bobagem e que estávamos dispostos a pagar. Acho até que fizemos uma mesura. Os outros ficaram olhando com sorrisos nos lábios. Jan, o organizador, se aproximou, disse que cuidaria de tudo e que o gerente seria generosamente compensado pelo inconveniente, ele pediu mil desculpas, os dois eram jovens e muita coisa podia ter acontecido, fizemos outra mesura e entramos no ônibus, *People like you should not be allowed to stay in a hotel!*, o gerente gritou mais uma vez, Jan tirou a carteira do bolso e entregou um maço de cédulas ao homem, o motorista do ônibus deu a partida, ele também subiu a bordo e começamos a rodar lentamente pela rua enquanto o gerente do hotel nos encarava com um olhar repleto de ódio.

De volta em casa voltei ao meu velho eu, ou melhor, ele voltou a mim. Na escola, onde quase tudo dizia respeito à nossa preparação para os exames, eu era como um fantasma, passava os recreios andando de um lado para o outro, enquanto durante as aulas eu enchia os meus cadernos de rabiscos. A viagem à Suíça tinha sido como uma marcha triunfal, e eu tinha esperança de que a minha formatura, que já estava próxima, fosse a mesma coisa. Em casa escrevi um projeto de estudos sociais em uma noite, uma comparação de vinte páginas entre a revolução na Rússia e a revolução na Nicarágua, que por anos eu tinha acompanhado de perto, e escrevi uma carta a um hotel na Suíça na qual eu pedia que se possível me informassem o endereço de uma hóspede para que eu pudesse devolver a carteira dela, a carteira pertencia a uma garota americana chamada Melanie, sobrenome desconhecido, mas ela tinha se hospedado no hotel durante a Páscoa.

No fim de abril dei uma festa em casa. Como editor do jornal de formatura — uma obrigação que eu dividia com Hilde —, seria natural que eu também estivesse no comitê de formatura, sempre tinha sido assim desde que eu podia lembrar, mas por um motivo ou outro nós dois acabamos ficando de fora. Talvez porque eu e Hilde não nos encaixássemos muito bem na galeria de personalidades mais comuns naquele ambiente, ou porque não agíssemos com a naturalidade necessária, enfim, eu não sabia. Mas assim mesmo convidei todo o comitê de formatura e todos os que estavam no carro de formatura para a minha casa em uma noite de sábado. Minha mãe ia dormir na casa de uma amiga, ela sairia de casa à tarde, então eu tinha pedido a todos que não aparecessem em nenhuma hipótese antes das seis horas da tarde. Mas às três horas o carro de formatura veio subindo a encosta. Dentro estavam Christian e duas garotas. Queriam deixar a cerveja na minha casa, ele explicou. Mas eu disse para vocês aparecerem às seis, eu disse. É, mas agora já estamos aqui, ele disse. Onde posso deixar a cerveja?

Dez minutos depois havia uma pilha de engradados de cerveja na cozinha. A pilha ia do chão ao teto. Claro que o teto era baixo, mas a minha mãe, que mal recebeu um cumprimento quando Christian entrou na cozinha com o primeiro engradado nas mãos, não gostou nem um pouco daquilo. O que foi isso?, ela perguntou depois que eles saíram. Vocês pretendem beber isso tudo? Você não vai promover uma bebedeira aqui em casa, está bem? Porque eu não estou de acordo com isso. Relaxe, eu disse. É uma festa de formatura. Todo mundo é maior de idade. Vamos beber um pouco, claro. Mas eu me responsabilizo por tudo. Prometo. Vai dar tudo certo. Você tem certeza?, ela perguntou, me encarando. Essa quantidade de bebida é suficiente para uns cem homens adultos. Quantos engradados são? Eu já disse para você se acalmar. As pessoas bebem nas festas de formatura. Mas esse é justamente o objetivo. É mesmo?, perguntou a minha mãe. Não que seja o único objetivo, eu disse. Mas é uma parte. Sei que você não gosta da ideia, e peço desculpas, mas eu prometo que no fim vai dar tudo certo. Bem, de qualquer maneira já é tarde demais, ela disse. Mas se eu soubesse antes, eu não teria deixado que você fizesse a festa aqui. Você tem que me prometer que não vai beber demais. Não esqueça que você assumiu a responsabilidade de que tudo dê certo. Claro, claro, eu disse.

Jantamos ao lado da torre amarela de engradados de cerveja, minha mãe entrou no carro e saiu em direção à cidade, eu coloquei um disco, peguei uma cerveja e me atirei no sofá enquanto esperava que os outros chegassem.

Horas depois o pátio estava cheio de carros de formatura. Por toda parte havia garotas aos gritos e garotos com as roupas vermelhas de formandos, todos com uma garrafa de cerveja na mão. Muitos dos carros tocavam música nos alto-falantes, e na sala o aparelho de som estava com o volume tão alto que a música chegava a sair distorcida. Apareceram três ou quatro vezes mais pessoas do que eu havia convidado.

O ponto culminante da festa chegou à uma da manhã. Christian gritou e abriu um grande buraco na porta do banheiro com um chute. Na cozinha, Trond marcava o tempo da música com uma faca enorme em cada mão, batendo as lâminas contra as bordas da mesa e fazendo uma nova marca a cada batida. Os convidados vomitavam na entrada, no cascalho entre os carros, em cima da cama de Yngve. Um casal trepava em pé atrás do arbusto de lilases. Outros pulavam no ritmo da música enquanto berravam a todo volume. Havia gente de pé no capô e no teto dos carros, e uma pessoa completamente pelada girando a blusa acima da cabeça. Mesmo que eu houvesse decidido não me importar com nada daquilo e tivesse conseguido ficar bêbado, eu tinha dentro de mim um sentimento de horror, que a intervalos irregulares chegava à minha consciência, essa não, essa não, eu pensava nesses momentos, para então voltar ao espírito da festa assim que eu me envolvia com qualquer uma das coisas que aconteciam ao meu redor.

Às três da madrugada a festa estava menos animada. Uns ainda dançavam, outros se davam amassos, ainda outros dormiam por cima da mesa, atirados em um canto, debaixo de uma moita. Eu estava no sofá, em frente à TV, dando uns amassos em uma menina com quem eu mal havia conversado, ela simplesmente estava sentada quando cheguei à sala, me sentei do lado dela e começamos a dar uns amassos. Ela era morena, tudo nela era escuro, até mesmo as roupas, ela era a única que não estava usando roupas de formando, mas uma blusa preta e uma saia preta e meia-calça preta. Você não quer ir comigo para o quarto, eu cochichei, ela fez um gesto afirmativo com a cabeça, eu tinha bebido muito e achava que aquilo mudaria a situação, porque afinal eu estava cagando para tudo, não estava nervoso com nada, então peguei o molho de chaves e abri a porta do meu quarto, com o braço em volta dela, ela tirou a bolsinha que estava usando cruzada no peito, se deitou na cama, na *minha* cama, pensei, eu tirei a blusa dela, beijei aqueles mamilos escuros, esfreguei o rosto bem esfregado naqueles peitos, é agora, pensei, estou com uma garota no meu quarto e nós vamos transar, minhas pernas estavam tremendo quando me levantei para tirar a calcinha dela, ela não ofereceu resistência, eu tirei a calça, agora não tinha mais volta, ela estava nua, a pele dela reluzia na escuridão, eu passei a mão por entre as pernas dela e senti os pelos crespos, mas assim mesmo lisos, e eu estava nu, virei um pouco o corpo, ela disse você fica muito pesado assim, me levantei um pouco e senti meu pau tocar nos pentelhos dela, eu fiz um pouco de força, mais para baixo, ela disse, eu fui um pouco mais para baixo e de repente senti tudo úmido e macio e não, não, puta que pariu, essa não.

Contrações fortes e demoradas atravessaram todo o meu corpo enquanto a garota continuava deitada, olhando para mim.

Não, não, não.

Eu não tinha nem ao menos entrado direito nela. Uns dois centímetros, talvez. E então acabou. Me joguei em cima dela e comecei a beijar seu pescoço. Ela me empurrou para o lado e se levantou um pouco. Estendi a mão para segurá-la, agarrei-a por um dos peitos, mas ela simplesmente se levantou, vestiu a calcinha e a meia-calça e foi embora.

Pela manhã acordei com uma discussão em frente à porta entreaberta do meu quarto. Reconheci as vozes de Espen, Trond e da garota da noite anterior. Não, ela disse, não fui eu. Foi sim, eu vi. Você entrou no quarto com ele. Não, ela disse. Mas a gente viu. Tá, eu entrei no quarto com ele, mas era porque ele queria dormir, e depois eu saí logo em seguida. Não aconteceu nada. Ha ha ha!, riu Espen. Claro que vocês deram uma lá dentro. Não, ela disse. O que você foi fazer lá, então? Você não entrou no quarto? O que você queria lá dentro se vocês não treparam? Você conhece o Karl Ove, não? Não. Eu só queria pegar uma coisa que eu tinha esquecido. O quê? A minha bolsa.

Me levantei, vesti um par de calças e uma camiseta o mais depressa possível, peguei a bolsa dela e fui ao encontro deles.

— Tome — eu disse, dando a bolsa para ela. — Você se esqueceu disso.

— Obrigada — ela agradeceu, e então desceu a escada sem olhar para a minha cara.

— Este lugar está um lixo — disse Espen.

— Imagino — eu disse.

— Eu vou ajudar você com a limpeza.

— Que bom.

— E vou chamar o Gisle e o Trond também.

Espen olhou para mim.

— Você comeu a Beate, afinal?

— Esse é o nome dela? — eu disse. — Sim, comi.

— Ela disse que não.

— Eu ouvi.

— Por que ela está dizendo que não?

— Como vou saber? — eu disse.

Nossos olhares se encontraram.

— Bem — eu disse —, vou descer e ver como está aquele inferno.

Quanto à porta não havia nada a fazer, seria preciso trocá-la. Quanto às marcas na mesa também não havia nada a fazer. Mas quanto ao resto, será que não dava para limpar? Passamos a manhã inteira lavando e esfregando a casa. Espen, Gisle e Trond foram embora à uma da tarde e eu continuei sozinho, com um sentimento de pânico cada vez mais forte no peito, porque independente do quanto eu lavasse e esfregasse, nada tiraria da casa as marcas da festa.

Minha mãe chegou às cinco horas. Fui esperá-la na rua para que não tivesse um choque muito grande, assim ela não teria que fazer nenhuma descoberta, mas ouviria toda a história de mim.

— Oi — eu disse.

— Oi — ela disse. — Como foram as coisas por aqui?

— Não muito boas, infelizmente — eu disse.

— Ah, é? — ela perguntou. — O que aconteceu?

— A festa saiu um pouco de controle. A porta do banheiro levou um chute e agora tem um buraco, por exemplo. E houve também outras coisas menores. Você vai ver. Eu fiquei muito chateado.

Minha mãe olhou para mim.

— Eu tinha a impressão de que não daria certo — ela disse. — Vamos entrar para ver.

Quando terminamos a inspeção, minha mãe sentou-se junto à mesa da cozinha, passou as mãos pela cabeça e olhou para mim.

— Foi bem feio — ela disse.

— É — concordei.

— O que vamos fazer com aquela porta? — ela me perguntou. — Não temos dinheiro para comprar uma nova.

— Temos tão pouco dinheiro assim?

— Infelizmente. Quem foi que deu o chute?

— Um garoto chamado Christian. Um idiota.

— Então o normal é que ele pague, não?

— Eu vou falar com ele.

— Fale mesmo.

Ela se levantou com um suspiro.

— Bem, temos que comer — ela disse. — Acho que temos uns filés de escamudo na geladeira. Você quer?

— Claro.

Minha mãe saiu da cozinha e pendurou o casaco, eu peguei os dois pacotes de peixe e ela começou a lavar umas batatas enquanto eu cortava os filés em pedaços menores.

— Já tivemos essa conversa antes — ela disse.

— Eu sei — respondi.

— Você tem que ser responsável pelas suas escolhas. Se as suas escolhas são ruins, você precisa arcar com as consequências.

— Claro — eu disse, e então pus um pouco de farinha, sal e pimenta em um prato, passei os pedaços recém-cortados na mistura, coloquei a frigideira em cima do fogão e fiquei olhando o naco de manteiga deslizar sobre a superfície preta à medida que o calor aumentava, mais ou menos como uma casa, pensei, quando o substrato argiloso desliza. Devagar, de pé, como se aquilo fosse um último ato de resistência antes da queda.

— Um ano inteiro de trabalho duro perdido em uma noite — minha mãe disse. — Ou até mais.

— Essa casa é de 1880 — eu disse. — Um ano não é tanto assim.

Ela fez que não me ouviu.

— Você tem dezoito anos. Já não posso mais decidir por você. Não posso mais dizer a você o que fazer. Tudo que eu posso fazer é estar aqui e torcer para que você me procure se precisar de ajuda.

— Eu sei — respondi.

— Eu podia tentar impedir você, mas por que eu faria isso? Você já é adulto e tem responsabilidade pelos seus atos. Eu confio em você. Você é livre para fazer o que bem entender. Mas você também precisa confiar em mim. Enfim, você também precisa me tratar como adulta. O que temos em comum é esta casa. Essa é uma responsabilidade que precisamos dividir.

Ela pegou um pouco de sabão e esfregou as mãos sob o jato d'água, e então secou-as no pano de prato.

— Você está lavando as mãos, então? — eu disse.

Ela sorriu de leve, mas sem alegria.

— Karl Ove, é sério. Eu me preocupo com você.

— Não precisa se preocupar — eu disse. — O que aconteceu aqui, bem... foi uma festa de formatura, simplesmente.

Minha mãe não respondeu nada, eu coloquei os pedaços de filé na frigideira, cortei e acrescentei uma cebola, derramei umas latas de tomate, temperei a comida, me sentei com o jornal de sábado e folheei até encontrar a página onde o meu artigo sobre Prince, entregue várias semanas atrás, estava impresso. Mostrei para a minha mãe.

— Você já leu isso? — eu perguntei.

Na segunda-feira eu fui até a casa de Christian e disse que a porta do banheiro estava destruída. Eu sei, ele disse. E foi você quem a quebrou, eu disse. Eu mesmo, ele disse. Então acho que você tem que pagar uma nova, não? Não, disse Christian. Como assim?, eu perguntei. Eu estou falando sério, ele disse. Não. A festa era sua. Mas você quebrou a porta, não?, eu perguntei. Quebrei, ele concordou. E você não vai pagar?, eu perguntei. Não, ele disse. E então se virou e foi embora.

Quando voltei para casa, encontrei uma carta internacional na caixa de correio. Abri-a no mesmo instante e comecei a ler enquanto atravessava o pátio. Era uma carta do gerente do Grand Hotel Europe em Lucerna. Ele disse que as reservas infelizmente eram feitas pelo sobrenome, e que assim não poderia me ajudar a conseguir o endereço de Melanie, porém também disse que eu poderia contatar as duas agências de viagem que tinham parcerias com o hotel e me deu os endereços delas, uma na Filadélfia e a outra em Lugano.

Coloquei a carta de volta no envelope e entrei. Era o fim do meu plano de trocar cartas com Melanie durante um ano e depois aparecer para uma visita-surpresa, com a possibilidade fascinante de que era lá, nos Estados Unidos, que eu me via no futuro.

Passei quase todo o restante da primavera bêbado. A primeira coisa que eu fazia ao acordar no carro de formatura ou no sofá da casa de uma pessoa qualquer ou então num banco de parque era arranjar uma bebida e começar tudo outra vez. E poucas coisas eram melhores do que começar o dia com uma cerveja e passar a manhã inteira bêbado. Que vida! Ir para um lugar e beber, ir para outro lugar e beber, dormir quando desse vontade, comer, talvez, e então continuar. Era incrível. Eu adorava estar bêbado. Eu me tornava ainda mais eu mesmo, e tomava coragem para fazer as coisas que eu realmente queria. Não havia limites. Eu só passava em casa para tomar banho e trocar de roupa, e numa dessas vezes, quando eu estava na sala bebendo um *sixpack* de Carlsberg enquanto esperava que o carro de formatura passasse para me pegar, minha mãe de repente teve um acesso de fúria. Ela tinha aceitado muita coisa, mas aquilo ultrapassava todos os limites, ela não ia aceitar que o filho bebesse sozinho na sala de casa. Ou eu parava de beber ou então arranjava outro lugar para morar. Era uma escolha simples, então me levantei, peguei as cervejas, me despedi, fui até a estrada, me sentei na encosta, acendi um cigarro e abri uma lata enquanto esperava o carro. Se ela não queria mais que eu morasse em casa, tudo bem, eu não ia mais morar em casa.

— O que você está fazendo aqui na rua? — perguntou Espen quando o carro parou.

— Fui expulso de casa — eu disse. — Mas pouco importa.

Me sentei, fomos bebendo o que tínhamos durante o trajeto até a cidade, compramos uns engradados de cerveja em um supermercado e continuamos em direção a Vågsbygd, onde seria o encontro daquela noite. Um gramado plano à beira-mar com uma antiga floresta de árvores decíduas na encosta, foi lá que ficamos bebendo, foi lá que sumi para mim mesmo e fiquei sem pensar em nada. Como sempre, foi incrível. Toda a merda social em que eu me afundava em outros momentos desaparecia, de repente eu me via livre, tudo era frio e transparente como o vidro. Comecei a perguntar por Geir Helge, um garoto magro e simpático que usava óculos e falava o dialeto de Mandal. Ele fumava maconha, todo mundo sabia, e eu também queria fumar. Fazia tempo que eu pensava naquilo. A maconha era um estigma, um fator de marginalização, quem se envolvia com aquilo não era mais uma pessoa decente, estava a caminho de se tornar um viciado. Pelo menos era assim em Kristiansand. E a ideia de que aquele podia ser o começo de um caminho que me levaria a uma vida como junkie exercia uma atração quase irresistível e dava à minha vida um sentimento de predestinação e significado. Ser junkie, viver para as drogas, abandonar todo o restante era para mim uma ideia terrível. Os junkies abandonavam a própria humanidade, viviam como demônios, e aquilo era terrível, terrível, simplesmente a pior coisa que podia acontecer, o inferno. Eu ria das pessoas que associavam a maconha à heroína, para mim aquilo não passava de propaganda barata, fumar maconha era para mim um projeto de liberdade, mas ainda que não oferecesse perigos, estava no mesmo campo do perigo, porque era um narcótico, o que de certa forma me transformaria em um drogado, e essa era uma ideia atraente e grandiosa.

Eu queria roubar, beber, fumar maconha e experimentar outras drogas, cocaína, anfetamina, mescalina, ser marginalizado e viver uma vida rock 'n' roll, descer o mais baixo possível e mandar tudo para o inferno. Ah, que anseio! Mas outra parte de mim queria ser um bom aluno, um bom filho, uma boa pessoa. Se ao menos eu pudesse explodir essa parte!

Aquela era minha tentativa. A ideia de fumar maconha, de que eu realmente podia fumar maconha e realmente podia virar um junkie se eu me aventurasse daquela maneira, de que bastava *começar*, dar o passo inicial, que era fácil e simples, fez com que eu sentisse uma explosão de alegria e entusiasmo dentro de mim enquanto eu subia a encosta sob a copa das árvores, indo ao encontro de Geir Helge. Perguntei se ele tinha um baseado, disse que eu nunca tinha fumado antes e que ele ia ter que me ensinar, o que para ele foi uma alegria. Quando terminamos, desci a encosta e voltei à companhia dos outros. A princípio não percebi nada de especial, talvez eu estivesse bêbado demais, Geir Helge tinha dito qualquer coisa a respeito disso, que nem sempre funcionava na primeira vez e que nem sempre funcionava no meio de uma bebedeira. Mas quando eu me sentei nos fundos do carro de formatura, que estava vazio, uma coisa aconteceu. Mexi um pouco os ombros e foi como se minhas articulações estivessem lubrificadas com óleo, como se o meu corpo inteiro estivesse cheio de óleo. Um simples movimento, por menor que fosse, era suficiente para encher todo o meu corpo de bem-estar.

Então me sentei e fiquei mexendo um dedo, levantando um ombro, balançando um pouco o quadril e sentindo ondas e mais ondas de bem-estar atravessarem o meu corpo.

Espen enfiou a cabeça para dentro do carro.

— O que houve? Você está passando mal?

Abri os olhos e endireitei as costas. O movimento pareceu tão intenso que senti uma explosão de prazer se espalhar dentro de mim.

— Estou bem — eu disse. — Na verdade, estou ótimo. Mas quero ficar sozinho um pouco. Depois eu volto.

Mas não voltei, eu acabei dormindo, e nos dias que se seguiram fumei toda a maconha que pude e bebi muito. As últimas noites antes do Dezessete de Maio eu passei tão bêbado e chapado que mal sabia onde estava, e quando acordei para a manhã das comemorações, no carro de formatura, estávamos em uma praça qualquer, e do outro lado da janela havia uma multidão de pessoas. Lembro vagamente que havíamos passado por Tresse, que a certa altura estávamos sob o toldo de um barco de pesca no trapiche, junto com um homem imóvel, e que mais tarde Espen apareceu correndo e me arrastou junto com Sjur para longe daquele lugar, o homem estava morto, ele disse, mas quando tínhamos parado em frente ao barco não havia nada por lá. Espen tinha corrido desesperado de um lado para o outro, e depois eu não me lembrava de mais nada. Quantos minutos ainda restavam daquela longa noite? Talvez dez?

Uma vez topamos com um mendigo, ele estava sentado em um banco no parque e a gente parou ao redor dele e começou a conversar. O homem nos disse que tinha navegado com Shetlands-Larsen durante a guerra. A partir desse momento comecei a chamá-lo de Xotalândia. Eu ria e fazia questão de chamá-lo assim sempre que possível. Ei, Xotalândia! Passado um tempo fui atrás do homem para mijar, e então mijei em cima dele, fazendo com que o jato corresse para cima e para baixo ao longo das costas. Depois continuamos nosso passeio à noite, parando ora aqui, ora ali, e sempre tinha alguém com cerveja ou uma garrafa de destilado. Eu ria, dançava, bebia e dava uns amassos em quem quer que aparecesse. Podia acontecer de eu falar com uma garota da nossa turma e dizer que eu sempre tinha sido a fim dela, sempre tinha ficado de olho dela, era tudo mentira, mas funcionava, tudo havia se aberto para mim. Tudo estava aberto.

Quando acordei no ônibus no Dezessete de Maio e vi que estávamos rodeados por pessoas com roupas festivas, eu tive medo. Mas aquilo não tinha importância, precisei apenas beber mais umas garrafas e o medo desapareceu, e logo estávamos vendendo o nosso jornal de formatura, para juntar dinheiro e comprar mais cerveja, e quando deu meio-dia eu me senti livre como eu me sentia apenas quando passava bebendo por dias a fio, corri pelas ruas, gritei, falei com desconhecidos, fiz brincadeiras com uns, importunei outros, feliz, mas também exausto, e foi assim, correndo de um lado para o outro em meio ao desfile, com os dois lados da rua lotados de pessoas, todas vestidas com as melhores roupas, eram ternos, *bunader* e bandeiras da Noruega por toda parte, que ouvi alguém chamar o meu nome.

Eram os meus avós.

Parei na frente deles com um sorriso no rosto. O filho de Gunnar também estava lá, e eu não ficaria nem um pouco surpreso caso descobrisse que eu era o primeiro bêbado que ele via na vida. Os dois me lançaram um olhar frio, mas não tinha problema, eu ri e continuei, ainda faltavam dois dias para o exame final e eu não queria que aquilo acabasse. A festa de encerramento foi no Fun-Senteret, mas a atmosfera não estava muito boa, por mais que eu tentasse resistir, então eu e mais dois que não queriam admitir que a diversão tinha acabado pegamos um táxi para a casa de Bassen já tarde da noite. Não o encontramos, a casa estava vazia, então colocamos uma escada até o segundo andar, onde havia uma janela entreaberta. Lá dentro, nos acomodamos no chão da sala e começamos a fumar maconha em latinhas de Coca-Cola furadas. Quando chegou pela manhã, Bassen estava furioso, claro, mas não o suficiente para impedir que dormíssemos mais umas horas antes de admitir que a festa tinha acabado. Eu ainda estava bêbado quando acordei, mas dessa vez não consegui me recuperar e já no ônibus de volta eu comecei a afundar cada vez mais dentro de mim mesmo, era terrível, tudo era terrível. Minha mãe não disse nada sobre ter me mandado embora de casa, praticamente não nos falamos, eu entrei na banheira e a sujeira boiou como um tapete na superfície da água. Eu estava cansado e me deitei cedo porque no dia seguinte teríamos prova de norueguês, mas não consegui dormir. Minhas mãos tremiam, mas não era só isso, o fio do abajur também se contorcia de um lado para o outro como uma cobra toda vez que eu olhava para ele. O chão se inclinava, as paredes se dobravam, eu suava e me remexia de um lado para o outro na cama com a cabeça cheia de imagens indesejáveis. Foi terrível, uma noite no inferno, mas depois a manhã chegou e me levantei, me vesti e peguei o ônibus para a escola. Não consegui me concentrar, a cada vinte minutos eu acenava para o fiscal, que me acompanhava até o banheiro para que eu enxaguasse o rosto com água fria.

Uma das piores coisas que tinham acontecido comigo durante aqueles dias e que de vez em quando surgia na minha cabeça era o encontro com os meus avós. Mas eles não tinham como saber que eu tinha bebido *tanto*, certo? Não tinham como saber que eu não apenas tinha bebido, mas também fumado maconha? Não, não havia como. E em junho daquele ano eu escrevi no meu diário que os meses como formando tinham sido os mais felizes de toda a minha vida. Foram essas as palavras que eu usei, a época mais feliz de toda a minha vida.

Por que eu escrevi uma coisa dessas?

Ah, eu estava tão feliz! Eu ria e me sentia livre e era amigo de todo mundo.

No fim de junho eu saí de casa, minha mãe me levou até o apartamento próximo ao hospital, onde trabalhei durante um mês enquanto namorava Line, bebia vinho à noite e nos fins de semana e fumava maconha quando tinha a chance de arranjar um pouco. Espen se recusava a me acompanhar, disse que aquilo era uma coisa baixa, porém manteve a história sobre a madrugada do Dezessete de Maio e o homem que havia encontrado morto. Numa tarde ele me ligou e disse que tinha lido uma nota no jornal a respeito de um homem que tinha sido encontrado morto no porto. É ele!, disse Espen, e eu não sabia se ele estava falando sério ou se queria apenas sustentar aquela brincadeira pelo maior tempo possível. Espen disse que tinha uma lembrança vaga, mais ou menos como um sonho, de ter jogado o homem no mar. Por que você faria uma coisa dessas?, eu perguntei. Porque eu estava bêbado, ele disse. Ninguém além de você viu esse homem morto. Você está inventando história. Não, ele disse, é sério. O homem que estava com a gente no barco, você lembra dele? Lembro. E você tem certeza de que o viu? Tenho. Ele estava morto. Pare com isso, Espen. Se ele estivesse morto, por que você o empurraria para o mar e depois sairia correndo para buscar a gente? Não sei.

Aquele mês foi cheio de episódios como esse, que eu não tinha certeza se haviam realmente acontecido ou não, o que, junto com o sentimento que eu tinha de que tudo era possível, de que não havia limites, e o enorme período de tempo a respeito do qual eu não tinha nenhuma lembrança, fez com que eu começasse a me perder de vista. Era como se eu mesmo estivesse desaparecendo. Em parte eu gostava, em parte eu não gostava. A rotina no hospital psiquiátrico, onde a minha principal responsabilidade era preparar a mesa para as refeições e depois limpá-la, ou então ajudar com outros assuntos práticos, neutralizava essa sensação, mas não a eliminava por completo, porque à noite eu sempre saía e bebia com as pessoas que eu encontrava, porque era verão e eu sempre encontrava alguém na rua. Uma noite fomos barrados na entrada do Kjelleren, então eu e Bjørn subimos pelos telhados da parte de trás do quarteirão e percorremos todo o caminho pelo alto, no fim entramos por uma janelinha do sótão e descemos até o Kjelleren, que estava totalmente vazio, devíamos ter gastado mais de uma hora naquilo. Subimos uns andares, chegamos a um apartamento, uma pessoa acordou e começou a gritar, percebemos que havíamos nos enganado e fomos sorrindo até Tresse, onde o pai de Bjørn tinha um apartamento e podíamos dormir. De manhã liguei para o hospital psiquiátrico e disse que estava doente, claro que não acreditaram em mim, mas o que poderiam fazer?

À noite bebi com Paul, um dos técnicos do rádio, que foi nosso motorista uma vez que fomos ao Imperiekonsert em Oslo, e a caminho de casa, em plena madrugada em Telemark com vinte graus negativos, o carro derrapou e saiu da estrada a cem quilômetros por hora, bateu num poste e caiu numa vala. Agora vamos todos morrer, pensei, mas o pensamento não me deixou nem um pouco nervoso. Mas não morremos, o carro ficou destruído, mas nós estávamos todos bem. Acabou sendo uma boa história para contar, bem como o que veio depois, a antiga casa onde batemos, a espingarda junto à porta de entrada, a sensação de estar em um mundo diferente, mais feio que o nosso, e o frio inacreditável que fazia na rua quando passamos mais de duas horas tentando arranjar uma carona vestidos apenas com um par de tênis e um paletó. Foi sobre essa história que ficamos conversando no Kjelleren, eu e Paul e a namorada dele, ela era bonita, devia ter uns vinte e três, vinte e quatro anos, passei um bom tempo olhando para ela às escondidas, e quando ela sugeriu que pegássemos um táxi e fôssemos à casa dela fumar haxixe eu aceitei na hora, fumamos juntos e quando eu fumava sentia às vezes um tesão enorme, de repente fui tomado por essa sensação enquanto estava sentado no sofá ao lado dela, me espichei em direção a ela, ela riu e afastou o corpo e disse que gostava muito de Paul, e então pôs a mão no meio das minhas pernas e começou a rir ainda mais e disse que eu tinha crescido. No Kjelleren ela tinha passado a maior parte do tempo em silêncio, Paul tinha sorrido para nós dois, ele confiava nela, e com razão.

No dia seguinte ninguém tocou no assunto, mas notei que não me queriam por perto, mesmo que eu estivesse fazendo o máximo para agradar. Meu emprego durou apenas um mês, e quando esse tempo acabou eu voltei para a nossa casa, que não era mais nossa, minha mãe a tinha vendido, e nos dias seguintes arrumamos tudo que era nosso em caixas, depois um trailer enorme apareceu e levou tudo embora.

Faltava apenas uma coisa: o gato.

O que faríamos com o gato?

Mefisto?

Minha mãe não poderia ter um gato no lugar para onde estava indo, e eu, que ia para o norte da Noruega, tampouco poderia ficar com ele.

O jeito seria sacrificá-lo.

Quando Mefisto veio se esfregar em nossas pernas, minha mãe pôs uma lata de patê de fígado na caixa de transporte, ele entrou, ela pôs a caixa no banco do passageiro e levou-o até o veterinário da cidade.

Naquela tarde passei um tempo deitado sobre as pedras na base da cachoeira e quando voltei o carro estava mais uma vez na garagem. Minha mãe estava na cozinha, tomando café. Ela se levantou quando entrei e passou reto por mim sem dizer nada, olhando para o chão.

— O Mefisto está morto, então? — perguntei.

Minha mãe não respondeu, simplesmente me encarou por um instante antes de abrir a porta e sair. Os olhos dela estavam rasos de lágrimas.

Foi a primeira vez que vi minha mãe chorar.

*

Oito dias mais tarde eu estava deitado em posição fetal no meu sofá em Håfjord, dormindo após ter esvaziado os intestinos maravilhosamente no banheiro. Meu sono era leve, não era preciso mais do que o ronco de um carro para que eu abrisse os olhos. Mas eu não tinha nada a fazer, não tinha obrigação nenhuma, eu podia passar o sábado e o domingo inteiros dormindo. A segunda-feira estava infinitamente longe, ocorreu-me enquanto eu continuava deitado, sentindo a volta do sono.

Foi quando alguém tocou a campainha.

Me levantei para abrir, surpreso com a leveza do meu corpo.

Era Sture.

— Temos treino de futebol — ele disse. — Daqui a quinze minutos. Você tinha esquecido? Ou ainda está meio chumbado de ontem?

— Estou meio baleado — eu disse, sorrindo. — Mas não totalmente.

Passei a mão pelos cabelos.

— Eu não tenho chuteiras. Tinha pensado em comprar, mas acabei esquecendo. Então realmente não dá.

Sture estendeu as mãos, que até então mantinha nas costas. Revelou um par de chuteiras, que balançavam na ponta dos cadarços.

— 45? — ele perguntou. — Ou 46?

— 45 — eu disse, pegando as chuteiras.

— Nos vemos lá, então?

— Combinado.

Fazia uns dois meses que eu não jogava futebol, e a sensação de correr mais uma vez por um campo foi estranha, ainda mais naquele lugar, porque a localização do campo, espremido entre os paredões de rocha verdejante e defronte para o mar, contrariava tudo que eu associava a futebol. O fato de que as pessoas que jogavam comigo eram pescadores e similares não ajudava em nada. Dois eram bons jogadores, especialmente um chamado Arnfinn, ele parecia um meio-campista inglês da década de 1970, ruivo e meio calvo, relativamente baixo, forte e com uma barriguinha saliente, não era o corredor mais rápido do mundo, mas era um jogador que fazia as coisas acontecerem assim que pegava a bola, ele avançava, fazia um cruzamento longo ou deixava os adversários para trás, quase sem levantar a cabeça, como se não estivesse vendo nada, mas simplesmente arriscando. Ele me deu uns carrinhos, era como ser atingido por um tronco de árvore. Ele era bom. O atacante deles também era bom, um sujeito alto e magro incrivelmente rápido, e o goleiro, Hugo, também era habilidoso. Os outros jogadores eram como eu, talvez um pouco piores, a não ser por Nils Erik, que mal devia ter jogado futebol antes e se aquecia fazendo agachamentos que não deviam ter sido usados pelo menos desde o início da década de 1950.

Quando terminamos, descemos até o vestiário da piscina, tomamos uma ducha e fomos para a sauna. Todos a não ser eu e Nils Erik eram brancos como papel. Muitos tinham sardas nas costas e nos ombros, muitos tinham um monte de pelos, e enquanto zanzavam de um lado para o outro e se provocavam entre si, pensei que pareciam fazer parte de uma outra raça. Eu ainda estava com a pele bronzeada do verão e com uma marca clara do meu calção de banho, não tinha um fio de cabelo nos braços, no peito ou nas costas, apenas uma penugem quase invisível, e as minhas costas eram retas como um pilar, não largas e triangulares como as costas deles. Isso sem falar dos meus braços, que eram finos como gravetos, enquanto os braços deles pareciam troncos. E o meu peito era praticamente chato, uma superfície lisa, que não se parecia em nada com os barris dos outros. Não que aqueles corpos fossem modelos de exuberância, porque não eram, muitos tinham dobrinhas molengas e um pouco de gordura lateral, ninguém tinha o peito torneado em duas metades bem definidas, como o peito dos atletas, ou barriga de tanquinho, não, longe disso. Mas entendi que aqueles homens respeitavam a força. Não importava muito se a pança caísse por cima do cinto ou se alguém tivesse uma papada visível no colarinho.

Ficamos sentados nos três bancos da sauna, uns abriram cervejas, Hugo, o goleiro, me estendeu uma e perguntou se eu queria.

— Na verdade eu vou trabalhar hoje à noite — eu disse. — Mas assim mesmo posso tomar uma cerveja.

— Ótimo — ele disse, me passando a garrafa.

Saía fumacinha do gargalo. O vidro era verde e frio.

— Foi uma bela tarde! — ele disse.

— Foi mesmo — concordei.

— Você estava bem à vontade com a Irene, não?

Eu sorri e tentei mudar de assunto.

— Nós vimos tudo! Que filho da mãe, uma semana aqui no norte e já arranjou namorada!

— Você veio aqui para roubar nossas mulheres! Trate de voltar para a sua terra, sulista desgraçado! — disse um outro.

Eles riram, eu também.

— Mas o Pinóquio aqui queria apenas dançar — disse Hugo, olhando para Nils Erik.

Pinóquio! Era com o Pinóquio que ele se parecia!

— É — concordou Nils Erik. — Eu realmente gosto de dançar. Dancei um bocado no Hortens Danseinstitutt na minha época!

Os outros encararam Nils Erik e abriram um sorriso meio inseguro. Tive que rir. No mesmo instante Sture entrou na sauna e bateu com a toalha em outro rapaz para que ele desse espaço. Sture tinha o corpo magro e não era tão robusto como os outros, mas não parecia fraco, também tinha músculos. Além do mais, tinha barba, a cabeça meio calva e um comportamento seguro. Eu tinha receio de que, como professor, ele ficaria abaixo dos outros, mas nos primeiros instantes em que vi todos juntos entendi que não era assim.

Sture virou-se e olhou para mim.

— Vamos jogar terça-feira à tarde. Você vem, não?

Fiz um gesto afirmativo com a cabeça.

— Você pode jogar como volante.

— Volante? — eu perguntei.

— É — ele respondeu. — Foi o que eu disse.

Sture piscou e se virou para o outro lado. Terminei de beber a cerveja, soltei um arroto, me levantei e fui para o chuveiro. Nils Erik foi junto e tomou banho no chuveiro ao lado.

O pau dele era bem grande, a ponto de bater contra as coxas.

Por que um cara de bochechas rosadas que gostava de passear na floresta tem pau grande?, pensei. Para quê?

— Você já fez ginástica? — eu perguntei.

— Ginástica? Não.

— Achei os seus exercícios de aquecimento meio parecidos — eu disse.

Ele riu e fez mais uns agachamentos no chuveiro.

— Era disso que você estava falando? — ele perguntou.

— Isso mesmo — eu disse. — Quero que você saiba que eu não autorizo você a usar esse movimento com a minha turma na aula de educação física, porque isso acabaria com a autoestima deles.

Mais dois ou três entraram e abriram os chuveiros. Em segundos o ar se encheu de vapor.

— Vocês vêm comigo depois? — perguntou Hugo. — O pessoal vai beber um pouco.

— Eu bem que gostaria — respondi. — Mas não posso.

— Eu também não — disse Nils Erik. — Duas noites seguidas fica um pouco demais.

— Que covardes! — ele disse.

Me retorci por dentro, eu não queria ser um covarde e tinha certeza de que poderia beber mais do que ele quando eu bem entendesse, mas não podia, eu precisava escrever.

Me despedi de Nils Erik no cruzamento e fui caminhando até minha casa. Larguei minha bolsa no chão do corredor, parei em frente ao espelho, passei os dedos pelos meus cabelos para arrepiá-los um pouco e respirei fundo duas vezes: que cheiro era aquele? Perfume? Será que alguém tinha estado na casa?

Na mesa da sala havia uma folha dobrada que com certeza não estava lá antes.

Abri a folha. Era um bilhete de Irene.

Oi, Karl Ove!

Eu e a Hilde viemos juntas para fazer uma visita-surpresa para você. Enquanto você estava treinando futebol a gente se divertiu por aqui. Conferimos todos os discos. Você tem uma coleção impressionante! Muito bem. Vimos que você já tem mais coisas aqui do que na última vez em que aparecemos. Que bom para você. Você parece ser um cara muito bacana e eu espero ter a chance de te conhecer melhor. Senti falta de você e espero poder te encontrar de novo. Mas vai ter que ficar para uma outra vez, porque agora temos que ir.

Beijos e abraços, Irene

Será que as duas tinham simplesmente entrado e se acomodado no sofá?

É, é o que deviam ter feito.

E depois tinham ido embora?

Abri a porta e corri os olhos ao redor para ver se eu não as enxergava, caso tivessem saído pouco tempo atrás.

Mas não havia nada.

Apenas o murmúrio do mar, a imensidão do céu azul e dois pequenos vultos azuis que se afastavam pela estrada mais abaixo.

Entrei mais uma vez e cozinhei um pacote inteiro de espaguete, fritei todas as batatas velhas que eu tinha na geladeira e logo me sentei na sala com um monte fumegante de espaguete e batatas rústicas no prato à minha frente, servi uma porção generosa de ketchup em cima de tudo e comecei a devorar a comida. Estava uma delícia. Depois passei café, coloquei o primeiro disco do Led Zeppelin no toca-discos, girei o botão do volume quase até o máximo e fiquei andando de um lado para o outro com os punhos cerrados enquanto eu chacoalhava a cabeça. Eu ia mostrar para todo mundo, porra! E assim, cheio de fúria e adrenalina, me sentei e comecei a bater na máquina de escrever.

O conto em que eu estava trabalhando era baseado num sonho que eu tinha tido naquele verão. Eu me encontrava em uma espécie de rede que se estendia infinitamente para todos os lados na escuridão, e as fibras eram meio escorregadias, mas grossas e resistentes, como tendões. E no fim descobri que essa rede ficava no meu próprio cérebro. Eu havia portanto invertido as relações, os pensamentos já não estavam mais em mim, era eu que estava nos pensamentos. Esse sonho deixou uma impressão muito forte em mim, porém não deu em nada quando tentei escrevê-lo, assim amassei a folha de papel e a joguei fora, virei o disco e comecei um outro conto. Esse também era baseado num sonho, e o lugar onde eu estava também se estendia para todos os lados na escuridão, mas ao contrário do outro, nesse a escuridão era repleta de fogueiras. Fogueiras e mais fogueiras queimavam ao meu redor por onde quer que eu andasse. À minha direita havia uma montanha, à minha frente havia o mar, nada acontecia, eram apenas esses elementos, e eu os escrevi no papel.

Ah, puta que pariu, esse também não deu em nada!

Todas as fogueiras na escuridão, a grande montanha e a enorme planície, tudo havia parecido incrível!

Mas no papel não era nada.

Fui para o sofá e comecei a escrever no meu diário: *Preciso trabalhar na transferência das sensações interiores para o exterior*, escrevi. *Mas como? Seria mais fácil explicar o que as pessoas fazem, mas isso não é o suficiente, acho. Por outro lado, era o que Hemingway fazia.* Levantei a cabeça e olhei para as montanhas, em direção ao fiorde. *Mas pelo menos eu gosto daqui. Quem poderia imaginar? Além disso, conheci uma garota. Ela é bonita. Acho que tenho uma chance. Rock 'n' roll!*

No fim da tarde ouvi passos no andar de cima. Os passos que atravessaram a sala eram mais pesados e mais robustos que os de Torill, e me lembrei que ela tinha dito que o marido estaria em casa naquele dia. Uma vida totalmente diferente preencheu os cômodos acima de mim. Os dois riram, ouviram música e, quando me deitei, começaram a trepar acima da minha cabeça.

Ah, e aquilo demorou bastante!

Ela gritava, ele gemia, dava para ouvir pancadas rítmicas e regulares, talvez a cama batendo contra a parede.

Tapei a cabeça com o travesseiro e tentei pensar em outra coisa.

Mas era impossível, não havia como dar certo, eu sabia quem Torill era e sabia que aparência tinha.

De repente tudo ficou em silêncio. Peguei no sono.

Em seguida os dois começaram tudo outra vez.

Me deitei no sofá. Era como se uma sombra pairasse acima de mim. A expectativa de que talvez eu tivesse um envolvimento com Irene cedeu como se fosse uma mina abandonada e desmoronou dentro de mim.

Eu não poderia.

Eu tinha dezoito anos, era professor, tinha a minha própria casa e uma coleção de discos enorme para alguém da minha idade, praticamente só com discos bons. Eu era bonito, às vezes chegava a parecer o integrante de uma banda com meu sobretudo, minha calça jeans preta, meus tênis de basquete brancos e minha boina preta. Mas de que adiantava quando eu não conseguia fazer a única coisa que eu queria de verdade?

Finalmente os dois terminaram pela segunda vez, e eu dormi como uma criança ainda no sofá.

* * *

    No dia seguinte passei quase o tempo inteiro escrevendo, comecei a sessão com Led Zeppelin e os punhos fechados, me sentei e passei quatro horas datilografando sem parar. Voltei ao estilo do primeiro conto e dessa vez fiz com que os dois meninos quebrassem a janela de uma cabana no loteamento onde moravam e roubassem as revistas pornográficas que estavam lá dentro. Ficou bom, mesmo que eu não soubesse como terminar. O menino não poderia voltar para casa e mais uma vez encontrar o pai furioso, outra coisa precisava acontecer, mas o quê?
    À tarde fui para a escola. Eu ainda sentia a consciência meio pesada por estar lá sozinho, tinha a sensação de que estava xeretando, mas claro que não era nada disso, pensei enquanto eu largava o grande molho de chaves sobre a mesa na sala dos professores com um som tilintante, abria a porta para a saleta do telefone e discava o número da minha mãe.
    Ela atendeu logo que o telefone chamou.
    — Como vão as coisas? — perguntei.
    — Bem — ela respondeu. — Para dizer a verdade, eu estava pensando em escrever uma carta para você agora à noite.
    — Você recebeu o meu conto?
    — Recebi. Muito obrigada.
    — E o que você achou?
    — Achei muito bom. Fiquei realmente surpresa. Pensei, nossa, isso é *literatura*!
    — É mesmo?
    — É. Você conta uma história, os personagens são interessantes e a escrita é muito viva. É como se eu estivesse participando daquilo que estou lendo.
    — E teve alguma coisa que você achou particularmente boa?
    — Não, para dizer a verdade, não. Mas achei que tudo está muito bom.
    — E o fim?
    — Com o pai?
    — É.
    — Para mim, essa é a história de verdade.
    — Você tem razão.
    Fez-se um silêncio.

— E o Kjartan? Você teve notícias? Eu mandei uma cópia do conto para ele também.

— Não, eu costumo ligar para ele aos domingos. Então vou falar com ele em seguida.

— Mande um alô para ele.

— Pode deixar. E como você está por aí?

— Bem. Hoje tive mais um treino de futebol. Amanhã recomeça o trabalho escravo.

— Você está achando difícil?

Tive que conter uma risada.

— Não, na verdade é bem fácil. Sinceramente não entendo por que as pessoas têm que estudar magistério por três anos. Mas talvez seja diferente com turmas maiores. Aqui são cinco ou seis alunos em cada turma.

— Você tem certeza?

— Do quê?

— De que é tão fácil assim?

Eu sorri.

— É bem do seu feitio duvidar de mim — eu disse. — Mas não, claro que tem coisas bem difíceis também.

— E você já fez amizades?

— Já. Com alguns dos professores. Em especial com um que se chama Nils Erik. Mas as pessoas daqui são muito receptivas. Batem na minha porta e tocam a campainha o tempo inteiro.

— É mesmo?

— É, todo tipo de gente. Até os meus alunos!

— Parece que você está aproveitando.

— Foi o que eu disse.

Falamos por cerca de meia hora, então desliguei e me sentei no sofá para assistir ao *Sportsrevyen*. O Start tinha perdido mais uma vez, a coisa estava ficando feia para valer; se o time não tomasse jeito logo, acabaria rebaixado.

Dois dias mais tarde Richard entrou em uma das minhas aulas e gesticulou para mim.

— Telefone para você — ele disse. — Pode deixar que eu assumo a aula enquanto você atende.

Telefone?

Entrei depressa na salinha e peguei o fone, que estava ao lado do aparelho.

— Alô? — eu disse.

— Alô? É a Irene!

— Oi!

— Você está trabalhando?

— Estou.

— E você recebeu a minha carta?

— Recebi. Fiquei bem surpreso, aliás!

— Essa era a ideia! Mas escute. Você não gostaria que eu fizesse uma visita pra você? Conheço uma pessoa que está indo para esses lados na sexta-feira e posso conseguir uma carona.

— Seria ótimo.

— Então pode me esperar. Até lá!

— Até — eu disse, e então desliguei.

Pelo que pude entender, Richard não tinha apenas tomado conta da turma, porque quando voltei ele estava fazendo desenhos no quadro e dando explicações. Ele sorriu para mim, mas tinha um olhar frio, não?

Richard me chamou durante o intervalo.

— Karl Ove, um detalhe importante: você não pode receber ligações pessoais durante o horário de aula.

— Eu não tinha como impedir que ela me ligasse — eu disse. — Você podia ter pegado o recado, não? Para que eu retornasse a ligação durante o intervalo?

Ele me encarou.

— Ela disse que era importante. Era realmente importante?

— Era — eu disse.

Richard piscou o olho para mim e entrou na sala dele.

Puta que pariu.

Quando abri a caixa de correio ao voltar da escola, havia três cartas lá dentro. Uma era de uma empresa de cobrança, que ameaçava tomar medidas legais contra mim se eu não pagasse. Era o smoking que eu tinha alugado para o Ano-Novo e que tinha sido destruído, como eu não tinha dinheiro para comprar um novo eu simplesmente o joguei fora e torci para que a loja esquecesse o assunto depois de um tempo. Eu ainda não tinha dinheiro, então não havia mais nada que pudesse acontecer. O que eles fariam se eu não pagasse? Por acaso iam me jogar na cadeia? Eu *não tinha* dinheiro!

As outras cartas eram de Hilde e da minha mãe. Não abri nenhuma delas antes de entrar em casa, receber cartas para mim era uma festa e tudo precisava ser perfeito quando eu sentava para lê-las.

Café na caneca, música no aparelho de som, um cigarro enrolado nos dedos e outro em cima da mesa.

Comecei com a carta da minha mãe.

Querido Karl Ove

Sei que você está esperando as respostas de vários pareceristas, então aqui estão os comentários do Kjartan: Ele ficou muito animado com a sua narrativa — "isso é literatura e isso demonstra bastante talento" foram alguns dos comentários que fez. Agora Kjartan considera você um colega, e está mandando para você (através de mim) o último trabalho dele, uma narrativa em prosa. Ele deu todo apoio para que você continue a escrever, mas acha que você deve sentir falta de pessoas com quem possa trocar ideias e perguntou se não havia um curso de escritores ou um seminário de literatura no distrito, como de costume. Ele também acha que você devia encontrar um conselheiro (um editor) para trocar ideias. (Eu já não tenho tanta certeza — acho que ainda é muito cedo em relação ao seu desenvolvimento pessoal — mas essa é a opinião dele, que estou retransmitindo para você.)

Parece que você conseguiu fazer a transição do "aconchego do lar" para o "mundo adulto" sem nenhum problema, já que consegue ver os aspectos positivos da vida. Essa transição nem sempre é indolor. Mas talvez o lar não fosse tão aconchegante assim, não é mesmo? Talvez seja até um pouco mais calmo onde você está agora, um lugar cheio de música.

Por aqui, não faço nada além de pensar na escola de enfermagem psiquiátrica. Não faz muito que encontrei uma construção <u>antiga</u>, uma escola desativada, cheia de cômodos bonitos e <u>imponentes</u> e repleta de sabedoria e cultura de outras épocas. Imaginei que seria um bom lugar para mim e para os meus alunos de enfermagem psiquiátrica!

Em Sørbøvåg as coisas estão difíceis como sempre — pobreza, miséria e uma grande vontade de viver, uma vontade insaciável de sobreviver, sobreviver a qualquer custo. É bom estar lá no sentido de que é bom estar ao lado de pessoas próximas a mim. Mas as condições são um desafio à coragem e à vontade de viver de qualquer um. Não consigo entender o que os mantém de cabeça erguida. A vida deles é cheia de dificuldades para executar as tarefas mais simples da vida cotidiana — como se levantar, se vestir, preparar comida etc. — mas assim mesmo vejo uma grande força e uma grande vontade de viver.

O seu avô acha que vai viver até os cem anos. Ele está muito contente! Sua avó está enfrentando problemas de memória, distúrbios psicológicos, ela vive as coisas que estão acontecendo, ou talvez acima de tudo as que já aconteceram, pois mistura o passado e o presente. Essa diferença às vezes também não parece muito clara para o seu avô. É deprimente presenciar essa decadência, mas sem eles minha vida seria muito vazia. Muitas vezes me consolo e me animo falando com a tia Borghild, ela é muito sábia e muito inteligente, tem muita experiência de vida, é segura — e também muito articulada. Essa semana pensei em fazer uma visita a ela para conversarmos um pouco.

Sinto que você está levando o trabalho de escritor a sério. Deve ser bom ter encontrado uma coisa à qual você está disposto a se dedicar. As possibilidades são infinitas para quem tem essa dedicação. É nisso que eu acredito.

No que diz respeito ao seu blusão, comprei uma amostra que talvez funcione se eu a modificar um pouco. Mas nesse momento o tricô e o crochê não me atraem muito. Talvez eu compre um, ou então mande o dinheiro para você. Vamos ver. Boa sorte com tudo!

Um beijo da sua mãe.

Será que Kjartan tinha mesmo dito que o meu conto demonstrava talento? E que eu devia mandá-lo para uma editora?

Minha mãe nunca teria escrito uma coisa dessas se não fosse verdade.

Mas o que ela queria dizer com o meu "desenvolvimento pessoal"? Ou os textos *eram* bons, ou então *não eram*, certo?

Abri a carta de Hilde. Como eu esperava, era uma torrente de superlativos. Ela escreveu que gostaria de ler outros contos meus com aquele jeito íntimo e sincero que só ela tinha.

Guardei a carta e me sentei em frente à máquina de escrever. Assim que a liguei entendi o que devia acontecer na história das fogueiras.

Estavam queimando mortos! Todas aquelas fogueiras na planície interminável estavam queimando cadáveres! No início o personagem não saberia disso, mas depois chegaria mais perto e descobriria. Tridentes chatos fincados por baixo dos corpos os erguiam à altura das chamas.

Terminei de escrever o conto em uma hora, *arranquei* a folha da máquina e fui depressa à escola fazer cópias.

Três dias mais tarde Irene bateu na minha porta.

Eu a convidei para entrar.

A atmosfera parecia meio tensa, ela tentou ao máximo relaxar um pouco, tomamos chá e conversamos, mas não aconteceu nada.

Na hora de ir embora ela me abraçou e olhou fundo nos meus olhos, e nesse momento eu inclinei o corpo para a frente e a beijei.

Ela era quente e macia e cheia de vida.

— Quando nos vemos de novo? — ela perguntou.

— Não sei — eu disse. — Quando fica bom para você?

— Amanhã? — ela perguntou. — Você vai estar em casa? Posso conseguir uma carona.

— Claro — eu disse. — Venha amanhã.

Fiquei olhando da porta enquanto ela ia até o carro. Meu pau doía de tesão. Ela se virou e acenou, sentou-se no carro e eu fechei a porta e me sentei no sofá. Eu gostava de Irene, mas esse não era um sentimento muito bem definido, eu gostava dela e queria estar com ela, mas será que eu gostava *o suficiente*? Ela tinha aparecido com um jeans azul e uma jaqueta também de jeans azul, e todo mundo sabia que essa combinação não funcionava. Pelo menos todas as garotas. E a carta dela, cheia de palavras em dialeto, eu não tinha gostado nem um pouco daquilo.

O jeito seria a gente encher a cara, porque assim toda a ambivalência desapareceria. Se eu estivesse bêbado *o suficiente*, talvez conseguisse vê-la nua sem que... sem que *acontecesse*?

Eu estava dormindo na cama quando ela tocou a campainha na tarde seguinte. Me apressei para abrir a porta. Ela tinha os polegares enfiados nos bolsos da calça e sorriu para mim. Logo atrás havia um carro com o motor ligado.

— Você não quer dar um passeio em Finnsnes? — ela me perguntou.

— Quero, claro! — eu disse.

A mesma amiga que tinha aparecido com ela na primeira vez, com um nome que eu tinha esquecido, estava no banco do passageiro ao lado do motorista, um sujeito da minha idade que talvez fosse o namorado dela, ou talvez não. Me sentei atrás, ao lado de Irene, e nos pusemos a caminho. Como todo mundo por aquelas bandas, ele dirigia rápido. A música estava alta, era Creedence, um das bandas favoritas por lá, e ainda na encosta que saía da minha casa alguém pôs uma garrafa de cerveja na minha mão. Passei todo o trajeto a fim de Irene, ela parecia estar muito perto de mim, especialmente quando apoiava as mãos no banco da frente e esticava o pescoço para falar com a amiga e o garoto. Eles faziam perguntas, eu respondia e fazia perguntas a eles, e o silêncio que vinha depois era preenchido por Irene, que falava com aqueles dois sobre tudo e mais um pouco. De vez em quando ela se virava para mim e me oferecia detalhes a respeito das histórias que estava discutindo, oscilando o tempo inteiro entre um sorriso e uma seriedade absoluta quando nossos olhares se encontravam.

Mais de uma hora depois o motorista estacionou o carro em frente à discoteca de Finnsnes, entramos, nos sentamos e compramos um vinho para dividir. Dançamos, Irene apertou o corpo contra o meu, eu estava tão a fim dela que não sabia nem o que fazer. Aquela conversinha boba, para que servia aquilo? Tentei preencher o vazio com alguma coisa, a velocidade aumentou dentro de mim e logo estávamos dançando o tempo inteiro. A caminho de casa, a cento e vinte por hora na vasta planície, trocávamos amassos no banco de trás. Quando "Stand Your Man" começou a tocar no som do carro, virei a cabeça para trás e ri, eu tinha que escrever aquilo nas minhas cartas, aquele lugar era muito brega, e aquela era a minha vida. Irene perguntou do que eu estava rindo, eu disse que de nada, que eu simplesmente estava feliz.

No entroncamento que levava a Håfjord o motorista parou o carro.

— Você vai ter que ir a pé daqui em diante — ele disse. — Estamos indo para Hellevika.

— Mas não é longe pra burro? — perguntei.

— Não, leva no máximo uma hora — ele disse. — Se você andar depressa, quarenta e cinco minutos.

Dei um beijo de despedida em Irene, abri a porta e saí.

Os três riram no carro, eu me virei e o motorista pôs a cabeça para fora da janela.

— A gente estava brincando! Entre no carro, é claro que vamos deixar você em casa.

Seguimos através do túnel, ao longo do fiorde, uma tranquilidade absoluta pairava sobre o mar e as montanhas do panorama envolvido pelo ar cinzento e igualmente tranquilo da noite.

— Você não quer dormir na minha casa? — cochichei para Irene quando estávamos nos aproximando.

— Claro que quero — ela cochichou de volta. — Mas eu não posso. Tenho que ir para casa. Mas no próximo fim de semana eu posso. Você vai estar em casa?

— Vou — eu disse.

— Então eu venho — ela disse.

Às segundas-feiras eu tinha por hábito ir à escola uma hora antes do início das aulas, eu revisava o que seria feito naquele dia e, quando o sinal tocava, eu em geral estava na cátedra esperando os alunos. Antes de começar a aula eu costumava falar com eles sobre o que tinham feito nos últimos dias.

Mas assim que entrei na sala eu senti que naquela segunda-feira tinha alguma coisa no ar. Os alunos sentaram-se com a falta de jeito habitual. Andrea olhou para Vivian, que ergueu a mão.

— É verdade que você está namorando a Irene de Hellevika? — ela perguntou.

As outras meninas deram risadinhas. Kai Roald revirou os olhos, mas também sorriu.

— O que eu faço quando não estou na escola não é da conta de vocês — eu disse.

— Mas você costuma perguntar o que a gente fez no fim de semana — disse Andrea.

— É verdade — eu disse. — E vocês também podem perguntar o que eu fiz. Prometo responder.

— O que você fez? — perguntou Kai Roald.

— No sábado passei o dia inteiro em casa. À tarde estive em Finnsnes. E passei o domingo em casa.

— Ah! — disse Vivian. — E *quem* estava com você em Finnsnes?

— Isso não é da conta de vocês — eu disse. — Podemos começar?

— Não!

Abri os braços.

— Vocês têm mais o que contar, então?

— Você está namorando a Irene? — perguntou Andrea.

Eu sorri, não respondi, larguei a caixa de livros em cima da cátedra e comecei a distribuí-los. Tínhamos aula de norueguês, e o livro que os alunos tinham de ler era *Gift*, de Alexander Kielland, um dos poucos conjuntos de que a turma dispunha. Eu tinha começado a leitura na segunda-feira anterior, os alunos leem muito mal, eu tinha dito para a pedagoga durante o nosso encontro, tente ler um livro junto com eles, ela sugeriu, e então começamos.

— Essa não! — os alunos disseram ao ver as encadernações dos anos 1970. — Esse livro não! A gente não entende nada!

— Esses livros são todos escritos em norueguês — eu disse. — Vocês por acaso não entendem norueguês?

— Mas a linguagem é muito antiga! Na verdade a gente não entende.

— Kai Roald, pode começar.

Ah, era um sofrimento ouvir aquilo. Em primeiro lugar, Kai Roald lia mal, mas o estilo de Kielland e a linguagem antiquada terminavam de vez com a pouca fluência que de outra forma poderia ter existido e reduzia tudo a sílabas avulsas, hesitações, sons entrecortados e balbucios. Ninguém entendeu o que estava acontecendo na história. Me arrependi de ter começado aquilo, mas desistir não pegaria bem, então eu os atormentei durante a aula inteira e estava decidido a continuar na segunda-feira seguinte.

Naquele dia eu era o responsável pela supervisão dos alunos durante o recreio, então fui à sala dos professores pegar o meu sobretudo enquanto os alunos saíam para o pátio.

— Karl Ove, o seu pai ligou — disse Hege, com um bilhete na mão. — Pediu que você retornasse a ligação. Esse é o número.

Ela me entregou o papel e eu hesitei por um instante. Não podia deixar os alunos sozinhos no pátio. Por outro lado, o meu pai também era professor, e se tinha me ligado durante uma aula devia ser importante.

Ah, claro. O bebê devia ter nascido!

Entrei na saleta do telefone e disquei o número.

— Alô? — meu pai atendeu.

— Alô, é o Karl Ove. Me disseram que você ligou pra cá.

— Você foi promovido a irmão mais velho — ele disse.

— Ah, que bom! — eu disse. — É menino ou menina?

— É uma pequena — ele disse.

Será que ele estava bêbado ou apenas muito feliz?

— Meus parabéns — eu disse. — Que boa notícia!

— Sim, é uma ótima notícia. Acabamos de voltar para casa. Mas agora preciso dar uma olhada nas duas.

— Está tudo bem com a Unni?

— Tudo certo. Mas nos falamos depois! Tchau.

— Tchau! E mais uma vez parabéns!

Desliguei e saí, abri um sorriso para Hege, que estava me olhando, abotoei o sobretudo e entrei no corredor, a caminho do pátio. Assim que cheguei à rua, Reidar parou na minha frente. Aquele menino às vezes era insuportavelmente mimado e aproveitava toda e qualquer situação para tornar-se o centro das atenções. Durante a aula, queria responder tudo, comentar tudo, saber mais do que todos os colegas, ser melhor do que todos os colegas. E tratava a mim e a todos os outros professores com muita bajulação. Em suma, era uma criança detestável. Parecia eu quando ainda era pequeno. Eu aproveitava todas as oportunidades para tentar fazer com que Reidar entendesse que mais tarde aquilo tornaria a vida dele bastante complicada, porém sem muito sucesso, porque após cada reprimenda ele parecia se refazer, como se fosse uma mola de aço.

Quando descobri que Reidar era irmão da minha aluna Andrea passei a tratá-lo com um pouco mais de boa vontade, Andrea era a minha aluna favorita, e o fato de que aqueles dois fossem irmãos me enternecia um pouco, mesmo que eu não soubesse ao certo por quê.

— Karl Ove, Karl Ove! — ele disse, me puxando pelo sobretudo.

— O que foi? — perguntei. — E não puxe o meu sobretudo!

— Posso entrar na sala de aula?

— O que você quer lá dentro?

— Eu esqueci a minha bolinha de borracha. Só quero buscá-la. Por favor! *Please! Please!*

— Não — eu disse, me afastando em direção ao campo de futebol.

Reidar me seguiu.

— Se a Torill fosse a supervisora ela deixaria — ele insistiu.

— E por acaso eu me pareço com a Torill? — perguntei.

Ele riu.

— Não! — disse.

— Então pode dar o fora — eu disse. — Saia!

Reidar se afastou correndo, diminuiu a velocidade e começou a andar, parou em frente a outros cinco colegas que pulavam corda próximo à parede da escola.

Uma rajada de vento soprou em direção ao campo de futebol, levantando pó e areia pelo caminho, tive que piscar algumas vezes para limpar os olhos.

Era estranho pensar que o meu pai tinha sido pai mais uma vez.

Me virei e olhei em direção à escola. As duas meninas do nono ano saíram pela porta e começaram a descer a encosta. As duas vestiam calça jeans justa da Levi's, tênis brancos e uma jaqueta larga. Uma tinha os cabelos escuros presos em um coque, a outra tinha cabelos loiros com permanente, grandes cachos que o tempo inteiro caíam por cima dos olhos dela e faziam com que precisasse fazer gestos bruscos com a cabeça quase sem parar. Ela tinha um pescoço bonito, comprido, branco e elegante. E uma bunda incrível também.

Não, eu não podia ficar pensando nessas coisas, assim eu acabaria louco ou preso.

Sorri e me virei para o outro lado, olhei para a turma que sempre jogava futebol e depois para as crianças que pulavam corda, que pareciam estar se divertindo.

Essa não, de repente aquele gorducho veio na minha direção.

— Oi! — ele disse com aqueles olhos ao mesmo tempo tristes e alegres.

— Oi — eu disse. — Você estava pulando corda?

— Estava, mas fui eliminado de cara.

— Acontece — eu disse.

— Posso ir à sua casa hoje mais tarde? — ele perguntou.
— Para a minha casa? Por quê?
— Seria bom receber uma visita, não? — ele me perguntou.
Eu sorri.
— É verdade. Mas hoje eu não posso. Vou estar trabalhando. Mas outro dia você pode chamar um amigo e dar uma passada lá.
— Está bem — ele disse.
Tirei o relógio do bolso e conferi a hora.
— Faltam dois minutos para o sinal tocar — eu disse. — Se a gente for andando devagar, podemos alcançar a porta no momento exato.
Ele pegou minha mão e tomamos o caminho da porta.
Andrea e Hildegunn estavam em frente à janela de Richard com as mãos nos bolsos e nos olharam quando chegamos mais perto.
— Esse *Gift* é chato demais — reclamou Andrea. — Não podemos ler outra coisa?
— É um clássico da literatura norueguesa — eu disse.
— Estamos nos lixando para isso — disse Hildegunn.
Olhei para as meninas com o indicador em riste.
As duas riram, e então o sinal tocou.

No sábado joguei minha primeira partida de verdade. Nosso uniforme era verde com finas listras brancas, o calção era branco e as meias eram verdes. Joguei como volante, enquanto Nils Erik corria a passos curtos junto à linha lateral com um cuecão por baixo do calção.

Algumas pessoas apareceram para nos assistir, a maioria estava sentada nas laterais, e umas poucas na diagonal do outro lado do campo. Vivian e Andrea estavam lá, acenei para elas antes que a partida começasse e quando ouvi um grito de "Vamos, Karl Ove!" minutos depois eu olhei para elas e sorri. Foi Vivian quem havia gritado, enquanto Andrea a puxava pela jaqueta para que parasse.

Vencemos por um a zero, a atmosfera no vestiário ao fim da partida estava ótima, todo mundo quis sair para beber, boa parte em Finnsnes, pelo que entendi, e não faltaram convites para mim, mas eu não tinha como, Irene ia me visitar.

A caminho de casa passei na sala dos professores e telefonei para Yngve.

— Como vão as coisas? — perguntei.

— Bem — ele disse.

— E cadê a carta que você tinha me prometido, então?

— Ah, é mesmo — ele disse. — Eu tenho pensado em muita coisa ultimamente.

— Como o quê?

— Eu e a Kristin terminamos o namoro, por exemplo.

— Vocês *terminaram*?

— Terminamos.

— Por quê?

— Eu é que pergunto a você.

Fez-se um silêncio.

— Mas escute, eu já estava de saída — ele disse. — Vou ao Filmklubben agora à noite. Podemos nos falar mais tarde, não?

— Claro — eu disse.

Desligamos, eu vesti minha jaqueta, tranquei a porta e saí. O céu estava cinza e um vento forte soprava do mar. A crista das ondas no fiorde estava branca de espuma. Ao chegar coloquei uma lasanha congelada no forno, comi ainda na bandeja de plástico branco e tomei uma cerveja. Eu tinha acabado de abrir a segunda quando um carro parou do lado de fora.

Ela veio me encontrar, pensei, e na hora fiquei de pau duro. Quando a campainha tocou no instante seguinte, enfiei a mão no bolso para esconder aquilo e abri a porta.

— Oi! — disse Irene.

O carro buzinou e começou a se afastar.

— Oi — eu disse.

Ela deu um passo à frente e me abraçou. Tirei a mão do bolso para retribuir o abraço, mas ao mesmo tempo afastei minha virilha, para que ela não percebesse nada.

— Que bom te ver! — ela disse. — Eu queria muito fazer essa visita. Estava contando as horas!

— Eu também — respondi. — Mas entre!

— No fim vou ter que voltar para casa ainda hoje — ela disse. — Mas temos um bom tempo, vão me buscar às onze e meia. Tudo bem?

— Claro — eu disse.

Larguei minha cerveja no balcão da cozinha, abri uma garrafa de vinho branco e servi duas taças. Se eu quisesse levar aquilo adiante, seria preciso beber, e beber alguma coisa mais forte do que cerveja, claro.

— Tim-tim! — eu disse, olhando nos olhos dela.

— Tim-tim — ela respondeu com um sorriso.

Coloquei o disco do Chris Isaak para tocar, eu já tinha pensado naquele detalhe antes, o clima sutil e melancólico, mas ao mesmo tempo agitado da música seria perfeito.

Irene sentou-se no sofá. Me sentei ao lado dela, mas não muito perto. Ela estava usando a mesma blusa branca que tinha usado na primeira vez em que tinha ido à minha casa. Eu não conseguia ver os peitos volumosos por baixo do tecido, mas conseguia pressenti-los, como eu conseguia pressentir também as coxas sob o jeans apertado.

Ah.

— Aquele nosso passeio a Finnsnes estava bem legal — ela disse.

— Estava mesmo — eu disse. — Aqueles seus dois amigos são namorados?

— O Eilif e a Hilde?

— É.

Ela riu.

— Não. São irmãos. Mas sempre foram bons amigos. Sempre foram muito próximos — ela disse, mostrando dois dedos enrolados um no outro.

— E você tem irmãos? — perguntei.

— Não — ela disse. — E você?

— Tenho. Um irmão.

— Mais novo ou mais velho? Não, eu vou adivinhar! Mais velho?

— Acertou. Como você sabia?

— Porque você não faz o tipo do irmão mais velho.

Sorri e enchi minha taça. Bebi tudo de um gole só.

— É verdade — eu disse. — E eu também tenho uma irmã. Uma meia--irmã.

— Você tinha esquecido?

— É que ela nasceu poucos dias atrás!

— É mesmo?

— É. Totalmente recém-nascida. Nem pude vê-la ainda. O meu pai se casou outra vez.

Fez-se um silêncio.

Trocamos um olhar e sorrimos.

O silêncio continuou.

Tinha que acontecer naquele instante. Não tínhamos mais nada a fazer. Tinha que acontecer naquele instante, mesmo que eu ainda não estivesse sentindo o efeito do vinho.

— Com o que os seus pais trabalham? — perguntei a ela, e no instante seguinte me amaldiçoei. Seria impossível pensar em uma pergunta melhor para estragar o clima.

Mas Irene respondeu com polidez.

— Meu pai é pescador. Minha mãe é dona de casa. E os seus?

— O meu pai é professor do colegial, e a minha mãe é professora numa escola de enfermagem psiquiátrica.

— Ah, então é isso! — ela disse. — A fruta não cai longe do pé!

— Não sou professor — eu disse. — E não vou ser.

— Você não gosta?

— Gosto. Mas não quero dedicar minha vida a essa carreira. Estou fazendo isso por um ano, para ganhar dinheiro.

— E a que carreira você quer se dedicar, então?

— Eu quero escrever. Vou ser escritor.

— É mesmo? Que bacana!

— É — eu disse. — Mas não é certo que eu vá conseguir.

— Não — ela disse. — Ou melhor, com certeza você vai conseguir!

Ela olhou nos meus olhos.

— Quer um pouco mais de vinho? — perguntei.

Ela acenou a cabeça e eu a servi. Ela tomou um gole. Depois se levantou e começou a andar pela sala. Parou em frente à escrivaninha.

— Então é aqui que você fica escrevendo — disse Irene.

— É — respondi.

Ela olhou para a rua.

Esvaziei a taça de um gole só, me levantei e fui para junto dela. Senti o cheiro do perfume, era um cheiro leve e fresco de grama.

— A vista daqui é bonita — ela disse.

Engoli em seco e a abracei devagar. Foi como se Irene estivesse à espera daquilo, porque no instante seguinte ela inclinou a cabeça para trás, eu encostei meu rosto no dela e comecei a passar a mão na barriga dela, ela virou o rosto para mim e eu a beijei de leve.

— Ah — ela disse, virando o corpo inteiro na minha direção e me abraçando. Passamos um bom tempo nos beijando. Apertei meu corpo contra o dela. Beijei o pescoço dela, beijei o rosto dela, beijei os braços dela. Eu sentia meus ouvidos zumbirem e meu coração bater forte.

— Venha. Vamos para o quarto — eu disse, pegando a mão dela. Irene se deitou na cama, eu me deitei em cima dela. Com as mãos trêmulas, desabotoei a blusa, por baixo ela estava de sutiã, eu quis tirá-lo mas não consegui, ela riu e sentou-se, levou a mão às costas e soltou o gancho, deixou o sutiã cair e de repente os peitos dela estavam nus. Meu Deus, como eram grandes e deliciosos! Beijei-os com uma ânsia trêmula, primeiro um, depois o outro, senti os mamilos enrijecerem nos meus lábios e ela começou a dizer ah, ah e eu comecei a remexer nos botões da calça dela, por fim consegui abri-los, tirei a calça dela, arranquei a minha, tirei minha blusa e me deitei por cima dela uma vez mais, senti a pele dela contra a minha pele, ela era macia e deliciosa e eu espremi meu corpo contra o dela com toda a minha força e comecei a me esfregar e não puta que pariu não pode ser verdade agora não! Agora não!

Mas estava feito. Um espasmo, um estertor e tudo estava acabado.

Fiquei completamente parado.

— O que houve? — Irene me perguntou. — Aconteceu alguma coisa?

Ela levantou um pouco o corpo, apoiada no braço.

— Não foi nada — eu disse, virando o rosto para longe. — Só estou com sede. Acho que vou pegar alguma coisa para beber. Você quer?

Se eu conseguisse sair despercebido do quarto, eu podia me "lambuzar" na cozinha, e assim convencê-la de que a mancha úmida na minha cueca não era porra, mas suco. E deu certo. De pé em frente à geladeira eu abri uma caixa de suco de maçã, servi um pouco em um copo, derramei um pouco na minha cueca e um pouco na barriga.

— MERDA! — gritei.

— O que foi? — ela gritou do quarto.

— Nada — eu disse. — Só me lambuzei um pouco. O que foi que você disse, mesmo? Também quer?

— Não, obrigada — ela disse.

Quando voltei ao quarto Irene havia tapado os peitos com as cobertas, que ela segurava firme nas mãos. Me sentei na borda da cama com o copo na mão. O momento tinha passado, eu havia perdido a chance, o jeito seria fazer com que aquilo voltasse a funcionar mais uma vez.

— Como é bom matar a sede — eu disse. — Você não quer fumar um cigarro? Não fumo desde que você chegou. Parece que você tem um efeito distrativo sobre mim.

Sorri e me levantei, vesti minha calça e minha blusa ao sair, fui à sala e coloquei um disco para tocar, dessa vez The Housemartins. Já não havia mais utilidade para o clima hipnótico de Chris Isaak. Depois me sentei no sofá, servi uma taça de vinho e enrolei um cigarro. Pouco depois Irene saiu do quarto, também vestida.

Como eu podia dar um jeito naquela situação?

Será que havia como partir mais uma vez da estaca zero e chegar às alturas onde nos encontrávamos poucos instantes atrás?

Toda a tensão havia desaparecido. Irene estava sentada na outra ponta do sofá, ela passou a mão para ajeitar os cabelos um pouco desgrenhados e depois pegou a taça de vinho.

Quando olhou para mim, foi com um sorriso no rosto e um brilho no olhar.

Senti uma punhalada no peito.

Será que estava zombando de mim porque eu não era bom o suficiente?

— Acho que estou me apaixonando de verdade por você, Karl Ove — ela disse.

Como?

Será que estava me fazendo de bobo?

Não havia nada parecido no olhar dela, que era terno e alegre e cheio de cumplicidade.

No que será que Irene estava pensando? Por acaso achava que eu tinha me afastado dela e de tudo que tinha a me oferecer por cavalheirismo? Não tinha mesmo entendido que eu não conseguia? Que eu nunca ia conseguir? Que por trás do que ela via se escondia um aborto, uma criatura disforme?

— Você também gosta um pouquinho de mim? — ela perguntou.

— Claro que gosto! — eu disse. Mas o sorriso que eu dei não podia ser muito convincente. — Ei — disse eu. — Você não quer dar um passeio? Está muito agradável na rua.

— Quero — ela disse. — Boa ideia. Vamos.

Me arrependi da ideia assim que saímos de casa. Só havia um caminho a fazer, e esse caminho seguia ao lado da estrada pelo meio das casas e depois voltava. Não teríamos nem um metro só para nós dois, seríamos vistos por toda parte.

Irene pegou minha mão e olhou para mim com um sorriso. Talvez não tivesse problema nenhum, pensei, e então sorri de volta.

Começamos a caminhar encosta abaixo. Nenhum de nós disse nada. A pressão suave que às vezes ela fazia com a mão, somada ao fato de que estava o tempo inteiro a poucos centímetros de mim, fez com que o meu tesão voltasse. Ao nosso redor a paisagem era tranquila. O mar estava plácido. Nuvens pairavam imóveis no horizonte e acima das montanhas do outro lado, que pareciam quase pretas na penumbra. A única vontade que eu tinha era derrubá-la no chão e possuí-la lá mesmo. Mas não havia como. Nem lá, nem em qualquer outro lugar, nem mesmo em casa, eu tinha acabado de tentar e não tinha conseguido, não tinha dado certo. Eu tinha vontade de gritar, de berrar. Eu queria possuí-la, eu podia possuí-la, mas não conseguia.

A escuridão pairava sobre o fundo do mar, em meio aos paredões das montanhas, sob a cúpula do céu. As primeiras estrelas começavam a despontar. Não havia ninguém na rua.

— Você vai voltar para Kristiansand quando terminar o seu trabalho aqui? — perguntou Irene.

Balancei a cabeça.

— De jeito nenhum — eu disse. — Seria o último lugar no mundo inteiro onde eu escolheria morar.

— É tão ruim assim?

— Você nem imagina.

— Eu já estive lá, sabia? Meu pai tem família em Kristiansand.

— É mesmo? Onde?

— Acho que o lugar se chama Vågsbygd — ela disse. — Mas eu não tenho certeza.

— É isso mesmo — eu disse.

Havíamos chegado à curva no fim do vilarejo, onde ficava a capela. Ela parou e me abraçou.

— Estamos namorando, então? — ela disse. — Ou não?

— Estamos — eu disse.

Trocamos um beijo.

— Meu escritor — ela disse, sorrindo.

Dessa vez era claro que ela estava brincando comigo. Mas também que estava gostando.

Mas, Deus meu, quando aquilo ia acabar? Eu mal conseguia caminhar por conta do tesão que eu sentia ao tê-la perto de mim.

Continuamos nosso passeio, ela falou um pouco sobre as coisas que fazia em Finnsnes, eu falei um pouco sobre as coisas que eu tinha feito em Kristiansand.

Quando nos aproximamos da casa e eu vi a escola se erguer como uma pequena fortaleza social-democrata, me ocorreu que podíamos ir até lá para tomar um banho na piscina. Tomar banho juntos, ir para a sauna juntos, nadar juntos. Mas assim que tive essa ideia, a certeza de que eu não podia, e de que não haveria como esconder aquilo que eu não podia, fincou as garras no meu peito.

Entramos, conversamos e bebemos um pouco mais de vinho. As pausas tornavam-se cada vez mais longas e desconfortáveis, e quando faltavam poucos minutos para as dez e meia eu finalmente a acompanhei até a porta e me despedi com um beijo.

Ela se virou depressa enquanto caminhava em direção ao carro. Os olhos dela brilhavam. Depois ela se acomodou no assento, a porta se fechou e ela foi embora.

No dia seguinte eu tentei escrever. Não deu muito certo, a derrota no dia anterior tinha lançado uma sombra escura sobre todo o resto. Não apenas sobre aquelas horas e as coisas que eu tinha feito desde então, mas sobre toda a minha vida de merda. Havia uma razão para que eu fosse daquele jeito, e eu sabia que razão era essa, mas de certa forma era também uma coisa indefinida, rodeada por uma imprecisão nebulosa, uma coisa que se escondia muito, muito fundo em meio à névoa dos meus pensamentos.

E tudo porque nunca tinha me masturbado. Nunca tinha batido uma punheta. Nunca tinha futricado no meu pau. Eu tinha dezoito anos, e isso nunca tinha acontecido. Nenhuma vez. Eu não tinha sequer tentado. A minha relação um tanto vaga com esse tipo de coisa fazia com que eu ao mesmo tempo soubesse e não soubesse como devia ser feito. E como eu não tinha feito aos doze ou aos treze anos, havia a distância do tempo, aos poucos aquilo passou a ser uma coisa impensável, não porque fosse terrível, mas porque estava totalmente fora do meu horizonte. O resultado direto era que eu tinha ejaculações interminavelmente longas e profusas durante o sono. Eu sonhava com mulheres, e nos meus sonhos não era sequer preciso tocá-las, bastava fixar meus olhos naqueles corpos maravilhosos para que eu gozasse. E se eu me aproximasse delas, ainda no sonho, eu gozava outra vez. Meu corpo inteiro estremecia e se convulsionava à noite, e na manhã seguinte eu acordava com a cueca lambuzada de porra.

Como todos os meus amigos, eu já tinha visto fotos em revistas pornográficas, mas sempre em companhia, na floresta com Geir ou Dag Lothar ou um dos outros meninos, nunca sozinho, eu nunca tinha levado uma revista pornográfica para casa, não conseguia. Para mim, poucas coisas eram mais emocionantes do que folhear uma revista pornográfica, mas o tesão que aquilo despertava em mim não fazia com que eu me masturbasse, porque afinal eu sempre estava com mais alguém. No máximo eu me deitava de bruços e roçava a virilha no chão enquanto folheava as páginas. Quando eu estava em casa, às vezes eu pegava um dos vários catálogos de compras pelo correio que existiam na época para ver as fotos com modelos de lingerie ou modelos de biquíni, eu sentia um aperto na garganta ao olhar para o tecido que cobria aquele suave arco entre as coxas, ou então os mamilos que às vezes se delineavam contra o material do sutiã ou da parte de cima do biquíni. Mas eu parava nesse ponto, com esse aperto na garganta e o coração palpitando depressa. Eu não me masturbava. Não porque eu tivesse feito uma escolha, não era uma coisa que eu dizia para mim mesmo, não. Tudo era vago e impreciso, insabido e obscuro. Quando eu cresci e entrei na adolescência já era tarde demais. As revistas pornográficas na floresta desapareceram da minha vida e nada as substituiu. Na minha adolescência inteira, não assisti a um único filme pornográfico, não folheei uma única revista pornográfica. Meu tesão nunca se fixava em um determinado objeto, mas em vez disso espalhava-se como uma coisa grande, opaca e desajeitada. Uma parte de mim sabia que minha situação em relação às garotas, ou em relação a Irene, nesse caso, podia melhorar de maneira radical se eu simplesmente começasse a me masturbar. Mesmo assim, eu não me masturbava. Mesmo que eu soubesse, ao mesmo tempo não sabia, bater punheta era uma coisa inconcebível, e foi nessa situação em que me vi naquele dia, quando senti o cheiro de Irene ainda nos lençóis: eu podia, devia e queria, mas não fiz.

Não, em vez disso coloquei Led Zeppelin para tocar no último volume e juntei todas as minhas forças para me concentrar em um novo conto. Quando a noite caiu, deixei que ela entrasse na casa, a não ser pela escrivaninha, onde um pequeno abajur brilhava como uma ilha em meio à escuridão. E lá estávamos, eu e a escrita, uma ilha de luz em meio à escuridão, pensei. Depois me deitei e dormi até o despertador tocar para mais uma segunda-feira na escola de Håfjord.

A primeira coisa que os alunos fizeram ao entrar foi começar uma série de brincadeiras a respeito de mim e de Irene.

No início deixei que falassem, depois os encarei e disse certo, já chega de bobagens, precisamos trabalhar se vocês querem ser alguém na vida. Eles pegaram os livros e começaram a trabalhar, eu fiquei andando de um lado para o outro oferecendo ajuda e me dei conta de que aquela tinha deixado de ser uma turminha cheia de cochichos para transformar-se em si mesma.

Quando os alunos estavam compenetrados daquele jeito, sem conversar, sem olhar uns para os outros, totalmente concentrados em si mesmos, era como se a idade deles desaparecesse. Não que eu deixasse de pensar que eram crianças, porém já não eram mais definidos pela infância, mas pela personalidade de cada um, pelo que eram e provavelmente para sempre seriam em si mesmos.

Não pensei muito em Irene enquanto eu andava de um lado para o outro, esse pensamento surgiu após o fim do horário escolar, quando eu estava sozinho em casa, como um rumor no meu corpo. E então veio o desespero. Nunca uma coisa sem a outra. Ela tinha falado sério, realmente queria ter um relacionamento comigo, porém mesmo que eu gostasse dela, não estava apaixonado, não tínhamos nada para conversar, por exemplo, a não ser por uma coisa. Eu queria possuí-la, mas ao mesmo tempo essa era a única coisa que eu queria.

Será que Irene estava apaixonada por mim?

Eu duvidava. Devia ter mais a ver com o fato de que eu era diferente, não um colega dela, mas um professor com a mesma faixa etária, não um sujeito de trinta ou quarenta anos, não do norte, mas do sul.

Dentro de um ano eu iria embora daquele lugar, e ela ficaria lá para terminar o colegial. Não era uma perspectiva muito boa para um namoro, certo? Além do mais, eu queria escrever, e assim não podia ocupar todos os meus fins de semana, o que seria necessário para um namoro sério.

Esses argumentos não paravam de rodar na minha cabeça. Na terça-feira tivemos uma partida de futebol, pegamos o carro e andamos uma hora até o campo, um areião tão poeirento que os jogadores mais pareciam os vultos de beduínos. Perdemos, mas eu fiz um gol depois de uma confusão na área logo depois de um escanteio. Na quarta-feira recebi pelo correio o meu primeiro exemplar da *Vinduet*, a nova revista que eu tinha começado a assinar. Era uma revista sobre as relações entre literatura e outras formas de arte, eu não conseguia entender certas coisas muito bem, mas simplesmente ver que havia um periódico literário na mesa da minha sala já era uma grande coisa para mim. À noite Hege apareceu, ela tinha ido à escola trabalhar um pouco, mas a caminho de casa teve uma curiosidade repentina e bateu na minha porta para ver como eu estava. Na quinta-feira fui a Finnsnes com Nils Erik, passamos no Vinmonopolet e na biblioteca, eu comprei uma garrafa de vodca e dois romances de Thomas Mann, *As confissões de Felix Krull* e *Doutor Fausto*. Na sexta-feira fui à escola telefonar para Irene. Não havia ninguém na sala dos professores e fiquei lá por um bom tempo, preparei um café, assisti um pouco de TV, andei de um lado para o outro. Por fim entrei na saleta do telefone, larguei o papel com o número ao lado do aparelho, disquei o número e coloquei o fone na minha orelha.

Foi a mãe dela que atendeu. Eu me apresentei, ela gritou "Irene, é o Karl Ove" e em seguida ouvi passos e uma batida.

— Oi! — ela disse.

— Oi — eu disse.

— Como você está? Aconteceu alguma coisa? Você parece tão sério!

A voz dela parecia ainda mais rouca no telefone, onde não havia mais nada para desviar a atenção daquilo. Aquela voz tornava-se incrivelmente sexy.

— Não sei... — eu disse.

Muita coisa me levava a pensar duas vezes no que dizia respeito a ela. Afinal, eu não era simplesmente o número um, o melhor de todos? A gente tinha se visto *no ônibus*, pelo amor de Deus! Além do mais, ela não tinha oferecido nenhum tipo de resistência, simplesmente havia se deitado na minha cama, pronta para o que desse e viesse.

— Diga logo — ela pediu.

O que eu estava fazendo? Será mesmo que eu ia terminar o namoro por telefone? Seria uma covardia. Esse é o tipo de coisa que precisa ser feita cara a cara.

— Não, não foi nada — eu disse. — É só que... ah, talvez eu não esteja muito legal agora. Mas não é nada sério. Só estou meio para baixo.

— Por quê? Aconteceu alguma coisa? Você está com saudades de casa?

— Talvez — eu disse. — Mas não sei. Está tudo bem. Logo vai passar.

— Ah, como eu queria estar aí para consolar você! — ela disse. — Já estou com saudade.

— Eu também estou com saudade de você — eu disse.

— Não podemos nos encontrar amanhã?

Se fossem buscá-la perto da meia-noite, como nas últimas vezes, seria quase impossível terminar. O rompimento tinha que acontecer de repente, não havia como passar quatro horas com ela, talvez acabar indo para a cama mais uma vez e depois terminar. E se eu terminasse logo na chegada, o que ela faria nas quatro horas até que o carro fosse buscá-la?

— Não vai dar — eu disse. — Já tenho outro compromisso. Mas que tal domingo?

— No domingo eu vou para Finnsnes outra vez.

— Passe aqui primeiro! Daqui você pode pegar o ônibus, é bem fácil.

— Pode ser. É, acho que dá.

— Ótimo! — eu disse. — Nos vemos no domingo, então.

— Combinado. Tchau e até lá!

— Tchau, Irene.

Na manhã seguinte fui chamado por uma turma que estava em frente à loja, me perguntaram como eu estava, eu disse que bem, me perguntaram se eu não queria aparecer na festa que haveria à noite, perguntei onde era, não é nada de mais, disseram-me, a gente só vai se reunir para beber um pouco na casa do Edvald, caso queira aparecer você está convidado, e não precisa levar bebida, já temos mais do que suficiente.

Quando fui embora e segui em direção a minha casa, comecei a pensar em como as pessoas do norte eram abertas, como me convidavam para fazer tudo, mesmo que eu não fosse um deles, e me perguntei por que agiam daquela maneira. O que podiam querer com um cara de Kristiansand que usava sobretudo preto e boina e tinha um gosto musical avançado, por que convidar uma pessoa assim para sair à noite? No lugar de onde eu vinha, sair exigia planejamento, eram vários obstáculos a vencer, não era simplesmente aparecer na casa de alguém, ou então sentar em volta de uma mesa qualquer na calçada com uma turma de pessoas vagamente conhecidas. Todos frequentavam círculos próprios, e quem não fazia parte desses círculos estava fora de tudo. No norte talvez existissem círculos assim, mas nesse caso eles eram abertos. Nas primeiras semanas depois que cheguei a Håfjord essa foi minha descoberta mais inesperada, a de que eu tinha sido aceito. Não necessariamente como um semelhante, mas assim mesmo aceito. Aquelas pessoas não tinham nenhuma obrigação de acenar para mim na rua ou de me convidar para qualquer coisa, mas assim mesmo era o que faziam, e não apenas uma ou outra, mas todas.

Talvez a explicação mais simples fosse que não havia outra opção. Que as pessoas eram tão poucas não havia como isolar ninguém. Ou talvez a postura em relação à vida fosse diferente, mais rústica, mais despreocupada. Para quem passava a vida no convés de um barco, trabalhava duro com o corpo dia após dia e bebia assim que colocava os pés em terra não havia por que se preocupar com mecanismos e distinções sociais mesquinhas e precisas. Nesse caso era mais fácil levantar a mão e dizer, sente aqui com a gente, tome um gole, você já ouviu a história da vez em que...

Vivian, Live e Andrea vieram descendo a encosta, cada uma montada em uma bicicleta feminina. As três acenaram e gritaram cumprimentos para mim ao passar, com os cabelos esvoaçando e os olhos apertados por causa do vento. Fiquei sorrindo para mim mesmo um bom tempo depois que elas passaram. As três tinham parecido muito alegres, a grande seriedade que em geral tomava conta delas parecia ter sido explodida de dentro para fora por aquela alegria infantil.

Passei umas horas escrevendo um conto sobre uns meninos que pregavam um gato a uma árvore, esquentei um prato de comida pronta no forno para o jantar e então me deitei no sofá e li *Doutor Fausto* até que começasse a escurecer e eu tivesse que me arrumar para sair.

Eu nunca tinha lido Thomas Mann antes. Gostei muito do estilo antiquado, solene, intrincado, e as cenas da abertura, quando os personagens principais ainda são crianças e o pai de Adrian, um dos meninos, mostra-lhes experimentos com matéria inanimada que conseguiu fazer se comportar como se fosse matéria animada, eram incríveis, havia naquilo um elemento de assombro que a princípio ocupava o primeiro plano da consciência, mas logo afundava nas profundezas do inconsciente, por assim dizer. Me lembrei do coração exposto que uma vez eu tinha visto na TV quando ainda era menino, a maneira como aquilo pulsava cheio de sangue e parecia um pequeno animal cego. Aquele coração era uma coisa viva e pertencia a outra esfera que não à dos experimentos conduzidos pelo pai de Adrian, mas a cegueira era a mesma, e também o fato de que ele estava sujeito a leis, de que se movia de acordo com elas, e não por si mesmo.

Não entendi as partes sobre música e teoria musical, mas eu tinha me acostumado àquele tipo de romance, sempre havia grandes superfícies sobre as quais eu deslizava sem compreender, mais ou menos como as repostas em francês que às vezes apareciam em certos livros.

Tomei banho, troquei de roupa, coloquei a garrafa de vodca em uma sacola e fui até a casa de Edvald, um pescador um pouco mais velho que devia ter uns trinta e cinco anos, era solteiro e gostava de beber, e fiquei por lá até às cinco da manhã, quando atravessei mais uma vez o vilarejo e voltei para casa com a cabeça tão vazia e abandonada quanto um túnel sem carros. Quando acordei às duas da tarde no dia seguinte eu não me lembrava de nada, a não ser que eu tinha ido até o cais e observado as aves marítimas que balançavam ao sabor das ondas e me perguntado se estariam dormindo, e também que eu tinha parado e mijado na parede de uma loja. Todo o restante havia desaparecido. Todos os detalhes e todos os momentos individuais tinham sido levados embora. Eu tinha bebido uma garrafa inteira de destilado, era assim que as pessoas bebiam naquele lugar, e ainda estava meio bêbado quando acordei. Escrever seria impossível. Em vez disso, me atirei na cama para ler, mas tampouco deu certo, de repente foi como se os meus pensamentos estivessem mergulhados em um líquido amarelo e eu os estivesse observando de fora. Quando eu parava de me esforçar esse sentimento desaparecia, e então era como se eu mesmo estivesse no líquido amarelo.

Quando faltavam poucos minutos para as cinco horas a campainha tocou. Eu tinha dormido e acordei com um sobressalto, era Irene.

Abri a porta.

— Oi! — ela me cumprimentou com um sorriso. Ao lado dela, no chão, havia uma bolsa. Dei dois passos para trás, para que ela não pudesse me abraçar.

— Oi — eu disse. — Você não quer entrar?

Ela tinha uma interrogação no olhar.

— O que foi que aconteceu, Karl Ove? Tem alguma coisa errada?

— Para dizer a verdade, tem — eu disse. — Precisamos conversar.

Irene ficou me olhando.

— Eu não tinha contado para você — eu disse. — Mas eu tinha uma namorada quando vim para cá. E uns dias atrás eu recebi uma carta dela. Ela terminou comigo. E eu ainda não consegui me recuperar muito bem disso, sabe? E depois o nosso relacionamento começou a ficar sério... Mas eu ainda não estou pronto, é cedo demais para mim, você entende? Eu gosto muito de você, mas...

— Você está terminando comigo? — ela perguntou. — Antes mesmo da gente começar?

Fiz um gesto afirmativo com a cabeça.

— Acho que estou.

— Que pena — ela disse. — Eu tinha começado a gostar tanto de você!

— Eu lamento de verdade. Mas não tem como, não parece certo.

— Então está tudo desfeito — ela disse. — Boa sorte na sua vida.

Irene deu um passo à frente e me abraçou. Depois pegou a bolsa, se virou e começou a ir embora.

— Você está indo embora? — eu perguntei.

Ela se virou.

— Claro. Não temos mais como ficar na sala da sua casa. De que adiantaria?

— Mas ainda falta muito tempo para o próximo ônibus!

— Eu já vou andando — ela disse. — E pego o ônibus quando ele passar.

Quando a vi descer a encosta com a bolsa na mão, rumo à estrada que seguia ao longo do fiorde, me arrependi. Eu tinha perdido uma grande chance. Ao mesmo tempo, eu estava aliviado de saber que tinha sido bastante indolor. Tudo havia passado. Não havia mais no que pensar.

Os dias ficavam mais curtos, e cada vez mais depressa, era como se corressem ao encontro da escuridão. A primeira neve caiu no meio de outubro e desapareceu poucos dias depois, mas quando voltou, no início de novembro, foi para valer, os flocos não paravam de cair dia após dia, e pouco tempo depois tudo estava envolto por grossas almofadas de neve, a não ser pelo mar, que com águas escuras e límpidas de profundezas enormes se estendia como uma coisa estranha e ameaçadora, mas assim mesmo próxima, como um assassino alojado na casa vizinha, era o que se podia imaginar, a faca que repousa na mesa da cozinha com um brilho na lâmina.

A neve e a escuridão deixaram o vilarejo irreconhecível. Quando cheguei, o céu era alto e cheio de luz, o mar parecia imenso e o panorama aberto, de maneira que o vilarejo cheio de casas amontoadas dava a impressão de não conseguir se agarrar a nada, e mal parecia conseguir existir como uma entidade própria. Nada parava naquele lugar, o sentimento era esse. Mas depois vieram a neve e a escuridão. O céu baixou como se fosse uma tampa sobre os telhados das casas. O mar desapareceu, a negrura das águas mesclou-se à escuridão do céu, já não havia mais horizonte. Até mesmo as montanhas desapareceram, e com elas o sentimento de estar no meio de um panorama amplo e aberto. Restaram apenas as casas, iluminadas dia e noite, sempre envoltas pela escuridão, e a partir desse momento as casas e as luzes passaram a ser os pontos centrais, era ao redor delas que tudo gravitava.

Houve um deslizamento de terra na estrada, um ferry foi posto em operação, e o fato de que se podia acessar o vilarejo somente duas vezes por dia aumentava a sensação de que aquele era o único lugar, de que as pessoas lá eram as únicas pessoas. Eu continuava a receber muitas cartas e passava muito tempo escrevendo respostas, mas a existência que essas correspondências representavam não importava mais, o que importava era a existência daquele momento. Acordar pela manhã, sair em meio aos flocos de neve, subir a encosta e entrar em aula. Passar o dia inteiro lá, em um bunker atarracado, iluminado e oprimido pela escuridão, voltar para casa, ir às compras, jantar, e à tarde me exercitar na sala de ginástica com os pescadores mais jovens, assistir TV na escola, nadar na piscina que havia por lá, ficar em casa lendo ou escrevendo até que fosse tarde o bastante para que eu me deitasse e passasse dormindo as horas mortas até que o dia seguinte começasse.

Nos fins de semana eu bebia. Alguém sempre aparecia e perguntava se eu queria ir à Finnsnes ou a outro vilarejo a poucas horas de distância quando a estrada estava aberta. Quando estava fechada, a gente se reunia na casa deste ou daquele; sempre havia alguém bebendo, e quem quer que fosse, sempre queria companhia. Eu não me fazia de rogado e aceitava esses convites, e beber uma garrafa inteira de destilado ao longo da noite deixou de ser a exceção para se tornar a regra, de maneira que com frequência eu cambaleava pelo vilarejo sem me lembrar de nada no dia seguinte. Uma vez eu caí do ônibus da banda, comecei a caminhar na direção oposta ao vilarejo, ninguém percebeu antes que eu tivesse percorrido cerca de cem metros, e vestindo apenas uma camisa e um paletó fino eu tremia de frio quando ouvi os gritos de para cá, seu imbecil, para cá! Em outra festa dancei com uma professora temporária de Husøya, o nome dela era Anne, ela era de um lugar qualquer em Østlandet e tinha aquela beleza fria e loira que exercia um fascínio tão intenso sobre mim, passamos um bom tempo dando uns amassos em um canto junto à chapelaria, eu liguei para ela uns dias mais tarde, convidei-a para jantar na minha casa com uma amiga dela, Tor Einar e Nils Erik, ela baixou a cabeça quando tentei beijá-la, eu já tenho outra pessoa, ela disse, o que aconteceu na festa nunca devia ter acontecido, e além do mais eu não fazia o tipo dela, ela não tinha explicação nenhuma a oferecer, a não ser que estava bêbada. E também estava bem escuro, não?, eu disse, tentando fazer piada da situação, mas ela não riu, ela não era uma garota desse tipo. Anne tinha um jeito distante e reservado.

Em outros fins de semana a garotada que frequentava escolas ou universidades em outras cidades voltava para casa, e o simples fato de ver aqueles rostos diferentes era uma libertação. Segui uma dessas garotas até a porta de casa como um cachorrinho, o nome dela era Tone, a irmã de Frank, e a professora que não me aguentava era mãe dela, mas eu não dava a mínima, eu estava bêbado e tinha passado a noite inteira olhando para ela.

Naquele instante ela estava se preparando para ir embora, e eu resolvi segui-la.

Os grânulos de neve esvoaçavam na escuridão da rua. Ela andava com a cabeça baixa cinquenta metros à frente, sob a luz dos postes de iluminação pública. Enrolei o cachecol no pescoço e por cima da boca e fui atrás. Ela entrou na casa dos pais, bateu o solado das botas para tirar a neve e trancou a porta.

Passei uns minutos na rua. Pensei que ela ficaria alegre ao me ver, porque tinha passado a noite inteira com vontade de ir para a cama comigo.

A janela da cozinha estava escura, e a janela da sala também. Mas a janelinha do outro lado da casa estava iluminada.

Abri a porta e entrei. Nem me preocupei em tirar os sapatos, eu simplesmente olhei para a sala escura e vazia e atravessei o corredor em direção à porta mais ao fundo.

Ela estava no banheiro escovando os dentes em frente ao espelho. A boca estava cheia de espuma.

— Oi — eu disse.

Ela devia ter me ouvido, e não pareceu nem um pouco assustada quando se virou.

— Vá embora — ela disse.

Me sentei em uma cadeira que ficava próxima à parede e a encarei com vontade. Primeiro o rosto, depois os peitos por baixo do blusão verde.

Ela balançou a cabeça.

— Você está perdendo tempo. Você não tem nenhuma chance comigo — ela disse com o jeito quase incompreensível das pessoas que escovam os dentes e tentam falar ao mesmo tempo.

— Você quer que eu vá embora? — perguntei.

Ela fez um gesto afirmativo com a cabeça.

— Tudo bem, então — eu disse, e me levantei e saí. O vento se erguia como uma muralha do lado de fora da porta, repleto de partículas duras e pequenas de neve gelada. Que pena, pensei enquanto eu olhava para a escuridão colossal que pairava acima de nós. Ela é esperta. Muito esperta! Depois de caminhar um pouco ao longo da estrada onde a neve soprava, sob a luz dos postes de iluminação pública que pareciam quase verdes com a neve e a escuridão ao fundo, e assim conferiam ao ambiente uma aparência meio submarina, finalmente voltei para a festa, que já não era mais uma festa, mas apenas uma mesa cheia de copos e garrafas, carteiras de cigarro vazias e cinzeiros num cômodo vazio. Minha percepção do tempo devia ter parado — eu não podia ter passado muito tempo fora? — e de repente minha percepção do espaço também parou, e a minha próxima lembrança foi a de acordar em casa, na minha cama.

O fato de que eu *fazia* coisas e não negava nada a mim mesmo quando eu estava bêbado, naquele estado etílico de liberdade total, com o passar dos meses tinha pouco a pouco começado a cobrar um preço. No colegial, ou eu estava de ressaca ou não, eu nunca tinha qualquer outra queixa além dessa. Se a bebedeira viesse acompanhada de uma consciência pesada, as aguilhoadas no meu espírito não passavam de pontadas discretas, nada que um café da manhã reforçado e um passeio à cidade não pudessem curar. Mas lá era diferente. Talvez a lacuna entre a pessoa que eu era no dia a dia e a pessoa que eu era quando bebia tivesse se tornado grande demais. Talvez fosse impossível manter uma lacuna daquele tamanho aberta em uma só pessoa. Porque o que aconteceu foi que a pessoa que eu era no dia a dia começou a puxar para junto de si a pessoa que eu era quando bebia, e esses dois lados foram aos poucos mas invariavelmente costurados um ao outro, e o fio que os unia era a vergonha.

Puta que pariu, será que eu fiz mesmo *aquilo*?, uma voz gritava dentro de mim enquanto eu permanecia envolto pela escuridão no dia seguinte. Essa não, cacete, eu disse mesmo *aquilo*? E *aquilo* também? E *aquilo* também?

Eu me sentia paralisado, era como se estivessem jogando baldes e mais baldes do meu próprio estrume em cima de mim.

Que cara mais idiota. Vejam como ele é estúpido!

Mas assim que me levantava eu começava o novo dia, e sempre conseguia levá-lo ao fim.

A pior coisa talvez fosse a noção de que as outras pessoas também me viam, claro. A noção de que eu me expunha nessas noites, e de que o lado que eu havia mostrado existia o tempo inteiro nos olhares que lançavam em direção a mim no dia a dia.

Eu agia como se eu fosse apenas um jovem professor que cuidava das crianças do vilarejo da melhor forma possível, alguém que os pais encontravam no caminho até o correio ou até a loja, enquanto na verdade eu não passava de um cretino deslumbrado que ficava babando atrás de todo tipo de garota à noite, disposto a cortar fora a mão esquerda e a direita para que uma delas o seguisse, mesmo que nenhuma quisesse, ele não passa de um cretino estúpido e babão.

Às vezes eu me sentia assim também na escola, mas não em relação aos alunos, com eles eu tinha um controle bem maior sobre a situação, e tampouco em relação a Nils Erik e Tor Einar, afinal eles me entendiam.

Bem, eu tinha controle sobre a situação, mas nada impedia que os olhares parecessem fulminantes e dolorosos enquanto eu estava sentado na cátedra minutos antes que a nova semana começasse, com todas as humilhações do fim de semana ainda frescas na memória.

O alunos já haviam tirado as jaquetas e estavam sentados com blusas grossas, ainda com a pele avermelhada por causa do frio na rua, se remexendo sem parar nos assentos, sem vontade de fazer nada além de voltar para casa e voltar a dormir, embora ao mesmo tempo a presença dos colegas inspirasse uma disposição contrária, pois eles trocavam olhares, faziam comentários rápidos aos cochichos, abafavam risadas, respiravam, viviam.

A luz no teto era forte, e contra a enorme escuridão que pairava o tempo inteiro acima de todos nós, as janelas na parede ao fundo pareciam jogar a sala de aula para trás. Lá estava Kai Roald, lá estava Vivian, lá estava Hildegunn, lá estava Live, lá estava Andrea. Calça jeans, botas brancas de cano alto, um blusão de lã branco de gola rulê. E lá estava eu, atrás da cátedra, com uma camisa preta, calça jeans preta e um espírito que tremia de exaustão. Até mesmo as menores transgressões me pareciam demoníacas, tudo que eu queria e precisava era segurança.

Abri o livro no capítulo que eu havia planejado para a aula. A sala havia se enchido com o murmúrio das outras turmas. Os meus alunos estavam sonolentos, desinteressados.

— Peguem os livros de uma vez! Já chega de preguiça!

Andrea sorriu quando inclinou o corpo à frente e tirou o livro da mochila. O livro estava encapado com um papel marrom fosco e tinha uma quantidade enorme de nomes de astros do cinema escritos a canetinha. Kai Roald gemeu, mas quando nossos olhares se encontraram ele sorriu. Hildegunn, claro, já estava com o livro a postos. Live virou o rosto em direção à janela. Olhei para onde ela estava olhando. Na encosta havia um vulto, para não dizer um fantasma, pois não era possível distinguir um corpo nos contornos ensombrecidos que se aproximavam cada vez mais, envoltos num redemoinho de neve.

— Live! Pegue o seu livro!

— Está bem, está bem. Qual é a matéria dessa aula mesmo?

— Você está falando sério? Realmente não sabe?

— Nã-ão.

— Faz seis meses que nos encontramos aqui, sempre às segundas-feiras pela manhã. A matéria é sempre a mesma. E a nossa matéria é...

O olhar dela parecia um pouco nervoso.

— Você não lembra? — perguntei.

Eu também não lembrava. Senti o pânico subir dentro de mim como a água em um vaso entupido.

Ela balançou a cabeça.

— Alguém mais pode responder?

Todos olharam para mim. Será que tinham entendido?

Não. Kai Roald abriu a boca.

— Religião — ele respondeu.

— Ah, religião! — disse Live. — Claro. Eu sabia. Mas por um instante tinha esquecido.

— Você nunca tem nada na cabeça — disse Kai Roald.

Live encarou-o com um olhar furioso.

— E na sua por acaso tem? — eu perguntei.

Kai Roald riu um pouco.

— Claro que tem — ele respondeu.

— Na minha também — eu disse. — Mas não adianta. Temos que terminar o nosso livro. E o único jeito de fazer isso é trabalhando duro.

— Você sempre diz isso — disse Vivian.

— Mas é verdade. Vocês acham que é para mim que estou aqui falando sobre Martinho Lutero? Eu sei mais do que o suficiente a respeito dele. Mas vocês não sabem nada. São um bando de ignorantes. Por outro lado, todo mundo é assim quando tem treze anos. Não é culpa de vocês. Aliás, alguém aqui sabe o que é uma pessoa ignorante?

A sala ficou em silêncio.

— Tem alguma coisa a ver com ignorar? — perguntou Andrea. Um leve rubor tomou conta das bochechas dela enquanto ela mantinha os olhos fixos na mão que rabiscava no livro.

— Tem — eu disse. — Ignorar significa não perceber, não se importar. Um ignorante é uma pessoa que não se importa com determinada coisa. Se você não se importa com uma coisa, você também não sabe nada a respeito dela.

— Então eu sou um ignorante — disse Kai Roald.

— Não, não é. Você sabe muita coisa.

— O quê, por exemplo?

— Você sabe um monte de coisas a respeito de carros, não? Mais do que eu, pelo menos! E você sabe um monte de coisas a respeito de peixes. Eu não sei nada.

— Por que você não tem carta de motorista? Você tem dezoito anos — disse Vivian.

Dei de ombros.

— Para mim não faz falta.

— Mas assim você depende dos outros quando quer ir a algum lugar! — ela continuou.

— Mas no fim eu chego do mesmo jeito, você não concorda? — eu perguntei. — Mas agora já chega. Vamos trabalhar.

Me levantei.

— O que vocês sabem a respeito de Martinho Lutero?

— Nada — disse Hildegunn.

— Nada? — eu perguntei. — Absolutamente nada?

— Não — disse Live.

— Ele era norueguês? — perguntei.

— Não — respondeu Hildegunn.

— De onde era, então?

Hildegunn deu de ombros.

— Da Alemanha, talvez? — ela disse.

— E ele ainda está vivo?

— Claro que não!

— Quando foi que viveu? Quando os pais de vocês ainda eram crianças? Na década de 1960? — perguntei.

— Ele viveu muito tempo atrás — disse Vivian.

— No século XVI — completou Hildegunn.

— E o que ele fazia? Era encanador? Pescador? Motorista?

— Não — disse Kai Roald com uma risadinha.

— Ele era monge — disse Andrea, com aquele jeito indiferente que pretendia mostrar que aquela era apenas mais uma das muitas coisas que sabia.

— Vocês sabem *um monte* de coisas — eu disse. — Martinho Lutero foi um monge que viveu na Alemanha no século XVI. E agora eu quero que vocês descubram outras dez coisas a respeito dele e as anotem no caderno. Vamos conferir o que vocês escreveram no fim da aula.

— E como vamos descobrir? — Vivian perguntou.

— Você não vai nos dizer? — perguntou Hildegunn.

— Não é para isso que você é pago?

— Eu sou pago para ensinar vocês — eu disse. — E ficar aqui na frente de vocês dizendo o que vocês precisam saber não é o único jeito de fazer isso. Mas então o que vocês devem fazer agora? Vocês devem aprender como descobrir coisas que vocês não sabem. Não é mesmo? Abram a cartilha de vocês. Encontrem uma enciclopédia. Façam o que vocês quiserem, desde que aprendam dez coisas a respeito de Martinho Lutero. Podem começar!

Com gemidos, suspiros e caretas, os alunos se levantaram e entraram na diminuta biblioteca com uma caneta e um caderno nas mãos. Me sentei atrás da cátedra e olhei para o relógio que ficava na parede. Ainda faltava meia hora. Quando acabasse, faltariam mais cinco. E assim a segunda-feira teria ficado para trás. Depois faltariam a terça-feira, a quarta-feira, a quinta-feira e a sexta-feira.

Naquele fim de semana eu tinha que escrever. Nada de passeio a Finnsnes durante o dia, nada de festa durante a noite, eu passaria o fim de semana inteiro sentado em frente à máquina de escrever, do momento em que eu acordasse ao momento em que eu fosse me deitar.

Eu já tinha cinco contos a essa altura, sem contar as duas histórias baseadas nos meus sonhos. Todos tinham um mesmo personagem principal, chamado Gabriel, e os mesmos personagens secundários. A ação se desenrolava em Tybakken. O mais estranho era que tudo aquilo parecia muito próximo. Me sentar em frente à máquina de escrever era como abrir uma porta para aquele lugar. Todo o panorama ressurgia dentro de mim e empurrava todo o resto para longe. Lá estava a estrada em frente à casa, lá estava o grande espruce com o córrego logo atrás, lá estava a encosta que descia em direção a Ubekilen, o muro de pedra, as rochas nuas, a oficina de barcos, o cais torto e decrépito, a ilha cheia de gaivotas. Se alguém tocasse na campainha enquanto eu escrevia, o que acontecia o tempo inteiro, eram alunos da quarta série, alunos da sétima série, a aluna alta do nono ano que por um motivo ou outro não parava de me procurar, jovens pescadores ou jovens professores, eu dava um pulo de susto na cadeira. A sensação não era de que o cenário da minha infância tinha invadido o cenário daquele momento, porém justamente o contrário, de que eu estava no cenário da minha infância que de repente era invadido pelo cenário daquele momento. Se eu era interrompido, podia levar uma hora ou mais para que o cenário da minha infância voltasse a reinar.

Era o que eu mais desejava. Naquele lugar as árvores eram árvores, não "árvores", os carros eram carros, não "carros", meu pai era o meu pai, não "meu pai".

Me levantei e dei uns passos à frente, para que eu pudesse ver o que os alunos estavam fazendo. Todos estavam sentados ao redor da mesa da biblioteca, a não ser Andrea e Hildegunn, que estavam retornando às carteiras.

— Conseguiram encontrar alguma coisa? — perguntei quando as duas passaram.

— Claro — respondeu Hildegunn. — Terminamos. O que a gente faz agora?

— Sentem e esperem.

Na sala que ficava separada da biblioteca por uma longa estante de livros os alunos da terceira e da quarta série debruçavam-se por cima das carteiras, alguns com as mãos erguidas, enquanto Torill andava de um lado para o outro oferecendo ajuda. No outro canto do ambiente coletivo os alunos da primeira série estavam sentados em almofadas e dispostos em semicírculo ao redor de Hege, que lia um livro, eles olharam para mim com olhos sonhadores e rostos sonolentos. Hege percebeu meu olhar, tirou os olhos do livro sem parar de ler e sorriu para mim. Rolei os olhos, me virei em direção à minha própria turma e encontrei os olhos de Andrea. Ela estava sentada, olhando para mim. Mas naquele instante desviou o olhar para baixo.

— O que foi que você aprendeu? — perguntei.

— Você quer ouvir agora? — disse Hildegunn.

— Não — eu disse. — Na verdade não. Vamos esperar até que os colegas de vocês também estejam prontos.

— Mas então por que você perguntou? — quis saber Andrea.

— Por simples reflexo — eu disse.

Kai Roald e Vivian estavam atravessando o chão acarpetado. Quando se sentaram, fui até o cantinho da biblioteca, onde Live ainda estava sentada tomando notas.

— Como você está indo? — eu perguntei.

— Já anotei cinco coisas — ela disse. — Não, seis.

— Está ótimo — eu disse. — É o suficiente. Você pode escrever as outras quatro depois que terminarmos.

Live juntou o material dela com o olhar importante que costumava adotar quando alguém a observava. Mas aquilo não conseguia esconder a grande insegurança dela, pelo menos não de mim. Não seria fácil dizer o que as outras crianças enxergavam ao olhar para ela.

Passamos os últimos vinte minutos da aula discutindo as anotações feitas pelos alunos. Eu falava e tentava preencher o tempo enquanto eles me encaravam com olhares vazios. Não seria fácil dizer o que poderiam fazer com Martinho Lutero. Mas era bom que estivessem na sala de aula e fizessem anotações a caneta nos cadernos. Que tivessem um lugar definido e escutassem alguém falar sobre um assunto qualquer.

O sinal tocou. Os alunos me perguntaram se podiam passar o intervalo na sala de aula, o tempo estava horrível, eu respondi que de jeito nenhum, tratem de ir para a rua, e então fiquei esperando que vestissem as jaquetas e pusessem as toucas, fui à sala dos professores, onde todos estavam cuidando de seus próprios afazeres, e me sentei com uma caneca de café, já amargo depois de uma hora inteira parado na cafeteira.

Nils Erik, que lia o jornal local, olhou para mim.

— O que você acha de dar um mergulho na piscina hoje mais tarde? — ele me perguntou.

— Pode ser — eu disse. — Passe lá em casa.

À nossa frente, Torill abriu a porta da geladeira, inclinou o corpo para a frente e pegou um pote de iogurte. Ela abriu a embalagem e lambeu o lacre antes de jogá-lo na lixeira que ficava embaixo da pia, pegou uma colher na gaveta e começou a comer. Olhou para nós e sorriu com uma listra rosa de iogurte no lábio inferior.

— Eu sempre estou com fome nessa hora — disse.

— Você não precisa se justificar — eu disse. — A gente também come de vez em quando.

Ao meu lado, Nils Erik dobrou o jornal, se levantou e entrou no banheiro. Tomei um gole de café e olhei para Jane, que no mesmo instante vinha da sala da copiadora com um maço de folhas na mão. Os cantos da boca estavam virados para baixo, como sempre, e o olhar parecia desinteressado e introspectivo, sem no entanto despertar qualquer tipo de curiosidade quanto ao que podia estar acontecendo com ela.

— Jane, foi você que fez o café? — perguntei.

Ela olhou para mim.

— Foi. Hoje é o meu dia de cuidar da cozinha. Por quê?

— Por nada — eu disse. — A não ser que esse é o pior café que eu já tomei na vida.

Ela sorriu.

— Então você está mal acostumado — ela disse. — Mas eu posso fazer outro, se você quiser.

— Não, pelo amor de Deus! Não foi isso que eu quis dizer! Para mim está bom o suficiente.

Jane saiu em direção à mesa dela e eu me levantei e parei em frente à janela. A luz se espalhava ao redor da lâmpada em um círculo que, repleto de minúsculos flocos brancos que executavam movimentos circulares, mais parecia um enxame de insetos. Um grupo de crianças se debatia na neve um pouco mais abaixo, eram quatro pequenas silhuetas jogadas umas em cima das outras em um monte de neve, e senti os meus dedos se crisparem assim que vi a cena, pois eu não conseguia imaginar nada mais claustrofóbico do que estar debaixo de três outras pessoas, com o corpo enfiado na neve.

Troquei de posição e olhei para o alto.

Onde estava o professor?

Ah, quando eu ia assimilar a ideia? O supervisor durante aquele intervalo era eu!

Corri até os cabides no corredor.

— Só restam três minutos de intervalo — disse Sture. — Não adianta nada sair agora. Mas você pode continuar assim que a aula terminar.

Ele riu da própria brincadeira. Encarei-o sem sorrir, pus a touca na cabeça, peguei minhas luvas. Mesmo que não fosse nada fácil sair para a rua com um tempo daqueles, havia também uma outra razão, a impressão de raiva e de capacidade de ação que eu daria ao correr e pouco depois aparecer do lado de fora para todos que estivessem dentro, no outro lado da janela. A última impressão que eu gostaria de transmitir era a de preguiça. A última coisa que eu queria que pensassem a meu respeito era que eu fugia das minhas responsabilidades.

Do galpão de roupas de chuva saiu um pequeno vulto gorducho. Caminhei depressa em direção aos meninos que poucos instantes atrás estavam brigando na neve e que naquele momento estavam limpando a neve da calça jeans. O tecido da calça estava quase preto de tão úmido.

— Karl Ove! — disse uma voz logo atrás de mim, e logo senti um puxão na jaqueta.

Ele devia ter corrido atrás de mim.

Me virei.

— O que foi, Jo? — perguntei.

Ele sorriu.

— Posso jogar uma bola de neve em você?

Na semana anterior eu tinha dito aos alunos que podiam jogar bolas de neve em mim. Tinha sido um erro, porque aquilo parecia tão divertido, em especial quando acertavam uma bola em cheio na minha coxa, que depois eles se recusaram a parar quando pedi. Tinham conseguido uma espécie de anistia, o que antes era proibido de repente passou a ser permitido, e todos perceberam que seria bastante complicado para mim castigá-los quando a mesma coisa voltou a ser proibida.

— Não, hoje não — eu disse. — Além do mais, o sinal já vai tocar.

Os quatro meninos ficaram me olhando por debaixo das toucas pretas e enfiadas quase até os olhos.

— Tudo bem com vocês? — eu perguntei.

— Claro — disse Reidar. — Por que não estaria?

— Trate de falar direito comigo — eu disse. — Você tem que respeitar os mais velhos.

— Você não é mais velho — ele retrucou. — Nem ao menos tem carta de motorista!

— Não, é verdade — eu disse. — Mas pelo menos eu sei a tabuada de cor. É mais do que você sabe. E eu seria forte o bastante para dar três surras em você no mesmo dia, caso fosse necessário.

— O meu pai daria uma surra em você — ele respondeu.

— Karl Ove, venha! — disse Jo, puxando-me pelo casaco.

— Eu também tenho um pai, sabia? — eu continuei. — Ele é bem maior e bem mais forte do que eu. E ele tem carta de motorista.

Olhei para Jo.

— O que você quer, afinal?

— Eu quero mostrar uma coisa para você. É uma coisa que eu fiz.

— O quê?

— É segredo. Ninguém mais pode saber.

Ergui os olhos. Junto ao galpão das roupas de chuva estavam as garotas da sétima série. Mais atrás, onde começava o campo de futebol, crianças corriam umas atrás das outras na escuridão.

— Mas você sabe que o sinal já vai tocar! — eu disse para ele.

Jo pegou a minha mão. Será que não entendia o que aquilo parecia para os colegas dele?

— É rápido — ele disse.

Assim que Jo fechou a boca o sinal tocou.

— No próximo intervalo, então — ele disse. — Você vem comigo?

— Combinado — eu disse. — Mas agora depressa!

A criançada no campo de futebol também não tinha ouvido ou então tinha simplesmente ignorado o sinal. Fui até o campo. Coloquei as mãos ao redor da boca como se fossem um funil e gritei que o sinal havia tocado. Todos pararam e olharam para mim. A neve cobria o campo, unindo-o ao terreno ao redor, uma planície no meio de uma encosta que um pouco mais acima dava lugar a uma montanha, e naquela brancura, que com a gigantesca escuridão do céu adquiria uma cintilância azul, me ocorreu que os alunos pareciam bichos, talvez roedores que estivessem vagando próximo às aberturas de um complexo sistema de túneis e galerias.

Acenei para eles. Todos vieram correndo na minha direção.

— Vocês não ouviram o sinal? — eu perguntei.

Todos balançaram a cabeça.

— E vocês também não imaginaram que já estava na hora do sinal tocar?

Todos balançaram a cabeça mais uma vez.

— Depressa — eu disse. — Vocês já estão atrasados.

Os alunos saíram correndo. Quando dei a volta no galpão das roupas de chuva, o último aluno saiu e a porta bateu. Bati os pés para limpar a neve e os segui. Abri a porta da sala dos professores, pendurei minhas coisas no cabide e entrei para buscar os livros da aula seguinte. Atrás de mim a porta do banheiro se abriu. Me virei. Era Nils Erik.

— Você passou todo esse tempo aí dentro? — perguntei.

— Que tipo de pergunta é essa? — ele disse.

— Eu simplesmente fiquei impressionado — eu disse, e então deixei meus olhos correrem pelas lombadas dos livros. — Com o tempo que você levou. Não quis insinuar nada.

Olhei para ele e sorri. Peguei os livros de exercício de ciências e estudos sociais.

— Bom saber — ele disse. — Insinuações são uma merda. Não, foi a Torill. Ela é inacreditavelmente sexy. Depois que ela se inclinou... Eu tive que entrar no banheiro e resolver a situação de emergência que aquilo causou.

— Situação de emergência? — eu perguntei.

— É — ele respondeu com uma risada. — Você sabe como é. Um homem vê uma mulher. O homem sente-se atraído. O homem corre até o banheiro e bate uma punheta.

— Ah, claro, essa situação — eu disse, abrindo um sorriso e indo em direção à sala.

No intervalo seguinte, Jo veio correndo na minha direção assim que coloquei os pés no pátio.

— Agora você pode vir comigo! — ele disse, pegando a minha mão e me puxando.

— Espere um pouco — eu disse. — O que você quer me mostrar?

— É uma coisa que eu e o Endre fizemos — ele disse.

— Mas onde está o Endre?

— Acho que está lá.

Endre era aluno da terceira série, Jo era aluno da quarta. Quando os dois estavam juntos, pareciam ótimos amigos.

— Lá — ele disse, apontando para um grande monte de neve meio escondido atrás do prédio, fora do campo de visão de quem estivesse em qualquer outro lugar do pátio. — A gente fez uma caverna na neve. Uma caverna bem grande! Você não quer entrar para ver?

Endre viu que nos aproximávamos, entrou pela abertura e desapareceu.

— Ficou muito bonita — eu disse. — Mas parece meio pequena demais para mim. Entre você!

Jo sorriu para mim. Então se deitou no chão e deslizou para dentro. Dei uns passos para trás e olhei para o outro lado. Dois meninos da quarta série vinham em nossa direção. Jo pôs a cabeça para fora da caverna.

— Tem lugar para você também, Karl Ove, a caverna é bem grande!

— Você sabe que eu preciso ficar de olho nas outras crianças também — eu disse.

Jo viu os dois meninos que se aproximavam.

— Esta caverna de neve é nossa — ele disse, olhando para mim. — Foi a gente que fez!

— Estou vendo — eu disse.

— Vocês fizeram uma caverna de neve? — gritou Reidar.

— A caverna é nossa! — disse Jo. — Vocês não podem entrar.

Os meninos pararam em frente à entrada.

— Me deixe ver — disse Stig, tentando forçar entrada pelo lado de Jo.

— A caverna é nossa! — disse Jo, olhando para mim. — Não é verdade, Karl Ove?

— Foram vocês que a construíram — eu disse. — Mas vocês não podem proibir os outros de entrar. Senão teriam que passar dia e noite aqui, vigiando a entrada.

— Mas a caverna é nossa! — ele protestou.

— A caverna está no pátio da escola — eu disse. — Vocês não podem proibir os outros de entrar.

Reidar sorriu e entrou. Logo a caverna de neve estava cheia de crianças. Não demorou para que começassem a pensar em como torná-la ainda maior. Para que começassem a cavar um túnel que seguia ainda mais longe. Jo tentou assumir o comando, mas os outros o ignoraram e ele precisou colocar-se no devido lugar, que era e continuou sendo na parte mais baixa da hierarquia. Virei as costas e fui embora. Fiquei com a consciência meio pesada, afinal o que pouco tempo atrás tinha sido motivo de alegria para Jo de repente havia se transformado em motivo de chateação, mas por outro lado não havia nada que eu pudesse fazer a esse respeito, eu não poderia ajudá-lo com as regras do jogo social. Ele tinha que aprender sozinho que não chegaria a lugar nenhum sendo resmungão, dedo-duro e reclamão.

— Mais uma vez por aqui? — eu disse para as garotas da sétima série que mastigavam chiclete junto ao galpão das roupas de chuva.

— Está nevando e ventando — disse Vivian. — Você queria mesmo que a gente ficasse parada no meio do pátio com um tempo desses?

— Mas por que vocês precisam ficar paradas? — eu perguntei. — Não podem correr como as outras crianças?

— Não somos "crianças" — disse Andrea. — E isso é injusto, porque os alunos do oitavo e do nono ano puderam ficar na sala.

— Somente crianças reclamam da injustiça das coisas — eu respondi.

— E além do mais os alunos do oitavo e do nono ano estão na sala porque estão trabalhando.

— A gente também quer trabalhar. É melhor do que ficar na rua com um tempo desses — disse Andrea, olhando para mim. As bochechas dela tinham ganhado uma coloração avermelhada por causa do vento frio. Os olhos eram pequenos e bonitos.

Eu ri.

— De repente vocês sentiram vontade de trabalhar? É uma mudança e tanto — eu disse.

— Você ri da gente o tempo inteiro — disse Vivian. — Não tem respeito nenhum por nós.

— Eu trato vocês de acordo com o comportamento de vocês — eu disse, olhando para o relógio que ficava pendurado na parede entre o prédio principal e a grande ala lateral, onde ficavam a piscina e a sala de ginástica. Ainda faltavam cinco minutos para o sinal tocar.

Saí do outro lado para ver como estavam os alunos da quarta série. Assim que dei a volta no prédio, Jo e Endre vieram correndo na minha direção. Cabeças inclinadas contra o vento, pés batendo com força na neve.

— Como está a caverna de neve? — eu perguntei.

— Destruída! — respondeu Jo. — O Reidar quebrou o teto. E aí aquela merda de caverna desabou!

Ele tinha os olhos úmidos.

— Você não pode falar palavrões — eu disse.

— Me desculpe — ele disse.

— Essas coisas acontecem — eu disse. — Tenho certeza de que não foi de propósito.

— Mas a caverna era *nossa*! Foi *a gente* que fez! E agora ela está destruída.

— Tentem construir uma caverna em grupo da próxima vez — eu disse. — Assim ninguém vai destruí-la.

— A gente não quer — disse Jo. — Endre, venha.

Os dois se afastaram.

— Eu posso ajudar vocês a construir uma caverna nova, se vocês quiserem — eu disse. — No próximo intervalo.

— Você pode mesmo?

— A gente pode ao menos começar. Mas pode ser que mais colegas apareçam.

— É, mas *você* vai estar lá — ele disse. — E aí eles não vão ter coragem de destruir nada.

Aquela tinha sido uma oferta estúpida, pensei ao entrar na sala dos professores minutos depois. Eu teria que ajudar crianças de dez anos a cavar na neve durante os intervalos seguintes. Por outro lado, o rosto de Jo tinha se iluminado, pensei enquanto eu fechava a porta do banheiro, abria o zíper e começava a mijar. Apontei o jato para a porcelana, para que os outros professores não ouvissem o chapinhar. Enquanto eu lavava as mãos, fiquei olhando para o meu próprio reflexo no espelho. A estranha sensação de estar ao mesmo tempo dentro e fora de uma coisa que surgia quando eu via meus próprios olhos, que expressavam de maneira pura e inconfundível o meu estado de ânimo, tomou conta de mim por breves e intensos segundos, mas foi esquecida assim que saí de lá, mais ou menos como a toalha pendurada no cabide ou o sabonete que ficava em uma pequena depressão na louça da pia, como todas essas bagatelas que não têm existência a não ser em nosso olhar, mas passam o tempo penduradas ou largadas em cômodos vazios e escuros à espera de que mais uma vez a porta se abra e outra pessoa use o sabonete, seque as mãos na toalha e se olhe no espelho.

Eu estava jantando na sala quando Nils Erik tocou a campainha. A neve do monte ao lado do vestíbulo rodopiava ao redor dele. O murmúrio das ondas envolvia o vilarejo como se fosse uma cúpula invisível.

— Estou jantando — eu disse. — Mas já vou terminar. Entre!

— Você por acaso pretende comer e logo depois nadar? — ele perguntou.

— Estou comendo peixe — eu disse. — Como você sabe, eles passam o tempo inteiro nadando.

— Você tem razão — ele disse.

— Quer um pouco? Ovas de peixe e batatas?

Nils Erik fez um sinal negativo com a cabeça, desamarrou as botas e entrou na sala.

— E então? — ele disse. — Como vão as coisas?

Dei de ombros e engoli, tomei um longo gole d'água.

— Que coisas? — eu perguntei.

— Tudo — ele disse. — Os seus contos, por exemplo?

— Bem.

— As aulas?

— Bem.

— Sua vida sexual?

— Hmm... como vou dizer? Não muito bem, para ser sincero. E você?

— Hoje mesmo você pôde ter uma ideia — ele disse. — Não passa daquilo.

— Sei — eu disse enquanto raspava as últimas ovas soltas, o restinho de manteiga e de batatas que eu tinha amassado com a faca, transferia tudo aquilo para o garfo e o levava em direção à boca.

Senti meus lábios ficarem totalmente lisos por causa da gordura.

— E as perspectivas nesse campo não são exatamente boas — ele prosseguiu. — Como você deve ter notado, todas as garotas com mais de dezesseis anos foram embora daqui. Restaram apenas as alunas da escola e as mães delas. A faixa etária entre uma coisa e a outra foi totalmente extinta.

— Totalmente extinta — eu repeti enquanto largava os talheres em cima do prato, pegava-o com uma mão e o copo com a outra e saía em direção à cozinha. — Você fala como se tivessem caçado as mulheres do vilarejo.

— Mas foi justamente o que aconteceu! Se elas tivessem ficado, nós dois estaríamos à caça agora mesmo. Onde elas estão, são outros que correm atrás.

Larguei o prato e o copo no balcão da pia e fui ao quarto pegar meu calção de banho.

— Finalmente entendi o significado da expressão "eternos campos de caça" — eu disse. — Eu nunca tinha entendido por que seria uma coisa tão incrível passar a eternidade embrenhado numa floresta. Mas nesse caso a expressão deve ser entendida em sentido metafórico.

— Não sei se é tão incrível assim — gritou Nils Erik para que a voz chegasse até o meu quarto. — É muito trabalho duro e pouco resultado. Pelo menos para mim. É muito melhor ter uma namorada.

Enfiei o calção e uma toalha numa sacola plástica e fiquei pensando se eu precisava de mais alguma coisa, não, aquilo era tudo.

— Faz tempo que você está solteiro? — perguntei.

— Três anos — ele disse, caminhando em direção à porta ao me ver com a sacola na mão.

— E as outras professoras temporárias? — perguntei. Nils Erik se abaixou para amarrar as botas e tinha o rosto meio ruborizado quando se levantou.

— Se elas quiserem, para mim está bom — ele respondeu.

Subimos a encosta íngreme em silêncio, caminhar já parecia ser esforço mais que suficiente, o vento soprava com muita força. Os grânulos de neve batiam forte contra nossa pele descoberta. Quando fechamos a porta da escola às nossas costas, tive a sensação de sair do convés e entrar para a cabine de um grande barco. Nils Erik acendeu a luz, subimos a escada com passos largos, nos sentamos cada um de um lado do vestiário e começamos a nos trocar. Mesmo que o vento castigasse as paredes e uivasse no sistema de ventilação, parecia silencioso lá dentro. Talvez porque não houvesse nada se mexendo? Todas as salas estavam vazias e a água da piscina também estava vazia, plácida e reluzente.

O cheiro de cloro era forte. Então relembrei minha infância, quando todas as semanas ao longo do inverno nós íamos nadar no Stintahallen, os saquinhos de bala que comprávamos na loja de doces, o sabor das balas em formato de porcas verdes e pretas, alcaçuz e menta. As lâmpadas que representavam cachoeiras tropicais. A touca de natação branca com a bandeira da Noruega estampada na lateral, os óculos de natação azuis.

Amarrei o meu calção ao redor da cintura e fui em direção à piscina, sentindo os ladrilhos frios e ásperos tocar nas solas descalças dos meus pés enquanto a neve rodopiava sob o brilho da lâmpada do lado de fora, com a enorme escuridão ao fundo.

A superfície da água era escura, tinha uma leve cintilância azul que vinha do fundo e estava lisa como um espelho. É quase um pecado romper essa superfície, pensei. Mas de qualquer maneira eu não estava pensando em mergulhar de cabeça. Não, eu desci pela escada de metal e tentei agitar a água o menos possível. Tudo em vão, porque Nils Erik chegou correndo e se atirou na piscina com grande estardalhaço. Nadou por baixo d'água até a outra ponta da piscina, onde reapareceu com um relincho e um gesto brusco de cabeça.

— Que beleza! — ele disse. — O que houve? Está com medinho?

— Eu não! — gritei para ele.

— Você está parecendo uma velha!

De repente me lembrei de uma vez em que eu havia enganado Dag Lothar. Eu entrei na piscina minutos antes dele, tirei a minha touca, virei-a do avesso para que ficasse totalmente branca, puxei-a para cima para que ficasse enrugada como as toucas que as senhoras usavam e comecei a nadar com braçadas lentas e calculadas e a cabeça erguida o mais alto possível. A imitação de uma senhora nadando tinha sido tão perfeita que Dag Lothar não me viu, embora eu fosse a única pessoa na enorme piscina. Ele correu os olhos pela superfície d'água, me classificou em outra categoria e assim eu deixei de existir. Ele gritou o meu nome e, como não teve resposta, voltou ao vestiário.

Deslizei pela água com o peito à frente e depois mergulhei a cabeça e dei duas ou três braçadas fortes o bastante para deslizar até a outra ponta. Do outro lado, Nils Erik nadava com vontade em estilo crawl. Dei umas voltas na piscina nadando o mais rápido que eu conseguia antes de parar na ponta mais distante e ficar olhando para a neve que caía na rua.

Me virei, apoiei os cotovelos na borda da piscina e olhei para dentro, para a água branca que se erguia ao redor dos braços e das pernas de Nils Erik, pensei no que o pai de Geir certa vez tinha dito, que para nadar crawl você tinha que estar como que deitado em cima de um monte de algodão, e atrás de Nils Erik vi a porta aberta que dava para os outros cômodos.

Porra, então era verdade. A sauna.

Me levantei, entrei no vestiário e liguei o forno da sauna. Quando voltei à piscina, mergulhei e nadei de um lado para o outro por talvez meia hora, até que decidíssemos entrar na sauna.

Sentamos no banco mais alto. Derramei água sobre as pedras do forno, uma onda de vapor quente atingiu o meu corpo e se espalhou pelo quartinho cúbico.

— Essa é a maior vantagem desse trabalho — disse Nils Erik, tirando os cabelos molhados de cima do rosto.

— É a única — eu disse.

— Tem também o café grátis — ele disse. — E o jornal. E o bolo no final do ano.

— Viva! — eu disse.

Fez-se uma pausa. Nils Erik sentou-se um degrau mais abaixo.

— Você já teve muitos empregos? — perguntei depois de um tempo, apoiando os ombros contra a parede. O calor deixava minha cabeça pesada, como se aos poucos se enchesse de chumbo ou coisa parecida.

— Não. Só no setor de saúde. E, claro, no setor de estacionamento uns verões atrás. E você?

— Jardinagem, fábrica de parquê, jornal, hospício. E rádio. Mas eu não era pago, então não vale.

— É verdade — Nils Erik disse com um jeito apático. Olhei para ele. Tinha fechado os olhos e estava reclinado para trás, com os cotovelos apoiados contra o degrau onde eu estava sentado. Nils Erik tinha um elemento rápido e enérgico na personalidade que parecia entrar em conflito com outra coisa, um elemento quase antiquado e nem um pouco fácil de definir, porque não tinha nenhuma manifestação concreta, era apenas uma espécie de aura que ele tinha e que eu percebia somente de maneira negativa, como quando eu me surpreendia ao descobrir que ele conhecia Jesus and Mary Chain e gostava da banda, pois afinal por que ele não podia ter ouvido falar a respeito?

De repente ele endireitou as costas e olhou para mim.

— Ei — ele disse. — Eu tive uma ideia. Você sabe onde fica a casa da Hilda?

Balancei a cabeça.

— Casa da Hilda? O que é isso?

— A casa amarela junto à curva. Era a casa da Hilda, sogra da Eva. Ela morreu uns anos atrás, e agora o lugar está vazio. Eu conversei com a família e eles gostariam de alugar a casa. Afinal, uma casa se estraga mais depressa quando não tem ninguém morando nela. E por isso eles estão dispostos a alugar praticamente de graça. Querem apenas quinhentas coroas por mês.

— E? — eu disse.

— Eu não tenho o que fazer com uma casa inteira. Pensei que talvez você estivesse interessado em dividir comigo. Assim podemos economizar um bom dinheiro em aluguel, e além do mais pagamos só a metade cada um. O que você acha?

— É — eu disse. — Por que não?

— Cada um pode ter o seu quarto e a gente divide o restante das peças.

— Mas todo mundo vai achar que somos gays — eu disse. — Dois jovens professores que se encontraram.

Nils Erik deu risada.

— E você diz uma coisa dessas justo quando estamos os dois sozinhos na sauna...

— Então os boatos já estão correndo?

— Não, você está louco? Você já deixou bem claro o seu interesse pelo sexo oposto por aqui. Ninguém tem dúvidas quanto às suas preferências. Mas você topa, então?

— Topo. Ou melhor, não. Eu preciso escrever. Preciso estar sozinho.

— A casa tem um quartinho extra. Você pode ficar com ele. É perfeito.

— Bem, por que não? — eu disse.

Quando terminamos de nos vestir e estávamos subindo a escada, consegui fazer a pergunta que tanto pesava no meu peito, mas que a nudez tinha me impedido de fazer.

— Eu estou com um problema em relação ao assunto que a gente discutiu um pouco mais cedo — eu disse.

— Que assunto? — Nils Erik perguntou.

— Um assunto relacionado a sexo — respondi.

— Pode falar! — ele disse.

— Não é fácil — eu disse. — A questão é que... bem, eu gozo rápido demais. É isso. Bem simples.

— Ah, um problema clássico — disse Nils Erik. — E?

— Não, não tem nada além disso. Eu simplesmente queria perguntar se você não tem uma dica para me dar. Não é tão dramático quando acontece, mas você entende...

— Rápido quanto? Em um minuto? Três? Cinco?

— Varia um pouco — eu disse enquanto acionava a maçaneta e abria a porta de vidro. Minha pele estava tão quente por conta da sauna que o vento frio não me incomodou; eu o via soprar por entre as construções, mas quase não o sentia. — Mas acho que uns três ou quatro minutos, talvez?

— Então não tem problema nenhum, Karl Ove — disse Nils Erik enquanto enrolava o cachecol no pescoço e enfiava a touca até as orelhas. — Quatro minutos não é pouco.

— Como é o seu desempenho nessa área?

— O meu desempenho? É exatamente o contrário. Posso trepar durante uma eternidade sem que nada aconteça. Mas na verdade isso também é um problema. Posso aguentar mais de meia hora sem nem chegar perto de ejacular. Às vezes eu simplesmente desisto.

Pegamos o caminho que descia a encosta.

— E quando você bate punheta? — ele me perguntou. — Você também goza depressa?

Senti meu rosto esquentar, mas o rubor não seria visível com um tempo daqueles. Por outro lado, Nils Erik não esperava que eu fosse mentir, de maneira que eu estava pisando em um terreno seguro.

— Dá mais ou menos na mesma — eu respondi.

— Sei — ele disse. — Para mim também é um problema. Bem, você mesmo pôde ver hoje cedo. Mas eu posso me segurar por uma infinidade.

— Você acha que é fisiológico? — eu perguntei. — Ou será um problema mental? Eu gostaria de saber o que você pensa. Eu preferia mil vezes ter o problema oposto.

— Não faço ideia — ele disse. — Provavelmente é fisiológico. Eu pelo menos sempre fui assim. Desde a minha primeira vez. Então eu não sei de mais nada. Mas ouvi dizer que um beliscão na cabeça pode ajudar. Um beliscão forte. Ou uma puxada de leve no saco. Depois é só continuar mandando brasa.

— Vou tentar da próxima vez — eu disse, sorrindo em meio à escuridão.

— Sabe-se lá quando — ele completou.

— No Natal, talvez? Nessa época muitas garotas devem voltar para casa.

— E você acha que elas voltam para trepar? Eu acho que não. Acho que já devem estar trepando no lugar onde estão hoje, e que no Natal voltam para descansar e começar tudo outra vez em janeiro.

— É, pode ser — eu disse, e então me detive, pois havíamos chegado ao caminho que levava à minha casa. — Se der tudo certo com o aluguel da casa, quando a gente se muda?

— Ainda temos que notificar e desocupar os nossos quartos e tudo mais. Mas depois do Natal? Se a gente encurtar as férias de Natal em dois dias, você acha que dá?

— Me parece uma boa ideia — eu disse. — Nos falamos depois!

Me despedi com um aceno, abri a porta e entrei. Comi oito fatias de pão e bebi meio litro de leite, me deitei no sofá e li as primeiras páginas do novo livro que eu havia comprado, *Det store eventyret*, de Jan Kjærstad. Eu já tinha lido *Speil* e *Homo falsus* antes, também havia retirado *Kloden dreier stille rundt* na biblioteca de Finnsnes. Mas aquele livro era diferente, tinha acabado de sair, e a primeira coisa que fiz ao pegá-lo foi cheirar o papel novo. Depois comecei a folhear as páginas. Todos os capítulos começavam com um grande O. Uns capítulos eram diagramados em mais de uma coluna, uma delas tinha o aspecto de uma série de anotações e corria ao lado da outra, que era a história principal. Uns capítulos eram cartas. Outros eram diagramados em negrito, outros em itálico, outros em fonte redonda. Um negócio chamado Hazar e um outro negócio chamado Enigma apareciam a intervalos regulares. E definições de a. — devia ser o amor.

Comecei a ler a primeira página.

> Ela era um tanto jovem. Orvalho no pescoço. Os dois estavam em mundos próprios, a um metro um do outro. Ele tinha sentido a tensão mesmo de costas, se virado e espiado em direção a ela. Um *kick* enorme. Ele fez umas fintas com as pernas. Ela registrou aquilo, sorriu. Faíscas em meio a rímel e *kohl*. Ela mexeu o ombro direito por duas vezes em direção a ele, um outro *beat*, mordeu o lábio, baixou o olhar. O ritmo da percussão e o andamento do baixo criaram um desejo *funky* nos sentidos dele. Difícil se manter para cima e para baixo. Ele deu uns passos no tapete, em direção a ela, para longe dela, um convite, uma brincadeira. Ela imitou os passos dele, o mesmo ritmo, rugas de tigre na base do nariz. Cabelos pretos e crespos, bandana enrolada na cabeça, maquiagem ousada. O que ela estaria ouvindo? Cramps? Split Beavers? ViViVox? Quimono com estampa de folhas, calça larga de seda, sandálias com tiras nos pés. Um desejo. E ao redor: as fantasias quadráticas das capas, com figuras, fotos e caligrafia *fancy*.

Li a página diversas vezes. O estilo era muito estranho, e ao mesmo tempo muito difícil, cheio de frases curtas e incompletas, aliterações e palavras inglesas no meio. E palavras estrangeiras. Quimono — era japonês. Rugas de tigre — parecia meio indiano e meio animalesco. E "kohl" — não era alemão? Já nas primeiras linhas era possível entrever um mundo. E era em direção a um mundo diferente, com uma aura quase futurística, que eu me sentia atraído. Mas eu não podia escrever daquele jeito nem que eu quisesse, seria impossível. Quando eu lia a *Vinduet*, a revista da qual Kjærstad era redator, eu não conhecia praticamente nenhum dos títulos que apareciam, e apenas uns poucos conceitos. Um dos artigos chamava-se "Sobre queimar a *Eneida*", por um motivo ou outro esse nome me pareceu familiar, aparecia aqui e acolá, mas eu nem ao menos sabia o que era a *Eneida*. Tudo isso era o pós-modernismo, Kjærstad era o maior autor pós-moderno da Noruega, e mesmo que eu gostasse daquilo, de todo o mundo que eu pressentia existir por trás do texto, eu não tinha a menor ideia sobre o que aquilo poderia ser, ou onde realmente se encontrava. Será que aquilo tudo podia ter relação com o Oriente? Os livros de Kjærstad eram cheios de elementos orientais, atmosferas à la mil e uma noites, histórias dentro de histórias e, segundo me parecia, uma parte do que ele fazia consistia justamente em trazer esse mundo para dentro do nosso, junto com um sem-número de outros mundos. Eu não tinha a menor ideia do que aquilo podia significar, mas gostava intuitivamente, da mesma forma como eu desgostava intuitivamente de Milan Kundera. Kundera também era um autor pós-moderno, mas não trabalhava com outros mundos, no caso dele o mundo era sempre o mesmo, Praga e a Tchecoslováquia e os soviéticos que ou tinham invadido ou estavam prestes a invadir, e não havia problema nenhum com essa temática, mas ele passava o tempo inteiro tirando os personagens da ação dramática, se intrometia no texto e começava a discorrer sobre isso ou aquilo, enquanto os personagens tinham que por assim dizer ficar parados, aguardando, imóveis em frente à janela ou onde quer que estivessem, até que o autor terminasse o discurso e eles pudessem voltar a se mexer. No caso dele a ação não passava de "ação", os personagens não passavam de "personagens", de coisas inventadas, dava para entender que nada daquilo existia, e nesse caso para que ler a respeito deles? O oposto de Kundera era Hamsun, ninguém ia tão fundo na presença dos personagens quanto ele, e era esse o meu estilo preferido, pelo menos quando os dois eram colocados um ao lado do outro, o estilo físico e realista de *Fome*, por exemplo. Esse era um mundo dotado de peso, um mundo que impunha limites aos pensamentos, ao passo que em Kundera os pensamentos se elevavam acima do mundo e faziam o que bem entendiam. Outra diferença que eu tinha notado era que os romances europeus em geral tinham um único acontecimento, que tudo seguia por um mesmo trilho, enquanto os romances sul-americanos tinham uma grande variedade de trilhos diferentes e secundários e, comparados aos romances europeus, praticamente explodiam com a quantidade de acontecimentos. Um dos meus romances favoritos era *Cem anos de solidão*, de García Márquez, mas *O amor nos tempos do cólera* também me parecia incrível. Kjærstad tinha um pouco dessas características, mas de uma forma europeia, e também um pouco de Kundera. Pelo menos era o que eu achava.

Mas e quanto aos meus próprios escritos?

Escrever prosa pós-moderna como Kjærstad estava totalmente fora do meu alcance, eu não conseguiria nem que quisesse, aquilo simplesmente não existia em mim. Eu só tinha um mundo, e era a respeito desse mundo que eu precisava escrever. Pelo menos naquele momento. Mas tentei levar comigo a fertilidade de García Márquez. A miríade de histórias também. E a presença no instante de Hamsun.

Continuei a ler. Eu já tinha lido em uma resenha que, naquele romance, Oslo ficava no hemisfério Sul. Era uma ideia incrível, porque assim Oslo podia se tornar tudo aquilo que na verdade não era. Porém ainda mais importante era a forma de evocar esse mundo. Havia uma coisa de Márquez na fertilidade e na proximidade e nas miríades daquela passagem.

Larguei o livro e fui até a escrivaninha, me sentei e comecei a folhear o pequeno montinho de textos que eu havia escrito. Aquilo era tão pouco! Tão incrivelmente pouco! Não havia nada além do estritamente necessário, a floresta, a estrada, a casa, todo o resto fora deixado de fora. Mas o que aconteceria se eu deixasse todo o resto surgir numa explosão?

Peguei uma folha nova e a coloquei na máquina de escrever, liguei-a e olhei para o meu próprio reflexo no espelho enquanto a cabeça de impressão se punha a postos.

Onde as diferentes coisas se acumulavam? Onde as diferentes coisas se encontravam lado a lado?

Imaginei a estrada em frente à casa de Tybakken.

Fui até a estrada. O asfalto estava preto, e ao lado os espruces verdes balançavam com o vento. Um carro passou. Era um BMW. Na calçada estavam Erling e Harald, cada um com uma bicicleta. Erling tinha uma Apache, Harald uma DBS. Atrás deles, no alto da colina, as casas sucediam-se umas às outras. Nos pátios havia móveis de jardim, casinhas de cachorro, grelhas, triciclos, pequenas piscinas de plástico, mangueiras e um ancinho esquecido. No céu acima de nós passou um avião, tão alto que apenas a faixa branca que deixava para trás era visível.

Tirei a folha, amassei-a e a atirei no chão. Coloquei uma folha nova. Passei um tempo com o olhar fixo à frente. Dois anos atrás eu tinha visitado a minha mãe e Yngve em Bergen. O mercado de peixes era um lugar fervilhante, cheio de pessoas, barracas, peixes e caranguejos. Carros e barcos, bandeiras e flâmulas, pássaros e água e montanhas e casas. Era um lugar perfeito para evocar uma sensação de proximidade!
Recomecei a escrever.

Os peixes estavam alinhados lado a lado na cama de gelo. Tudo reluzia com a luz do sol. O lugar estava cheio de mulheres abastadas que carregavam sacolas de compras abarrotadas e andavam de um lado para o outro em meio às barracas. Um menininho segurava um balão com uma das mãos e o carrinho que a mãe dele empurrava com a outra. De repente o menino soltou a mão e correu até a gamela cheia de bacalhaus. "Mãe, olha!", ele disse. Um senhor de terno preto e chapéu passeava com o corpo trêmulo, apoiado em uma bengala. Uma mulher gorda de jaqueta mostrava os carapaus para a clientela. Ela tinha uma joia brilhante no pescoço. Os dois atendentes tinham sangue de peixe nos aventais brancos. Um deles riu do que o outro disse. Na rua mais atrás os carros passavam depressa. Uma menina de cabelos escuros, mais ou menos compridos, com uma camiseta branca que deixava a silhueta dos peitos à mostra e uma bunda azul da Levi's olhava para o mar. Olhei depressa para ela ao passar. Ela olhou para mim e sorriu. Pensei que devia ser delicioso trepar com ela.

Me reclinei na cadeira, peguei o relógio, já faltavam poucos minutos para as nove. Fiquei satisfeito, aquele era um início de verdade, o personagem podia encontrar a menina mais tarde, qualquer coisa podia acontecer. Desliguei a máquina de escrever, coloquei uma panela com água no fogo, espalhei um pouco de chá no fundo do bule e de repente percebi que aquela tinha sido a primeira vez que eu havia escrito sem música. Enquanto eu esperava a água ferver, li a passagem inteira uma vez mais. As frases tinham que ser divididas e tornadas um pouco mais abruptas. Faltava escrever sobre os diferentes cheiros e sobre os barulhos. Talvez outros detalhes. E aliterações.

Religuei a máquina de escrever, tirei a folha, coloquei uma nova.

Os peixes estavam alinhados lado a lado na cama de gelo, tudo reluzia e refulgia com a luz do sol. No ar mesclavam-se aromas de sal, fumaça de escapamento e perfume. O lugar estava cheio de mulheres abastadas e volumosas que carregavam sacolas de compras abarrotadas e andavam de um lado para o outro em meio às respectivas barracas, apontando cheias de autoridade para as mercadorias que desejavam comprar. Camarões, caranguejos, lagostas, carapaus, escamudos, bacalhaus, hadoques, enguias e solhas. Por todos os lados ouviam-se vozes e risadas. Algumas crianças gritavam. Um ônibus soltou um longo gemido ao parar no ponto do outro lado da rua. As flâmulas estendidas ao longo do cais tremulavam ao vento. *Flap! Flap! Flap!* Um menininho pálido e mirrado segurava um balão do Ursinho Puff com uma das mãos e o carrinho que a mãe dele empurrava com a outra.

O vapor da panela começou a se espalhar porta afora. Desliguei a máquina de escrever mais uma vez, derramei a água por cima das folhas de chá, levei o bule e uma caneca, uma caixa de leite e um açucareiro para a sala, me sentei, enrolei um cigarro e depois de tê-lo aceso entre os lábios continuei a ler *Det store eventyret*, dessa vez sem prestar muita atenção aos detalhes ou ao estilo, porque em poucos minutos eu tinha sido tragado pelo livro. Assim, quando o barulho da campainha soou pela casa inteira uma hora mais tarde, foi como se tivessem me puxado de volta ao mundo de maneira quase brutal.

Era Hege.

— Oi — ela disse, baixando a parte do cachecol que lhe tapava a boca. — Você ainda não se deitou?

— Se ainda não me deitei? Não devem ser nem nove e meia ainda!

— São dez horas — ela disse. — Posso entrar?

— Pode, claro — eu disse. — Aconteceu alguma coisa?

Hege entrou no corredor, desenrolou o enorme cachecol, abriu o zíper da jaqueta estofada.

— Não, o problema é justamente esse — ela disse. — Não aconteceu nada. O Vidar está em alto-mar e eu estou aborrecida. Mas pensei que você ainda estaria de pé.

— Então você chegou na hora certa — eu disse. — Tenho até chá prontinho para você.

Fomos à sala, Hege sentou-se no sofá, pegou o livro e olhou para a capa.

— É o último livro do Kjærstad — eu disse. — Você já leu?

— Eu? Não. Você está falando com uma analfabeta. Mas será que você pode me servir um pouco de chá ou vamos ficar só de conversa?

Peguei mais uma caneca, larguei-a na frente dela e me sentei na cadeira que estava do outro lado da mesa. Hege cruzou as pernas e se serviu.

Ela era magra, longilínea, tinha um corpo quase de garoto. Os traços do rosto eram marcantes, o nariz era comprido, os lábios eram grandes, os cabelos eram volumosos e crespos. Ela tinha um aspecto duro, mas os olhos, reluzentes e cheios de vida, davam com frequência uma impressão de maciez e ternura. Hege era muito direta, tinha sempre uma resposta pronta nos lábios, e tratava os pescadores que a rodeavam com uma superioridade evidente e destemida.

Eu gostava muito dela, mas não sentia nenhum tipo de atração, e era justamente esse detalhe que permitia que fôssemos amigos. Se me sentisse atraído por ela eu teria ficado paralisado naquele instante, pensando no que dizer e na impressão que eu estava causando. Como não era o caso, eu podia ser eu mesmo, agir sem pensar, simplesmente fazer companhia a ela e falar o que me viesse à cabeça. O mesmo valia para ela, claro. E quando eu falava com garotas de quem eu gostava, mas pelas quais não me sentia atraído, muitas vezes as conversas acabavam tocando em assuntos pessoais e bastante íntimos.

— Alguma novidade? — ela me perguntou.

Balancei a cabeça.

— Na verdade não. Ou melhor, o Nils Erik sugeriu que a gente vá morar junto naquela casa que fica na curva.

— E o que foi que você disse?

— Que era uma boa ideia. Vamos nos mudar depois do Natal.

— Não consigo imaginar dois homens mais diferentes do que vocês dois — disse Hege.

— De repente eu virei um homem para você, então?

Ela olhou para mim e riu.

— Você por acaso não é?

— Não me sinto como um, para ser bem sincero.

— E você se sente como o quê, então?

— Como um garoto. Um garoto de dezoito anos.

— É, eu entendo. Você não é um homem do mesmo jeito que os outros aqui do vilarejo são homens.

— Como assim?

— Você já olhou os seus braços no espelho? São finos como os meus! Também não daria para chamar você de espadaúdo.

— E daí? — eu perguntei. — Eu também não sou pescador.

— Você se ofendeu?

— De jeito nenhum.

— "De jeito nenhum" — ela repetiu, imitando o meu jeito de falar e soltando uma risada. — Mas você tem razão. Você tem planos de passar o resto da vida sentado, escrevendo. E não precisa de músculos bem desenvolvidos para isso.

— Não — eu disse.

— Ora, Karl Ove, vamos lá! — ela disse. — Você se leva mesmo tão a sério?

— Não tem nada a ver com me levar a sério — eu disse. — O que você disse é verdade. Eu sou bem diferente do Vidar, por exemplo. Mas isso não quer dizer que você precisa ficar aqui repisando o assunto, concorda?

— Ai, ai, já vi que pisei nos calos de alguém!

— Já chega disso.

— Ai, ai!

— Você quer que eu atire você porta afora?

Levantei a caneca em um gesto ameaçador.

Hege riu mais uma vez.

Tornei a me sentar, peguei o pacote de tabaco e comecei a enrolar um cigarro.

— Eu sei que você gosta de homens másculos — eu disse. — Você mesma já disse isso várias vezes. Homens quietos e fortes. Mas nesse caso, por que o Vidar às vezes dá nos seus nervos? Do que você se queixa tanto? Ele nunca diz nada, nunca fala sobre ele nem sobre vocês, não tem nem um pingo de romantismo... Você não pode ter as duas coisas ao mesmo tempo, e acho que você sabe muito bem disso. Um homem que ao mesmo tempo é quieto e fala, que é forte e sensível, que não é romântico e é romântico.

Ela olhou para mim.

— Que coisa pode ser mais romântica do que ser possuída com vontade por um homem forte?

Senti minhas bochechas corarem, peguei o isqueiro, acendi o cigarro.

Depois foi a minha vez de rir.

— Eu não sei nada a respeito desse assunto. Não consigo nem imaginar como deve ser.

— Você nunca possuiu uma mulher com vontade?

Pressenti que ela estava me olhando e encontrei os olhos dela.

— Claro, claro que sim — eu disse, olhando para o lado. — Eu estava pensando no oposto. No papel que você desempenha.

Me levantei e fui até a minha coleção de discos.

— Algum desejo musical? — perguntei enquanto eu virava a cabeça em direção a ela.

— Pode colocar o que você quiser — ela disse. — De qualquer jeito eu não vou demorar muito.

Coloquei o último disco de DeLillo, *Før var det morsomt med sne*.

— A grande vantagem dessa mudança vai ser que não vou mais ouvir os dois aqui em cima — eu disse, apontando para o teto.

— A Torill e o Georg?

Fiz um gesto afirmativo com a cabeça.

— Dá para ouvir tudo através das paredes. Especialmente nos quartos. Muito romantismo, se aceitarmos a sua definição do conceito.

— Que bom para a Torill.

— E para o Georg também, parece.

Me sentei mais uma vez.

— Você não gosta muito da Torill, né? — eu perguntei.

— Não, não posso dizer que gosto.

Um sorriso amarelo surgiu nos lábios de Hege, o rosto se ergueu e ela deixou escapar umas palavras.

— Ela é gentil e bondosa a ponto de doer, mas ao mesmo tempo fica se oferecendo para todos os que aparecem.

— Se oferecendo? — eu disse.

— É, você não acha que ela se comporta assim quando está sozinha?

Hege empinou os peitos, requebrou o quadril ainda sentada e ajeitou o cabelo com um gesto cheio de coqueteria.

Eu sorri.

— Nunca tinha notado — eu disse. — Mas agora que você disse, acho que o Nils Erik já. E de uma forma bem palpável. Hoje ele teve que correr para o banheiro pouco depois que a Torill se debruçou em frente à geladeira.

— Viu só? Ela sabe o que faz. Mas e você?

— A Torill? — eu disse, soltando vento pela boca. — Ela é doze anos mais velha do que eu!

— Claro, claro, mas você gosta dela?

— Eu não desgosto. Ela é simpática.

Fez-se um silêncio. As janelas refletiam as luzes das lâmpadas, e entre as duas traçavam-se os contornos tênues dos móveis, em um cômodo que parecia estar cheio d'água.

— Você tem planos para a sexta-feira que vem? — perguntou Hege.

— Não — respondi. — Não que eu saiba.

— Eu tinha pensado em convidar alguns dos professores temporários para ir à minha casa. Para a gente comer uma pizza e beber umas cervejas. Você está a fim?

— Claro.

Ela se levantou.

— Está na minha hora. Durma bem, seu escritor fracote!

— Se você não tomar cuidado eu também vou inventar apelidos para você — eu disse.

— Eu sou mulher, sabia? Não funciona. Simplesmente me chamam de tia ou de Hege. E você está pondo água demais nas flores. Assim elas se afogam.

— Isso também é um problema? Achei que o mais importante era não deixar que elas secassem.

— Não, quase sempre é o contrário. Pobres flores! Acabaram na casa de um assassino. E do pior tipo que existe, o tipo que nem ao menos sabe que mata.

— Eu fico triste quando elas morrem — eu disse.

— E os peixes? — ela me perguntou.

— O que têm?

— Você também fica triste quando eles morrem?

— Para dizer a verdade, fico. Uma das piores coisas para mim é ver os peixes saírem pulando do mar e depois ter que matá-los.

Hege riu.

— Acho que ninguém jamais deve ter dito uma coisa parecida por aqui. Não consigo nem imaginar. Deve ser a primeira vez.

— Um dos pescadores aqui passou a vida inteira mareado — eu disse. — É quase a mesma coisa.

— Não, não é — ela retrucou. — Mas agora eu *tenho* que ir.

Acompanhei-a até o corredor.

— Está bem então, Tia, muito boa noite para a Senhora — eu disse. Fiquei esperando em silêncio enquanto ela vestia as roupas grossas antes de sair para a rua. Sorri quando ela terminou e pude ver apenas o nariz saindo por entre o cachecol e a touca. Ela se despediu e sumiu na escuridão.

Na manhã seguinte eu tinha os dois primeiros períodos com os alunos da terceira e da quarta série. Me levantei dez minutos antes do sinal tocar, enfiei as roupas e desci a encosta correndo sob um céu tão primitivo e tão preto quanto estava quando Hege tinha ido embora dez horas atrás.

Quando os pequenos entraram na sala em pés de meia, vestidos com blusões de tricô, com os cabelos desarrumados pelas toucas e os olhinhos ainda meio fechados, vi-os como aquilo que eram, criaturinhas pequenas e frágeis. Pareceu quase incompreensível que às vezes eu pudesse ficar tão bravo e tão irritado com eles. Mas havia nas crianças uma energia que aumentava e diminuía ao longo do dia, o redemoinho de gritos e berros, brigas e implicâncias, brincadeiras e entusiasmo no qual entravam e que fazia com que eu deixasse de vê-las como pessoinhas para ver somente o que corria por dentro delas.

Já sentado no lugar, Jo levantou a mão.

— O que houve, Jo? — perguntei.

Ele sorriu.

— O que a gente vai fazer no primeiro período?

— Espere um pouco e você logo vai descobrir — eu disse.

— Você vai ler para a gente no fim do segundo período, como de costume?

— Espere e você logo vai descobrir. Você não conhece um ditado que diz que a esperança é uma virtude?

Jo acenou a cabeça.

— Muito bem, então — eu disse.

O tempo inteiro a porta do outro lado do ambiente coletivo se abria e tornava a se fechar para que mais alunos entrassem. Toda vez eu fixava automaticamente o olhar naquele ponto. À direita da porta ficava a parte usada pelos meus alunos. Nils Erik ficaria com eles, ele estava sentado atrás da cátedra olhando para o vazio enquanto esperava que se acalmassem um pouco.

Pela porta entraram Reidar e Andrea. Os dois eram irmãos, se faziam companhia no caminho até a escola, chegavam atrasados juntos, o que podia ser comovente nisso tudo?

Reidar deu uns passos correndo, mas logo deve ter se lembrado de que era proibido correr, porque deteve o passo de repente e olhou para mim antes de continuar com passos apressados em direção à carteira dele. Do outro lado da sala, Andrea nos observava. Encontrei os olhos dela. Ela desviou o rosto depressa em direção à parte ocupada pela sétima série, onde entrou no instante seguinte.

Esse pequeno acontecimento devia ter sido absolutamente natural, mas não foi, os movimentos dela tinham um aspecto forçado, como se estivesse se obrigando a executá-los.

— Oi, Karl Ove! — disse Reidar com um sorriso. Meu nome foi usado como uma espécie de proteção, como uma forma de criar uma cumplicidade que tornava uma repreenda pelo atraso mais difícil. Reidar era um demoniozinho astuto.

— Oi, Reidar — eu disse. — Sente-se. Você está atrasando a nossa aula.

Andrea estava apaixonada por mim.

Claro.

Era a única explicação possível para o comportamento dela. Todos os olhares, todas as evasões, todos os rubores.

Um sentimento de ternura se espalhou dentro de mim. Me levantei e fui até o quadro.

— O que significa ter uma profissão? — eu perguntei. — O que é uma profissão?

Pobrezinha.

— É um trabalho — disse Reidar.

— Levante a mão para falar — eu disse.

Ele levantou a mão. Felizmente outros alunos fizeram o mesmo. Apontei para Lovisa.

— Uma profissão é um trabalho — ela disse.

— Foi o que eu tinha dito! — protestou Reidar.

— E você pode nos dar exemplos de profissões, Lovisa? — eu pedi.

Ela fez um gesto afirmativo com a cabeça.

— Pescador.

— Ótimo — eu disse, e então escrevi "pescador" no quadro. — Mais alguma?

— Trabalhar no mercado de peixe?

— Claro! Vocês conhecem outras profissões? Não esqueçam de levantar a mão!

Foi uma tempestade de sugestões. Motorista de ônibus, motorista de caminhão, operador de empilhadeira, atendente de loja, capitão de navio, empregada doméstica, policial, bombeiro. Era bem típico que a profissão de professor não fosse mencionada, mesmo que eles estivessem na companhia de um. Para eles aquilo não era trabalho. Passar dia após dia conversando com um bando de crianças.

— E eu? — perguntei por fim. — Eu não tenho uma profissão?

— Você é professor! Professor! Professor! — gritaram todos.

— E se vocês ficam doentes?

— Enfermeira! Médico! Motorista de ambulância!

Quando o quadro ficou cheio, pedi aos alunos que escrevessem a profissão que imaginavam para si, explicassem por que gostavam dela, descrevessem as atividades relacionadas e fizessem um desenho. Enquanto todos se concentravam na atividade, fiquei andando de um lado para o outro, falando um pouco com eles individualmente, parei em frente à janela com as mãos nas costas e olhei para a escuridão. A ideia de que Andrea estava apaixonada por mim era terna, uma ideia ao mesmo tempo alegre e triste.

Subi na cátedra, começamos a ler o que eles haviam escrito e mal havíamos passado da metade quando o sinal do intervalo tocou. No período seguinte continuamos de onde tínhamos parado, lemos juntos uma parte da cartilha, os alunos responderam oralmente às perguntas feitas e então, nos últimos vinte minutos, li um conto de *As mil e uma noites* para a turma. Quando peguei o livro e comecei a ler, todos saíram das carteiras e sentaram-se em um círculo no tapete ao meu redor, eles sempre faziam aquilo, devia ter sido um momento esperado na primeira e na segunda série, e eu gostava, era como se eu oferecesse a eles um momento de acolhimento e ternura. Ou melhor, era como se eles mesmos transformassem uma situação corriqueira em um momento de acolhimento e ternura. Todos ficavam ouvindo os contos orientais com os olhos vazios, como se estivessem concentrados em si mesmos, como se estivessem diante do poço da própria alma, no deserto do pensamento, vendo todos aqueles camelos, toda aquela seda, todos aqueles tapetes voadores, todos aqueles espíritos e salteadores, mesquitas e bazares, todos aqueles amores flamejantes e todas aquelas mortes abruptas ondularem como miragens acima do firmamento azul e vazio da consciência. O fato de que mal se poderia conceber um mundo mais distante daquele onde se encontravam, em meio à escuridão absoluta e a um frio enregelante nos confins do mundo, não tinha a menor importância para eles, porque tudo acontecia por dentro, onde tudo é possível, tudo é permitido.

No período seguinte eu dei aula de norueguês para a quinta, a sexta e a sétima séries.

— Vamos começar de uma vez — eu disse ao entrar. — Sentem-se e peguem os livros!

— Você está bravo hoje? — perguntou Hildegunn.

— Não tente ganhar tempo — eu disse. — Vamos lá, peguem os livros. Hoje eu pensei em fazer um trabalho em grupo. Vocês vão trabalhar em duplas. Hildegunn e Andrea, juntem as carteiras. Jørn e Live. Kai Roald e Vivian. Vamos! Será que vocês precisam sempre enrolar desse jeito?

Os alunos começaram a juntar as carteiras conforme eu havia estabelecido. A não ser por Kai Roald. Ele continuou sentado com os cotovelos em cima da carteira e o rosto apoiado nas mãos.

— Kai Roald, você também — eu disse. — Ponha a sua carteira ao lado da Vivian. Vocês dois vão trabalhar juntos.

Ele me encarou e balançou a cabeça. Depois continuou olhando reto para a frente.

— Eu não estou pedindo — eu disse. — Estou mandando. Vamos logo.

— Eu não vou fazer isso — ele disse.

Fui até onde ele estava.

— Você não ouviu o que eu disse? Vamos, ponha a sua carteira para lá.

— Eu não quero — ele disse. — Eu não vou fazer isso.

— Por que não? — eu perguntei.

Os outros, já prontos para começar, ficaram nos olhando.

— Eu não quero.

— Será que então vou ter que fazer por você? — eu disse.

Ele balançou a cabeça.

— Você não ouviu o que eu disse? — ele me perguntou. — Eu não vou fazer isso.

— Mas eu estou MANDANDO — insisti.

Ele balançou a cabeça.

Coloquei uma mão em cada lado da carteira e a levantei. Kai Roald empurrou os braços com toda a força para baixo contra a superfície. Puxei com mais força, ele segurou a carteira com as mãos e continuou a segurá-la, já com o rosto vermelho.

Meu coração batia depressa.

— Faça como eu mandei! — eu disse.

— Não! — ele disse.

Dei mais um puxão e consegui tirar a carteira das mãos dele, levei-a até o lugar onde Vivian estava sentada e a coloquei mais uma vez no chão.

Kai Roald continuou sentado na cadeira.

— Eu não vou sair daqui — ele disse.

Peguei-o pelos braços, mas ele se desvencilhou com um movimento brusco.

— Trate de ir para lá agora mesmo! — eu disse, erguendo a voz. — Ou você prefere ir carregado? É o que você quer?

Com o rabo do olho percebi que Hege nos observava do outro lado do ambiente coletivo.

Kai Roald não respondeu.

Fui para trás dele, peguei no assento da cadeira com as duas mãos e estava prestes a erguê-la quando ele se levantou, foi até a carteira e a segurou, talvez para movê-la mais uma vez.

— Largue essa carteira! — eu disse.

O rosto de Kai Roald estava totalmente vermelho, o olhar estava vidrado e inalcançável. Quando ele começou a se aproximar empurrando a carteira à frente, peguei-a mais uma vez e a puxei com toda a força que eu tinha para tirá-la das mãos dele.

— Seu idiota de merda! — ele gritou.

Larguei a carteira. Eu sentia a raiva pulsando nos meus ouvidos. Meus olhos estavam úmidos de exaltação.

Tomei fôlego para me acalmar, mas não adiantou, meu corpo inteiro tremia.

— Você pode ir para casa — eu disse. — Não quero mais saber de você aqui por hoje.

— Como? — ele disse.

— Vá embora — eu disse.

Kai Roald começou a lutar contra o choro e desviou o olhar para baixo.

— Mas eu não fiz nada! — ele disse.

— Vá embora — eu repeti. — Não quero mais saber de você aqui. Vamos. Para a rua. Para a rua.

Ele levantou a cabeça, me encarou com um olhar desafiador e obstinado, se levantou devagar e foi embora.

— Agora vamos prosseguir — eu disse com a maior calma possível. — Abram o livro de exercícios na página 46.

Os alunos fizeram como eu havia pedido. Do lado de fora da janela, Kai Roald passou, balançou os braços de leve e ficou olhando para o nada. Expliquei a tarefa. Olhei depressa para a rua, ele caminhava sob a luz da última lâmpada no pátio da escola com o pescoço curvo e a cabeça baixa. Mas eu tinha feito a coisa certa, ninguém podia chamar um professor de merda sem receber um castigo.

Me sentei junto à cátedra. Durante o restante da aula eu estava totalmente fora de mim, o mais importante era que os alunos não percebessem nada.

* * *

Na sala dos professores Hege se aproximou e perguntou o que tinha acontecido. Dei de ombros e expliquei que eu tinha discutido com Kai Roald e que ele tinha me chamado de merda.

— E aí eu o mandei para casa. Não é admissível uma coisa dessas.

— Mas aqui no norte é um pouco diferente, sabia? — ela disse. — Esses palavrões não são muito ofensivos.

— Para mim são — eu disse. — E o professor sou eu.

— Claro, claro — ela disse.

Peguei uma caneca de café, me sentei no meu lugar e comecei a folhear um livro. E então, num momento de clareza, entendi tudo.

Kai Roald não queria sentar perto de Vivian porque estava apaixonado por ela.

Essa compreensão repentina fez com que eu corasse. Seu cretino! Até que nível de imbecilidade era possível chegar? Mandar um aluno para casa era um fato bastante grave, ele teria que se explicar, e os pais jamais acreditariam que aquilo poderia ser um erro da parte do professor. Mas era.

E eu gostava de Kai Roald.

Ele simplesmente estava apaixonado!

Mas era tarde demais, não havia como endireitar as coisas.

Voltei à sala dos professores, peguei o jornal que estava em cima da mesa, me sentei e comecei a ler. No fim do corredor uma porta se abriu. Era Richard. Ele olhou para mim.

— Karl Ove — disse. — Posso trocar uma palavra com você?

— Claro — eu disse, me levantando.

— Vamos para o meu escritório — ele disse.

Eu o segui em silêncio. Richard fechou a porta depois que entramos e se virou para mim.

— A mãe do Kai Roald ligou para a escola — ele disse. — Falou que você mandou o menino embora. O que foi que aconteceu?

— Ele se negou a fazer o que eu pedi — expliquei. — Tivemos uma discussão. Ele me chamou de merda e eu o mandei para casa. Para mim foi um comportamento que extrapolou todos os limites.

Richard passou um tempo me olhando. Por fim sentou-se atrás da escrivaninha larga.

— Mandar um aluno embora é uma medida extrema — ele disse. — É a punição mais severa que temos aqui na escola. É necessário um fato bastante grave para que essa medida seja tomada. Mas você sabe disso. E o Kai Roald é um menino legal. Você não concorda?

— Claro que concordo — eu disse. — Mas não é disso que estamos tratando aqui.

— Espere um pouco. Estamos no norte da Noruega. Por aqui as pessoas são um pouco mais rústicas do que no sul. Para nós os palavrões não soam tão ofensivos, por exemplo. Que ele tenha chamado você do que chamou com certeza não é bom, mas também não é tão grave quanto você parece imaginar. O menino tem uma personalidade forte, nada mais. E não podemos proibi-lo de ter essa personalidade, certo?

— Eu não aceito ser chamado de merda por um aluno. Independente de onde no mundo eu esteja.

— Não, não — ele disse. — Eu entendo. Mas sempre existem várias formas de resolver um problema. Você dá um pouco e recebe um pouco. Expulsar um aluno da sala de aula é um último recurso. E tenho a impressão de que o desentendimento entre vocês não chegou às últimas consequências, certo?

Não respondi.

— Você não é professor há muito tempo, Karl Ove — ele disse. — E até mesmo os professores mais experientes cometem esses erros de julgamento. Da próxima vez, se você mesmo não conseguir resolver o problema, pode me chamar. Ou traga o aluno para a minha sala.

In your dreams.

— Vou pensar a respeito disso se acontecer outra vez — eu disse.

— Vai acontecer outra vez — ele disse. — Mas de um jeito ou de outro, o importante é você resolver essa situação de agora. Ligue para a mãe do Kai Roald e explique por que ele foi expulso da sala de aula.

— Ele pode levar um recado amanhã, não? — eu disse.

— Ela ligou para cá e estava muito preocupada. Me parece que o melhor é você falar diretamente com ela.

— Tudo bem — eu disse. — Vou ligar, então.

Richard fez um gesto em direção ao telefone cinza que tinha em cima da mesa.

— Pode usar esse aparelho — ele disse.

— Mas o sinal já vai tocar — eu disse. — Eu faço essa ligação no próximo intervalo.

— Eu posso cuidar dos alunos durante os primeiros minutos da aula. Qual é a turma?

— Quinta, sexta e sétima série.

Ele acenou a cabeça, se levantou e parou ao lado da escrivaninha.

Será que pretendia ficar na sala enquanto eu fazia a ligação? Será que pretendia ouvir a conversa? Será que a mania de estar sempre no controle de tudo podia chegar àquele ponto?

Abri a lista telefônica, encontrei o número e olhei para Richard, que manteve uma expressão neutra quando encontrou meus olhos.

Aquele sujeito era mesmo um bosta.

Disquei o número.

— Alô? — disse uma voz de mulher.

— Alô? Quem está falando aqui é o Karl Ove Knausgård, professor do Kai Roald.

— Ah! — ela disse.

— Eu e o Kai Roald tivemos um desentendimento hoje. Ele se recusou a me obedecer e depois me chamou de... bem, me chamou de um palavrão na minha cara. Foi por isso que eu o mandei para casa.

— Você fez bem — ela disse. — O Kai Roald às vezes é bem impertinente.

— É, acontece — eu disse. — Mas em geral ele é um menino bacana. Não foi nada de muito sério, e não deve ter nenhuma consequência mais grave para ele. Mas ele estava precisando de um puxão de orelha. Amanhã as coisas vão estar de volta ao normal. Tudo bem?

— Claro. E obrigada por você ter ligado.

— Eu que agradeço. Tchau!

— Tchau para você também.

Assim que desliguei o telefone o sinal tocou. Richard fez um aceno de cabeça, eu saí do escritório dele sem dizer mais nada e fui direto para o ambiente coletivo, onde eu daria aula de matemática para os alunos de quinta, sexta e sétima série. Era a disciplina em que eu era mais fraco, eu não tinha nada a dizer, não havia nada que eu soubesse desenvolver ou tornar mais atraente, e o resultado era que os alunos resolviam contas nos livros de exercício e de vez em quando tínhamos um momento juntos no quadro-negro. Os alunos percebiam, e talvez por esse motivo se esforçassem ainda mais do que no início das outras aulas para desperdiçar o tempo e me distrair.

— Para quem você estava ligando? — perguntou Vivian ao sentar-se.

— Como você sabe que eu estava ligando para alguém? — eu perguntei de volta.

— A gente viu pela janela — ela disse. — Você estava usando o telefone do diretor.

— Você ligou para a casa do Kai Roald? — perguntou Hildegunn.

— Ele vai voltar hoje? — perguntou Vivian.

— A vocês não interessa para quem eu ligo ou deixo de ligar — eu disse. — O fato é que se vocês não sossegarem de uma vez, logo eu vou estar ligando para os pais de vocês.

— Mas eles estão trabalhando — disse Vivian.

— Vivian! — eu disse.

— O que foi? — ela perguntou.

— Trate de se endireitar. E agora comecem! Você também, Jørn.

Andrea tinha estendido as pernas embaixo da carteira e estava roçando os pés um no outro enquanto lia as páginas do livro com a caneta na mão. Live olhou ao redor por várias vezes, ela sempre fazia aquilo quando tinha dificuldades e não queria demonstrar. Olhei para Jørn, que estava sentado com a língua no canto da boca resolvendo os cálculos a uma velocidade incrível. Depois encontrei os olhos de Live, no mesmo instante ela levantou a mão.

Me inclinei por cima da carteira dela.

— Eu não consigo — ela disse. — Este aqui.

Ela apontou para um cálculo com o lápis. Os olhos corriam de um lado para o outro por trás dos óculos. Expliquei para ela, ela suspirou e começou a resmungar, era o jeito que havia encontrado para lidar com o problema da falta de conhecimentos em relação às amigas.

— Você conseguiu acompanhar? — perguntei.

— Claro — ela disse, fazendo com a mão um gesto para indicar que já bastava.

— Professor! — Vivian me chamou, abafando uma risadinha. — Professor, eu não consigo, professor!

Quando me abaixei em frente à carteira foi como se Vivian tivesse ficado totalmente em branco. O rosto estava em branco, sem nenhuma expressão, os olhos estavam em branco, sem nenhuma expressão. A receptividade que pressenti naquele instante foi quase assustadora.

— Por que você está tendo dificuldade justamente aqui? — eu perguntei. — Você já resolveu pelo menos cinquenta problemas similares exatamente da mesma forma!

Ela deu de ombros.

— Tente mais uma vez — eu disse. — Resolva os outros problemas. Se você não conseguir, me chame outra vez. Combinado?

— Combinado, professor — ela disse, lançando um breve olhar ao redor e abafando uma risadinha.

Quando me endireitei, olhei fundo nos olhos de Andrea.

Havia um desejo naquele olhar, e senti meu corpo inteiro esquentar.

— Tudo bem? — perguntei.

— Para dizer a verdade, não — ela respondeu. — Acho que preciso de ajuda.

Meu coração batia mais forte quando parei na frente dela. Ah, era uma idiotice completa, mas a consciência de que talvez estivesse apaixonada por mim tornava impossível que eu me comportasse de forma natural.

Me inclinei para a frente e ela encolheu o corpo. A respiração dela mudou de ritmo. O olhar permaneceu fixo no livro. Senti o cheiro do xampu dela, evitei cuidadosamente qualquer tipo de contato e apontei o dedo para o primeiro algarismo que ela havia escrito. Ela ajeitou o cabelo para o lado, apoiou o cotovelo em cima da carteira. Era como se tudo que estávamos fazendo tivesse um elemento de premeditação que se tornava visível em cada detalhe, e assim pertencesse não mais à esfera do impensado e do natural, mas à esfera do pensado e do artificial.

— Foi aqui que você errou — eu disse. — Está vendo?

Ela corou, disse sim em voz baixa, apontou para o cálculo seguinte, e esse então, disse sim mais uma vez com uma voz baixa e macia, e a respiração, a dela, era irregular.

Endireitei as costas e continuei a andar pela sala, corri os olhos por toda a turma e por todo o ambiente coletivo, mas não consegui permanecer impassível, aquele minúsculo olhar continuou vivo, e numa tentativa de esquecê-lo eu juntei os livros que estavam em cima da cátedra, juntei-os com força e me dirigi à turma como um todo. O olhar tinha de ser destruído por um novo olhar ainda maior. E eu tinha que transformar a classe em um lugar para todos, em uma classe capaz de aprender coisas.

— Parece que muitos de vocês estão tendo os mesmos problemas — eu disse. — Vamos tentar resolvê-los no quadro-negro. Os alunos da quinta e da sexta série podem fechar os ouvidos.

Quando terminei, a aula prosseguiu como de costume. Mesmo antes de perceber que Andrea tinha sentimentos especiais por mim, eu já tomava cuidado para manter certa distância em relação aos alunos. Eu nunca os abraçava, nem sequer encostava neles, e se a conversa ou as brincadeiras entravam em zonas relacionadas à sexualidade eu sempre colocava um ponto final naquilo. Os outros professores não precisavam fazer nada disso, porque para eles a distância era um fato, uma barreira indestrutível. Para mim era uma barreira que precisava ser construída.

À tarde liguei para o meu pai. A voz dele estava fria, escura e sóbria. Ele me perguntou como estavam as coisas, eu respondi que bem, mas que assim mesmo eu estava feliz com a proximidade das férias de Natal.

— Você vai passar o Natal com a sua mãe, então? — ele perguntou.

— Vou — eu disse.

— Foi o que imaginamos. O Fredrik também não vem. Então vamos mais uma vez para o sul. Mas você tem uma irmã aqui, Karl Ove. Não esqueça.

Será que ele achava mesmo que eu ia cair naquela conversa? Se eu tivesse dito que gostaria de passar o Natal com eles, meu pai teria inventado mil desculpas. Ele não me queria por perto. Então por que dar a impressão de que éramos nós que o tínhamos abandonado?

— Quem sabe eu posso fazer uma visita nas férias de inverno? — eu disse. — Fica bom para vocês? Vocês não vão para o sul no inverno?

— Por enquanto não temos nada planejado — ele disse. — Vamos ter que esperar e ver quando a hora chegar.

— Eu posso pegar o *Hurtigruten* ou coisa parecida — eu disse.

— É, talvez possa mesmo. Você teve notícias do Yngve nesses últimos tempos?

— Não, já faz um tempo que não falo com ele — eu disse. — Acho que ele anda bem ocupado.

Durante toda a nossa breve conversa telefônica foi como se o meu pai estivesse procurando uma forma de escapar. Desligamos após uns dois minutos. Para mim foi bom assim. Toda vez que aquilo acontecia eu comprovava que o meu pai não era uma pessoa de quem eu precisava.

Aliás, não era assim com todo mundo?

Ao descer a encosta, com a neve soprando do mar preto, pensei se realmente havia uma pessoa de quem eu precisava. Se havia uma pessoa sem a qual eu não conseguiria me virar.

Deviam ser Yngve e a minha mãe.

Mas nem eles eram indispensáveis.

Tentei imaginar como as coisas seriam se os dois não existissem.

Mais ou menos iguais, a não ser pelas conversas ao telefone e pelos nossos encontros no Natal e no verão.

Mas será que eles não eram indispensáveis?

Quando eu me tornasse um escritor famoso eu gostaria que a minha mãe estivesse ao meu lado.

Chutei a neve que havia se acumulado em frente à porta e entrei. E talvez quando eu tivesse filhos também?

Mas eu não teria filhos. Não conseguia imaginar.

E da maneira como as coisas estavam, eu também não teria de onde tirá-los.

Sorri enquanto tirava o casaco. No instante seguinte me senti desanimado. Tudo que tinha a ver com aquilo pairava como uma nuvem escura sobre a minha vida. Eu não conseguia. Eu tinha tentado, mas não tinha conseguido, não havia como.

Ah, que merda fodida do caralho, também!

Me atirei no sofá e fechei os olhos. Era uma sensação desagradável, como se alguém a qualquer instante fosse passar em frente à minha janela e me ver dentro de casa, como se alguém estivesse passando naquele exato momento.

Na tarde de sexta-feira todos os professores temporários foram à casa de Hege comer pizza e beber cerveja. Hege era a força motriz e a alma da festa, estava muito empolgada e emendava histórias uma atrás da outra. Nils Erik gostava dela e tentou impressioná-la com imitações e caricaturas. Hege não olhou para mim, o que foi meio estranho, já que ela tinha passado mais de uma vez na minha casa durante as semanas anteriores para falar sobre todos os assuntos próximos àquele coração endurecido.

Quando tiraram as pizzas da mesa ela abriu o freezer e pegou uma garrafa de vodca. Aquela bebida transparente e fria me levava rumo à luz e à alegria, enquanto Hege depois de um tempo começava a perder o controle sobre as expressões faciais e a coordenação motora. Quando se levantou para ir ao banheiro ela quase bateu na parede e precisou se apoiar ainda meio trôpega, e então olhou para o corredor, riu um pouco e mais uma vez começou o trajeto pela grande e ampla superfície da sala, dessa vez com um pouco mais de sorte, porque, a não ser pelo corpo empertigado demais e por um ou dois passos hesitantes para o lado, chegou à porta do banheiro sem maiores problemas. Meia hora depois ela estava cochilando em uma cadeira. Passei a mão pelo rosto dela, Hege abriu os olhos e me encarou, eu disse que ela devia sair para dar uma volta comigo na rua porque o ar frio faria bem. Hege fez um gesto afirmativo com a cabeça, eu sustentei o corpo dela e a ajudei a descer a escada, ela sorriu e enfiou os braços na jaqueta que segurei aberta em frente ao corpo dela, enfiou a touca na cabeça e enrolou o cachecol no pescoço com movimentos vagarosos.

A noite estava escura e silenciosa. A temperatura tinha caído drasticamente nas últimas horas, e as nuvens que haviam pairado como uma lona sobre o vilarejo durante a semana inteira se abriram: acima de nós as estrelas brilhavam. Segurei o braço dela e começamos a caminhar. Hege olhava para a frente com olhos vazios e velados, e de vez em quando ria sem motivo. Descemos até a capela e voltamos, fomos até a escola e voltamos. Logo acima da montanha a oeste uma onda esverdeada correu pelo céu, e quando aquilo desapareceu um véu amarelo e verde surgiu no mesmo lugar.

— Olhe, é a aurora boreal! — eu disse. — Você viu?

— Aurora boreal — Hege balbuciou.

Descemos até a capela mais uma vez. Nossos sapatos rangiam na neve seca. As montanhas primitivas e silenciosas se erguiam do outro lado do fiorde com encostas um pouco mais claras do que a escuridão ao redor por conta da neve. O frio cobria meu rosto como uma máscara.

— Você está melhor? — perguntei quando mais uma vez tomamos o caminho de volta para a casa dela.

— Aham — ela disse.

Se aquele passeio não a fizesse melhorar um pouco, nada mais funcionaria.

— Vamos entrar, então? — perguntei em frente à estradinha no pátio da casa. Hege olhou para mim e abriu um sorriso que me pareceu diabólico. De repente, ela pôs as mãos atrás do meu pescoço, me puxou com força e me beijou.

Eu não queria empurrá-la, então deixei que aquilo continuasse por mais um instante antes de me soltar e endireitar as costas.

— Não dá — eu disse.

— Não — ela concordou com uma risada.

— Vamos nos juntar aos outros, está bem? — eu disse.

— Vamos — ela disse.

A pouca clareza que Hege tinha ganhado se desfez mais uma vez no calor, em seguida ela foi para o quarto, onde passou tanto tempo que nós, sem a companhia da anfitriã, tiramos as garrafas e os copos de cima da mesa, espiamos para dentro do quarto, onde ela dormia vestida e roncava de barriga para cima em uma grande cama de casal, e fomos todos para casa.

Passei o resto do fim de semana escrevendo. Na tarde de domingo Hildegunn, Vivian, Andrea e Live apareceram, as quatro estavam aborrecidas como de costume, falei com elas por meia hora, evitei olhar para Andrea, não olhei na direção dela a não ser por uma vez, e foi como se o meu olhar fosse magnético e o olhar dela fosse de ferro, porque um quarto de segundo depois ela olhou para mim e corou.

Essa não, essa não, minha pequena Andrea!

Mas ela não tinha nada de pequena, o quadril era o quadril de uma mulher, os peitos tinham o tamanho de laranjas, e naqueles olhos verdes brilhava mais do que uma simples alegria infantil.

Eu disse que elas tinham que ir embora, eu tinha outros compromissos além de entreter crianças durante a tarde inteira, as meninas resmungaram e gemeram e então foram embora, Andrea foi a última, ela se abaixou e calçou as longas botas nos pés e olhou depressa para mim antes de se juntar às amigas, que já a esperavam do lado de fora rodeadas pelos flocos de neve que o vento soprava, imóvel por um instante. Assim a vida tornou a correr por dentro delas, e as quatro desceram a encosta sorrindo enquanto eu batia a porta e girava a chave na fechadura.

Enfim sozinho.

Coloquei música no volume mais alto possível sem que os alto-falantes distorcessem o som e me sentei para terminar o conto que eu havia começado no dia anterior.

O conto era sobre um grupo de garotos de dezessete anos que ao voltar para casa de uma festa descobria um carro batido contra um paredão de rocha. Todos estavam bêbados, era manhã de domingo, e a estrada por onde andavam estava em absoluto silêncio, a neblina densa e úmida pairava sobre todo aquele panorama. Eles faziam a curva e viam o carro na intersecção, com o capô amassado e o para-brisa quebrado. Primeiro achavam que o acidente tinha acontecido muito tempo atrás, que aquele era um carro velho e abandonado, mas logo percebiam que havia uma pessoa lá dentro, um homem com o rosto todo ensanguentado no banco do passageiro, que tinha ido parar na parte de trás do carro, e então compreendiam que o acidente devia ter acabado de acontecer, talvez não mais do que dez ou quinze minutos antes. Como você está?, os garotos perguntavam ao homem, ele olhava para eles e abria a boca devagar, mas não dizia nada. O que vamos fazer?, eles perguntavam uns para os outros enquanto se olhavam. Todo o cenário tinha uma atmosfera onírica, tanto por causa do panorama silencioso e da névoa como também porque os garotos estavam bêbados. Temos que chamar uma ambulância, dizia Gabriel. Mas como? A casa mais próxima ficava no loteamento a um quilômetro do lugar. Os garotos decidiram que alguém iria correndo até a casa para telefonar, e os outros dois ficariam no local do acidente. Fazer qualquer coisa com aquele homem estava fora de cogitação, ele estava preso nas ferragens e com certeza havia sofrido ferimentos internos.

Eu tinha escrito até esse ponto. Não sabia o que aconteceria depois, a não ser que o homem morreria enquanto os garotos esperavam o socorro. Talvez ele dissesse alguma coisa, um comentário qualquer relacionado a outro contexto, para eles incompreensível, mas assim mesmo claro. Eu também cogitei a ideia de que o homem podia estar relacionado a outro lugar onde uma outra história se desenrolava. Ele podia ter trancado o pai num quarto onde o maltratava, por exemplo, e assim morreria com o segredo. Ou então a história não seria nada além disso, um acidente pela manhã e um homem que morria.

Perdido nesse cenário com asfalto reluzente, espruces imóveis, cacos de vidro e metal retorcido, cheiro de borracha queimada e floresta úmida, talvez com os pilares de uma ponte mal e mal visíveis em meio às luzes vermelhas perdidas num lugar distante em meio à neblina, dei um pulo na cadeira quando de repente alguém bateu na minha janela.

Era Hege.

Meu coração teve uma espécie de ricochete, pois, mesmo quando percebi que era ela e compreendi que devia ter passado um bom tempo tocando a campainha, continuou a bater forte. Hege riu, eu sorri e apontei para a porta, ela acenou com a cabeça, eu atravessei o corredor e abri.

— Oi — ela disse. — Eu não sabia que você era tão assustado!

— Eu estava escrevendo — expliquei. — Estava realmente em outro lugar. Você quer entrar?

Hege balançou a cabeça.

— Eu disse para o Vidar que eu estava indo ao quiosque. Resolvi aproveitar para dar uma passada aqui e pedir desculpas por sexta-feira.

— Você não tem nenhum motivo para me pedir desculpa — eu disse.

— Talvez não — ela disse. — Mas assim mesmo eu gostaria de pedir. Me desculpe.

— Está desculpada — eu disse.

— E não comece a imaginar coisas — ela disse. — Eu sempre apronto uma dessas quando estou bêbada. Perco o controle dos meus impulsos e me entrego para o que houver de melhor. Mas não significa nada. Você entende, não?

Fiz um gesto afirmativo com a cabeça.

— Eu faço a mesma coisa — eu disse.

Ela sorriu.

— Que bom! Então já está tudo como antes. Nos vemos na segunda!

— Até lá — eu disse. — Tchau!

— Tchau — ela disse, tomando o caminho da estrada.

Fechei a porta e notei que eu estava puto da vida, eu levaria pelo menos uma hora para conseguir voltar ao texto e já eram oito horas. Talvez fosse melhor ir para a escola assistir ao *Sportsrevyen*, pensei enquanto eu olhava para as duas últimas frases que eu tinha escrito de pé em frente à escrivaninha.

Não. Se fosse para aquela ideia virar alguma coisa, eu teria que dar o meu máximo.

Continuei a escrever.

Tinha mais alguém na porta.

Desliguei a música e fui abrir.

Era um grupo de três jovens pescadores. Nenhum deles fazia parte do time de futebol, com dois eu mal havia trocado mais do que uma palavra ou duas, mas assim mesmo eu tinha estado com eles em três ou quatro ocasiões. O terceiro era Henning. Ele era mais velho do que eu, tinha acabado o colegial e se esforçava para ser diferente dos outros nas pequenas coisas, por exemplo nos sapatos pontudos que tinha, na calça jeans preta que usava e nas músicas que colocava para tocar no som do carro, bem mais próximas das coisas que eu gostava do que do tipo de música que a maioria dos outros ouvia no vilarejo.

— Podemos entrar? — ele perguntou.

— Podem, claro — eu respondi, dando um passo para o lado. Os três tiraram os casacos, que tinham neve acumulada nos ombros, tiraram os sapatos, escuros de umidade, entraram na sala e sentaram-se.

Lá fora a ventania tinha aumentado. No mar as ondas quebravam como bichos enfurecidos. Aquele murmúrio incessante ganhava notas mais sombrias quando havia tempestades, e assim transformava-se numa espécie de ronco ou de estrondo longínquo.

Cada um largou uma garrafa de Absolut em cima da mesa.

— Eu não tenho água mineral — eu disse.

— A gente põe essas garrafas no freezer por um tempo e depois bebe puro mesmo — disse Henning. — É assim que os russos fazem. E é assim que se bebe vodca. Se você põe um pouco de pimenta, o sabor fica incrível.

— Tudo bem — eu disse, e então saí para buscar copos. Depois que eles haviam servido a bebida e enchido generosamente o meu copo, coloquei para tocar um dos dois mini-LPs do U2 que eu tinha e que pouca gente tinha ouvido. Henning, que gostava de U2, me perguntou o que era aquilo, e assim eu pude usar a pergunta a meu favor.

A música evocava uma atmosfera de nono ano e início do colegial. O espaço enorme, desolado, bonito, mas também solitário daquela música, que eu tanto havia amado e naquele instante descobri que ainda amava, junto com tudo que estava relacionado àquilo, tudo que tinha acontecido na minha vida durante aquela época, concentrado em uma condensação inacreditável e trêmula que apenas os sentimentos são capazes de proporcionar. Um ano revisitado em um segundo.

— Puta merda, esse negócio é demais! — eu disse.
— Saúde — disse Kåre.
— Saúde — disse Johnny.
— Saúde — disse Henning.
— Saúde — eu disse, esvaziando o copo e sentindo o corpo estremecer. Aumentei o volume da música. Com a escuridão impenetrável no lado de fora e as luzes acesas no lado de dentro, era quase como se estivéssemos em uma embarcação. Uma nave. Nos confins do espaço sideral.

E era verdade. Estávamos flutuando na imensidão do espaço. Eu sempre tinha sabido disso, mas fui compreender de verdade apenas quando cheguei a Håfjord. Aquela escuridão toda mudou minha percepção do mundo. A aurora boreal, aquele incêndio frio no céu, também. E o isolamento.

A merda foi que não consegui evitar o olhar de Andrea. Eu não podia incentivar os sentimentos dela por nada no mundo.

Nunca mais devia olhar para ela.

Ou pelo menos olhar apenas quando o motivo tivesse alguma coisa a ver com a aula.

Afinal, eu não *precisava* olhar para ela em nenhuma outra situação. O fato de que eu gostava dela era irrelevante, eu também gostava de vários outros alunos. Tanto da quarta como da sétima série. A exceção era Liv, a irmã de Vivian, mas também, puta que pariu, ela tinha dezesseis anos, dois a menos do que eu, e ninguém poderia dizer nada se *de vez em quando* eu olhasse para ela.

— Vocês voltaram para casa hoje? — perguntei, olhando para Henning.

Ele acenou com a cabeça.

— Conseguiram alguma coisa?

Ele balançou a cabeça.

— Não pegamos nada.

* * *

    Continuamos pelo menos até as cinco da manhã. A essa altura eu tinha bebido praticamente uma garrafa de vodca. Tive a presença de espírito necessária para colocar o relógio para despertar, mas quando ele tocou às oito e quinze eu devia estar morto, porque o relógio continuava a soar daquela maneira infernal quando voltei a mim graças a um outro barulho que havia se misturado, o barulho da campainha e de batidas na porta.

    Me levantei, joguei um pouco de água fria na cara e abri a porta. Era Richard.

    — Você está acordado? — ele perguntou. — Vamos, a sua turma está a postos esperando você! Já são nove e quinze.

    — Estou doente — eu disse. — Preciso ficar em casa hoje.

    — Que bobagem — ele respondeu. — Vamos lá. Tome uma chuveirada e vista uma roupa. Eu vou ficar aqui esperando.

    Olhei para ele. Eu ainda estava grogue, meus pensamentos davam a impressão de estar num corredor com paredes de vidro. Eu via Richard como se ele estivesse longe, mesmo que estivesse a um metro de mim.

    — O que você está esperando? — ele perguntou.

    — Eu estou doente — repeti.

    — Você tem uma chance — ele disse. — Não a deixe escapar.

    Olhei para ele. Depois me virei, entrei no banheiro, abri o chuveiro e fiquei embaixo d'água por alguns segundos. Eu estava furioso. Eu era um empregado, um professor, e se um dos outros empregados um belo dia não aparecesse no trabalho e dissesse que estava doente, Richard jamais sonharia em buscá-lo em casa. De jeito nenhum. O fato de que ele tinha razão, porque afinal eu não estava doente, não tinha relação nenhuma com o que estava acontecendo. Eu era um adulto, não uma criança, eu era um professor, não um aluno; se eu dissesse que estava doente, era porque eu estava doente.

    Fechei o chuveiro, me sequei, passei desodorante, me vesti no quarto, coloquei o sobretudo, os sapatos e o cachecol no corredor e abri novamente a porta.

    — Ótimo — disse Richard. — Agora vamos lá.

    Ele tinha me humilhado, mas não havia nada que eu pudesse fazer. A razão e o poder estavam do lado dele.

* * *

    Eu sempre tinha gostado da escuridão. Quando era pequeno, eu sentia medo quando estava sozinho, mas quando estava com outras pessoas eu adorava o escuro e a transformação que representava para o mundo. Correr pela floresta ou entre as casas no escuro era totalmente diferente de fazer a mesma coisa no claro, o mundo parecia encantado e nós, nós nos transformávamos em aventureiros de olhos reluzentes e corações palpitantes.

    Quando fiquei um pouco mais velho, poucas coisas me agradavam mais do que ficar acordado até de madrugada, tanto a escuridão como o silêncio me atraíam, prometendo coisas grandiosas. E o outono era minha estação favorita, não havia muita coisa melhor do que caminhar ao longo da estrada seguindo o curso do rio no escuro.

    Mas aquela escuridão era diferente. Aquela escuridão deixava tudo morto. Era uma presença constante, não fazia diferença estar dormindo ou acordado, e a cada dia era mais difícil encontrar motivação para sair da cama pela manhã. Eu conseguia, e cinco minutos mais tarde eu estava mais uma vez em frente à cátedra, mas tudo que acontecia na sala de aula também parecia morto. Era como se o que eu fazia não me desse nada em troca. Independente do quanto eu me esforçasse, eu não recebia nada em troca. Tudo desaparecia, tudo se desfazia na enorme escuridão em que vivíamos. Nada mais importava, dava na mesma dizer isso ou aquilo, fazer isso ou aquilo.

    Ao mesmo tempo eu me sentia pressionado por estar sendo o tempo inteiro vigiado, todo mundo sabia quem eu era, eu nunca tinha um instante de paz. Em especial na escola, onde Richard me espreitava como se fosse uma maldita ave de rapina, prestes a investir sobre mim assim que eu fizesse qualquer coisa que o desagradasse.

    As bebedeiras aumentavam esse desconforto, e como nada do que eu fazia me dava qualquer coisa em troca, passei a me sentir cada vez mais exausto, era como se eu estivesse me esvaziando, passei a me sentir cada vez mais vazio, e logo eu andava como se fosse uma sombra, um fantasma, vazio e escuro como o céu e o mar ao meu redor.

    Bebi mais vezes durante a semana depois que Richard foi me buscar em casa, mas sempre consegui me arrastar para fora da cama a tempo e ir para a escola. Quando ele voltou a me criar problemas foi por outro motivo. Eu tinha ido a uma festa em Tromsø no fim de semana, Jøgge estava de licença e queria me encontrar e na noite de domingo eu perdi o barco para Finnsnes, precisei dormir em Tromsø uma noite a mais, e quando enfim cheguei a Håfjord na tarde seguinte eu já estava tão atrasado que não valeria a pena ir à escola.

No dia seguinte Richard me chamou para o escritório dele. Disse que confiava em mim, que eu era uma parte importante da escola, mas que as coisas precisavam funcionar, funcionar todos os dias, e que a minha ausência no trabalho criava grandes problemas para todo mundo. Inclusive para os alunos. A responsabilidade era minha, de ninguém mais, e aquilo não podia acontecer outra vez de jeito nenhum.

Enquanto eu ouvia aquilo, com os alunos correndo para lá e para cá do outro lado da janela, e Richard discursava atrás da escrivaninha com uma voz alta e dura, me senti furioso. Mas a voz dele paralisou a minha fúria, não havia válvula de escape para os meus sentimentos, a não ser pelo método antigo, costumeiro e detestado, como lágrimas nos olhos.

Richard me humilhou, mas ao mesmo tempo ele tinha razão, aquela era minha responsabilidade, eu não podia matar um dia de trabalho como matava aulas no colegial.

Todas as minhas energias haviam me abandonado, e também toda a minha força de vontade.

Fechei a porta atrás de mim, enxaguei o rosto no banheiro dos professores, me sentei no sofá e nem ao menos me dei ao trabalho de pegar um café.

Torill estava sentada no lugar dela, recortando enfeites de Natal. Ela notou que eu a estava observando.

— Estou tentando fazer esse negócio antes de levar a atividade para os alunos — ela disse.

— Esse tipo de coisa a gente não aprende estudando magistério, né? — eu disse.

— Não, realmente a ênfase não era essa. Era em pedagogia e em outras coisas inúteis — ela disse sorrindo.

Me endireitei na cadeira.

Eu podia simplesmente parar.

Quem disse que eu não podia me demitir?

Quem?

Todo mundo dizia, mas *quem disse* que eu daria ouvidos?

Ninguém podia impedir que eu pedisse a minha demissão. Eu não precisava sequer me demitir naquele momento, bastaria ir para o sul nas férias de Natal e não voltar mais. Seria uma traição à escola, mas quem disse que eu não podia fazer isso mesmo assim?

O professor da minha turma no ano anterior chegava bêbado à escola, faltava ao trabalho com frequência e no fim simplesmente foi embora e não voltou mais.

Ah, como haviam reclamado e demonstrado condescendência em relação a ele nos meses em que eu tinha estado lá!

Me levantei e no instante seguinte o sinal tocou, a rotina estava impregnada a esse ponto no meu corpo. Mas a ideia de acabar com aquilo continuava acesa dentro de mim. Eu queria ser livre, e a liberdade existia em todos os outros lugares, menos onde eu estava.

Quando as aulas terminaram nesse dia eu liguei para a minha mãe. Ela atendeu momentos antes de sair para o trabalho.

— Oi, mãe — eu disse. — Pode conversar agora?

— Posso, claro. Aconteceu alguma coisa?

— Não. Está tudo como antes. Mas cada vez mais difícil. Eu mal consigo sair da cama pela manhã. E me ocorreu que eu posso simplesmente pedir demissão. Eu não estou me sentindo nem um pouco legal, sabe? E também não tenho qualificação para estar aqui. Então pensei em voltar a estudar em algum outro lugar depois do Natal. Me preparar para a universidade, enfim.

— Entendo que você está frustrado e que está cada vez mais difícil — ela disse. — Mas acho que você deve pensar um pouco mais antes de tomar essa decisão. Agora você tem as férias de Natal e vai poder relaxar e pensar nas coisas com calma, passar dias inteiros deitado aqui no sofá de casa, se você quiser. Acho que tudo vai parecer bem diferente quando você se levantar.

— Mas não é o que eu quero!

— As coisas vão e vêm. Há pouco tempo você estava gostando de tudo. É normal que você tenha um período meio para baixo. Mas claro que não vou dizer para você não se demitir. Isso é você quem decide. Mas você não precisa decidir agora, é isso que eu estou dizendo.

— Acho que você não entendeu o que eu disse. Não vai melhorar. É um trabalho exaustivo. E para quê?

— A vida às vezes é assim mesmo.

— Você sempre diz isso. Mas só porque você faz um trabalho exaustivo, será que eu também tenho que fazer?

— Eu só quis dar um conselho a você. Acho que é um bom conselho.

— Tudo bem — eu disse. — O seu conselho é contra a minha demissão, mas é verdade que eu não preciso decidir nada agora.

Em geral eu tomava cuidado para telefonar quando a sala dos professores estava vazia, ou no máximo com Nils Erik por lá, mas dessa vez eu estava tão revoltado e tão fora de mim que me esqueci completamente. Quando abri a porta e saí, Richard estava na copa.

— Olá — ele disse. — Pode deixar que eu lavo a louça. Você está indo para casa?

— Estou — eu disse, e então me virei e fui embora.

Será que ele tinha ouvido? Será que tinha ficado me escutando de propósito?

Eu não podia acreditar.

Mas depois veio o último dia letivo, os boletins foram distribuídos, cafés foram bebidos e bolos foram comidos e em pouco mais de uma hora eu tomaria o ônibus para Finnsnes e de lá começaria a longa viagem para encontrar a minha mãe em Førde, onde passaríamos uns dias antes de ir para Sørbøvåg na véspera do Natal. Richard parou na minha frente.

— Eu queria dizer que você fez um trabalho incrível ao longo desse semestre. Você trouxe uma contribuição inestimável para a escola. E soube lidar muito bem com os poucos problemas que apareceram. Mas você precisa me prometer que volta depois das férias de Natal!

Ele sorriu para que o comentário parecesse menos áspero, para que parecesse uma brincadeira.

— Por que você acha que eu não voltaria? — perguntei.

— Você tem que voltar — ele disse. — As coisas não são fáceis aqui no norte. Mas ao mesmo tempo são também incríveis. Nós precisamos de você aqui.

Por mais que aquilo fosse pura bajulação, clara como água, senti o orgulho inflar o meu peito. Porque Richard tinha razão. Eu tinha feito um bom trabalho.

— Claro que eu vou voltar — eu disse. — Feliz Natal! Nos vemos em 1988!

Naquela mesma noite minha mãe me esperou no cais quando cheguei a Lavik com o barco expresso de Bergen. Eram oito e meia, estava completamente escuro, a tripulação baixou o portaló enquanto as hélices rugiam e açoitavam a água. A luz da pequena sala de espera se refletia no filme d'água que cobria o asfalto. Pisei em terra firme, me inclinei para a frente e dei um abraço na minha mãe, e então fomos até o carro. Ao nosso redor portas se abriam e fechavam, motores roncavam, e logo o barco expresso já estava mais uma vez fazendo o caminho de volta pelo fiorde. O tempo estava ameno, não havia neve acumulada, o para-brisa estava cheio de gotinhas que a intervalos regulares eram varridas pelos limpa-vidros. A luz dos faróis corria como um par de bichos assustados à nossa frente. Árvores, casas, postos de gasolina, córregos, montanhas, fiordes e florestas inteiras surgiam da escuridão. Fiquei escorado no banco, olhando. Eu não percebi que estava com saudade das árvores enquanto não as vi.

Minha mãe tinha preparado um cozido antes de sair para me buscar, comemos juntos e ficamos conversando por uma hora antes que ela fosse se deitar. Continuei acordado para escrever, mas não consegui mais do que umas poucas linhas. Minha mãe tinha alugado um apartamento mobiliado, e eu me sentia um estranho naquele lugar.

No dia seguinte fomos à cidade fazer as últimas compras para o Natal. O céu estava encoberto, mas a cobertura era fina e esburacada, então senti um arrepio nas costas quando abri a porta, saí de casa e pela primeira vez em meses vi a esfera incandescente que pairava atrás das nuvens. Mesmo que as cores da paisagem estivessem reduzidas ao mínimo, com apenas o amarelo-pálido da grama e o verde-pálido da cerca viva além do cinza em todo o resto, os tons pareciam brilhar. Não havia aspereza, não havia contrastes duros, não havia picos escarpados, não havia um mar infinito. Apenas pátios, cercas vivas, as casas do loteamento e, mais atrás, montanhas amistosas, tornadas mais opacas pela umidade e pela luz cinzenta do inverno.

À noite Yngve chegou. Era o aniversário dele, estava completando vinte e três anos, depois do jantar comemos bolo, tomamos café e um copo de conhaque. Ele ganhou um disco de mim e um livro da nossa mãe. Quando nossa mãe foi se deitar, continuamos de pé e tomamos mais dois copos de conhaque. Eu pedi a Yngve que lesse o último conto que eu havia escrito. Enquanto ele lia, saí para a varanda em meio à chuva e olhei para longe, sentindo a felicidade no corpo inteiro por estar em casa, mesmo que os poucos indícios da minha mãe e da vida dela na casa não conseguissem fazer do ambiente estranho um lugar mais familiar, como talvez se pudesse crer, mas tivessem justamente o efeito contrário, de tornar o ambiente familiar um lugar mais estranho. Ver as coisas dela naquele cenário era mais ou menos como vê-las em um museu. Mas a minha casa já não era mais um lugar. Era a minha mãe e Yngve. Eles eram a minha casa.

Me virei e olhei para dentro da sala. Ele continuava sentado, lendo. Será que já estava na última página?

Era o que parecia.

Me obriguei a ficar mais um pouco na varanda.

Depois pus a mão no pegador comprido e empurrei a porta para o lado. Fechei-a atrás de mim, me sentei no sofá do outro lado da mesa. Yngve tinha largado as páginas em uma pilha. Estava ocupado enrolando um cigarro e não olhou para mim.

— E então? — perguntei.

Ele sorriu.

— Achei bom — ele disse.

— Mesmo?

— Mesmo. Mais ou menos como os outros que eu li.

— Que bom — eu disse. — Já são seis. Se eu conseguir escrever um pouco mais depressa, talvez eu já tenha uns quinze quando eu terminar o meu trabalho na escola.

— E o que você quer fazer depois? — Yngve perguntou enquanto levava o cigarro torto aos lábios e o acendia.

— Mandar tudo para uma editora, claro — eu respondi. — O que mais você achava?

Yngve me encarou.

— Mas você acha que alguém vai publicar esses contos? Sério mesmo? Você acha isso?

Encontrei os olhos dele sentindo a alma gelada. Todo o sangue deixou minha cabeça.

Yngve sorriu.

— Você achava — ele disse.

Meus olhos estavam rasos de lágrimas e precisei virar o rosto para longe.

— Claro, você pode mandá-los para uma editora assim mesmo — ele continuou. — Para ver o que dizem. Mas pode ser que toquem fogo em tudo.

— Você disse que tinha gostado — eu disse enquanto me levantava. — Não era verdade?

— Claro que era. Mas é relativo. Eu li isso aí como se fossem textos escritos pelo meu irmão de dezenove anos. E lidos desse jeito os contos são bons. Mas não acho que sejam bons o suficiente para serem lançados em livro.

— Tudo bem — eu disse, e então saí mais uma vez para a varanda. Vi que Yngve retomou a leitura do livro de Kjartan Fløgstad que tinha ganhado da nossa mãe. Vi o copo de conhaque na mão dele. Como se o que ele tinha dito não fosse nada de especial. Como se o que eu fazia não fosse nada de especial.

Que fosse para o inferno!

Afinal, o que ele sabia? Por que eu deveria dar atenção justamente ao que ele tinha a dizer? Kjartan tinha gostado dos meus contos, e ele era escritor. Ou será que também tinha feito o comentário baseado em quem eu era, o sobrinho de dezenove anos que gostava de escrever, e os contos eram bons nessa perspectiva?

Minha mãe disse que tinha me achado um escritor quando os leu. Você é um escritor, ela disse. Como se estivesse surpresa, como se não soubesse daquilo, e essa reação não podia ser fingida. Era uma reação sincera.

Mas puta que pariu, eu era o *filho* dela!

Mas você acha que alguém vai publicar esses contos? Sério mesmo?

Eu mostraria para ele, caralho. Eu mostraria para ele e para todo esse mundo de merda quem eu era e do que eu era feito. Eu podia acabar com quem quer que fosse. Podia deixar todo mundo sem ter o que dizer. E era o que eu ia fazer. Era o que eu ia fazer. Era o que eu ia fazer, caralho. Eu me tornaria um escritor tão importante que ninguém chegaria perto de mim. Ninguém. Ninguém. Jamais. Nem fodendo. Eu seria o maior de todos, porra. Bando de imbecis. Eu acabaria com a raça daqueles filhos da puta um por um.

Eu *tinha* que ser um grande autor. *Tinha* que ser.
E se não desse certo eu podia dar fim à minha própria vida.

A visão do sol pálido de inverno na paisagem úmida de cores suaves continuou a me impressionar durante todo o período de Natal, era como se eu não tivesse visto o sol antes que desaparecesse, a força que trazia, a riqueza do jogo entre a luz e o cenário quando os raios filtravam por entre as nuvens ou a neblina ou simplesmente emanavam do céu quando o tempo estava limpo, e todas as infinitas nuances que surgiam quando eram refletidos pelo cenário.

Em Sørbøvåg tudo estava como antes. Minha avó não tinha piorado muito, meu avô não parecia muito mais velho, e o brilho nos olhos de Kjartan não parecia ter diminuído muito. Desde o Natal anterior ele tinha prestado o exame de filosofia em Førde, e a partir de então eram os nomes dos professores, e não os de Heidegger ou de Nietzsche, pelo menos não com tanta frequência, que eram mencionados com aquele jeito subentendido e familiar. Achei que talvez nós dois pudéssemos discutir literatura, mas como Kjartan havia me mostrado uns poemas a respeito dos quais não entendi coisa nenhuma, a ideia não deu em nada. Ele tinha arranjado um telescópio que estava na sala, ao lado da janela que ia até o teto, e era lá que se postava para observar o universo à noite. Kjartan também se ocupava bastante com o antigo Egito, passava um bom tempo na velha poltrona de couro lendo sobre essa cultura misteriosa e tão afastada de nós que para mim parecia quase inumana, como se os egípcios *de fato* tivessem sido deuses. Mas eu não sabia nada a respeito daquilo, folheei um pouco os livros quando Kjartan não estava por perto e fiquei olhando as ilustrações.

No dia 28 eu fui a Kristiansand, passei o Ano-Novo lá, Espen tinha reservado com os amigos um quarto no hotel Caledonien, recém-aberto depois do incêndio, o lugar estava lotado de gente, todo mundo fumava e bebia, e não demorou muito para que dois bombeiros com máscaras de respiração atravessassem o corredor com o equipamento completo. Eu estourei de rir quando os vi. Eu estava subindo ao último andar com outras pessoas quando aconteceu, me sentei na beirada e fiquei balançando as pernas no vazio com a cidade logo abaixo e o céu cheio de fogos de artifício.

Ficamos conversando sobre juntar uma turma e ir para Roskilde no verão, e cheguei a fazer planos de seguir viagem para a Grécia com Lars logo em seguida. Também fiz uma visita aos meus avós paternos, tudo estava como sempre tinha estado, tanto em relação a eles como à casa e a todas as coisas e cheiros. Era eu que tinha mudado, era a minha vida que estava acelerando num ritmo alucinante.

No dia 3 de janeiro peguei um avião para Tromsø, e mais ou menos na metade do trajeto foi como se entrássemos num túnel escuro, e eu sabia que aquilo não acabaria mais, seria o tempo inteiro daquele jeito, uma escuridão absoluta, por semanas e mais semanas a fio. Depois tudo mudaria aos poucos, a escuridão desapareceria e a luz preencheria todas as horas do dia. Era uma loucura, pensei enquanto fumava no meu assento.

Mas antes havia a escuridão que pairava densa e pesada acima da cidade. Quando cheguei de ônibus pela manhã no dia 4 de janeiro, não era a escuridão aberta de quando o céu estava limpo e as estrelas brilhavam no espaço sideral, mas a escuridão densa e pesada como a que existe no fundo de um poço com a tampa pregada no lugar.

Abri a porta e entrei, larguei minha mochila e acendi a luz do teto. Era como voltar para casa.

Lá estava o meu pôster de Betty Blue, lá estava o meu pôster do Liverpool, lá estava o novo pôster com a foto de uma paisagem que eu tinha comprado em Finnsnes num dos meus primeiros dias em Håfjord.

Liguei a cafeteira, me agachei em frente à minha coleção de discos e comecei a conferir os álbuns. Quando escolhi o que ouvir, deixei meu olhar correr em direção à pequena biblioteca que eu havia juntado. Tudo aquilo me enchia de alegria.

Voltei à cozinha e servi uma caneca de café. Do outro lado da janela eu vi um pequeno grupo de garotos e garotas subindo a encosta. Coloquei o *Réquiem* de Mozart, um de apenas dois álbuns clássicos que eu tinha, e aumentei o volume quase até o máximo, caso estivessem pensando em bater na minha porta.

Logo a campainha tocou.

Andrea, Vivian, Live, Stian e Ivar, o aluno alto do nono ano, estavam do lado de fora.

— Feliz Ano-Novo! — eu disse. — Entrem.

Do corredor onde todos tiravam as roupas mais grossas ouvi Vivian dizer, *ele está ouvindo ópera!*

Sorri para mim mesmo e fiquei com minha caneca de café fumegante na mão enquanto todos entraram na sala. Stian tinha estado na minha casa em uma única ocasião, logo após minha chegada, junto com Ivar, ele tinha olhado a minha coleção de discos e perguntado se eu não tinha nada de heavy. Nas poucas horas que passava com Stian na escola eu tomava o maior cuidado possível e tentava não cair nas várias provocações dele. Eu não tinha feito nada, mas assim mesmo ele estava decidido. Tor Einar passava bem mais tempo com eles e tinha entrado na batalha, as coisas não estavam indo muito bem, uma vez ele entrou tremendo na sala dos professores porque os dois, Stian e Ivar, o haviam derrubado na encosta, Ivar com as duas mãos no pescoço dele, tentando estrangulá-lo. Os dois foram suspensos durante uns dias por conta do episódio, mas a escola era pequena demais, o lugar era etéreo demais, coisas que seriam muito graves em outros lugares não eram necessariamente graves lá. O senso comum dizia que era preciso saber lidar com Stian e Ivar. Quando estavam pescando ou na companhia de outros jovens, os dois pareciam crianças, fedelhos com os quais ninguém se importava. Por esse motivo, Tor Einar não podia simplesmente chegar e dizer que os dois haviam tentado estrangulá-lo. Não se quisesse compreensão e solidariedade.

Naquele instante, Stian estava sentado no meu sofá de pernas abertas, numa postura bastante máscula. Ele tinha sido o único a não tirar as roupas de inverno. Notei que as três garotas estavam de olho nele, prontas para seguir cada gesto. Quando Stian falava, observavam-no com um olhar de encanto. Quando ele falava diretamente com uma delas, desviavam o olhar e se retorciam no sofá.

— Vocês ganharam presentes legais de Natal? — perguntei.

Vivian deu uma risadinha.

Me sentei na cadeira do outro lado da mesa.

— E você, Stian? — eu perguntei. — Ganhou presentes legais?

Stian soltou vento pela boca.

— Passei o Natal pescando. Juntei um dinheiro. Vou comprar um *moped* assim que a neve derreter.

— O Stian vai fazer dezesseis anos em março — disse Andrea.

Por que ela tinha dito aquilo?

— Você tem apenas três anos a menos do que eu — eu disse. — Daqui a pouco você pode assumir o meu posto. Você já pensou em ser professor na escola, não?

Stian soltou vento pela boca mais uma vez, mas um sorriso discreto surgiu nos cantos da boca.

— Não — ele disse. — Se eu tiver que abrir um livro depois que eu terminar o nono ano, que seja um livro-caixa.

Todos riram.

— E você, Ivar? — perguntei.

— Vou pescar — ele respondeu.

Ivar tinha apenas dezesseis anos, mas era o sujeito mais alto do vilarejo. A altura chamava tanta atenção que ele provavelmente não pensava em mais nada. Era doloroso vê-lo ao lado das garotas da sétima série, ele sofria com tudo que era pequeno e delicado, letras, números, conversas, esportes, garotas. De várias maneiras, era ainda uma criança, ele ria de coisas absolutamente grosseiras e idiotas, corava ao ser corrigido e só se sentia bem mesmo na companhia de Stian, que mandava nele como se fosse um cachorro. Ivar tinha perdido o pai ainda pequeno, e nas vezes em que havia me procurado tinha sido justamente para falar a respeito disso. Tinha acontecido na década de 1970, um barco pesqueiro naufragou sem deixar nenhum vestígio, a Noruega inteira passou dias falando a respeito do incidente, mas depois passou, e restaram apenas Ivar, a mãe dele e as outras pessoas afetadas. Um ano depois a família se mudou para Håfjord, onde a mãe tinha parentes. Essa era a história de Ivar, o destino dele, o pai que havia morrido quando ele ainda era pequeno.

— E vocês? — perguntei, olhando para as três garotas.

Elas deram de ombros. Em geral elas tinham um ar confiante quando estavam na minha casa, eu as provocava, elas riam e respondiam, alegravam-se ao ver que podiam ser atrevidas. Mas naquele instante estavam tímidas. Não queriam se revelar para Stian, entre elas o jogo era diferente, as apostas eram mais altas.

— A Vivian está namorando — Live disse de repente.

Vivian encarou a amiga com fogo no olhar. Bateu no ombro dela de punho fechado.

— Au! — disse Live.

— É verdade? — perguntei.

— É — disse Live, massageando o ombro. — Ela está namorando o Steve.

— Steve? — eu disse. — Quem é o Steve?

— Um cara que se mudou para cá durante o Natal — respondeu Stian. — Ele é de Finnsnes e vai passar a primavera pescando aqui. Dizem que é um imprestável.

— Não é nada — Vivian protestou. O rosto dela corou.

— Ele tem vinte anos — disse Live.

— Vinte anos? — eu repeti. — Será possível? Você não tem treze?

— Tenho! — ela respondeu. — O que é que tem?

— Vocês são loucos aqui no norte — eu disse, rindo.

Então me levantei.

— Mas agora vocês precisam ir. Eu acabei de chegar. Preciso desfazer as malas e tudo mais. Me preparar um pouco para o retorno às aulas. A minha turma é terrível, sabiam? Não sabem nada.

— Ha ha! — Andrea riu, saindo em direção ao corredor, onde a jaqueta branca dela estava pendurada. Os outros foram atrás, e em segundos tudo era só casacos e mangas, toucas e luvas, e então saíram todos se empurrando e rindo em meio à escuridão. Desfiz a mala de roupas, jantei, me deitei e li por umas duas horas antes de apagar a luz e dormir. A certo ponto acordei com o barulho no cômodo acima de mim, eram Torill e o marido dela, o chão tremia, ela falava alto e gritava, ele gemia, levei o edredom para o sofá e dormi lá pelo resto da noite.

Nils Erik e eu nos mudamos para a casa no fim de semana seguinte. A não ser pelo quarto e pela salinha dentro da sala, que seria o meu escritório, concordamos em dividir todo o restante. Nós dois nos revezávamos no preparo dos jantares e na lavagem da louça. Dificilmente passava uma tarde sem que tivéssemos visitas, fossem dos alunos ou dos outros professores, em especial Tor Einar, ele aparecia quase todos os dias, mas Hege também aparecia com frequência. Nos fins de semana Nils Erik saía para fazer passeios, ele sempre me convidava para ir junto, eu sempre recusava o convite, não havia nada que eu pudesse fazer em meio à natureza, e além do mais quase sempre havia uma festa em algum lugar, e quando eu não ia eu ficava escrevendo em casa, não mais contos, mas um romance que se chamava *Vann over/Vann under*. O título era baseado em uma música que Yngve tinha composto com um amigo de Arendal. O romance contava a história de um jovem chamado Gabriel, que frequentava o colegial em Kristiansand, e consistiria em uma misteriosa narrativa interpolada com pequenos textos em estilo de relatório, sempre no tempo presente, com muitas referências a bebidas e garotas, mas a intervalos regulares interrompida por breves histórias sobre a infância de Gabriel. O romance culminaria em uma festa numa cabana no interior de Agder, onde Gabriel seria amarrado, entraria em surto e acabaria em um hospital psiquiátrico, e nesse ponto o círculo estaria fechado, pois os pequenos relatórios que serviam como introdução a cada um dos capítulos vinham de lá.

Para ter mais tempo para escrever, virei meus dias de ponta-cabeça quando as aulas recomeçaram. Afinal, era escuro o tempo inteiro, não fazia diferença nenhuma quando eu dormia ou quando estava acordado, manhã e tarde, noite e dia, na prática dava tudo na mesma. Eu me levantava às onze da noite, escrevia até as oito da manhã, tomava um banho e ia para a escola, e então me deitava ao fim das aulas, por volta das três horas da tarde.

Quando eu não conseguia escrever, às vezes eu me vestia e saía para dar uma volta, vagar pelo vilarejo silencioso, ouvir o murmúrio das ondas que se quebravam na orla, deixar o olhar correr pelas encostas das montanhas, que por causa da neve a princípio davam a impressão de flutuar na escuridão para logo serem engolidas de vez. Às vezes eu ia para a escola. O relógio podia marcar três ou quatro da manhã, eu via meu reflexo nas janelas por onde passava, o rosto vazio, os olhos vazios. De vez em quando eu ficava por lá, lendo um livro no sofá da sala dos professores ou assistindo a um filme na televisão ou simplesmente dormindo umas boas horas, até que o barulho da porta se abrindo de repente me acordasse e Richard entrasse, ele que quase sempre era o primeiro a chegar. Eu não precisava de mais nada para que o sentimento de caos tomasse conta de mim, o sentimento de que eu não tinha controle sobre nada, de que eu estava à beira de... ah, de quê?

Eu estava fazendo o meu trabalho. Ninguém poderia questionar o fato de que o meu expediente era no fim do meu dia, e não no início.

Mas tinha a ver com a escuridão. Tinha a ver com aquele lugar pequeno e fechado em si mesmo. Tinha a ver com a repetição dos mesmos rostos, dia após dia. Com a minha turma. Com os meus colegas. Com o atendente da loja. E com essa e aquela mãe, esse e aquele pai. Às vezes até com os pescadores mais jovens. Mas eram o tempo inteiro as mesmas pessoas, o tempo inteiro a mesma atmosfera. A neve, a escuridão, a luz dura no cenário da escola.

Numa das noites em que saí para caminhar, a caminho da escola um trator de esteiras apareceu atrás de mim. O trator tinha uma lâmina de neve montada na parte dianteira, a neve deslizava por aquela superfície e se acumulava em montes na beira da estrada, sobre a cabine brilhava uma luz cor de laranja e do escapamento saía uma fumaça densa e preta. O homem que dirigia o trator não olhou para mim ao passar. Um pouco mais adiante ele parou com o motor ainda ligado. Quando cheguei ao lado do trator, ele voltou a avançar. O homem dirigia na mesma velocidade em que eu caminhava. Olhei para ele, o que estaria fazendo?, ele tinha os olhos fixos à frente, senti um calafrio, aquele veículo sacolejante, barulhento, robusto e piscante entrava direto na minha alma. Aumentei a velocidade. O homem aumentou a velocidade. Dobrei à direita, ele dobrou à direita. Me virei, ele continuou, mas logo dobrou também, puta que pariu, e quando cheguei à encosta que levava à escola ele estava bem atrás de mim. Comecei a correr, aquilo parecia um tanto sinistro, pois ao meu redor tudo era morto e preto, o vilarejo estava adormecido, somente nós dois estávamos na rua, eu e um motorista de trator louco que não parava de me perseguir. Corri, mas eu não tinha como escapar, ele simplesmente acelerou e me seguiu até o pátio da escola. Me tranquei no lado de dentro, meu coração batia forte, será que ele continuaria a me seguir lá dentro?

Da sala dos professores, fiquei observando enquanto ele limpava a neve do pátio com movimentos regulares e metódicos, foram necessários talvez quinze minutos antes que ele desse a volta e retornasse ao vilarejo.

Ao voltar da escola para casa na tarde seguinte eu tive um vislumbre do namorado de vinte anos de Vivian. Ela estava no carro dele, tão repleta de triunfo que nem sabia para onde olhar quando os dois passaram e os nossos olhares se encontraram. Ele era um homem de cabelos loiros e aparência fraca que, conforme entendi ao encontrá-los pouco depois na loja, ria um bocado. Tinha perdido o emprego e se mudado para Håfjord quando alguém lhe ofereceu uma vaga em um dos barcos pesqueiros. Nada do que Vivian fazia durante as aulas, as perguntas infantis, as provocações e risadinhas, se revelava naquele instante, tudo precisava ser mantido longe, era uma coisa impressionante de ver, ela parecia uma pessoa da família real sentada no banco do carona, com uma expressão de dignidade que o tempo inteiro parecia estar prestes a rachar, mantida como estava pelos frágeis laços da consciência de cada movimento, e assim a criança que ela também era podia se mostrar a qualquer instante, ou até mesmo assumir o controle. Bastava uma risadinha, um gesto, um rubor no rosto. Mas o namorado dela não era o sujeito mais esperto do mundo, para dizer o mínimo, e assim os dois combinavam de certa maneira. Durante as aulas o comportamento dela mudou, Vivian se tornou mais importante, já não ligava mais para as brincadeiras infantis dos colegas. Mas ao mesmo tempo ela se deixava fisgar, não eram necessárias muitas respostas para que ela esquecesse toda a dignidade que minutos antes vestia como se fosse um manto. Isso não significava que não houvesse mudado, que não se importasse mais com o que acontecia ao redor, mas apenas que nada estava decidido. Às vezes ela se negava a rir das minhas piadas e dizia que eu era idiota para em seguida cair na risada, e ao terminar ela me olhava com uma nova nuance no olhar, e dessa nuance, que era absolutamente nova, e que também existia no olhar de Andrea, mesmo que não de maneira tão nítida, eu fui obrigado a me proteger, uma vez que, mesmo que eu não percebesse, tinha o efeito de me aproximar cada vez mais delas. Naquele olhar a distância entre mim e elas tornava-se cada vez menor, não porque eu tivesse me aproximado delas, era justamente o contrário, era isso que eu via naquele olhar totalmente aberto, meio consciente e meio inconsciente.

    Ou será que tudo acontecia somente dentro de mim? Quando eu as via em outras circunstâncias, como nas aulas que tinham com Torill e Nils Erik, ou na loja em companhia das mães, esse aspecto dava a impressão de sumir. Elas se adaptavam à situação, e quando não se adaptavam tentavam escapar por meio de teimosias, resmungos ou protestos, e não, como às vezes faziam nas minhas aulas, por meio de um olhar carregado.

    Mas esse não era um assunto a respeito do qual eu ficasse especulando, eram apenas pressentimentos que passavam pela minha cabeça, pequenos sopros de alegria e temor enquanto eu escrevia durante aquelas noites em janeiro e fevereiro. Eu também não tinha nada a que me apegar, nada tinha sido dito nem feito, tratava-se apenas de atmosferas e sentimentos despertados por coisas tão intangíveis quanto um olhar ou uma certa maneira de movimentar o corpo.

Enquanto eu atravessava o vilarejo a caminho da primeira aula do dia, meus sentimentos eram ambivalentes, eu me sentia ao mesmo tempo bem e mal na escola. Às vezes eu chegava a sentir uma leve ternura no peito ao imaginar que no dia seguinte eu tornaria a vê-la.

Ninguém sabia disso, e eu mesmo quase ignorava o assunto.

Em uma sexta-feira no início de fevereiro, todos esses pressentimentos discretos, que individualmente eram insignificantes e vagos, e portanto fracos, de repente ganharam força. Como sempre, eu tinha me levantado no fim da tarde, passado a noite escrevendo e, quando o relógio já passava das cinco, não aguentei mais e fui dar um passeio no escuro. Atravessei o vilarejo ainda adormecido, subi até a escola, onde após uma breve volta pelo ambiente coletivo eu me sentei no sofá com um livro até que o cansaço me vencesse e eu me reclinasse com os olhos fechados e o livro apoiado no peito.

Alguém abriu a porta. Me endireitei com um movimento brusco e passei a mão pelos meus cabelos enquanto ao mesmo tempo encarava Richard, provavelmente com o olhar cheio de culpa.

— Você dormiu aqui? — ele me perguntou.

— Não — respondi. — Cheguei mais cedo para preparar as aulas. E no fim acabei cochilando um pouco.

Ele ficou me olhando por um bom tempo.

— Vou preparar um café bem forte — disse por fim. — Assim você acorda.

— Precisa ser forte o suficiente para que uma ferradura pare em cima — eu disse, me colocando de pé.

— Como é? — ele perguntou. — De quem é essa frase?

— Do Lucky Luke, acho eu.

Richard riu e encheu a jarra de água enquanto eu entrava e me sentava em frente à minha escrivaninha.

Já fazia meses que o meu único método de preparar as aulas era lançar um olhar rápido sobre as páginas do livro do professor momentos antes de entrar em aula. Quase todos os métodos alternativos de ensino haviam acabado, a maioria das aulas consistia em apresentar o tema a ser tratado para então pedir aos alunos que fizessem um tipo qualquer de exercício. O objetivo era terminar o livro de todas as matérias. Se os alunos tirariam proveito daquilo ou não era uma coisa que não me dizia respeito. O mais importante era a área que esse método delimitava, e a distância que permitia.

— Aqui está o café, se você quiser — disse Richard, saindo para o corredor com uma caneca na mão, sem dúvida indo em direção ao escritório dele.

— Obrigado — eu disse.

Quando o sinal tocou meia hora mais tarde eu estava junto à janela da sala e pude ver os alunos subindo a encosta. O cansaço me dava a impressão de estar cheio d'água. Teríamos matemática nos dois primeiros períodos, sem dúvida a matéria mais aborrecida. E era fevereiro, de longe o mês mais aborrecido.

— Abram os livros e comecem — eu disse assim que os alunos terminaram de entrar na sala e se acomodaram nas carteiras. Durante a aula de matemática eu também ficava com a quinta e a sexta série, então eram oito alunos no total.

— Vamos fazer o de sempre. Vocês resolvem os exercícios e, se tiverem dúvidas, podem me chamar. Eu passo o conteúdo novo no quadro no início do período seguinte.

Ninguém protestou, os alunos fizeram sem nenhum tipo de resistência a transição necessária entre o estado de espírito em que chegavam à escola e aquele exigido pela resolução de problemas matemáticos. Live ergueu a mão antes mesmo de olhar para o livro.

Fui até o lugar dela e me abaixei.

— Tente resolver o problema sozinha primeiro — eu disse. — Pode ser?

— Mas eu sei que não vou conseguir. É muito difícil!

— Pode ser que você ache fácil. Não tem como saber antes de tentar. Tente durante pelo menos dez minutos, e depois eu venho para ver como você está se saindo. Está bem?

— Está bem — ela disse.

Jørn, o menino pequeno e esperto da sexta série, acenou para mim.

— Eu já tinha feito alguns dos exercícios em casa — ele disse quando me abaixei para ajudá-lo. — Mas esses outros eu não consegui revolver. Você me ajuda?

— Não posso ajudar muito — eu disse. — Eu mesmo não sou muito bom em matemática.

Ele olhou para mim e sorriu. Achou que eu estava brincando, mas era verdade; mais ou menos no exato ponto em que o livro da sétima série terminava eu começava a ter problemas. Às vezes eu tinha problemas com outras coisas, podia acontecer de repente eu não lembrar mais como se fazia uma divisão de dois algarismos longos, e assim eu precisava bancar o esperto e perguntar aos alunos como resolver esse tipo de conta. Eu sabia, mas não conseguia lembrar.

— Mas esses problemas não parecem tão difíceis assim — eu disse.

Ele acompanhou atentamente a minha explicação. Depois começou a trabalhar sozinho, eu me levantei e fui até a janela.

Jørn era um menino com grande força de vontade, mas no que dizia respeito à escola era uma questão de ou isso ou aquilo, ou sim ou não. De matemática ele gostava, então não havia problema nenhum. Mas em outras matérias ele podia se ausentar completamente.

Live ergueu a mão mais uma vez.

— Eu não consigo — ela disse. — Sério mesmo.

Mostrei para ela como fazer. Ela acenava a cabeça, mas tinha o olhar vazio.

— Você acha que consegue fazer o resto sozinha agora? — eu perguntei.

Ela fez que sim.

Eu tinha pena dela, praticamente todas as aulas traziam uma humilhação como aquela, mas o que eu poderia fazer?

Me sentei atrás da cátedra, deixei meu olhar correr pelos alunos e olhei para o relógio, onde o ponteiro mal havia se mexido. Pouco tempo depois Andrea levantou a mão. Encontrei os olhos dela, sorri e me levantei.

— O Karl Ove está apaixonado pela Andrea! — gritou Jørn.

Senti meu corpo tremer. Com o rosto corado, continuei agindo como se nada tivesse acontecido, me inclinei por cima da carteira dela e tentei me concentrar naquele minúsculo problema matemático.

— O Karl Ove está apaixonado pela Andrea! — Jørn gritou mais uma vez.

Ouvi o som de um riso abafado.

Me levantei e olhei para ele.

— Sabe como se chama isso que você está fazendo? — eu perguntei.

— Isso o quê? — ele disse.

— Quando você diz que as outras pessoas sentem o que você sente. Chama-se "transferência". É o que acontece por exemplo se você, que está na sexta série, descobre que está apaixonado por uma menina da sétima série. Em vez de admitir, você diz que o seu professor está apaixonado.

— Eu não estou apaixonado por *ninguém*! — ele protestou.

— Eu também não — eu disse. — Podemos continuar a fazer contas?

Voltei minha atenção para Andrea mais uma vez. Ela afastou o cabelo da testa com uma das mãos.

— Não dê bola para ele — ela disse baixinho.

Fiz que não ouvi, e então olhei para a coluna de números que ela havia escrito e apontei o lugar onde tinha cometido um erro.

— Aqui — eu disse. — Essa parte não está certa. Está vendo?

— Estou — ela respondeu. — Mas como eu devo fazer, então?

— Eu não posso dizer! — respondi. — Quem precisa resolver o problema é você. Tente outra vez. Se você não conseguir, sabe onde me encontrar.

— Está bem — ela disse, e então me olhou e sorriu depressa.

Eu tremia por dentro.

Será que eu estava apaixonado por Andrea?

Será que eu estava mesmo *apaixonado*?

Não, não.

Mas nos meus pensamentos eu me sentia atraído por ela. Era verdade.

Quando eu estava na escola à noite, quando eu parava ao lado das águas plácidas e escuras da piscina, eu imaginava que ela estava sozinha no vestiário e que logo eu iria ao encontro dela. Imaginava que ela havia de se cobrir, me olhar, e que eu cairia de joelhos na frente dela, e ela primeiro me olharia com medo nos olhos, mas depois com ternura e receptividade.

Eu imaginava essas coisas, mas ao mesmo tempo pensava também o contrário, que ela não estava lá dentro, que eu não podia pensar nada disso, que ninguém podia saber que eu tinha esses pensamentos.

Eu tremia por dentro, mas ninguém sabia de nada, porque os meus movimentos eram controlados, o que eu dizia era bem pensado, nada do que os outros vissem poderia revelar meus pensamentos.

Praticamente nem eu sabia que esses pensamentos existiam, eles viviam numa espécie de fronteira, e quando apareciam, de maneira quase explosiva, eu não os retinha, mas simplesmente deixava que caíssem de volta ao lugar de onde tinham vindo, e assim era como se não existissem.

Mas o comentário de Jørn havia mudado a minha situação, porque vinha de fora.

Tudo que vinha de fora era perigoso.

Para mim passou a ser uma coisa quase doentia escrever sozinho à noite enquanto todo mundo dormia para então dar aulas para as crianças já no fim das minhas forças, eu me sentia cada vez mais exausto, então no fim de fevereiro retomei uma rotina normal ao mesmo tempo que o breve pulso de luz no meio do dia aos poucos começava a se alongar. Era como se o mundo estivesse voltando no tempo. E morar com Nils Erik era bom, quando os alunos faziam visitas, tanto os da quarta como os da sétima série, os encontros não eram tão carregados, eu não aparecia de forma tão marcada, não desempenhava um papel tão importante. Com Hege era diferente, ela quase sempre aparecia quando Nils Erik não estava em casa, eu não tinha a menor ideia de como ela ficava sabendo nem por que agia dessa forma. Mas ela gostava de falar comigo e eu gostava de falar com ela, às vezes passávamos horas conversando no fim da tarde, por mais diferentes que fôssemos.

No que dizia respeito à minha escrita as coisas não iam tão bem, eu tinha chegado a um ponto em que eu fazia a mesma coisa o tempo inteiro, mesmo que de repente eu já não soubesse mais por quê.

Um dia li no *Dagbladet* a respeito de um concurso de contos promovido pela editora Aschehoug e me senti motivado outra vez, enviei duas das melhores coisas que eu tinha escrito, o conto do lixão e o das fogueiras na planície.

As festas na ilha aconteciam cada vez em um centro comunitário diferente, e no início de março chegou a vez de Håfjord. Nos reunimos na minha casa, quase todos os professores temporários apareceram e depois de uns poucos drinques eu já estava todo alegre, aquelas pessoas me faziam feliz, e a caminho do centro comunitário eu disse isso para todo mundo enquanto a sacola com a garrafa de vodca e o pacote extra de tabaco balançava na minha mão.

Essas festas eram especiais porque não eram reservadas a uma faixa etária em particular nem se dividiam em faixas etárias distintas, com o pessoal desesperado de vinte anos aqui e o pessoal resignado de quarenta anos lá, não, *todo mundo* comparecia a essas festas nos centros comunitários. Pessoas de setenta anos sentavam-se à mesa com pessoas de catorze, trabalhadores da indústria de beneficiamento de peixe sentavam-se à mesa com inspetores escolares, e o fato de que todos haviam se conhecido durante a vida inteira não impedia que relaxassem, pelo contrário, as amarras sociais eram totalmente desfeitas, e nessas ocasiões tanto era possível ver uma menina de treze anos trocando amassos com um rapaz de vinte como também apreciar uma velhota dançando e rodando a saia ao estilo cancã enquanto abria um sorriso desdentado. Eu adorava tudo a respeito dessas festas, não podia ser de outra forma, havia naquilo uma liberdade que eu jamais havia encontrado em outros lugares. Ao mesmo tempo, somente era possível amar essas coisas estando lá, em meio àquela euforia descontrolada, pois bastaria a mera sugestão de senso crítico ou de bom gosto para que tudo desmoronasse e se transformasse em uma paródia caricaturesca ou mesmo em uma zombaria da natureza humana. Os jovens que flambavam os cafés, que se acendiam com uma chama baixa e azulada, as senhoras de idade que encaravam os rapazes com olhares travessos e repletos de flerte, os carecas vestidos com terno e gravata que num instante estavam dando em cima de garotas de quinze anos e no instante seguinte estavam do lado de fora do centro comunitário todo iluminado vomitando em uma vala, as mulheres trôpegas e os homens chorões, tudo por assim dizer envolto numa longa sequência dos piores hits dos anos 1960 e 70, tocados por bandas com as quais ninguém além dos nortistas ainda se importava, e uma nuvem de fumaça tão densa que um desavisado poderia tomar por um incêndio de grandes proporções no porão.

Para mim tudo isso era estranho e exótico. Eu havia crescido em um lugar onde ninguém bebia, ou pelo menos nunca era visto bêbado. Tínhamos um vizinho que enchia a cara uma ou duas vezes por semestre, aquilo era uma sensação e um grande evento. Havia também um velho alcoólatra que todos os dias ia de bicicleta até a loja para comprar garrafas de cerveja marrons. Mas não passava disso. Minha mãe e meu pai não bebiam nunca, a não ser uma ou duas garrafas de cerveja ou um pouco de vinho tinto para acompanhar uma refeição. Meus avós maternos não bebiam, meus avós paternos não bebiam, nenhum dos meus tios ou tias bebia, ou, se bebiam, jamais bebiam na minha frente. Apenas dois anos e meio antes de tudo isso eu tinha visto o meu pai bêbado pela primeira vez.

Por que eles não bebiam? Por que as pessoas em geral não bebiam? O álcool deixa tudo maior, como um vento que sopra através da consciência, é uma onda que se quebra e uma floresta que ondula, e a luz que emana confere um brilho dourado a tudo que você enxerga, até mesmo a pessoa mais horrenda e repulsiva de repente adquire certa beleza, é como se todas as objeções e todos os preconceitos fossem derrubados por um gesto único e absoluto, por uma abundância de generosidade em meio à qual tudo, e quero dizer tudo mesmo, é bonito.

Por que renunciar a tudo isso?

Eu mergulhei na festa naquela noite de março, estava totalmente à vontade, e quando vi Richard, sentado ao lado da esposa com um terno pequeno demais que remontava ao fim dos anos 1970, me aproximei para dizer o quanto gostava dele, ele que tinha me segurado a rédeas curtas, e com razão, porque tudo havia dado certo, não? Tudo havia dado certo, não?

Claro, tudo havia dado muito certo.

Richard não gostava de mim, mas não podia dizer nada, e assim simplesmente abriu um sorriso meio sem graça. Eu estava numa posição superior, eu era a estrela capaz de brilhar, Richard não era mais do que o diretor de uma pequena escola, então claro que eu podia ter uma conversinha agradável com ele.

Vi as mães de Vivian e Andrea, as duas eram amigas e estavam fumando em uma mesa, me sentei ao lado delas, querendo falar um pouco sobre as filhas, elas tinham filhas incríveis, as garotas eram muito simpáticas e cheias de vida e estavam prontas para dar certo na vida, eu tinha certeza.

Eu nunca tinha falado com elas antes, a não ser nos encontros de pais e professores, mas nessas ocasiões a situação era bastante formal, eu discorria sobre o desempenho e o comportamento dos alunos nas diferentes matérias, as duas tinham escutado com atenção o que eu tinha a dizer e fizeram perguntas que evidentemente haviam preparado antes para então desaparecer na escuridão a caminho de casa e das filhas, que esperavam impacientes para saber o que o encontro teria oferecido ou revelado. Naquele momento a situação era outra, estávamos cada um com um copo na mão, com pessoas cambaleantes por todos os lados, música alta e uma atmosfera densa e quente, eu estava bêbado e tão bem-disposto em relação às duas que por pouco não explodi enquanto as encarava com um sorriso no rosto. As duas comentaram que as filhas falavam bastante a meu respeito, praticamente sem parar, quase como se estivessem apaixonadas! Elas riram, e eu concordei, pode ser complicado mesmo, ter um professor de apenas dezoito anos, mas de qualquer jeito as duas são garotas incríveis!

Por um instante me perguntei se eu não deveria tirar uma delas para dançar, mas logo abandonei a ideia, afinal as duas tinham uns trinta e cinco anos, então mesmo que tivessem piscado o olho para mim quando cheguei, me levantei e fui dar uma volta no lugar, parando ora aqui, ora acolá, fiz um breve passeio pelo lado de fora e vi o vilarejo iluminado aos meus pés, com o mar preto mais além, e quando voltei ao centro comunitário procurei Nils Erik para dizer que ele era um sujeito fora de série e que eu estava adorando dividir a casa com ele.

Quando terminei eu saí de novo, porque queria ver aquele cenário mais uma vez. No pé do morro estavam as minhas alunas, Vivian com Steve e Andrea com Hildegunn, perguntei se estavam se divertindo, elas responderam que estavam e riram um pouco de mim, talvez porque eu estivesse bêbado, ou então sei lá por quê, mas não importava, e então continuei rumo à atmosfera densa e enfumaçada, subi os degraus de dois em dois, cheguei meio de qualquer jeito e naquele instante, como em uma revelação, uma garota surgiu na minha frente.

Eu parei.

Tudo em mim parou. Ela era bonita, mas várias outras garotas também eram, não se tratava disso, o que me pegou de jeito foram aqueles olhos, aqueles olhos escuros que transbordam uma vida da qual eu queria fazer parte. Eu nunca a tinha visto. Mas ela morava no vilarejo. Ela pertencia ao vilarejo, eu compreendi no mesmo instante em que a vi, porque estava usando roupas de futebol, um uniforme completo, a camiseta, o calção, as meias e as chuteiras, era assim que todos os que estavam trabalhando naquela noite estavam vestidos, porque a festa tinha sido organizada pelo time de futebol, e quem de fora do vilarejo trabalharia em uma festa organizada pelo clube de futebol de Håfjord?

Ela estava segurando uma bandeja com copos vazios em uma das mãos.

Vê-la, com aquelas formas tão encantadoras, vestida com um uniforme de futebol e chuteiras fez com que eu estremecesse. Lancei um olhar rápido em direção àquelas coxas e àquelas pernas nuas e me dei conta do que eu tinha feito, então, para neutralizar o efeito, olhei por um instante para um lado, e então para o outro, como se eu estivesse analisando cuidadosamente o lugar.

— Olá! — ela me disse com um sorriso.

— Olá — eu respondi. — Quem é você? Tenho certeza de que nunca nos vimos antes, porque você é linda demais e eu não teria esquecido.

— O meu nome é Ine.

— Não me diga que você mora por aqui e nunca sai de casa!

— Não — ela respondeu com uma risada. — Eu moro em Finnsnes. Mas sou daqui.

— Eu moro aqui — eu disse.

— Eu já sabia — ela disse. — Você é colega da minha irmã.

— É mesmo? Quem é a sua irmã?

— A Hege.

— Você é irmã da Hege? Por que ela nunca me disse que tinha uma irmã caçula tão linda? Porque você é a irmã caçula, não?

— Sou. Mas por que ela teria dito? Talvez ela queira me proteger.

— De mim? Eu sou a pessoa mais inofensiva por aqui!

— É, pode ser. Mas agora tenho que dar um jeito nessas coisas aqui. Estou trabalhando, como você pode ver.

— Claro — eu disse. — Mas será que a gente pode se encontrar depois? Quando você estiver pronta? Sem dúvida a festa deve continuar em outro lugar. Você não quer vir junto? Para a gente conversar mais um pouco?

— Hm, vamos ver — ela respondeu, e então se virou e começou a andar em direção à salinha ao lado do palco, onde ficava a cozinha.

A partir daquele momento a festa tinha acabado para mim. Nada do que acontecesse daquele ponto em diante poderia despertar meu interesse. A única coisa que eu tinha na minha cabeça, e que durante o resto da noite eu passei admirando, era aquela linda garçonete vestida com um uniforme de futebol.

A irmã de Hege!

Ela, que me contava tudo, por que não tinha me contado a respeito da irmã?

Procurei Nils Erik e disse que precisaríamos continuar a festa em casa. Ele tentou mudar de assunto, disse que estava cansado, mas eu, por outro lado, estava decidido e disse que era aquilo que eu faria. Ele respondeu que tudo bem, desde que não precisasse estar junto. Mas você tem que estar junto pelo menos um pouco, eu disse. Não precisa convidar mais ninguém. O que você está planejando?, ele perguntou. Está de olho em alguém? *You bet*, eu disse, enchendo o copo para manter o nível de intensidade alto enquanto eu fazia o que podia para que o tempo passasse. Nesse meio-tempo eu tornei a vê-la, ela entrou e saiu da cozinha e passou um tempo no quiosque, mas não me aproximei, por mais que eu quisesse comprar uma salsicha dela, vê-la pôr ketchup e mostarda em cima da salsicha, porque eu não queria gastar o pouco tempo que eu teria com qualquer coisa que não dissesse respeito aos meus planos de ficar junto com ela em casa, depois da festa. Eu não queria ser o cara que não para de tagarelar e insistir. Mas quando ela me deu um sorriso eu disse que quando a festa acabasse eu e Nils Erik continuaríamos bebendo em casa, que morávamos na casa amarela junto à curva e que ela seria uma companhia incrível se pudesse aparecer.

— Vamos ver — ela disse mais uma vez, sem nenhum sorriso, nenhuma faísca naqueles olhos escuros.

Ah, Deus, por favor, permita que ela aceite! Permita que ela aceite!

A banda começou a tocar mais uma vez. "Cocaine", de Eric Clapton.

Bati palmas quando a banda terminou, eu já não aguentava mais, saí para o frio, vi Tor Einar conversando com duas garotas do nono ano com um sorriso largo no rosto, um casal que trocava amassos em um canto mais afastado, a escola que se erguia do outro lado do campo de futebol como se fosse um outeiro em meio à escuridão, acendi um cigarro, bebi minha vodca, me virei e vi Hege indo embora. A intuição me dizia para não falar com ela a respeito de Ine, porque nesse caso ela sem dúvida perceberia tudo e a situação logo se tornaria impossível.

— Você está se divertindo? — ela me perguntou.

— Não posso reclamar — eu disse.

— Quer dizer então que você conheceu a minha irmã?

— É, mas fiquei com a impressão que você tinha se esquecido dela. Eu nem ao menos sabia que você tinha uma irmã!

— Nós somos meias-irmãs. Por parte de pai, então não fomos criadas juntas. Ela vive a vida dela.

— E ela mora em Finnsnes?

— Mora. Estuda mecânica. Gosta de motos. E também de motoqueiros!

— Ah, sei.

Vidar apareceu na porta. Deixou o olhar correr sobre as pessoas que estavam no lado de fora. E então se deteve em nós. Ficou nos encarando por alguns segundos antes de se aproximar. Ele estava bêbado, pude ver pela maneira como precisava se concentrar para andar em linha reta. Com o porte largo e forte, a camisa aberta no peito e uma corrente de ouro pendurada, ele parou diante de nós.

— Então você está aqui — disse.

Hege não respondeu. Vidar me encarou.

— Não temos nos visto muito ultimamente. Você tem que nos fazer uma visita qualquer hora dessas. Ou será que essas visitas acontecem quando não estou em casa?

— Pode ser — eu disse. — Tivemos um encontro com outros professores na casa de vocês umas duas semanas atrás, por exemplo. Mas eu passo a maior parte do tempo em casa e trabalho à noite.

— E o que você está achando de Håfjord? De verdade?

— É um bom lugar — eu disse.

— Você está gostando?

— Estou.

— Que bom — ele disse. — É importante que os professores sintam-se bem.

— Vamos entrar? — Hege sugeriu. — Está começando a esfriar.

— Eu vou ficar aqui fora mais um tempo — respondi. — Preciso arejar as ideias um pouco.

Os dois entraram caminhando lado a lado, Hege infinitamente esbelta ao lado de Vidar. Mas ela era durona, pensei, e então me virei em direção ao vilarejo, que parecia muito calmo e silencioso em comparação ao caos de pessoas e vontades que se movimentavam logo atrás de mim.

* * *

    Logo depois que a banda parou de tocar a música também foi desligada, e enquanto as pessoas começavam a ir embora as luzes fortes e trêmulas foram acesas, fazendo com que o véu de escuridão e magia que envolvia tudo fosse afastado. A pista de dança, que tinha sido um abrigo para os sonhos mais doces e intensos, estava nua e vazia e cheia de sujeira e pedrinhas trazidas pelas botas que a haviam pisoteado ao longo da noite. No salão, que parecia ter pulsado em vermelho, verde e azul com uma qualidade quase submarina quando não estava cintilando como um corpo celeste, não havia nada, a não ser um conjunto de iluminação com canhões de luz e um globo de espelho reluzente, barato e estúpido pendurado no teto. As mesas, junto às quais os convidados tinham se sentado e se divertido no que parecia ser uma muralha de calor humano, estavam na mais absoluta desordem, embaixo delas havia garrafas vazias e carteiras de cigarro amassadas, aqui e acolá os cacos de copos quebrados e uma ou outra tira de papel higiênico que ninguém sabia como havia saído do banheiro. Os tampos das mesas estavam cheios de todo tipo de porcarias grudentas e queimaduras feitas por bitucas de cigarro esquecidas, cinzeiros cheios, pilhas de copos e canecas, garrafas vazias de todos os tipos e aquelas garrafas térmicas baratas com bico para servir café. Os rostos que ainda não tinham sumido pareciam cansados e sem vida, armaduras de osso cobertas por uma fina camada de pele branca e enrugada, com olhos que mais pareciam dois punhados de massa gelatinosa, corpos saturados de gordura e dobras ou então magros e descarnados a ponto de sugerir o esqueleto escondido logo abaixo, que logo haveria de repousar placidamente roído sob a terra salgada de um cemitério castigado pelo vento num lugar qualquer junto ao mar.

    Não, não havia nada de especial sob aquela luz. Mas logo entraram seis garotas vestidas com uniformes de futebol para fazer a limpeza, elas andavam de um lado para o outro com bandejas e panos, e era como se a vida tivesse chegado para expulsar a morte. Eu gostaria de ter ficado para admirá-las, mas naquele lugar o mais importante era dar a impressão correta, não ser o sujeito que fica tagarelando e encarando e insistindo, então fui dar uma volta na rua, conversei mais um pouco e tentei mapear o caminho futuro daquela noite, ou seja, descobrir onde as pessoas iam continuar bebendo, caso a irmã de Hege não quisesse me fazer companhia.

Quinze minutos depois a quantidade de pessoas em frente ao centro comunitário tinha diminuído, então tomei coragem para entrar mais uma vez e fazer uma investida. Ela estava carregando uma mesa com outra garota em direção ao canto junto ao palco. Quando as duas largaram a mesa no chão ela passou uma das mãos na testa, apoiou a outra no quadril e olhou para mim.

— Depois de todo esse esforço você bem que merece um descanso — eu disse. — Conheço uma casa aqui perto que dá para o mar. Lá você pode descansar um pouco e recuperar as forças.

— E você acha que ninguém vai me incomodar nessa casa? — ela perguntou.

— Ninguém — eu disse, sorrindo.

Ela levou o indicador à lateral do rosto, apoiou o polegar contra o queixo e me encarou com as sobrancelhas erguidas. Meu Deus, como era linda!

Passaram-se cinco segundos. Dez.

— Está bem — ela disse. — Eu vou. De qualquer jeito, terminamos o nosso trabalho por aqui. Só vou trocar de roupa.

— Vou esperar você lá fora — eu disse, me virando em seguida para que ela não visse meu sorriso, tão largo que por pouco não se rasgava.

Alguns minutos depois ela desceu a escada enquanto fechava o zíper da jaqueta acolchoada azul-escura e ajeitava a touca de tricô branca de uma forma que fez meu coração bater forte no peito enquanto eu a esperava no escuro.

Ela parou na minha frente e pôs as luvas, também brancas, e passou a bolsa que carregava de uma mão para a outra.

— Vamos, então? — ela disse, como se fôssemos velhos conhecidos.

Respondi com um aceno de cabeça.

Toda a leveza sumiu assim que começamos a descer a encosta. Estávamos a sós. E ah, ao longo do trajeto nevado eu prestei atenção a cada movimento e a cada expressão facial dela.

Ela era alta e esbelta, tinha uma bela curva no quadril, pés delicados, um nariz pequeno e infantil, mas não era uma graça delicada, ninguém teria o impulso de protegê-la, de cuidar dela, e essa força, que era também uma frieza, talvez fosse o mais irresistível a respeito dela.

Quando os olhos não estavam brilhando de tanta vida, pareciam escuros e tranquilos.

Aquilo tinha sido uma iniciativa minha, era por mim que ela estava esperando, era eu quem havia começado tudo.

Já tínhamos chegado à minha antiga casa.

— Onde você fica quando está por aqui?

— Na casa da minha mãe — ela disse, apontando para um lugar à direita e mais abaixo. — Ela mora lá.

— Você estudou aqui?

— Não, eu cresci em Finnsnes.

— E agora você está estudando mecânica?

— Você andou falando com a Hege? — ela perguntou enquanto me olhava.

— Não — eu disse. — Foi um palpite.

De repente tudo ficou em silêncio. Eu não estava mais gostando daquilo, e assim tentei pensar em outra coisa, para que ela não percebesse o meu nervosismo. Se os cachorros sentem cheiro de medo, as garotas sentem cheiro de nervosismo, ou pelo menos essa era a minha experiência.

De longe, percebi que havia luz na janela da sala. Quando entramos, Nils Erik, Tor Einar e Henning estavam lá. Ouvindo Nick Cave e bebendo o que parecia ser vinho tinto. Sentamo-nos no sofá. O clima era de fim de festa, não havia energia nenhuma no ambiente, apenas olhares vazios e bebericadas de vinho. Por duas vezes Tor Einar tentou fazer graça, mas ninguém mordeu a isca, a risada dele foi recebida com sorrisos corteses e olhares sem brilho.

— Você quer beber alguma coisa? — perguntei a Ine. — Uma taça de vinho tinto? Um pouco de vodca?

— Vocês não têm cerveja?

— Não.

— Então vou querer um pouco de vodca.

Fui até a cozinha, que estava gelada, como sempre, peguei dois copos no armário, servi um gole de vodca em cada um e misturei com 7-Up enquanto especulava sobre o que fazer. Será que o melhor não seria esperar? Com certeza as visitas não demorariam a ir embora, e então ficaríamos sozinhos. Mas, se não fossem embora, se demorassem meia hora que fosse, as chances de que ela fosse embora seriam enormes. Não havia nada para ela naquele lugar. Será que eu poderia simplesmente convidá-la a subir comigo para o quarto?

Não, não, essa era a última coisa que eu devia fazer. Os outros estariam no andar de baixo e ouviriam cada movimento lá em cima, ela saberia disso e não aceitaria, não havia como.

Mas eu precisava tê-la só para mim.

Será que não podíamos ir para o meu escritório?

Com um copo em cada mão, voltei à sala. Larguei um deles na frente de Ine, que me olhou e abriu um sorriso discreto.

— Estou ficando deprimido com essa música — eu disse. — Será que posso colocar outra coisa?

— Claro — disse Nils Erik.

Do que será que ela gostava?

Ou será que eu devia colocar uma música que eu gostasse, que pudesse oferecer a ela um retrato da pessoa que eu era? Como Hüsker Dü, por exemplo? Ou Psychocandy ou Jesus and Mary Chain?

— Algum pedido musical? — perguntei, agachado em frente aos discos.

Ninguém respondeu.

Smiths, talvez?

Não, aquilo era muito cheio de resmungos. E alguma coisa me dizia que Ine detestava resmungões.

Talvez uma música um pouco mais dura e masculina. Mas o quê?

Será que eu realmente não tinha um disco assim? Será que todos os meus discos tinham apenas músicas femininas e resmungonas?

No fim coloquei Led Zeppelin.

Quando a agulha chiou ao tocar na primeira faixa, me levantei. Era importante estar em movimento, pois se eu me sentasse, o pano de fundo inerte faria com que tudo que eu fizesse a partir de então chamasse a atenção.

— Saúde! — eu disse, estendendo o copo e tocando-o de leve nos copos dos outros, deixando o de Ine por último.

— Venha — eu disse. — Quero mostrar uma coisa para você.

— O quê? — ela perguntou.

— Está ali dentro — eu disse, apontando com a cabeça o outro lado da sala. — É uma coisa sobre a qual eu já tinha falado antes. Venha comigo!

Ine se levantou, atravessamos a sala, fechei a porta atrás de nós e de repente nos vimos em meio a pilhas de livros e maços de papel e caixas de papelão com nossos copos nas mãos.

Ela olhou ao redor. Me sentei na poltrona.

— O que você queria me mostrar? — ela perguntou.

— Nada — eu disse. — Eu trouxe você aqui porque estava muito chato na sala. Venha, sente aqui.

Peguei a mão dela, ela sentou no meu colo. E então Ine mudou a situação ao pegar minha mão e olhar para ela. Ela deslizou o polegar pela palma da minha mão.

— Que macias — ela disse. — Você nunca trabalhou com as mãos durante a vida inteira, certo?

— Praticamente não — eu disse.

— Nunca pegou uma pá? Ou uma chave inglesa?

— Não.

Ela balançou a cabeça.

— Isso não é nada bom — ela disse. — E além do mais, estou vendo que você rói as unhas. Você faz o tipo nervoso?

— É, faço.

— E por que mesmo você disse que eu tinha que vir para a sua casa?

Fiquei sentado de pau duro, sem ter o que responder.

Ela se inclinou para a frente e abriu a boca. Nos beijamos. Passei as mãos pelas costas dela, e em seguida a segurei e a apertei forte contra o meu corpo, ela era *deliciosa*, mas de repente afastou a cabeça.

Passou a mão no meu rosto.

— Você é bonito — ela disse.

Aqueles olhos escuros brilhavam quando ela sorria.

Nos beijamos mais uma vez.

Depois ela se levantou.

— Tenho que ir — disse.

— Não, você não pode — eu disse. — Não agora.

— Posso sim. Mas amanhã eu ainda vou estar aqui. Você pode aparecer, se quiser. Vou estar na casa da minha mãe.

Ine abriu a porta, eu a segui até o corredor, ela vestiu a jaqueta e saiu, virou o corpo de leve para me dar tchau e então desapareceu pela estrada.

Ela tinha esquecido uma bolsa.

* * *

No dia seguinte, ora, no que eu fiquei pensando no dia seguinte?
Em Ine.
Um milagre tinha acontecido. No meu escritório, na noite anterior, um milagre.
Ine, Ine, Ine.
Mas a visita foi adiada. Na noite anterior eu estava bêbado, e nesse caso as coisas aconteciam sozinhas. Quando eu estava sóbrio, era capaz de pôr tudo a perder.
O relógio já marcava três horas quando tomei coragem e comecei o longo caminho até a casa dela.
A mãe, uma senhora de cabelos brancos, foi quem abriu a porta.
— A Ine está em casa? — perguntei.
— Está — ela disse. — Na sala. Entre!
Ine na sala era bem diferente de Ine na festa. Ela estava com uma calça impermeável e uma camiseta branca com o desenho de uma motocicleta. Tinha o cabelo preso. Ela sorriu ao me ver, se levantou com um gesto leve e me perguntou se eu queria tomar um café.
— Quero, obrigado.
Ela pegou uma caneca e colocou uma garrafa térmica branca na minha frente.
Tentei abrir a tampa. Mas as minhas mãos estavam suadas demais. Uma delas escorregou, eu não conseguia segurar aquilo direito. Quando apertava com toda a minha força, eu conseguia firmar a garrafa, mas como assim eu concentrava toda a minha força em *apertar*, não conseguia girar a tampa.
Ine olhou para mim.
Senti meu rosto corar.
— Você quer uma ajuda? — ela perguntou.
Fiz um gesto afirmativo com a cabeça.
— Minhas mãos estão escorregando — eu disse.
Ela se aproximou e abriu a tampa como se aquilo não fosse nada.
— Pronto — ela disse, e então tornou a se sentar.
Me servi, bebi um pouco.
Até então eu não tinha dito nada.

— Quando você volta para casa? Hoje à tarde?

Ela acenou a cabeça. A mãe chegou por trás dela.

— Você é colega de trabalho da Hege? — ela perguntou.

— Sou.

— A Hege gosta muito de você — disse Ine. — Ela fala bastante a seu respeito.

— É mesmo? — eu disse.

— Claro — ela respondeu.

O que estava acontecendo? O que eu estava fazendo naquele lugar? Será que a ideia era que *conversássemos*? Não parecia totalmente errado? Errado, errado, errado!

— Onde você mora em Finnsnes? — eu perguntei.

— Atrás do banco.

— Você está alugando?

Ela fez um gesto afirmativo com a cabeça.

— Você está gostando de Håfjord? — perguntou a mãe.

— Estou gostando bastante — eu disse. — Me sinto muito bem aqui.

— É, é um vilarejo muito agradável — disse a mãe.

— Mãe! — disse Ine. — Você está aborrecendo o Karl Ove.

A mãe sorriu e se levantou.

— Tudo bem, tudo bem — ela disse. — Vou deixar vocês dois em paz.

Ela saiu. Ine tamborilou os dedos no tampo da mesa.

— Podemos nos ver outra vez? — eu perguntei.

— Você já está me vendo outra vez — ela respondeu.

— É verdade — respondi. — Mas eu quis dizer de outro jeito. Será que a gente não podia jantar outro dia? O que você me diz?

— Talvez — ela disse.

Ine tinha uma aparência incrível. A última coisa que precisava nesta vida era de um cara que não parava de suar e corar.

— Na verdade eu aproveitei que estava indo para a escola e dei uma passada aqui — eu disse. — Mas ainda tenho que trabalhar um pouco, planejar as aulas de amanhã.

Me levantei.

Ela se levantou.

Saí para o corredor, ela me acompanhou e ficou observando enquanto eu vestia minhas roupas grossas de inverno.

— Tchau — ela disse.

— Tchau — eu disse, e então corri encosta acima em direção à escola, onde eu não tinha absolutamente nada a fazer, mas assim mesmo destranquei a porta e entrei, para caso ela estivesse me seguindo com o olhar. Eu estava convencido de que ela não tinha feito nada disso, mas simplesmente esquecido que eu existia assim que eu fechei a porta, porém de qualquer maneira eu não gostaria que uma mentira tão deslavada fosse descoberta, e se passasse na escola eu poderia assistir TV, afinal era domingo e aos domingos sempre havia transmissões esportivas.

Ine, Ine, Ine, as meninas riam quando cheguei para a primeira aula no dia seguinte.

Todo mundo sabia.

Fiz como se nada tivesse acontecido, mas eu não conseguia pensar em outra coisa.

Ine, Ine, Ine.

À noite eu ficava acordado, pensando sobre qual seria o meu próximo passo. Ine tinha esquecido uma bolsa na minha casa, ela teria que buscá-la, não? Ou será que eu devia levá-la comigo para Finnsnes?

Eu tinha estragado tudo depois com a minha visita desastrosa, não tinha sequer conseguido abrir a garrafa térmica, então o que eu podia esperar numa segunda visita? Que ela se jogasse nos meus braços?

Eu precisava encontrá-la bêbado, era minha única chance.

Ine, Ine, Ine.

As breves lembranças dela queimavam dentro de mim, eu nunca tinha me sentido daquele jeito antes, era um sentimento indiscutível, que reunia todas as minhas forças, de repente ela passou a ser a única coisa que importava.

Passei a semana inteira indo de um lado para o outro entre a casa e a escola, fiz longas corridas à tarde para tirá-la dos meus pensamentos e então, no domingo seguinte, ela apareceu de repente.

Alguém bateu na porta, eu abri e lá estava ela.

Minha linda Ine.

— Acho que esqueci uma bolsa por aqui. Vim buscá-la.

— Esta? — perguntei, estendendo a bolsa.

— Essa mesmo — ela disse. — Obrigada.

Ela se virou para ir embora.

— Você não quer entrar um pouco? — eu perguntei.

Ela balançou a cabeça, mas não chegou a completar o movimento de um lado para o outro, foi como se parasse na metade, e eu adorei ter percebido aquilo.

— Eu tenho que voltar para Finnsnes — ela disse, e então começou a subir a pequena encosta que levava à estrada. O chão estava liso, os passos dela eram pequenos.

— Você fez todo esse trajeto só para buscar a sua bolsa? — perguntei.

— Não. Eu passei o fim de semana inteiro aqui — ela respondeu já no alto, e então começou a se afastar.

Eu não sabia nada a respeito dela, a não ser que tinha dezesseis anos, gostava de motocicletas e estudava numa escola técnica.

Não era muita coisa para sustentar um relacionamento.

Mas Ine era muito autêntica, e além do mais era durona. Tinha peitos grandes, pernas compridas.

O que mais eu podia querer?

Nada. Ela era tudo que eu queria.

Mas então o que eu devia fazer?

Nada, eu não era nada para ela, ela não tinha levado mais do que cinco minutos para compreender.

Contei tudo para Hege. Tínhamos um caneco de chá na mão cada um.

— A Ine não significa nada para você — ela disse. — Você nem imagina. O melhor é deixar tudo de lado.

— Eu não consigo — respondi.

Hege me olhou.

— Você não está *apaixonado* pela minha irmã caçula, certo?

— Estou. É exatamente esse o problema.

Ela bebericou o chá e tirou o cabelo de cima dos olhos.

— Karl Ove, Karl Ove — ela disse.

— Sei que é um clichê, mas eu não consigo passar um minuto sem pensar nela.

— Você não pode começar um namoro com ela. Não tem como. Na verdade, seria totalmente impensável.

— Não adianta nada você me dizer essas coisas — expliquei. — Eu sou obrigado a tentar.

— Tudo bem — ela disse. — Então podemos ir a uma discoteca em Finnsnes, perder o último ônibus de volta para casa e passar a noite na casa dela.

— Por que ela não vai junto para a discoteca?

— Porque ela não gosta de discoteca.

Era um plano, e nós o seguimos ao pé da letra.

Na noite de sexta-feira paramos junto a uma casa atrás do banco, não muito longe da discoteca, Hege tocou o interfone e Ine desceu.

Caso tenha ficado brava com a peça pregada pela irmã, pelo menos não demonstrou. As duas se abraçaram, eu desviei o olhar e tentei ocupar o menor espaço possível, subi a escada atrás delas e me sentei numa cadeira, não no sofá, para que Ine não se sentisse manipulada por estar ao meu lado.

Ela estava vestida bem à vontade. Uma calça impermeável clara, que ficava justa nas coxas, e uma camiseta branca lisa.

Ela preparou chá e as duas engataram uma conversa enquanto eu ficava em silêncio, fazendo apenas um ou outro comentário de vez em quando.

O estúdio onde ela morava tinha apenas um cômodo com uma pequena copa num dos cantos. O cômodo era razoavelmente grande, mas também não era nenhum salão, e enquanto estava lá eu não parava de me perguntar o que Hege teria pensado da história toda. Como poderia acontecer qualquer coisa naquela situação?

Ine preparou uma cama no chão, perto da porta, onde eu passaria a noite. Hege dormiria com ela na cama de casal.

Muito bem, muito bem.

A luz se apagou, as duas ficaram cochichando na cama e de repente tudo ficou em silêncio. Fiquei deitado de costas, olhando para o teto.

Minha vida tinha virado uma coisa bem estranha.

Como em um sonho, um vulto se ergueu da cama no outro lado do estúdio. Era Ine, ela se deitou comigo e começou a roçar o corpo em mim.

Meu Deus, ela estava nua!

Ine se aconchegou em mim com a respiração pesada.

Nos beijamos, passei as mãos por todo o corpo dela, por aqueles peitos grandes e maravilhosos, ah, eu os devorei por inteiro, senti os cabelos lisos dela na minha coxa, ela estava com a respiração pesada e eu também, será que aquela seria a minha hora, cheguei a pensar, com aquela incrível garota motoqueira?

Ela se esfregou em mim e eu gozei.

Afastei o rosto e me espremi contra o colchão.

Merda. Merda. Merda.

— Você gozou? — ela perguntou.

— Aham — respondi.

Ela se levantou, se esgueirou de volta até a cama e voltou aos sonhos dos quais poucos minutos atrás havia despertado de maneira encantadora.

Fim.

Nos dias a seguir minha paixão começou a lutar contra os resquícios do meu orgulho. Eu *não podia* tornar a vê-la. Eu *não podia* telefonar, *não podia* escrever, *não podia* olhá-la nos olhos mais uma vez.

Mesmo assim, ela ocupava os meus pensamentos o tempo inteiro, mas o acontecimento no estúdio tinha sido tão definitivo e tão humilhante que nem os meus pensamentos mais apaixonados aguentavam a pressão, e assim aos poucos foram sumindo do meu sistema.

Restou apenas a escola. A escola, a escrita e as bebedeiras. Mas os dias cresciam, a neve derretia, a primavera estava a caminho. Um belo dia encontrei um envelope da H. Aschehoug & Co. na minha caixa postal. Peguei-o junto com as outras cartas, acendi um cigarro, olhei para as montanhas brancas e retorcidas no outro lado do fiorde, douradas pelo sol, que a cada dia chegava mais perto do vilarejo trazendo os raios de luz a reboque. Era uma visão animadora, realmente havia uma luz que brilhava por nós em meio ao espaço sideral.

Um carro passou. Não vi quem era, mas acenei mesmo assim. As gaivotas gritavam junto à fábrica de beneficiamento de peixe, olhei para lá e as vi sobrevoando o cais em círculos. As ondas batiam-se contra as pedras da orla. Abri o envelope. Meus dois contos estavam lá dentro. Então tinham sido recusados. Havia junto uma carta, eu a peguei e li. Constava que nenhuma das contribuições tinha sido aceita. O nível tinha sido ruim demais e a antologia não seria lançada.

Nesse caso os meus contos não tinham sido recusados!

Subi a estrada em direção à nossa casa amarela. O velho Peugeot azul de Tor Einar estava no pátio. Ele estava conversando com Nils Erik na sala, e tinha ao lado o primo, Even, um garoto que estava no oitavo ano, era sábado e logo sairíamos para dar um passeio em Finnsnes. Assim que comecei a percorrer a estradinha que levava à nossa porta, os três saíram.

— Você está pronto? — ele perguntou.

— Estou — eu disse. — Já estamos de partida?

— Acho que sim.

Abri a porta no lado do passageiro e me acomodei. Atrás, Even tinha colocado os dois braços por cima do banco e inclinado o corpo para a frente. Ele tinha olhos azuis e bondosos, cabelo escuro e um bigodinho fino. A voz dele mudava de fina para grossa de maneiras que nem mesmo ele conseguia prever. Tor Einar deu a partida no carro e atravessou lentamente o vilarejo, acenando à esquerda e à direita para as pessoas que estavam próximas à loja. Comecei a abrir a pilha de cartas que eu tinha pegado da minha caixa postal. As vinte pessoas com quem eu me correspondia ao chegar estavam reduzidas a doze, o que assim mesmo era um número grande o bastante para que raramente minha caixa postal estivesse vazia. Uma das cartas era de Anne. Ela tinha sido técnica do meu programa de rádio em Kristiansand. Estava morando em Molde, tinha entrado na universidade ou coisa parecida, na verdade eu não estava muito interessado, mas era Anne, e as cartas que eu recebia dela raramente tinham menos de vinte páginas.

Abri o envelope e peguei o grosso maço de folhas. Havia junto uma coisinha marrom que caiu em cima da minha perna.

— O que é isso? — perguntou Even.

Puta que pariu. Era um tijolinho de haxixe.

— Isso o quê? — perguntei, tapando o tijolinho com a mão.

— O negócio que caiu do envelope. O que foi que mandaram para você?

— Ah, aquilo? — eu disse. — Não é nada. Apenas a carta de uma amiga que está fazendo curso de jardinagem. Ela gosta muito de árvores. E por isso me mandou um pedacinho da casca de uma árvore rara.

— Posso ver? — ele perguntou.

Mantive os olhos fixos à frente, em direção ao túnel que se abria a poucos metros de nós. O que aconteceria se os outros compreendessem o que era aquilo? Será que contariam para outras pessoas? Seria um escândalo. *Professor é preso com drogas em Håfjord*. Todos bebiam feito loucos, mas ninguém que tinha maconha, haxixe, anfetaminas e esse tipo de coisa falava a respeito.

— Me deixe ver! — ele insistiu.

— Não há nada para ver — eu disse. — Apenas um pedacinho de casca de árvore estranho.

— E por que ela mandou isso para você?

Dei de ombros.

— A gente namorou por um tempo — eu disse.

Tor Einar me olhou.

— Vamos ouvir essa história — disse.

— Nada a declarar — eu respondi, guardando o tijolinho no bolso com uma das mãos ao mesmo tempo que eu segurava o pegador que ficava acima da porta com a outra. Tor Einar dirigia como sempre de maneira cautelosa. Ele e Nils Erik eram os únicos que respeitavam os limites de velocidade no vilarejo.

— Você vai me deixar ver ou não? — perguntou Even.

Por que ele estaria tão interessado?

Me virei para trás.

— Como você fala! — eu disse. — Agora já está no meu bolso. É só um pedaço de casca de árvore.

— Mas eu achei meio estranho — ele disse.

— Você se interessa por *casca de árvore*? — perguntei.

— Não — ele respondeu com uma risada.

— Muito bem, então. Agora eu gostaria de ter um pouco de tranquilidade para ler, se você não se importar — eu disse, e então comecei a ler a carta de Anne.

Quando voltamos horas mais tarde Tor Einar e Nils Erik fariam um passeio de esqui. Me perguntaram se eu gostaria de ir junto e como de costume eu disse que não, que eu ficaria em casa escrevendo. Assim que os dois saíram de casa eu peguei o tijolinho de haxixe, aqueci-o um pouco, misturei-o com um pouco de tabaco e enrolei um baseado. Quando tudo estava pronto, fechei as cortinas, tranquei a porta, me sentei no sofá e comecei a fumar.

Ao lado do meu pôster da Betty Blue, Nils Erik tinha pendurado um pôster de Charlie Chaplin. Enquanto eu estava sentado, tive a ideia de que eu era ele, e comecei a andar como ele. Com os pés voltados para fora do corpo e a bengala girando alegremente na mão, fui de um lado para o outro da sala. Era uma imitação perfeita, e eu não queria parar, então subi a escada, entrei no meu quarto, que a não ser por uma pilha de roupas e o colchão junto à parede estava totalmente vazio, tornei a descer, dei uma volta pela cozinha e entrei mais uma vez na sala. Ri muitas vezes, não porque aquilo fosse engraçado, mas porque era uma sensação muito boa. Eu era o vagabundo, era eu que balançava minha bengala e andava de um lado para o outro com meus passos pequenos, às vezes levantando o chapéu e erguendo a cabeça para fazer um discreto cumprimento que mais parecia uma pirueta. Eu não podia errar. E era como se eu estivesse cheio de óleo por dentro, cada um daqueles movimentos plantado no meu corpo, logo me sentei no sofá e levantei um dos ombros, depois levantei o outro, enrijeci os músculos do corpo inteiro, joelhos, barriga, braços, e era como se eu ao mesmo tempo flutuasse no mar e fosse as próprias ondas.

Acordei com batidas na porta. Estava totalmente escuro na rua. Olhei para o relógio. Cinco e meia. Me levantei, esfreguei o rosto com as mãos. As batidas continuaram. O cheiro de haxixe ainda estava no ar. Pensei em não abrir, mas quando a terceira rodada de batidas começou achei que a pessoa devia saber que eu estava em casa, então abri a janela, fechei a porta da sala atrás de mim, fui até a porta de entrada e abri.

Um homem de uns quarenta anos estava do lado de fora. Era o pai de um dos meus alunos, mas eu não sabia ao certo de quem. Eu sentia um leve zumbido na cabeça.

— Olá — eu disse.

— Olá — ele disse. — Eu sou o pai do Jo. Gostaria de falar um pouco com você. Não é nada grave. Mas diz respeito ao Jo. Fazia tempo que eu pensava em passar aqui na sua casa, mas eu nunca encontrava uma boa hora. É uma boa hora para você? Eu sei que está meio fora do horário escolar, mas...

— Ele riu.

— Claro — eu disse. — Pode entrar. Você aceita um café?

— Se você tiver pronto, aceito. Mas não precisa fazer um só por minha causa.

Ele passou por mim e entrou na cozinha.

— Eu ia preparar um agora mesmo — disse. — Eu estava dormindo um pouco. Foi uma semana bem longa.

O homem sentou-se junto à mesa da cozinha. Não havia tirado o casaco nem as botas. Enchi o bule.

Todos os assuntos relacionados à escola eram tratados por mulheres. Eram elas que iam às reuniões de pais, eram elas que assinavam os recados que as crianças levavam para casa na agenda, eram elas que participavam dos trabalhos na escola e que assumiam a responsabilidade pelo pagamento das excursões e outras coisas desse tipo.

Liguei o fogão e me sentei do outro lado da mesa.

— Bem... sobre o Jo, então — continuou o homem. — Ele não está se dando muito bem na escola.

— É mesmo? — eu disse.

— É. Diz que não quer ir para as aulas, que prefere ficar em casa. Às vezes chora. Quando eu pergunto por quê, ele não responde. Ou então responde que não é nada. Mas nós estamos vendo que as coisas não podem estar certas. Ele realmente não quer ir para a escola. E além do mais ele... ele sempre tinha se dado muito bem quando era menor. Gostava de ir à escola. Mas agora... não.

Ele me olhou.

— Resolvi falar com você porque... bem, eu sei que você não é o conselheiro de classe da turma dele, e talvez fosse mais natural recorrer a ela... mas o Jo fala de você com muito carinho. Ele gosta demais de você. Ouvimos muitas histórias, o Karl Ove fez isso, o Karl Ove disse aquilo. E por isso achei melhor falar com você. Porque você o conhece.

Quando ele terminou de falar, senti uma tristeza que eu nunca havia sentido em muitos anos. Mas eu já havia traído a confiança que aquele homem me havia mostrado. Não pelo que eu havia feito, mas pelo que eu havia pensado. Naquele instante, vendo-o sentado à minha frente com uma expressão séria e preocupada, compreendi que ele amava o filho, que aquele filho era para ele uma pessoa única e preciosa. Compreendi que aquilo que para mim era uma coisa pequena e insignificante, um menininho desajustado que chorava por qualquer coisa, para ele era uma coisa grandiosa, uma coisa que preenchia a vida inteira dele, que no fundo era a vida inteira dele, era tudo que ele tinha.

Minha consciência queimava como uma floresta em chamas.

Eu precisava reparar aquela situação. Eu precisava reparar aquela situação em respeito ao pai, que felizmente, ah, felizmente não tinha a menor ideia a respeito do que eu havia pensado. E também precisava reparar a situação em respeito a Jo. Assim que eu tornasse a vê-lo.

— Bem — eu disse. — O Jo é um menino muito bacana.

— Você não presenciou nada na escola? Um episódio qualquer?

— Nada de concreto. Mas já notei que ele tem dificuldades para se ajustar ao grupo. E que os colegas às vezes não querem que ele participe das brincadeiras e tentam fazê-lo de bobo. Mas nada muito grave. Nenhum tipo de violência ou de provocação sistemática. Esse tipo de coisa eu não vi. E para dizer a verdade, não acredito que deva acontecer.

— Sei — ele disse, esfregando o queixo enquanto olhava para mim.

— E o Jo... bem, ele é meio gorducho. De vez em quando deve ouvir comentários maldosos. E talvez não seja tão habilidoso quanto os colegas nos jogos de bola. Pode ser que essas coisas o afastem dos colegas. E por isso ele às vezes fica sem companhia. Andando sozinho pela escola.

— Entendo.

— Não sei — eu disse. — Mas a escola é bem pequena. Estamos falando de poucos alunos. Tudo é muito transparente. Todo mundo se conhece. Se o Jo está sendo provocado, não seria difícil fazer alguma coisa a respeito. Não estamos falando de crianças desconhecidas nem de grupos numerosos. Estamos falando de Stig, Reidar e Endre. Você entende aonde estou querendo chegar? Não deve ser difícil falar com eles.

— Você tem razão — ele disse.

Ah, ele confia em mim, pensei enquanto eu falava, e aquilo foi doloroso, muito doloroso, ele era um pai de quarenta anos, eu era um garoto de dezoito, será mesmo que devia me dar ouvidos?

— Durante as aulas, não temos nenhum problema — eu disse. — Às vezes pode surgir um comentário ou outro, mas essas coisas acontecem com praticamente todos os alunos, e quando o comentário é um pouco mais sério os professores tratam de cortar o assunto o mais rápido possível. O problema mesmo são os intervalos. O que você acha de pensar em atividades que o Jo gosta de fazer e consegue fazer bem para então chamar outras crianças? Eu posso falar com a Hege a respeito disso, e assim podemos fazer um plano. Talvez não seja preciso mais do que conversar com os outros meninos e explicar a situação. Imagino que não saibam pelo que o Jo está passando.

— Sabem — ele disse. — Acho que sabem muito bem. Eles não o procuram mais, e além disso o excluem das brincadeiras.

— É verdade — eu disse. — Mas não acho que façam por maldade, não acho que seja uma coisa importante para eles, mas simplesmente uma coisa que acabou acontecendo.

— Mas você não acha que pode ficar ainda pior se o professor falar com eles?

— É o risco que vamos correr. Mas acredito que basta abordar o assunto com o devido cuidado. Todas as crianças são legais. Acho que pode dar certo.

— Você acha mesmo? — ele me perguntou.

Fiz um gesto afirmativo com a cabeça.

— Vou falar com a Hege na segunda-feira. Depois montamos um plano.

O pai de Jo se levantou.

— Não quero tomar ainda mais o seu tempo.

— Não tem problema — eu disse.

— Muito obrigado! — ele disse, apertando a minha mão.

— Vai dar tudo certo — eu o tranquilizei.

Quando ele foi embora eu me atirei no sofá. A sala estava gelada, a janela continuava aberta. Os barulhos da rua entravam e preenchiam o cômodo, distorcidos pelas condições atmosféricas, e tudo parecia estar muito próximo. Eu tinha a impressão de que as ondas à beira-mar estavam quebrando nas paredes da minha casa. Os passos na estrada e o rumor da neve pareciam vir do nada, como se um fantasma estivesse avançando a caminho do mar. Um carro passou, o ruído do motor ecoou na parede que me separava da rua. Alguém riu em um lugar qualquer, a risada pareceu sinistra, e então pensei que os demônios estariam à solta naquele entardecer. O desequilíbrio provocado pelo pai de Jo, o abismo entre a confiança daquele homem e a minha traição, fazia com que o meu peito doesse. Me levantei, coloquei um disco para tocar, era o disco que eu mais tinha ouvido naquele ano, o último de Lloyd Cole and The Commotions, que, segundo pressenti naquele momento, para sempre evocaria em mim as lembranças de todas as coisas que eu tinha vivido no norte, acendi um cigarro, fechei a janela e apoiei a testa contra o vidro frio. Passado um tempo entrei no minúsculo escritório que ficava no interior da sala, cheio de livros empilhados e maços de papel, acendi a luz e me sentei junto à escrivaninha.

Assim que olhei para a folha que estava na máquina de escrever, vi que outra pessoa havia escrito nela. Senti meu corpo inteiro gelar. A metade superior da página era minha, e depois vinham cinco linhas que não eram minhas. Comecei a ler.

> Gabriel enfiou os dedos bem fundo na boceta molhada. Ah, meu Deus, gemeu Lisa. Gabriel tirou os dedos e os cheirou. Cheiro de boceta, pensou. Lisa se contorcia sob o corpo dele. Gabriel tomou um pequeno gole de vodca. Então sorriu e abriu a calça e enfiou o pau duro na boceta enrugada dela. Lisa gemeu de prazer. Gabriel, você é o cara!

Abalado no meu âmago, prestes a chorar, me sentei e fiquei olhando para aquelas cinco linhas. Era uma paródia bem-feita do meu estilo. Parecida. Eu sabia quem tinha feito aquilo, tinha sido Tor Einar, e eu sabia em que espírito tinha sido feito, no espírito de uma brincadeira entre amigos, ele devia ter rido um bocado ao escrever aquilo e depois ler tudo para Nils Erik, que então devia ter soltado aquela risada típica de Østlandet.

Não era para me magoar, mas não havia como perdoar aquilo. Eu nunca mais poderia estar na companhia deles nem falar com eles, a não ser o estritamente necessário, o que estivesse relacionado a coisas práticas.

Tirei a folha da máquina de escrever, amassei-a e a joguei no chão. Depois me vesti e saí para a rua. Não seria nada fácil andar para dentro do vilarejo, ao longo da estrada iluminada, onde eu seria visto e talvez até chamado por outras pessoas. Em vez disso, entrei no beco sem saída que continuava um pouco depois da curva e seguia ao longo da encosta suave, onde havia um pequeno número de casas. No fim havia um enorme monte de neve. Atrás não havia mais nada, quer dizer, não havia nada além de neve, árvores baixas e uma montanha que depois de talvez uns cinquenta metros se erguia rumo à escuridão. A neve batia nos meus joelhos, seria inútil continuar por aquele caminho, então dei meia-volta e fui caminhando com as pernas afundadas em neve na direção do mar, parei por um instante e fiquei olhando para as águas escuras que não paravam de mandar as ondas que se quebravam uma atrás da outra na costa já meio sem forças, mais como um pequeno chapinhar distraído.

Merda.

Eles não tinham simplesmente mexido com o meu texto, isso não teria me magoado nem um pouco, era outra coisa, muito mais profunda, havia uma alma naquele texto, a minha alma. E quando Tor Einar mexeu no meu texto eu pude vê-la. Minha alma era um tanto diferente vista de fora, e talvez fosse essa a maior causa do meu desespero. O que eu tinha escrito não valia nada. E nesse caso eu também não valia nada.

Voltei pelo mesmo caminho, seguindo minhas pegadas. Parei no cruzamento sem saber o que fazer. Eu podia andar quinhentos metros por aquela estrada, que acabava na escola, ou quinhentos metros pela outra estrada, que também acabava na escola. Eram as minhas únicas possibilidades. A loja estava fechada, a lanchonete estava fechada e, caso houvesse alguém bebendo em algum lugar, eu não sabia de nada a respeito. Eu não tinha conhecidos próximos o suficiente pra que pudesse simplesmente aparecer sem nenhum aviso prévio. As exceções eram Nils Erik e Tor Einar, com quem eu não queria mais ter nenhum tipo de contato, e Hege, com quem eu não sentia vontade de conversar naquele momento, o que eu nem sequer poderia fazer, já que o marido dela, sempre muito simpático comigo, mas também dono de um coração tomado pelo ciúme, estava em casa. Além do mais, percebi que ficar em casa lendo e ouvindo discos não era uma opção viável, porque a luz da sala estava acesa, o que significava que Nils Erik estava em casa.

Continuar parado sob o poste de iluminação pública também não seria possível, em um lugar qualquer devia haver alguém me olhando e se perguntando o que eu estava fazendo.

Aos poucos comecei a percorrer o trajeto. Quando cheguei em casa, abri a porta devagar, tirei as roupas de inverno com todo o cuidado e estava decidido a subir a escada no maior silêncio possível quando a porta que dava para o corredor se abriu e Nils Erik olhou para mim.

— Olá! — ele disse. — Jantamos *mølje* na casa da vó do Tor Einar. Pena que você não estava junto! Estava uma delícia!

— Eu vou me deitar — respondi sem encontrar os olhos dele. — Boa noite.

— Já? — ele perguntou.

Não respondi, abri a porta do meu quarto e entrei, me deitei ainda de roupas no escuro. Fiquei olhando para o teto. Ouvi os barulhos de Nils Erik, que lavava a louça na cozinha. O rádio estava ligado. Às vezes o cantarolar quase inaudível dele, que estava a pleno vapor mesmo após dois meses na casa, transformava-se em um canto alto e forte. Um carro com o som no máximo passou em frente à casa. As batidas da bateria tornaram-se cada vez mais fracas à medida que o carro avançava encosta acima e depois voltaram a ganhar força, até que mais uma vez estivessem retumbando no outro lado da parede.

Olhei para o relógio. Faltavam poucos minutos para as oito.

O que eu podia fazer?

Todos os caminhos que podiam me levar embora daquele lugar estavam fechados.

Eu estava preso.

Passei uma hora deitado no escuro sem me mexer. Depois tomei coragem e desci à sala, onde Nils Erik estava lendo.

— Você não tem uma garrafa de vinho tinto sobrando? — perguntei.

— Tenho — ele disse, levantando os olhos. — Por quê?

— Posso beber? — perguntei. — Depois eu compro outra para você durante a semana.

— Pode ser — ele disse. — Você vai sair?

Balancei a cabeça, peguei a garrafa, abri-a e voltei para o meu quarto. Senti uma pontada de alegria quando comecei a beber. Meus amigos tinham me traído, eu estava abatido, totalmente preto por dentro, mas fiquei bebendo sozinho, porque eu era um escritor.

Eles não podiam dizer o mesmo. Não eram nada.

Terminei a garrafa em dez minutos. Com os pensamentos confusos, como se uma névoa houvesse adentrado a minha cabeça, desci à sala, ignorando a presença de Nils Erik, abri a porta do pequeno escritório, me tranquei lá dentro, liguei a máquina de escrever, me sentei junto à escrivaninha e comecei a escrever. Minutos depois senti minha barriga se contorcer. Me joguei contra a porta, que estava chaveada, mas o vômito subia pela minha garganta, procurei ao redor uma caixa, um balde, um canto, qualquer coisa, mas não encontrei nada, minha boca se abriu e uma cascata de vômito roxo se derramou como um pilar no interior do pequeno cômodo.

Desabei no chão, minha barriga se contorcia, uma nova onda de vinho e salsicha jorrou, eu gemi, minha barriga se contorceu mais uma vez, mas já não havia mais nada, apenas a dor de se contorcer e o pouco de saliva grossa que tossi para fora do corpo.

Ah.

Passei alguns minutos sentado no chão e aproveitando a paz que havia se estabelecido dentro de mim. Nem me importei que meus livros e papéis estivessem cheios de vômito.

Ouvi batidas na porta. A maçaneta se mexeu para cima e para baixo.

— O que você está fazendo aí? — perguntou Nils Erik.

— Nada de especial — respondi.

— O que foi que você disse? Você está doente? Precisa de ajuda?

— Não da sua ajuda, idiota de merda.

— O que foi que você disse?

— NADA! NÃO FOI NADA!

— Tudo bem, tudo bem.

Pude imaginá-lo com as mãos espalmadas na porta antes de se afastar e voltar para o sofá. O fedor do vômito tinha preenchido o cômodo, e por um instante pensei que o cheiro dos nossos fluidos internos era totalmente repulsivo, mas o cheiro das nossas fezes não. Será que isso estaria relacionado à prática neandertal de cagar na floresta para demarcar território, enquanto o vômito não desempenhava nenhuma função parecida, mas era apenas um reflexo que servia para se livrar de comida estragada, e portanto fedia?

Me coloquei de pé, abri a janela e a prendi com o trinco. Eu não aguentava a ideia de limpar o vômito, aquilo ficaria para o dia seguinte, pensei enquanto eu trancava a porta, e então atravessei o corredor sem olhar para Nils Erik, subi a escada e entrei no meu quarto, onde tirei a roupa, me enfiei debaixo das cobertas e dormi como uma pedra.

Mantive-me afastado durante os dois dias a seguir, e também durante o terceiro dia, mas depois acabei cedendo, os dois me convidaram para tomar um banho na piscina da escola, aceitei, não muito feliz, mas tampouco furioso. Não falei muito enquanto nadávamos de um lado para o outro e deixei-os entrar primeiro na sauna, para que passassem um tempo sozinhos lá dentro antes de eu sair da piscina e parar ao lado da porta na tentativa de ouvir o que estavam dizendo. Eu sabia que estavam falando a meu respeito, e sabia que estavam rindo de mim. Era óbvio, os dois passavam muito tempo juntos, e o que eu fazia, tudo aquilo em que eu investia todas as minhas forças, era para eles motivo de chacota.

Mas tudo estava em silêncio no interior da sauna, então por fim abri a porta e entrei, me sentei no banco mais alto, no canto, escorei as costas na parede e olhei para aqueles dois corpos brancos, lisos de suor, o de Nils Erik inclinado para a frente, o de Tor Einar inclinado para trás. O rosto de Nils Erik estava sempre em movimento, ou falando, ou sorrindo, ou então fazendo caretas, mas naquele momento estava totalmente imóvel, e assim me fez pensar em uma árvore, como se ele fosse o Pinóquio, um tronco entalhado que houvesse ganhado vida graças aos poderes de um mago.

Ele devia ter notado que eu estava olhando para ele, porque sorriu e olhou para mim.

— Hoje eu vi uma coisa que talvez interesse a você, Karl Ove. No *Dagbladet* tinha o anúncio de um curso de escrita criativa. Em Bergen.

— Ah — respondi da maneira mais desinteressada possível, ele achava mesmo que um gesto evidentemente conciliatório como esse bastaria?

Na escola foi decidido que eu passaria umas horas durante a semana com os dois alunos entediados e agitadores do nono ano, Stian e Ivar. Minha tarefa seria ensiná-los a tocar, conseguimos os instrumentos emprestados com a banda da cidade, Autopilot, e às terças-feiras nos reuníamos no centro comunitário, ligávamos os instrumentos e ensaiávamos as poucas músicas que eu sabia tocar, um instrumento de cada vez. Ivar tocava baixo, ele não tinha absolutamente nenhum talento, mas pedi que ele mantivesse a mesma nota e olhasse para mim, para que, quando eu fizesse um sinal com a cabeça, ele tocasse um desenho que eu havia ensinado. Stian tocava bateria, ele era um pouco melhor, mas não aceitava as minhas instruções, era orgulhoso demais, e eu tocava guitarra. Ensaiávamos três músicas: "Smoke on the Water", "Paranoid" e "Black Magic Woman". Tocar sem um vocalista era uma coisa com a qual eu tinha me acostumado desde a época da minha banda com Jan Vidar, para mim era quase natural, já que uma voz por cima daquele acompanhamento esculhambado, incompetente e sem nenhum talento serviria apenas para deixar tudo ainda pior. Ficávamos tocando no palco com o enorme e vazio centro comunitário à nossa frente. Stian e Ivar faziam poses com os instrumentos praticamente o tempo inteiro. Ao fim de um desses ensaios, um aluno da quarta série abriu a porta e ficou nos encarando com os olhos arregalados. Stian e Ivar tentaram esconder o orgulho que sentiram cuspindo e fazendo de conta que aquilo não era nada para eles.

Numa reunião de planejamento dias mais tarde recebi críticas de Eva, estávamos usando os instrumentos e o equipamento de som da banda na qual o filho dela tocava, mas não estávamos tomando o devido cuidado, uma corda tinha arrebentado e ninguém havia comprado uma nova, uma baqueta tinha quebrado e ninguém havia comprado uma nova, ela disse que a banda não queria mais saber daquilo, e então passou ao ponto seguinte, que era o problema de comportamento da sétima série, os alunos não a escutavam mais, diziam que o Karl Ove tinha dito outra coisa, e quando ela pediu que eu os repreendesse eu concordei, mas acabei não fazendo nada, ou pelo menos nada que ela percebesse.

Eu disse que não havia problemas de disciplina durante as minhas aulas, mas que assim mesmo eu daria um jeito. Eva respondeu que o problema era justamente esse, que eu "daria um jeito", porque isso queria dizer que eu não estava levando o assunto a sério, e todos percebiam. Nunca tinha havido problemas daquele tipo com a sétima série, os alunos sempre tinham sido estudiosos e aplicados, mas ultimamente tinham adotado uma postura esnobe e preguiçosa.

— Não nas minhas aulas — eu disse.

Eva estava tão exasperada que a cabeça dela tremia.

Richard entrou na discussão, ele disse que nós dois tínhamos razão, mas que eu precisava deixar claro que não tolerávamos aquele tipo de atitude durante as aulas, e que aquilo teria consequências. Tudo bem, eu disse, é o que vou fazer. Quando a reunião terminou e eu estava vestindo o meu casaco no corredor, Eva disse que Grete andava se perguntando o que tinha acontecido com a roupa de cama que havia me emprestado em agosto, será que eu estava achando que era minha propriedade?

Ah, puta que pariu, será que ela não me deixaria em paz?

— Não — eu disse. — Eu simplesmente esqueci de devolver. Mas posso entregar tudo para ela amanhã. Não é problema nenhum para mim.

As pessoas se ocupavam demais com essas bagatelas, procuravam lugares onde uma coisa ou outra não estava funcionando bem e começavam a criticar em vez de olhar para o cenário maior, aqui estamos nós, pessoas na Terra, durante um tempo muito, muito curto, em meio a esse monte de coisas fantásticas que existem, a grama e as árvores, os texugos e os gatos, os peixes e o mar, sob um céu coalhado de estrelas, e no meio de tudo isso alguém se irrita porque uma corda de guitarra arrebentou? Porque uma baqueta quebrou? Porque uma merda de roupa de cama emprestada não foi devolvida antes? Afinal, qual é o problema de vocês?

A baqueta quebrada para mim foi o ponto alto dessa mesquinharia. Então era a respeito disso que a gente devia falar, e não sobre o trabalho que eu estava fazendo com Stian e Ivar?

Por que se concentrar no pequeno quando existe o grande?

Eu detestava as coisas pequenas, mas admito que eu não era muito bom nelas. As parcelas do aparelho de som já estavam a cargo de uma firma de cobrança e o imbróglio com o smoking que eu tinha alugado um ano atrás e não tinha devolvido, porque tinha acabado em frangalhos depois que um foguete tinha explodido e rasgado a perna inteira em tiras, havia parado na justiça e eu tinha sido condenado a pagar os danos materiais, junto com uma pesada multa por não ter comparecido à audiência. Multa por não ter comparecido à audiência! O que eles estavam pensando, que eu pegaria um avião por causa de um smoking?

Mas assim eram as coisas, a vida diária, com uma série interminável de pequenas exigências e pequenos deveres, conversinhas e tratinhos, erguia-se como uma cerca ao nosso redor. Eu vivia nessa vida, exceto quando bebia, nessas horas os espaços eram amplos e os gestos grandiosos, e mesmo que o preço fosse alto e a angústia grande no dia seguinte, eu sempre pagava, e apenas um ou dois dias mais tarde tornava a sentir vontade de me atirar naquele ambiente e mandar tudo para o inferno.

* * *

Numa noite que eu tinha passado na rua bebendo em um centro comunitário no outro lado da ilha, Nils Erik ficou me esperando acordado.

— Você tem um inimigo — ele disse.

— Hm? — eu disse ainda na porta, bêbado e exausto.

— Me deitei logo depois que você saiu. Mas em seguida acordei com alguém sentado na cama. Era o Vidar. Queria saber onde você estava. E tinha uma espingarda no colo.

— Você só pode estar brincando! — eu disse. — Pare com isso.

— É verdade. Se eu fosse você, trancaria bem a porta. E daria um jeito de contar para a Hege o que aconteceu.

— Mas você sabe que eu nunca tive nada com ela!

— Talvez ele não saiba. Ela vem aqui no mínimo duas vezes por semana. É bastante se você levar em conta que ela tem outra pessoa.

— Meu Deus, eu não tenho o menor interesse nela!

— Estou falando sério. Ele tinha uma espingarda. Não estou brincando.

No dia seguinte eu estava assustado. Tinha a impressão de que a qualquer instante eu poderia topar com Vidar. À noite eu tranquei minha porta. E na manhã seguinte a primeira coisa que eu fiz foi procurar Hege e contar a ela o que tinha acontecido.

— O Vidar extrapolou os limites — ela disse. — Não vai acontecer outra vez. Você ficou com medo?

— Eu? Não. Eu nem estava em casa. Mas o Nils Erik se assustou.

— Na verdade não passou de encenação. Você sabe que ele nunca teria usado aquilo. Só queria dar um cagaço em você.

— Por quê? Porque nós dois conversamos?

Hege acenou a cabeça.

Eu já estava empolgado com a ideia de descrever nas minhas cartas o que tinha acontecido. Era uma história ao mesmo tempo improvável e lisonjeira; eu morava num lugar onde as pessoas entravam nas casas umas das outras de espingarda em punho, e eu era importante o suficiente para que esses loucos estivessem atrás de mim.

Mas os dias seguintes também foram angustiantes, não porque eu estivesse com medo de levar um tiro, mas porque era desagradável o bastante pensar que Vidar poderia me dar uma surra se tivesse a chance.

* * *

Será que ele tinha mesmo levado uma espingarda?

Era o que eu lembrava. Mas será que podia ter sido assim?

Coisas improváveis aconteciam no norte, aquilo que apenas um ano antes teria parecido profundamente estranho, talvez até mesmo impossível, e que um ano depois voltaria a ser envolvido por essa mesma aura de profunda estranheza e impossibilidade, foi justamente o que aconteceu comigo naquela vez, e que parecia absolutamente normal e óbvio enquanto eu morava lá.

Nils Erik, que tinha levado um equipamento completo de mergulho quando apareceu em casa no Natal, e que na primavera às vezes descia ao cais vestido com a roupa de mergulho, colocava a máscara de mergulho, os pés de pato e o tanque de oxigênio, se postava na margem segurando um arpão e deslizava para dentro da água clara e translúcida, uma figura trêmula que se tornava cada vez mais tênue e por fim desaparecia por completo para reaparecer dez minutos depois tendo espetado na ponta do arpão um peixe, que mais tarde era servido no jantar.

Será que isso tinha acontecido?

Será que ele tinha mesmo um equipamento completo de mergulho?

Será que pescava com *arpão* depois de terminar o trabalho na escola?

Nunca voltei para lá, mas às vezes tenho pesadelos com essas coisas, pesadelos terríveis, em que eu simplesmente chego de carro ao vilarejo depois de todos esses anos. Provavelmente seria ruim o bastante.

Por quê?

Será que coisas terríveis aconteceram por lá? Será que fiz alguma coisa que eu não devia ter feito? Alguma coisa terrível? Quer dizer, além de vagar bêbado e descontrolado à noite?

Uma vez escrevi um romance que se passava lá. Foi um romance escrito às cegas. Eu não estava pensando na relação entre a realidade e a ficção, pois um mundo inteiro se abriu enquanto eu escrevia, por um instante aquilo foi tudo para mim, eram em parte descrições de construções e pessoas reais, porque a escola nesse livro é a mesma escola em que eu trabalhei, em parte criação literária, e foi somente quando tudo estava escrito e o romance foi publicado que eu comecei a pensar em como aquilo seria recebido em Håfjord, pelas pessoas que conheciam o mundo que eu havia descrito e estavam em condições de perceber o que era real e o que não era. Passei noites em claro, com medo disso. Afinal, não era uma história feita de ar. Pelo contrário: era uma história que estava no ar. Eu havia trabalhado como professor durante um ano naquele lugar, e quando eu às vezes me alegrava por ter que trabalhar pela manhã, era porque ela estava lá.

Ela: Andrea.

Um olhar, a testa apoiada na mão, um pezinho irrequieto, uma menina que era mulher que era menina e com quem eu tanto gostava de estar.

Foi assim durante os meses em que a noite durou, e foi assim quando a luz abriu o espaço, primeiro fria e brilhante, depois vagarosa e discreta, cheia de calor. A neve sumiu da estrada, os enormes montes de neve derreteram, a areia aos poucos começou a reaparecer no campo de futebol e de todos os telhados e de todas as alturas vinham os murmúrios e gorgolejos da água que escorria.

Era como se a luz também aumentasse no interior das pessoas. Por toda parte se via alegria e entusiasmo.

Em uma das aulas Andrea e Vivian me entregaram um diploma. Tinham me eleito o professor mais sexy da escola.

Pendurei o diploma na parede da sala e disse que talvez a concorrência não fosse muito grande.

As duas riram.

Dias mais tarde, com o sol brilhando no céu de azul infinito, pedi aos alunos que saíssem para a rua e fizessem anotações sobre as coisas que viam. Podiam ir aonde quisessem, escrever o que quisessem, a única condição era que fizessem anotações sobre as coisas que viam, e essas anotações deviam ocupar no mínimo duas páginas.

Uns foram até a loja, outros sentaram-se ao pé da muralha de sol que banhava a escola. Fui até os fundos da escola para fumar um cigarro e fiquei olhando para a estrada, já praticamente livre da neve, e para o fiorde reluzente mais adiante. Em seguida dei uma volta e perguntei aos alunos como estavam se saindo. As garotas apertaram os olhos quando olharam para mim.

— Bem — disse Andrea.

— O Karl Ove chegou — Vivian disse lentamente, para que eu entendesse que era aquilo que estava escrevendo enquanto a caneta corria pela página do caderno.

— Ele é muito sexy.

Andrea desviou o rosto quando ela disse aquilo.

— Pelo menos é o que a Andrea acha! — ela acrescentou.

— Deixe de ser idiota — disse Andrea.

As duas olharam para mim e sorriram. Tinham as jaquetas amarradas ao redor da cintura e estavam apenas de camiseta, com os braços nus.

Fui tomado pelos mesmos sentimentos que haviam me tomado na primavera em que eu estava na sétima série. Quando corríamos atrás das garotas para agarrá-las, levantar a camiseta delas e passar as mãos pelos peitos. As garotas gritavam, mas nunca alto o suficiente para que os professores ouvissem.

Eu estava tomado pelos mesmos sentimentos, mas tudo mais estava mudado, eu não tinha treze anos, mas dezoito, e não era colega, mas professor.

Elas não podiam ver esses sentimentos. Não podiam ter a menor ideia sobre o que acontecia dentro de mim. Eu era o jovem professor das garotas, e sorri para elas.

— Quando voltarmos para a sala eu vou ler o que vocês escreveram para a turma — eu disse. — Talvez você queira escolher o que você escreve com um pouco mais de critério.

— Critério? — disse Vivian. — O que é isso?

— Procure no dicionário quando a gente entrar — eu disse.

— É bem típico — disse Andrea. — Você sempre quer que a gente procure tudo no dicionário. Procure no dicionário, procure no dicionário! Será que você não pode simplesmente nos dizer?

— Nem ele sabe — disse Vivian.

— Mais cinco minutos — eu disse. — Depois vamos entrar.

Caminhei em direção à porta de entrada, ouvi as meninas rindo às minhas costas e me senti cheio de ternura pelas duas, não apenas por elas, mas por todos os alunos e por todo aquele vilarejo, por toda a humanidade.

Foi um dia daqueles.

Onze anos depois eu estava no escritório do nosso primeiro apartamento em Bergen respondendo a uns e-mails quando o telefone tocou.

— Alô? — eu disse.

— Oi! Aqui é a Vivian.

— Vivian?

Assim que ouvi aquele nome me senti frio e escuro por dentro.

— É! Você se lembra de mim? Eu fui sua aluna.

Não havia nenhum tom acusatório naquela voz. Limpei a mão, que estava úmida de suor, na minha perna.

— Claro que lembro! — eu disse. — Como estão as coisas?

— Ótimas! Estou aqui com a Andrea. Nós lemos a respeito de você no jornal e descobrimos que você vai fazer uma leitura pública em Tromsø. O que você acha de marcar um encontro com a gente?

— Claro — eu disse. — Boa ideia.

— A gente leu o seu livro. Achamos superdivertido!

— Você achou?

— Achei! A Andrea também.

Para não correr o risco de abordar o conteúdo do livro, para sufocar esse assunto antes mesmo que pudesse aparecer, perguntei o que as duas estavam fazendo.

— Eu trabalho no mercado de peixes. Não é exatamente uma grande surpresa. E a Andrea está estudando em Tromsø.

— Muito bem — eu disse. — Vai ser bom encontrar vocês mais uma vez. Vamos combinar uma hora e um lugar?

Ela sugeriu um café próximo ao lugar onde eu leria trechos do meu livro, horas antes do evento. Eu disse tudo bem, até lá, e então desligamos. Semanas depois abri a porta do café e vi as duas sentadas bem no fundo, elas riram ao me ver, disseram que eu não tinha mudado nada. Mas vocês mudaram bastante, eu disse, e era verdade, porque mesmo que os rostos fossem os mesmos, e a maneira de se comportar também, as duas tinham virado mulheres, e aquela área de ambivalência em que existiam naquela outra vez estava superada.

Tirei o sobretudo, fui até o balcão e pedi um café. Eu estava nervoso, as duas tinham lido o romance e deviam ter se reconhecido. Decidi pegar o touro pelos chifres. Me sentei, acendi um cigarro, então quer dizer que vocês leram o meu romance?, eu perguntei. Lemos, as duas responderam enquanto balançavam a cabeça. Bem, eu não escrevi a respeito de vocês, embora haja certas semelhanças, eu disse. As semelhanças são enormes, disse Andrea. Mas não é nisso que você deve pensar, é apenas um livro meio engraçado.

As duas me contaram o que tinha acontecido no vilarejo desde então, e não tinha sido pouca coisa. O mais notável tinha sido um escândalo de abuso na escola que havia acabado em julgamento e prisão, e o vilarejo havia se dividido em dois campos. No mais, vários dos meus ex-colegas continuavam trabalhando na escola. Vivian ainda mantinha contato com os amigos que tinha quando eu estava lá, além dos pescadores que na época tinham a minha idade, claro. Andrea morava em Tromsø, levava uma vida de estudante, passava as férias e alguns fins de semana em Håfjord.

Tratei-as como se ainda fossem garotas de treze anos, era como se aquela forma estivesse determinada, eu não conseguia me livrar dela, e quando fui embora do café uma hora mais tarde me ocorreu que aquilo tinha sido uma estupidez, particularmente em relação a Andrea.

As duas compareceram à leitura e à discussão, me procuraram no final e se despediram, eu saí com Tore, que também havia participado da leitura, e mais duas pessoas, e passamos a noite inteira bebendo. À noite eu encontrei Andrea outra vez, ela estava com um cara numa fila de táxi, ele estava atrás dela e ela com as mãos estendidas para trás enquanto o sujeito a beijava no pescoço e passava as mãos pelos peitos dela. Um sentimento quase insuportável de fracasso tomou conta de mim naquele instante, comecei a andar pelo outro lado da rua, ela não me viu, ou fingiu não ter me visto, e eu pensei, ela podia ser minha agora se eu tivesse jogado as minhas cartas direito. Mas eu era casado e não estava jogando jogo nenhum, porém assim mesmo um pensamento me perseguiu durante os meses e anos seguintes: eu devia ao menos ter *tentado* pôr um fim naquilo.

*

Duas semanas depois que Vidar havia sentado na beira da cama de Nils Erik e perguntado por mim, fui ao sul passar as férias de Páscoa.

Minha mãe, que estava no cais de Lavik quando cheguei, parecia exausta, ela tinha trabalhado muito naquele ano, e quando não estava trabalhando, estava cuidando dos pais em Sørbøvåg.

Passamos os dias conversando, ela preparava todas as comidas enquanto eu lia deitado no sofá, demos uns passeios ao centro de Førde para fazer compras e à noite assistíamos tv.

Ela me disse que Jon Olav também estava em casa, eu liguei para ele e combinamos de nos encontrar em Førde na tarde seguinte. Jon Olav tinha crescido em Dale, a uma hora de carro, e a discoteca aonde fomos estava cheia de pessoas que ele conhecia.

Bebi cerveja e fiquei conversando com ele, e fora da reserva natural, que era como eu tinha começado a pensar em Håfjord, tudo parecia bem mais simples e bem mais fácil. Eu disse a ele que tinha pensado em me candidatar ao curso de escrita criativa oferecido pela Skrivekunstakademiet em Hordaland. Ele nunca tinha ouvido falar a respeito do lugar, embora ficasse em Bergen, a cidade onde ele estudava. Mas a academia era nova, aquele era o primeiro ano de funcionamento.

— E quem são os professores? — ele perguntou.

— Nunca ouvi falar deles. Acho que são uns escritores meio obscuros de Vestlandet. Ragnar Hovland, Jon Fosse e Fosse Sagen. Você os conhece?

Jon Olav balançou a cabeça.

— Essa é a parte chata — eu disse. — Parece ser um negócio muito local. Mas é só por um ano e dá para conseguir crédito estudantil. Assim eu pelo menos poderia escrever em tempo integral.

— Mas na sua última carta você não disse que ia para a Goldsmiths University, em Londres? — ele perguntou.

Fiz um gesto afirmativo com a cabeça.

— Eu também vou me candidatar a uma vaga lá. O Yngve conseguiu o endereço e eu acabei de escrever a papelada toda.

Jon Olav tentava enxergar cada vez mais longe em meio às pessoas na boate, que estava totalmente lotada, já que era o primeiro dia de abertura depois do feriado.

— Vamos chegar um pouco mais para lá — ele disse.

— Eu vou ficar aqui — eu disse.

Estar num lugar onde ninguém me conhecia!

Sentir a embriaguez aumentando. Fumar uns cigarros, conferir as garotas e enfim fazer um negócio com a devida calma.

Quando Jon Olav voltou, uma hora depois, eu estava sentado no mesmo lugar e inclusive na mesma posição, com o cotovelo apoiado no balcão do bar e a cabeça apoiada na mão.

— Encontrei uns ex-colegas do colegial — ele disse. — Estamos sentados um pouco mais para lá. Venha com a gente.

Desci do banco e o segui. Ele parou ao lado de uma mesa no outro lado da boate, próximo à saída.

— Esse é o meu primo, Karl Ove — ele disse.

As pessoas ao redor da mesa olharam desinteressadas para mim e acenaram com a cabeça.

No meio do pessoal havia uma garota. Ela estava falando com alguém que estava do outro lado da mesa e não olhou para mim. Riu e inclinou o corpo para a frente, colocou as duas mãos espalmadas em cima da mesa. A pele era pálida, os cabelos pretos estavam cortados em uma franja que quase alcançava os olhos, mas não foi nada disso que me levou a olhar para ela, foram os olhos, olhos azuis enormes que transbordavam de alegria e no instante seguinte tornavam-se sérios e suaves.

Ela tinha um jeito de francesa, pensei enquanto me acomodava na cadeira ao lado de Jon Olav. O rosto era bonito, mas foi apenas quando ela riu mais uma vez que senti um arrepio.

Havia uma luz ao redor dela.

— Quer que eu peça uma cerveja para você? — perguntou Jon Olav. — O bar vai fechar em seguida.

Dois minutos antes eu me sentiria feliz com essa notícia, mas naquele instante fiquei desesperado, da mesma forma desprovida de qualquer sentido que fazia com que eu me sentisse triste cada vez que alguém ia embora dos encontros pós-festa, como se a cada pessoa que se fosse eu estivesse um passo mais próximo da morte ou de outra coisa fatal.

— Vou junto com você — eu disse, seguindo-o até o balcão.

— Eu consigo levar duas cervejas sozinho — disse Jon Olav.

— Quem é aquela garota? — eu perguntei.

— Quem?

— A que está na nossa mesa.

Jon Olav se virou. Será que não tinha notado que havia uma garota na nossa mesa?

— Ah — ele disse. — Aquela é a Ingvild.

— Você a conhece bem?

— Não, praticamente não conheço. Ela mora em Kaupanger. Mas eu conheço o namorado dela. Aquele é o Tord, está vendo? O cara que está dormindo sentado.

Típico.

Como se pudesse ter acontecido qualquer coisa mesmo que ela não fosse namorada dele.

Eu estava passando as férias na casa da minha mãe e voltaria para casa em dois dias, que delírio era aquele? Um olhar lançado para uma garota bonita, mas desconhecida, e de repente era como se aquilo fosse o meu futuro. Eu e ela, juntos?

Por quê?

Havia uma luz ao redor dela.

Bebi metade do meu copo de pé junto ao bar enquanto Jon Olav pagava, depois pedi mais uma cerveja e levei as duas para a mesa.

Quatro das pessoas que estavam com a gente se levantaram em seguida. Estavam no mesmo carro e iam juntas para casa, segundo entendi.

Na mesa restaram apenas Jon Olav, um cara com quem Jon Olav estava falando, Ingvild e eu. Além do namorado dela, claro, mas ele estava dormindo e não contava.

Tomei mais dois goles demorados.

Ela estava olhando por cima do ombro.

— Quer ficar com essa cerveja? — eu perguntei quando ela enfim olhou de volta para a mesa. — Está novinha. Eu nem encostei.

— Se alguma coisa fosse levantar minhas suspeitas seria justamente o fato de um estranho total me oferecer uma cerveja que já estava pronta em cima da mesa. Mas você parece ser um cara legal.

Ingvild falava no dialeto de Sogn, e os olhos dela ficavam apertados quando ela sorria.

— Sou mesmo — eu disse.

— Obrigada de qualquer jeito, mas eu estou dirigindo.

Ela apontou o namorado adormecido com o rosto.

— Vou levar esse aí e outros para casa.

— Eu dirijo bem — eu disse. — Posso dar umas dicas pra você, se você quiser.

— Claro! Eu sou péssima motorista.

— O mais importante é andar depressa — eu disse.

— Ah, é?

— Tem quem diga que o melhor é ir devagar, mas eu acho que essas pessoas estão enganadas e que o melhor é ir depressa.

— Certo, andar depressa. O que mais?

— Vejamos... Bem, uma vez eu estava dirigindo e o carro à minha frente estava devagar. Como eu acho que o importante é andar depressa, acabei fazendo uma ultrapassagem. Foi numa curva, então eu entrei na outra pista, sabe?, acelerei tudo que eu podia e logo o outro carro ficou para trás.

— É mesmo?

— Foi bem simples. Depois continuei dirigindo normalmente.

— Você não tem carta de motorista, tem?

— Não. Mas tenho uma admiração enorme pelas pessoas que têm. Na verdade é inacreditável que eu esteja falando com você. Em geral eu ficaria em silêncio, olhando para a mesa. Mas acabei bebendo um pouco e adoro falar sobre dirigir. Quer dizer, no plano teórico. Penso muito em como fazer a troca de marcha perfeita, por exemplo. Em toda a combinação entre a embreagem, a caixa de marchas, a gasolina e o freio. Mas nem todo mundo gosta de falar a respeito disso.

Olhei para ela.

— O seu namorado tem carta de motorista?

— Como você sabe que ele é meu namorado?

— Ele quem?

— Ele, sentado ali na cadeira.

— *Esse* é o seu namorado?

Ela riu.

— É, é sim. E ele tem carta.

— Era o que eu achava — eu disse. — E foi o interesse por carros que atraiu vocês dois?

Ela balançou a cabeça.

— Mas hoje parece que o carro está nos afastando um do outro. Eu também queria ter bebido umas cervejas. Pelo menos agora que ele está dormindo. Afinal, ele podia ter dormido sem beber, e assim eu podia ter bebido um pouco.

Ela olhou para mim.

— Você tem outros interesses além de carros e direção?

— Não — eu disse, tomando um gole de cerveja. — Quais são os seus interesses?

— Política — ela disse. — Tenho um grande interesse por política.

— Que tipo de política? Política distrital? Política internacional?

— Política, simplesmente. Política em geral.

— Você está dando em cima do meu primo enquanto o seu namorado dorme? — perguntou Jon Olav.

— Não estou dando em cima de ninguém — ela disse. — Estamos falando sobre política. Talvez daqui a pouco a gente comece a falar sobre os nossos sentimentos se eu me sentir à vontade.

— Com certeza você vai se sentir — eu disse.

— Eu tenho uma vida sentimental absolutamente miserável. E você?

— É, a minha também é bastante pobre. Para ser bem sincero. Não costumo falar a respeito disso. Mas você conseguiu me deixar à vontade o suficiente para falar.

— É um efeito que as garotas irônicas costumam ter. Pelo menos foi o que a experiência me ensinou. No fim as pessoas acabam tão aborrecidas que fazem qualquer coisa para dar um fim nisso. Desde que comecei a ser irônica eu já acumulei várias confissões.

A música da boate foi desligada.

Jon Olav olhou para mim.

— Vamos embora?

— Pode ser — eu disse, olhando para ela enquanto eu me levantava. — Não esqueça de dirigir bem depressa!

— Vou dirigir como uma porca — ela disse.

Quando acordei no dia seguinte eu pensei nela. Jon Olav, que tinha dormido na nossa casa, voltou para Dale ainda pela manhã. Ele era a única ligação que eu tinha com a garota, e antes que fosse embora eu fiz com que prometesse que me enviaria o endereço dela ao chegar em casa, mesmo que eu tivesse a impressão de que ele não faria aquilo com a consciência leve, porque afinal de contas ela era namorada de um conhecido.

Voltar novamente para Håfjord parecia absolutamente desprovido de sentido, mas por outro lado faltavam apenas três meses para que aquilo acabasse de vez, e depois eu poderia passar o resto da minha vida em um ambiente familiar se eu quisesse.

A carta de Jon Olav chegou à minha caixa postal dias após o meu retorno. Ele escreveu que ela morava em Kaupanger e cursava o terceiro ano do colegial em Sogndal.

Kaupanger, eu pensei, deve ser um lugar incrível.

Passei mais de uma semana preparando minha carta para ela. Ela não sabia nada a meu respeito, não tinha sequer a menor ideia de como eu me chamava e provavelmente tinha me esquecido assim que saiu da boate. Me apresentei como se eu fosse outra pessoa e fiz uma ou duas menções a carros e direção, para que assim, se ainda lembrasse, ela pudesse associar esses comentários a mim. Não forneci o meu endereço; se ela quisesse responder, teria que se esforçar para consegui-lo, e assim, pensei, eu ficaria ainda mais gravado no inconsciente dela.

Na mesma semana eu preparei minha inscrição para a Skrivekunstakademiet. A inscrição devia incluir vinte páginas de prosa ou poesia, então coloquei as vinte primeiras páginas do meu romance no envelope, escrevi uma breve carta de apresentação e mandei tudo por correio.

Nessa altura do ano já estava claro quando eu acordava pela manhã e descia a escada para tomar café, do lado de fora da casa soavam os gritos das gaivotas e, se abríssemos a janela da cozinha, ouvíamos também as ondas baterem e quebrarem contra as pedras da orla. Na escola os alunos mais jovens corriam de blusão e tênis durante os intervalos, os mais velhos ficavam sentados no chão com as costas apoiadas na parede e o rosto voltado em direção ao sol. Tudo que tinha acontecido no escuro, enquanto a vida por assim dizer havia se fechado ao meu redor e até mesmo os detalhes mais insignificantes pareciam carregados de tensão e destino, de repente pareceu inacreditável, porque ao ar livre, sob aquele lento transbordar de luz, eu via o mundo como realmente era.

E como era?

Não importava muito. O mundo era daquele jeito.

Ah, eu continuava lançando olhares em direção a Liv quando tinha a chance de observá-la sem que me percebesse, e nas aulas de inglês às vezes eu ainda sentia um arrepio ao ver o corpo exuberante de Camilla, cheio de curvas e formas, mas toda aquela maciez e toda aquela opulência já não me deixavam mais confuso, eu já não me deixava mais levar. Eu via e gostava do que via, mas aquilo não me pertencia. Com Andrea era diferente, ela era especial, mas ainda que eu me alegrasse quando ela lançava um daqueles olhares enviesados na minha direção, eu não me permitia nenhuma reação, ninguém podia ver o que eu sentia, nem mesmo ela.

O que eu sentia?

Ah, não era nada. Uma ternura, apenas, um sentimento leve e reluzente que passava e se desfazia, pois não tinha direito à vida.

Um dia chegou uma carta de Kaupanger.

Eu não podia lê-la de pé na agência de correio, e tampouco sentado na sala ou deitado no quarto, as circunstâncias tinham de ser perfeitas, então eu a deixei de lado, jantei com Nils Erik, fumei um cigarro e bebi uma caneca de café e depois levei a carta para a beira da praia, me sentei numa pedra e abri o envelope.

Um cheiro forte de maresia e podridão vinha da orla ao meu redor. A atmosfera estava quente e estagnada, mas a intervalos regulares uma brisa soprava do fiorde e arrastava tudo aquilo, que então aos poucos era cuidadosamente reconstruído desde a estaca zero outra vez. Os picos das montanhas do outro lado ainda estavam brancos, mas eu me virei e olhei em direção ao vilarejo, havia uma cintilância verde no chão, e mesmo que os arbustos e as árvores baixas ainda não tivessem folhas, já não pareciam mais estar mortos, como no inverno, mas erguiam-se como se pressentissem que a vida estava prestes a retornar.

Abri a carta e comecei a ler.

Ela não tinha escrito nada a respeito de si. Mesmo assim, a imagem dela surgiu dentro de mim, pude sentir quem ela era e pensei, dessa vez é diferente. Dessa vez é muito diferente.

Quando dobrei a carta e a guardei mais uma vez no envelope eu me sentia profundamente abalado. Caminhei a passos lentos de volta para casa. Havia uma luz ao redor daquela garota, e cada frase, por mais indecisa e hesitante que fosse, era testemunha disso.

Pensei que eu devia tomar o ônibus na manhã seguinte, pegar o barco para Tromsø, o avião para Bergen, o barco para Sogndal e então aparecer na frente dela e dizer que éramos feitos um para o outro.

Não havia como, assim eu destruiria tudo, mas era a minha vontade.

Em vez disso me sentei junto à escrivaninha e comecei uma nova carta. Eu sufocava todos os indícios de sentimentos e confissões antes mesmo que pudessem nascer, aquela seria uma carta bem escrita e calculada, que lançaria mão de todos os recursos à minha disposição para fazê-la rir, para fazê-la pensar e para despertar nela a vontade de me conhecer.

Afinal, eu sabia escrever.

Passei todo o Dezessete de Maio lendo na sala. Havia uma expectativa de que os professores participassem do desfile e das atividades a seguir, mas não era um dever, então quando o pequeno cortejo passou pela estrada em frente à casa eu me sentei no sofá e fiquei olhando tudo pela janela, ouvi o som distante dos pobres flautistas e os eventuais gritos de comemoração, me deitei outra vez e continuei a ler *O senhor dos anéis*, que eu tinha lido fazia dois anos, embora já tivesse esquecido tudo. Eu não me cansava daquela luta entre a luz e a escuridão, entre o bem e o mal, e quando aquele simples homem não apenas se rebelou contra forças mais poderosas, mas revelou-se como o maior de todos os heróis, senti meus olhos se encherem de lágrimas. Ah, como era bom! Tomei um banho, vesti uma camisa branca e uma calça preta, botei a garrafa de vodca numa sacola e fui até a casa de Henning, onde uma turma inteira havia se reunido para beber. Havia uma festa em Fugleøya, horas mais tarde pegamos o carro e fomos para lá, num instante eu estava parado no estacionamento bebendo e conversando com alguém, no instante seguinte eu estava dançando e me roçando em uma garota ou outra, ou então no alto do outeiro onde tentei começar uma briga com Hugo, já estava na hora de mostrar que ao contrário do que todo mundo imaginava eu não era um covarde. Ele riu e me derrubou no chão, me levantei com um salto, ele me derrubou outra vez. Hugo era bem menor do que eu, então foi humilhante, eu corri atrás dele e disse que ele não conseguiria me derrubar uma terceira vez, mas ele já estava de saco cheio e veio na minha direção, pôs os braços ao redor do meu corpo e me jogou com tanta força no chão que cheguei a ficar sem ar. E assim, enquanto eu arfava como um peixe fora d'água, os outros me abandonaram. Peguei minha garrafa de vodca quase vazia e me sentei ao lado do estacionamento. A luz pairava acima daquele cenário. Tive a impressão de que havia um elemento doentio, e não me lembro de mais nada antes do momento em que eu tentava forçar a fechadura de uma porta num lugar qualquer, rodeado pelos jovens pescadores, sem dúvida eu devia ter dito que tinha certa experiência com aquele tipo de coisa, devia ter dado a entender que uma porta trancada não seria problema nenhum para mim, que eu sabia um pouco de tudo, já tinha feito um pouco de tudo, mas naquele instante, quando eu primeiro experimentei todas as chaves que tinha encontrado na gaveta do andar de baixo e depois experimentei a chave de fenda e várias outras ferramentas, eles começaram a entender que não entraríamos no estúdio que permanecia fechado na casa que eu e Nils Erik alugávamos, e um a um todos voltaram à sala, que já estava banhada de sol.

Logo que acordei eu não me lembrava de nada. Não sabia quem eu era nem onde estava. O pavor tomou conta de mim.
A luz do lado de fora não me dizia nada, tanto podia ser dia como noite.
Mas não devia ter acontecido nada?
Ah, claro. Eu tinha corrido atrás de Hugo e sido derrubado umas quantas vezes em sequência.
Eu havia tentado dar um beijo em Vibeke enquanto dançávamos, mas ela tinha virado a cara.
Mas na menina que estava do lado de fora, com quem eu havia conversado um pouco, naquela menina de jeito atrevido eu tinha dado um beijo.
Que idade ela devia ter?
Ela não tinha dito. Mas era aluna da sétima série.
Meu Deus, seria possível?
Por favor.
Essa não.
Eu era professor! E se as pessoas ficassem sabendo? Que o professor tinha beijado uma menina de treze anos numa festa?
Meu Deus do céu.

Escondi o rosto com as mãos. Havia música no andar de baixo, eu me levantei, não aguentava mais ficar deitado com a agonia que o horror dos meus atos instilava em mim. Não, eu precisava movimentar o corpo, seguir adiante, falar com alguém para ouvir que aquilo não era tão grave. Que aquele tipo de coisa acontecia.

Mas não era verdade.

Aquele tipo de coisa só acontecia comigo.

Por que eu beijaria aquela menina? Porra, tinha sido um impulso, um negócio feito sem pensar, que não tinha nenhum significado.

Quem acreditaria numa história daquelas?

Ao sair do quarto precisei me apoiar nas paredes, porque eu ainda estava meio bêbado. No andar de baixo, Nils Erik fritava línguas de peixe no fogão. Ele se virou quando entrei. Estava usando uma camisa xadrez e uma daquelas calças esportivas cheias de bolsos.

— Resolveu me honrar com a sua companhia? — ele perguntou com um sorriso.

— Ainda estou bêbado — eu disse.

— Acredito — ele respondeu.

Me sentei junto à mesa e apoiei a cabeça na mão.

— O Richard não parecia muito feliz hoje — disse Nils Erik. Ele enfiou a espátula por baixo das línguas já prontas, colocou-as em um prato e tornou a encher a frigideira com mais línguas brancas de farinha. A frigideira chiou.

— O que você disse para ele?

— Eu disse que você tinha passado mal.

— Bem, é verdade.

— Eu sei. Mas ele ficou injuriado.

— Estou cagando para o Richard — eu disse. — Agora só falta mais um mês. O que ele vai fazer, me demitir? Além do mais, não fiquei doente nenhuma vez em toda essa merda de ano. Então não pode ser tão desastroso assim.

— Você quer umas línguas de peixe?

Balancei a cabeça, me levantei.

— Acho que vou tomar um banho.

Mas foi insuportável ficar deitado na água quente olhando para o teto, porque aquilo não me trouxe paz nenhuma, pelo contrário, deu amplo espaço para vários pensamentos dolorosos, e assim me levantei mais uma vez depois de uns poucos minutos, me sequei, vesti minhas roupas de treino, que eram as únicas roupas limpas que eu tinha lá dentro, e me deitei no sofá com *Felix Krull*.

Eu conseguia desaparecer completamente no romance durante alguns minutos. Mas em seguida vinha a aguilhoada daqueles pensamentos terríveis e tudo se distorcia. Então era preciso desaparecer mais uma vez no mundo daquele trapaceiro e passar lá mais uns minutos até que uma nova aguilhoada rasgasse tudo outra vez.

Nils Erik entrou e pôs um disco para tocar. Eram cinco e meia. Ele ficou parado por um instante, olhando para o fiorde, e então se sentou com um jornal. A presença dele era uma ajuda, o que eu tinha feito parecia menos terrível quando eu estava na companhia de uma pessoa íntegra.

Li em voz alta uma passagem sobre a opinião de Felix Krull a respeito dos judeus.

— Ora, Thomas Mann, essa parte não foi muito boa — eu disse. — É antissemitismo puro!

Nils Erik olhou para mim.

— Você não acha que essa passagem é irônica?

— Irônica? Não, você acha que é?

— O Thomas Mann é conhecido por ser um grande escritor irônico.

— Então ele não pensa o que está escrito, é isso que você está querendo me dizer?

— É.

— Acho que não — respondi, porque eu odiava quando Nils Erik tentava me ensinar coisas. Ele fazia isso com bastante frequência.

A imagem da aluna da sétima série com cabelos rebeldes e jeito atrevido se apresentou mais uma vez de maneira clara para o meu olho interior. Meus lábios tocando os lábios dela.

Por que eu tinha feito aquilo? Por quê, por quê?!

— O que foi? — Nils Erik perguntou.

— O que foi o quê? — eu disse.

— Você fez assim — ele disse, erguendo a cabeça, cerrando os olhos e apertando os lábios.

— Nada de mais — eu disse. — Só estava pensando numa coisa.

* * *

Mas não foi nada. Fui à escola no dia seguinte, ninguém fez qualquer comentário a respeito do que tinha acontecido, todos se comportaram como de costume, inclusive os meus alunos, que adorariam saber daquela história, sem dúvida alguns deviam conhecer a garota.

Mas não.

Será que aquilo poderia simplesmente passar em branco?

O único lugar em que existia era dentro de mim. Se eu deixasse aquilo quieto, não haveria problema nenhum, assim o acontecido perderia força e passaria, como todas as outras coisas vergonhosas que eu tinha feito haviam passado mais cedo ou mais tarde.

Quase no fim de maio recebi uma carta da Skrivekunstakademiet na minha caixa postal, eu abri o envelope e a li ainda de pé na agência de correio. Eu tinha sido aprovado. Acendi um cigarro e comecei a voltar em direção à escola, eu queria ligar para a minha mãe e dar a notícia, ela ficaria alegre. E depois eu ligaria para Yngve, porque aquela notícia significava que eu me mudaria para Bergen no outono. De uma forma um tanto estranha eu estava contando com aquilo, pois mesmo sabendo que os meus escritos talvez não fossem tão bons, o que talvez levasse à minha recusa, por outro lado era eu quem escrevia aquelas coisas, e esse, eu sentia, era um detalhe que não passaria despercebido.

Maio ficou para trás, junho começou e foi como se tudo começasse a se dissolver na luz. O sol já não se punha, mas vagava pelo céu durante o dia e a noite, e a luz que projetava sobre aquela paisagem rústica não se parecia com nada que eu tivesse visto antes. Era uma luz avermelhada e gorda, que dava a impressão de pertencer aos morros e às montanhas, de que era deles que emanava, como que após uma catástrofe. Por duas vezes eu saí com Nils Erik para dar uma volta de carro à noite pelas estradas desertas ao longo da costa, e aquilo era como estar em outro planeta, tudo parecia muito estranho. Passamos por vilarejos adormecidos, por toda parte se notava a claridade avermelhada e as estranhas sombras. As pessoas também haviam se transformado, saíam à noite, casais faziam passeios, carros passavam, grupos inteiros de jovens remavam até as ilhas para fazer piqueniques.

Recebi mais uma carta de Ingvild. Ela dizia que tinha as calças arregaçadas até os joelhos e estava sentada com os pés apontados para o Sognefjorden enquanto escrevia. Eu adorava o Sognefjorden, a impressão de profundidade enorme que a superfície daquelas águas transmitia, a enorme sequência de montanhas com picos nevados que se erguia acima da paisagem. Tudo claro e tranquilo, verde e frio. Ela, que tinha andado por aquela paisagem e que me comovia de várias maneiras, escreveu um pouco mais a respeito de si nessa segunda carta. Mas não era muito. O tom era próximo da ironia; ela estava na defensiva. Mas contra o quê? Ingvild escreveu que tinha feito um intercâmbio de um ano nos Estados Unidos, e por esse motivo havia parado os estudos ao completar o terceiro ano do colegial. Então temos a mesma idade, pensei. No verão ela viajaria mais uma vez para lá, passaria as férias com a família americana, eles alugariam um motor home e fariam uma viagem através de todo o continente. Disse que me escreveria mais durante a viagem. No outono ela começaria a estudar em Bergen.

O último dia letivo chegou. Escrevi Boas férias! no quadro, distribuí os boletins dos meus alunos, desejei-lhes boa sorte na vida, comi bolo com os outros professores na sala dos professores, apertei a mão de todo mundo e agradeci por aquele ano. Quando desci a encosta a caminho de casa não estava nem feliz nem aliviado, como esperava, afinal eu tinha esperado por aquele dia durante mais de seis meses, mas apenas vazio.

À tarde Tor Einar apareceu. Trazia ovos de gaivota e uma caixa de cerveja Mack.

— É uma vergonha vocês não terem comido ovos de gaivota antes — ele disse. — Existem dois pratos que são a própria essência do norte. *Mølje* e ovos de gaivota. Vocês não podem ir embora daqui sem provar.

Nils Erik tinha febre e estava deitado no sofá, não queria nem ouvir falar em cerveja ou ovos de gaivota, então coube a mim e a Tor Einar dar uma animada naquele ambiente.

— Você não quer dar um passeio até a praia? — perguntou Tor Einar, me encarando com um sorriso astuto. — Hoje o dia está incrível!

— Pode ser — eu disse.

Eu nunca tinha encontrado o tom certo para falar com Tor Einar. Tínhamos a mesma idade e muita coisa em comum, muito mais coisa do que eu e Nils Erik, mas não adiantava, não era nada disso. Eu sempre me sentia pequeno ao lado de Tor Einar, o que não acontecia ao lado de Nils Erik, e eu não gostava de mim quando me imaginava daquele jeito, quando percebia uma distância entre a pessoa que eu era e as coisas que eu dizia, como um atraso que abria espaço aos cálculos necessários para decidir se eu diria o que ele gostaria de ouvir ou o que eu mesmo gostaria de dizer ou falar a respeito.

Por outro lado, eu tinha esse problema com praticamente todas as outras pessoas, até mesmo com Jan Vidar, meu amigo mais próximo naqueles últimos cinco anos, tinha sido daquela forma.

Não era nada muito importante, apenas um pequeno desconforto, e o único resultado era que eu acabava evitando ficar a sós com ele por um tempo mais longo.

Naquele momento não havia o que fazer. Mas por sorte tínhamos cerveja quando fomos nos arrastando até a praia, não era preciso mais do que duas cervejas para que todos os problemas desse tipo sumissem como linhas de giz sob uma esponja úmida.

Sob o céu azul-profundo, junto à água cintilante, nos sentamos cada um em uma pedra. Tor Einar abriu uma cerveja e a estendeu para mim, abriu uma para si, piscou o olho e fez um brinde.

— Agora estamos prontos! — ele disse. — O último dia letivo acabou, o sol está brilhando no céu e temos cerveja suficiente para uma longa tarde.

— É — eu disse.

Pequenos barcos de pesca se aproximaram com os motores roncando, balançando-se nas ondas no meio do fiorde, trazendo logo atrás uma revoada de gaivotas.

Que lugar!

— Vamos fazer um resumo, então? — disse Tor Einar.

— Do ano escolar? — eu perguntei enquanto pegava o pacote de tabaco.

— É — ele disse. — Correspondeu às expectativas que você tinha?

— Eu não tinha expectativa nenhuma, acho — eu disse. — Simplesmente vim para cá e torci para que tudo desse certo. E você? Está satisfeito com o ano?

Tor Einar hesitou.

— Todo ano sem namorada é um ano ruim — ele disse e olhou para longe com os olhos apertados para se proteger da luz do sol. E então me encarou. — Mas você teve umas aventuras, não? Com a Ine e a Irene? E aquela professora substituta de Fugleøya, como era mesmo o nome dela? Anne?

— Isso — eu disse. — Mas não deu em nada. Não deu em nada, de verdade.

— Você não faturou?

— Não.

— Nenhuma?

— Não.

Ele me lançou um olhar incrédulo.

— Eu tinha certeza de que pelo menos um de nós tinha se dado bem este ano. E agora você me diz que também não conseguiu nada?

Olhei para ele e sorri, bati minha garrafa contra a dele, bebi o último gole e abri mais uma cerveja.

— Você estava de olho em quem? — perguntei.

— Na Tone — ele disse.

Essa era a garota que tinha me mandado embora do banheiro enquanto escovava os dentes.

— É, a Tone é bonita — concordei. — Tentei minha sorte com ela também, mas ela não quis nem saber.

— Não é fácil — ele disse. — Mas pelo menos tenho um plano. Vamos fazer juntos uma viagem de InterRail. Não a dois, vamos ter mais quatro pessoas com a gente numa viagem de um mês pela Europa, mas acho que devo ter uma chance nesse tempo!

— Você vai fazer uma viagem de InterRail?

Tor Einar fez que sim.

— Eu também — respondi. — Ou melhor, não de InterRail. Mas vou fazer uma viagem de carona pela Europa com um amigo depois do festival de Roskilde.

— Então vou tomar cuidado para não topar com vocês — ele disse. — Não quero amaciá-la e deixá-la no ponto para depois você aparecer e assumir o comando.

— Você parece ter as minhas habilidades como sedutor em alta conta — eu disse. — Mas se existe uma coisa que não sei fazer é justamente essa.

— Minha estratégia é estar ao lado dela — disse Tor Einar. — É minha única chance. — Segui-la como um cachorrinho, sempre ao lado dela, e torcer para que mais cedo ou mais tarde ela queira me fazer uns afagos.

Senti um arrepio.

— Que imagem terrível — eu disse.

— Mas verdadeira — ele respondeu.

— É justamente por isso que parece terrível. Eu também tenho um pouco desse jeito de cachorro.

Tor Einar colocou a língua para fora e começou a resfolegar.

— De quem mais você correu atrás esse ano? — perguntei.

— Da Liv — ele disse, me olhando nos olhos.

— Da Liv? — eu repeti.

— É — ele disse. — Como você sabe, todas as garotas da nossa idade foram embora do vilarejo. Mas ela é incrivelmente bonita. Você não concorda?

— Concordo — eu disse. — Você já viu aquele corpo? Aquela bunda?

— Claro — ele disse. — Ela é demais. E a Camilla também não é de se jogar fora.

— Não mesmo — eu disse. — Mas pelo menos a Liv tem dezesseis anos. A Camilla só tem quinze.

— E quem se importa com essas coisas? — ele perguntou.

— Você tem razão — respondi.

Abrimos mais uma cerveja cada um. Tor Einar sorriu, ele tinha o rosto banhado de sol.

— Aqueles peitos... — ele disse. — Você já viu?

— Claro — eu disse. — Vi pouca coisa além deles quando eu dava aula para ela.

— Ela também é muito bonita. Mas não ganha da Liv.

— Não — concordei.

Me virei e olhei para cima. Um carro subia a encosta, vindo do mercado de peixes, e na estrada um pouco mais além um garoto caminhava batendo nas antenas de sinalização com um graveto. Na cumeeira da nossa casa uma gaivota olhava para longe.

— E tem também a Andrea — eu disse.

— É — ele disse.

— Ela também é incrivelmente bonita. Você já viu?

— Já.

— Pensei bastante a respeito dela, para falar a verdade — eu disse.

— Imagino — ele disse.

— O que mais a gente podia fazer? — eu perguntei. — Elas são as únicas por aqui!

Rimos e fizemos um brinde.

— Os olhos dela são inacreditáveis — eu disse. — E ela é muito longilínea.

— É. E a Vivian, então?

— Não é nada comparada à irmã.

— Não, é verdade. Mas ela tem um jeito bem dela. Um charme próprio.

— Tem sim.

— O que você acha que aconteceria se alguém estivesse ouvindo essa conversa? — eu perguntei.

Tor Einar deu de ombros.

— O certo é que dificilmente a gente ia conseguir nosso trabalho como professor de volta.

Ele riu e ergueu a garrafa na minha direção.

— Um brinde às garotas da escola! — ele disse.

— Saúde! — eu disse.

— E as mães, que tal? — ele perguntou.

— Nunca pensei a respeito.

— Não?

— Você pensou?

— Ah, você é louco.

— Acho até que eu estava meio apaixonado pela Andrea — eu disse.

— Eu tinha uma queda por ela também — disse Tor Einar. — Mas não estava apaixonado. Já a Liv... Ela realmente fazia os meus dias brilharem.

— É — eu disse. — Mas que bom que acabou.

— É — concordou Tor Einar.

No dia seguinte fiz as malas, fechei as caixas com fita adesiva e coloquei tudo no carro de Nils Erik. Ele me levaria até o cais do *Hurtigruten* em Finnsnes, onde eu despacharia tudo para Bergen. A não ser pelo meu aparelho de som novo, uns poucos discos e uns tantos livros, a mudança era idêntica à que havia chegado a Håfjord um ano atrás.

Quando tudo estava pronto, fritei salsichas e batatas e comi junto com Nils Erik na cozinha. Foi minha última refeição no vilarejo. Nils Erik ainda passaria umas semanas por lá, ele tinha pensado em usar esse tempo para dar mais passeios, e a não ser pelo meu quarto, onde eu já tinha passado um esfregão, ele se encarregaria de limpar todo o restante.

— Vou ficar com o dinheiro dos vasilhames como pagamento — ele disse sorrindo. — Vai dar uma quantia razoável.

— Tudo bem — eu disse. — Vamos, então?

Ele acenou a cabeça e nos sentamos no carro. Fomos andando devagar, acenando para os dois lados, e a cada metro que deixávamos para trás um pedaço do vilarejo desaparecia para sempre da minha vida, eu não olhei para trás e jamais, em nenhuma hipótese, tornaria a pôr os pés naquele lugar.

A capela desapareceu, a agência de correio desapareceu, a casa de Andrea e Roald desapareceu, a casa de Hege e Vidar desapareceu, de repente a loja desapareceu, e também a minha velha casa e a casa de Sture. E de repente o centro comunitário e o campo de futebol desapareceram, a escola desapareceu...

Me reclinei no assento.

— Que bom que acabou — eu disse assim que a escuridão do túnel preencheu o carro. — Não quero nunca mais ter um emprego na vida, isso é certo.

— Então você é *mesmo* filho de armador de navio? — perguntou Nils Erik.

— Sou — eu disse.

— *Same shipping, new wrapping* — ele disse. — Você não quer pôr uma fita para tocar?

Depois de passar a noite em um hotel barato em Tromsø, peguei o avião para Bergen no dia seguinte, e às três da tarde cheguei com o ônibus do aeroporto a Bryggen e comecei a caminhar em direção ao Hotell Orion, onde Yngve trabalhava como recepcionista. Eu vestia uma calça preta de algodão, meio larga nas pernas, uma camisa branca, um paletó, sapatos pretos e um par de óculos Ray-Ban Wayfarer. Nas costas eu tinha o meu saco de marinheiro. O sol brilhava, as águas de Vågen reluziam e um vento suave soprava no fiorde. Me senti como uma espécie de habitante indígena que andava pela primeira vez numa cidade grande, porque eu me assustava toda vez que um carro aumentava o giro do motor ou um ônibus ou caminhão fazia barulho ao passar, e a visão de todos aqueles rostos se movimentando de um lado para o outro na calçada me deixou tenso. Então me lembrei da história que Yngve tinha contado a respeito de Pål, o amigo dele que uma vez trocou a palavra "indígena" por "indigente", e quando essa ideia surgiu se tornou impossível ver aquelas pessoas de outra maneira.

Sorri de felicidade e pendurei o saco de marinheiro no outro ombro. Quando cheguei Yngve estava na recepção, vestido com o uniforme do hotel, debruçado por cima de um pequeno mapa no balcão enquanto explicava uma coisa ou outra para um casal de idade que usava shorts, bonés e pochetes ao redor da cintura. Ele levantou o rosto e acenou com a cabeça em direção ao sofá, onde me sentei.

Assim que os americanos foram embora ele se aproximou.

— Meu turno acaba em dez minutos — ele disse. — Depois vou trocar de roupa e podemos ir. Tudo bem?

— Tudo bem — eu disse.

Yngve tinha arranjado um carro, um pequeno carro japonês vermelho, graças a um leasing do time de vôlei no qual jogava antes, e meia hora depois nos sentamos e fomos até o apartamento dele em Solheimsviken. O apartamento ficava numa encosta, próximo ao fim de uma longa casa geminada de alvenaria, originalmente feita para os trabalhadores do estaleiro.

Nos sentamos na escada, cada um com uma cerveja gelada. Da sala vinham os sons de "Teenage Kicks" do Undertones, provavelmente a banda favorita do verão.

— A sua viagem a Roskilde vai sair? — ele me perguntou.

Fiz um gesto afirmativo com a cabeça.

— Acho que vai.

— De repente eu também apareço por lá — ele disse. — O Arvid e o Erling vão, com várias outras pessoas, então se eu conseguir juntar dinheiro... como você deve saber, o The Church vai tocar no festival.

— É mesmo?

— Aham. Não quero desperdiçar uma chance dessas.

Havia filas de carros estacionados nos dois lados da rua. Volta e meia uma pessoa entrava ou saía de uma porta nas casas vizinhas. Ouvíamos o murmúrio da cidade mais abaixo, uma fileira interminável de carros que chegavam ou saíam da cidade. No céu, de vez em quando as luzes de um avião piscavam e longas faixas brancas de água condensada permaneciam flutuando por muito tempo depois que ele sumia de vista. O sol ardia no ocidente. Os telhados mais abaixo na encosta reluziam em tons de vermelho e laranja e no meio deles as árvores tremulavam com a brisa.

    Depois de um tempo entramos em casa, Yngve preparou espaguete à carbonara para o jantar e depois tomamos mais duas cervejas na escada. A conversa estava meio difícil, era como se uma distância houvesse surgido entre nós dois desde o nosso último encontro, mas não tinha muita importância, aquilo podia ser qualquer coisa.

    Numa das cartas que tinha me mandado, Yngve me lembrou de maneira discreta que eu devia sempre usar camisinha. Gostei de notar o cuidado que ele tinha comigo, mas assim mesmo sorri ao ler o conselho, pois era o tipo de coisa que ele jamais me diria pessoalmente. Aquilo só era possível em uma carta, e assim mesmo apenas em um comentário passageiro. Ou então quando a gente estava meio bêbado.

    — Você ainda está triste com o fim do namoro com a Kristin? — perguntei.

    — Estou triste com tudo — ele respondeu.

    — E vocês não têm como reatar? Não existe nenhuma esperança?

    — Você acha que eu estaria aqui sentado com você se existisse?

    — Talvez não — eu disse, sorrindo.

    — Foi tudo culpa minha. Eu comecei a achar que ela ficaria ao meu lado independente do que acontecesse. E de repente ela não quis mais saber de mim, e então já era tarde demais. Que merda... o pior é saber que eu *podia* ter evitado. Mas eu realmente achava que ela ficaria ao meu lado independente do que acontecesse. Não soube dar o devido valor ao que a gente tinha.

    — E agora você sabe?

    — Agora estou na posição bastante privilegiada de poder ver o que eu tinha, sim.

    O sol já não brilhava mais na escada, então tirei os meus óculos, fechei-os e guardei-os no bolso da minha camisa.

    — Você não devia guardar os óculos aí — disse Yngve. — Não me parece uma boa ideia.

— Você tem razão — eu disse, tirando-os mais uma vez do bolso.

— E já que estamos falando nisso: você não acha que já passou da hora de se desfazer desse cinto de rebites?

— Pode ser — eu disse. — Mas tenho que pensar melhor a respeito.

Fez-se um silêncio. Ficamos fumando, olhando para a rua já sem sol, mas ainda quente.

— Posso fazer uma pergunta a você? — eu disse depois de um tempo.

— Claro — Yngve respondeu.

— Quando foi que você... que você fez a sua estreia sexual?

Yngve me olhou depressa. Em seguida desviou o olhar.

— Quando eu tinha dezoito anos. Durante aquela viagem que eu e a Helge fizemos para a Grécia, lembra? Foi na praia de Antiparos, à noite. Sob a luz do luar.

— Você está falando sério?

— Estou. Foi meio tarde, mas bom. Ou melhor, pareceu melhor do que foi. Mas por que você está perguntando?

Dei de ombros.

— Você não está querendo dizer que ainda não foi para a cama com ninguém? Você não é virgem, certo?

— Não, não, claro que não — eu disse. — Você sabe que não.

Ficamos mais uma vez em silêncio. A atmosfera ao nosso redor estava repleta de sons. Todas as janelas abertas, todos os gritos que soavam, as bicicletas que passavam de vez em quando, os carros que desciam a encosta devagar, o barulho maravilhoso e compacto das portas batidas.

Não era mentira. Tecnicamente eu não era mais virgem, eu tinha penetrado aquela garota durante a festa de formatura, não muito, talvez um ou dois centímetros, mas puta que pariu, ao menos eu tinha feito um tipo de contato, eu tinha trepado! Não era mentira.

— Vou chamar um táxi — disse Yngve enquanto se levantava. — Primeiro vamos para a casa do Ola. Você precisa conhecê-lo.

Minha mudança chegou dias mais tarde, buscamos as caixas no cais do *Hurtigruten*, deixamos tudo no porão e depois fui a Kristiansand, onde passei a maior parte do tempo no estúdio de Lars. Depois de Roskilde, nosso plano era fazer uma viagem de carona pela Europa, planejamos o itinerário, primeiro desceríamos até Brindisi, no sudeste da Itália, e depois iríamos a Atenas, e de lá para as ilhas gregas. Sugeri Antiparos, Lars gostou da ideia. Também consegui fazer uma visita aos meus avós paternos e a Gunnar, que ao saber que eu estava na cidade me convidou para ir à casa dele na minha última noite. Eu tinha que encontrar os meus primos, como ele disse, éramos uma família pequena e era importante manter contato. Ele me buscou no Rundingen, Tove estava nos esperando com o jantar, passamos a noite conversando sentados, os dois filhos deles não saíam de cima de Gunnar, e aquilo, o fato de que não tinham medo do pai, mas pelo contrário demonstravam uma grande confiança, que sempre chamava a minha atenção quando eu estava na casa deles, me encheu de alegria. Ninguém falou sequer uma palavra a respeito do meu pai, e me ocorreu que não fazia muita diferença. Dormi na sala do porão, e pela manhã, depois de um café da manhã rápido, Gunnar me levou até o cais do ferry, onde Lars e a namorada já estavam à minha espera.

Durante a travessia passamos a maior parte do tempo no convés. O sol brilhava, o mar se estendia como uma enorme planície ao nosso redor, ficamos sentados nas cadeiras bebendo e fumando e de vez em quando nos levantávamos para dar uma volta, especialmente eu, que estava bastante irrequieto.

Quando chegamos de trem a Roskilde, entramos na fila do festival, ganhamos uma pulseira cada um e fomos direto para o camping. Eu usaria a barraquinha marrom para duas pessoas de Lars, ele ficaria com a namorada na barraca dela.

Quando terminamos de montar as barracas, me separei um pouco deles para encontrar Bassen. Tínhamos combinado que a cada hora cheia daríamos uma passada no ponto de encontro, e já na minha primeira vez ele estava lá.

— Muito bem — ele disse. — Vamos beber?

Bassen riu quando contei minhas histórias do norte. Em relação a Andrea não contei nada, eu jamais contaria, para ninguém, não havia motivo.

Demos uma volta, ainda não havia chegado muita gente, Bassen disse que estava com fome, eu também estava com fome, eu disse, e quando passamos em frente ao acampamento dos Hells Angels e vimos que estavam assando enormes pedaços de carne numa fogueira, Bassen gritou para eles.

— Ei! Vocês podem nos dar um pouco de comida? Estamos com fome! Um pedaço de carne para dois noruegueses!

Um deles se levantou e começou a vir em nossa direção.

— Ele vai nos deixar entrar — disse Bassen. — Esses caras são bem mais tranquilos do que os boatos levariam você a acreditar. Se você não for agressivo com eles, eles não são agressivos com você.

— Olá! — ele disse ao motoqueiro dos Hell Angels, que não apenas tinha cabelos compridos e um bigode enorme, calça e jaqueta de couro e uma bandana amarrada na cabeça, mas também óculos de sol escuros e impenetráveis, e estava a dois metros de nós.

Ele veio depressa, e não tinha um jeito lá muito amistoso. Mas sem dúvida era como Bassen tinha dito, eles simplesmente *pareciam* ameaçadores.

O homem parou, cuspiu em nós, deu meia-volta e foi embora.

O catarro acertou o peito de Bassen.

— Puta que pariu! — ele disse enquanto nos afastávamos, nervosos e assustados. — Aquele cara *cuspiu* na gente! Por que ele fez uma coisa dessas? A gente só queria um pouco de comida!

— Puta merda — eu disse. — Acho que ficou barato. Eu acredito que esses caras *são* perigosos.

Bassen riu.

— Estamos em um mundo perigoso, Karl! — ele disse.

Eu também ri. Saímos para beber mais e arranjar o que comer. Passada uma hora voltei para a tenda, eu também precisava ficar um pouco com Lars e os outros, afinal de contas era com eles que eu estava viajando. Eles estavam bebendo vinho junto com uma garota que eu nunca tinha visto.

— Essa é a nossa vizinha — disse Lars.

— Oi — ela disse. — Eu sou a Vilde.

Apertei a mão dela. Vilde era de Kongsvinger e tinha viajado sozinha para o festival. Contou que depois faria uma visita a uma amiga em Århus.

Ela tinha cabelos escuros, era meio gorducha e tinha um jeito atrevido, às vezes teimoso. Era dois anos mais velha do que eu, tinha olhos castanhos que nem sempre estavam abertos, mas de vez em quando ganhavam um toque súbito de ternura.

A garrafa de vinho passou de mão em mão e, quando acabou, Vilde pegou mais uma na barraca dela, se ajoelhou no chão e a abriu. A pressão fez com que as coxas dela ficassem grossas como tocos de árvore.

— Pronto — ela disse, passando a garrafa para mim. Ela tinha um sorriso no rosto.

Meia hora depois aquela garrafa também estava vazia.

Lars e a namorada mal se olhavam.

— Muito bem — disse Lars enquanto se levantava. — Acho que vamos dar uma volta e olhar o movimento.

Ele pegou a mão dela, e então os dois sumiram.

Eu tremia, era como se uma coisa terrível estivesse prestes a acontecer. Mas o quê?

Eu não sabia, mas achei que tinha sido um erro ir para aquele lugar, que para mim já tinha sido o bastante e que logo eu não aguentaria mais.

— Acabou o vinho — disse Vilde. — Você não quer ir comprar umas garrafas comigo?

— Pode ser — eu disse.

Ao longo do trajeto fiquei olhando para ver se eu não encontrava Yngve e os amigos dele, mas não adiantou nada, havia dezenas de milhares de pessoas naquele lugar.

— Alô! — disse Vilde. — Câmbio! Câmbio!

— Hm? — eu disse.

— Você está comigo! Tente ser um pouco mais sociável.

— Está bem — eu disse. Mas não me ocorreu nada para dizer.

— Você está procurando alguém? — ela perguntou.

— Acho que o meu irmão está aqui. Com os amigos dele.

— E o seu irmão é bonito como você?

Senti meu rosto quente e olhei para Vilde. Ela passou a mão de leve pelo meu ombro.

— Estou brincando — ela disse. — É divertido fazer você ficar vermelho.

— Eu não corei — respondi.

— Você não é tão durão quanto parece! — ela disse.

Paramos em frente a um dos estandes, ela comprou três garrafas de vinho e então voltamos.

Vilde perguntou:

— Você não quer ir para a minha barraca? É bem grande, podemos beber um pouco lá dentro.

— Quero — eu disse, e um abismo se abriu dentro de mim.

Entramos na barraca dela. Nos sentamos, ela abriu a garrafa. Olhamos um para o outro. Ela me agarrou, eu a agarrei, ela se deitou, eu tirei a camiseta dela e aqueles peitos enormes se revelaram. Desabotoei a calça dela e puxei-a para baixo. Ah, meu Deus, quanta carne! Me inclinei e beijei aquelas coxas brancas, enfiei o nariz na calcinha preta e ao mesmo tempo estendi as duas mãos para agarrar os peitos dela, e então ela disse vamos, tire essa roupa de uma vez, eu quero você agora, e com um movimento brusco eu tirei a camiseta e baixei a minha calça enquanto a via tirar a calcinha e ficar deitada com as pernas levemente erguidas ao mesmo tempo que as abria, eu quase não conseguia respirar, minha cueca estava parecendo uma barraca armada e eu a tirei e deixei meu corpo afundar na direção dela, ela pôs a mão atrás da minha cabeça e eu tentei penetrá-la, não acertei de primeira, essa não, não, Deus, faça com que não aconteça outra vez, espere um pouco, ela disse, eu ajudo você, assim, ah, assim, e de repente eu estava dentro dela e consegui dar duas estocadas antes que todo o meu corpo se contraísse e eu a abraçasse com força.

Ah, tinha sido rápido e constrangedor.

Ela passou a mão pelos meus cabelos.

Me deitei ao lado de Vilde.

Pelo menos eu tinha gozado dentro dela.

Aquela era a minha primeira vez.

Eu sorri.

— Você quer um pouco de vinho?

— Quero — ela disse.

Tomamos um gole cada um.

— Com quantas garotas você já transou? — ela me perguntou.

Senti meu rosto quente e tentei escondê-lo levando a garrafa de vinho mais uma vez à boca.

Fiz de conta que eu estava contando.

— Para falar a verdade, dez — eu disse.

— É bastante — ela disse.

— E você, já transou com quantos caras? — eu perguntei.

— Três.
— Três?
— É.
— Eu sou o terceiro ou o quarto?
— O terceiro. Mas você não quer ser o quarto também?
— Quero.

Essa segunda vez foi um pouco melhor, devem ter se passado uns vinte segundos antes que estivéssemos de novo deitados um ao lado do outro. Bebemos mais vinho, eu a enlacei com o braço, me aconcheguei naquele corpo volumoso e então dormimos. Quando acordamos já era noite. Fizemos mais uma vez, depois outra.

Rimos, conversamos e rimos, bebemos e eu pensei, será verdade, será mesmo verdade que estou ao lado de uma garota nua com quem posso fazer o que eu quiser?

Dormimos, ao acordar transamos mais uma vez e depois saímos para dar um passeio, assistimos a um show por dois minutos, dividimos uma garrafa de vinho e depois voltamos depressa para a barraca. Passamos o dia inteiro lá. Estávamos cada vez mais bêbados. Eu não me cansava nunca daquela bunda e daqueles peitos grandes e macios, não conseguia entender a felicidade que de repente havia se oferecido a mim. Enquanto transávamos mais uma vez, de repente ela virou a cabeça para o lado e colocou a mão na boca, entendi o que estava acontecendo e saí de dentro dela, Vilde se arrastou até a entrada da barraca, abriu o zíper e então, com as pernas para dentro e o peito para fora, vomitou. Depois gemeu e mais um espasmo atravessou o corpo dela, eu vi aquela bunda enorme na minha frente e não pude resistir, segurei aquelas coxas, meti pra dentro e continuei mandando ver.

ESTA OBRA FOI COMPOSTA POR ACOMTE EM ELECTRA E
IMPRESSA PELA RR DONNELLEY EM OFSETE SOBRE PAPEL PÓLEN
SOFT DA SUZANO PAPEL E CELULOSE PARA A
EDITORA SCHWARCZ EM JUNHO DE 2016